مذكرات قارئ

محمد حامد الأحمري

دار الخلود
للصحافة والطباعة والنشر والتوزيع

حُقُوق الطبع محفوظة

الطبعة الأولى
٢٠١٤

ISBN: 978-9953-576-11-4

دار الخـــلــود
للصحافة والطباعة والنشر والتوزيع

قريطم ـ بيروت ـ تلفاكس: ٨٦٢٥٠٠ ١ ٩٦١+
E-mail: print@karaky.com

فهرس الفصول

حياة كل ما فيها جديد

بعد أن تجاوزتُ الأربعين، غلبني إحساس شديد بالحاجة إلى الكتابة عن الكتب، وكيف لا أكتب؟؛ وقد قضيتُ معظم ما مرَّ من سنوات وعيي قارئًا، فلأكتب عما أشغلني طوال هذه السنين، بدأتُ فوجدتُ النصوص التي أذكر مواقعها، والأفكار التي مررتُ بها، والنتائج التي توصلتُ لها ماثلة للعيان، تنادي كل منها من زاوية قريبة أو بعيدة، كلها تطلب الحضور إلى عالم الوجود، هاربة من عالم النسيان، تخيفها اللحظات القادمة، ويروعها أن تُهمل ذات يوم، ثم تذهب في ذرَّات الكون روحًا بعيدة عن جسد، في نعيم أو جحيم لا أدري! وقد أعذر الله إلى رجل بلّغه الأربعين، وهنا يحس بأن صحبة الجسد والروح، ومتعة العقل والفهم تحتاج إلى توازن ورعاية، وأن هذا الوجود ـ ناسًا وكونًا ـ يستحقُّ أن تتركَ لهم بعدك خيرًا هو خير ما عرفت، أو تترك لهم خبرًا عما كان منك، فتدعه هناك لهم، ثمرة تذاق على القرون ولا تني تُعطي جناها إن كان فيها ما يُجنى، وإن لم يكن فيها جني فسوف تذبل على الرفوف، وتموت بلا عزاء، ولست نادمًا عليها، فما نالت إلا حقها.

اقتربت من الذاكرة أتلمس فيها بقايا متعة الكتاب، الذي لم أكن أتوقع أنني أطارده آنذاك من باب المتعة أبدًا، بل كان إحساسًا بالواجب، وتدريبًا للمستقبل. وفجأة وجدت شيئًا جديدًا يحدث، إنه الإدمان، إدمان القراءة والكتاب؛ فقد أصبحت القراءة طبيعة وخلقًا ومزاجًا، وأصبح الكتاب رفيقًا لا غنى عنه، فأنساق وراء مكانه، وأحترم عشاقه، وأكبر صناعه، ووصل

الأمر أن أحس بأهمية الكتاب بطريق عجيبة، لا أكاد أميز ماهيتها، أنجذب للكتاب فأتبين فيما بعد أهميته، وأنصرف عنه فأجد فيما بعد أنه عند غيري على نفس القياس، وكلما ازددت شغفًا واطلاعًا، أصبحت الكتب أكثر عطاءً ووضوحًا.

ومع مرور الوقت شعرت أنني حين أقلب صفحة فإنها تذهب للأبد، فالذاكرة لم تعد بالقوة المتميزة التي عهدتها، وجملة الموضوع قد تغيب، بل اسم الكتاب، ومؤلفه نفسه سوف يغادرني عما قليل. كنت أُسلي نفسي بالقول إن هذه المعلومات غاضت وستفيض ذات يوم، ثم خشيتُ أنها قد لا تفيض أبدًا. فلأسجل بعض مشاهد رحلة الكتب الرائعة، فهي صور يجتمع شتاتها كما اجتمعت في الذهن، صورة منقطعة عن مكان أو حدث، ثم تربطها بأخرى فيأتيك بعض مما تريد، ويكتمل بعض البناء الذي غاب.

وقد جهدت أن يكون في هذا القول ما يُنير العقل ويشف بالروح، فما أثقلته بحجج، ولا وقفتُ مطيلاً القول في موضوع، ولا وعظتُ القارئ برأيي طوال السياق، فقد تركتُ العباقرة والكتاب والمفكرين والأدباء يقولون آراءهم في كل مكان من الكتاب. فخلال تجربتي في القراءة اقتنعت أنك إن استطعت أن تنطق الناس بما تحب قوله فافعل؛ لأن القارئ يقبل الكاتب الذي يستنطق غيره ولا يتحدث بنفسه، إلا ما يكون من ملح الكتابة الجميلة، والقراء يحبون الفكرة تساق خبرًا، ولا يحبون الخبر يساق فكرة. غير أني أمسكت زمام الحديث، وقد تعوَّدت في سابق عهدي أن أدير النقاش بين المتحدثين، فهذه جولة أخرى، بشكل جديد وأسلوب آخر، لا أنكر فيه على الماضين طرقهم، ولم أُقلد اللاحقين في قولهم.

وبما أن كتب المذكرات هي من أكذب مصادر التاريخ فليس هذا من نمط كتب المذكرات التي يمكن وصفها بذلك الوصف ـ وسأتحدث عن المذكرات

لاحقًا ـ وليس من تلك المذكرات التي تقول إن صاحبها صنع التاريخ، وحرك الزمان يوم وقف ببابه، ولا إن صاحب المذكرات أنقذ القراءة أو الكتاب، ولا إنه سيقول لك فلسفة للقراءة لم تقل من قبل. فالكتاب أقرب لأن يكون معاناة المثقفين مع الكتب ومع الأفكار، وشيء ما عن معاناتهم مع الكتابة. وأشفقت عليك، وعلى نفسي أن تغيب عن كتابي، فجاءت هذه الأنانية تندس بين جماهير الكتب والقراء، لم أحب أن أقمعها، ولا أن تغيب، وأنى لي أن أغيبها عن موضوع لُبُّه عن القراءة؛ شغف أفرغت فيه أعوامًا، وهمت به، وأنفقت أثمن ما ملكت في سبيله: الوقت والمال والعلاقات، ومرحًا كثيرًا، ومتعًا أخرى في سبيل هذا الكتاب.

ثم أرجو أن لا تتخيل أنني سوف أسلك بك طريقًا نكدًا من الجد الجاف، فما أردت ذلك. وحين تركب ربوة عالية من طريق رف، فلن تبطئ حتى تجد واحة تنسيك تعبك، وتأنس بخبر أو قصة جاءت ربما على غير قصد. فهذه المسيرة المتزمتة لا أريدها؛ لأني لا أريد لك همًّا مضافًا لما أنت فيه.

قُلْ لمن يحمِلُ همًّا   إنَّ هَمَّكَ لا يدومُ
مثلما تَفْنى السَّعادةُ   هكذا تفنى الهُمومُ

فلا أود أن أكتب لك كتابًا يبعث همًّا، أو يثير غمًّا، غير أن هناك غمًّا خفيًّا لن أستطيع أن أنقذك منه، وهو هَمُّ الهمَّة العالية. فقد ضمَّنتُ في الصفحات القادمة أخبارًا نحبها، وأخرى قد نكرهها، ولم أكتب لك هنا كتابًا فكريًّا ليُقال كتبه لكبار المثقفين ليفكروا فيه، ولا رواية نمقتها لتتجرع سُمّها أو رحيقها ولا جدها أو هزلها، ولكني هنا قصدتُ فائدة وذكرى لنفسي وللناس، يوم أن أنسى الكثير، أو قبل أن ينساني الناس، فيجدون كتبًا كان يقرؤها الأسلاف في زمن مر قبل هذا.

وفي الكتاب قطوف وملاحظات وآراء وتعقيبات صحبتها زمنًا واستمتعت بها، وقصدت صحبة هذه الخلاصة؛ لأتذكر بها تلك الرحلة الطويلة مع الكتب، فقد كانت تعجبني الكتب التي تثير التفكير وتعصف به، تهز العقل إلى أقصى ما يحتمله، وتلك الكتب التي تثير العاطفة وتستنزل الدموع، وتخرجك إلى صور وآفاق بعيدة. وأحب تلك الكتب التي تضحكك إلى أن تهزم وقارك، تلك هي الكتب، أما هذه الجموع الباردة من كتب لا تنتهي والتي تثبت أننا عقلاء ومتزنون، ونكتبها كثيرًا فهي أثقال فقط، تتظاهر ولا تنجز، وقد تعبر ثم تُنسى، فلا شيء يبقى في الذاكرة إن لم يؤسس مكانًا في العقل والوجدان.

ولقد تأخر هذا الكتاب على يدي، ولم أستطع إخراجه بسرعة؛ لأني كلما نظرت فيه رأيت أن عيوبه لم تزل كبيرة، وأنه بحاجة للتحسين والتزيين، حتى خشيت عليه من كثرة التحسّن أن يموت، وكما يقول بورخيس: «لو لم نطبع كتبنا لبقينا نصححها إلى أن نموت». ولم يكن هدفي أن يستوعب كثيرًا مما أحببت أن يستوعبه؛ فقارئ شبه متفرغ للقراءة لمدة قاربت أربعة عقود، يعلم أنه لن يستطيع أن يضع إشارات لما قرأ في مئات قليلة من الصفحات، ولأنه كلما اقترب من الكتابة ومن الموضوع الذي أحبه انثالت عليه ذكريات يصعب تقييدها، ويصعب ترتيبها، فالكتابة حياة للذاكرة، وفوق ذلك فالكتابة توقد التفكير. فكنت كلما بدأت الكتابة تناديني جموع كتب مرّت بي لا أراها، وجموع تنتظر على الرفوف قائلة: أين نحن يا رجل فيما أنت بصدده؟ فأدفعها قدر الطاقة، وربما زاد هجومها فهربت من عالمها. وكلما قرأت لقارئ حصيف أو لكاتب عملي جاد، قلت: هوّن عليك وأخّر نشر ما تحب من الكتب، فتأخيره خير لك، وكل بقاء له باليد يصقله، ويزيده ولا ينقصه، وتميت فكرة ضعيفة وتبعث أقوى.

وكنت قد قرأت في الكتب السريعة والتجارية أن السرعة هي كل شيء أو أكثر شيء جدوى، ولكن يخطئ من يصدق كل رأي ويؤيد كل حكمة، فلكل

حكمة مكانها، ولذا تجد الحكم تضرب بعضها بعضًا ولا تنكسر؛ لأن كل حكمة لموقف ومكان. ولعلك تجد في هذه الصفحات التاليات مؤيدًا أو نقيضًا، أما نحن ضحايا الكتب فنستسلم كثيرًا لآرائها ولآراء رجالها.

وسرني مرة وسلاني في التأخير أن وجدت كلامًا للروائي الشهير ماركيز في مقالة له بعنوان: «**كيف تكتب رواية؟**»، قال: «جاء إلى بيتي في مدينة مكسيكو شاب في الثالثة والعشرين من العمر، كان قد نشر روايته الأولى قبل ستة شهور، وكان يشعر بالنصر في تلك الليلة؛ لأنه سلّم لتوّه مخطوط روايته الثانية إلى ناشر. أبديت له حيرتي لتسرعه وهو لا يزال في بداية الطريق، فرد عليّ باستهتار ما زلت أرغب في تذكره على أنه استهتار لا إرادي: «أنت عليك أن تفكر كثيرًا قبل أن تكتب؛ لأن العالم بأسره ينتظر ما ستكتبه، أما أنا فأستطيع أن أكتب بسرعة؛ لأن قلة من الناس يقرءونني». عندئذ فهمت.. فذلك الشاب قرّر سلفًا أن يكون كاتبًا رديئًا، كما كان في الواقع، إلى أن حصل على وظيفة جيدة في مؤسسة لبيع السيارات المستعملة، ولم يعد بعدها إلى إضاعة وقته في الكتابة».

وقريبًا مما حدث لماركيز واجهته كثيرًا مع موهوبين مستعجلين، لا يصبرون على نصوصهم، ويملون منها فتتردى. والكتاب الجيد يحتاج إلى مراجعة وأناة وزمان؛ لأنه يبحث عن قارئ يقول عند الصفحة الأخيرة: رائع، قد آن لي أن أعيده، فلم يكن ممتعًا فقط، بل مفيدًا، وإن لم يقل هذا وعد نفسه أن يعيده. وقلة من الكتب وجدتها كذلك، وندرة أعدتها مرات، ولا أندم، فالكاتب الجيد يصنع لك رفيقًا ناصحًا وصديقًا أمينًا، يريد من فنه أن يكون مستحوذًا، ومن فكره أن يكون واضحًا، ولا يريد أن ينبهك غلافه لتراه أو تشتريه، كما تتنبه لصوت فتصغي له قليلاً ثم يذهب في الزحام. إن النص الجيد يبحث عن مكان في العين والقلب والذاكرة، وكما ترى هنا فلم تكن الأناة قاتلة، كما

يحدث كثيرًا، فكتابي ولدت فكرته في عنفوان الشباب، ونشرت منه وأشرت إليه، وعساه الآن ألا يفقد حكمة الشيوخ.

والكاتب المتقن المجود لما يقول يعرف مصير ما يكتب. قال شكسبير عن عمله: «طالما كان الرجال يستطيعون التنفس والعيون بمقدورها الرؤية، فسيظل هذا حيًّا». [برتراند رسل، **انتصار السعادة**، ص٢٣٤].

وهذا القول التالي من هذا الكتاب يسير على نمط قول الشاعر الطريف ابن عفيشة: «ذَرْب الكلام أسجّله وأهذي به». فقد أعاق هذا النص عن الوصول مبكرًا أن روائع القول لا تنتهي، وما الكتب الرائعة إلا تسجيل لذرب القول، وعميق الفكر، وشوارد الوجدان.

ثم إنك قد تجوّد كتابك، وتراجعه حتى تمل، وتعطيه أصحابك الثقاة، يروزونه ويصقلونه أو يعيبونه، ثم ترسله للناشر فلا يأبه، ولو كان له كنزًا ماليًّا، فأنى لجلّهم أن يعرف ما تحمل إليه؛ لأن كثيرًا من الناشرين ـ فضلاً عن القراء ـ لا يدركون بعض الكنوز المالية والعلمية التي تُعرض عليهم. فعندما أرسل داروين كتابه الشهير «**أصل الأنواع**» للناشر لم ير في الكتاب فائدة، ونصحه بأن يكتب بدلاً منه كتابًا عن الحمام (الطير)، ولكن داروين أصر على نشر كتابه، فطبع منه الناشر على مضض ألفًا ومئتين وخمسين نسخة، وفي أول يوم خرج فيه بيعت جميع النسخ. ثم لم تتوقف طباعته منذ ذلك اليوم إلى يومنا، لا يغيب عن الرفوف، وسيثار الخلاف حوله إلى قرون بعيدة يصعب التنبؤ بها! وليس سر شهرة الكتاب الجهد والفكرة التي تحمله وتنشره، بل الدعاية والحظ أيضًا. فكن يا كتابي محظوظًا إن لم تكن مقنعًا!

ثم إذا وقفتَ على كتاب قيّم فاعلم أنك قد لا تحوز على كل ما فيه من أول قراءة، وتواضع إن لم تفهمه تمامًا، وافرح بما حصّلت منه، وحاول العودة إليه مرات أخر؛ ففي أحد الأيام ناول يوربيدس كتابًا إلى سقراط من تأليف

هرقليطس، ثم سأله فيما بعد عن رأيه في الكتاب، فأخبره: «ما فهمته من الكتاب عظيم ونبيل، وأظن أن هذا يصدق على ما لم أفهمه، فالحقيقة إن هذا النمط من الكتابة يحتاج إلى غوّاص من نمط خاص». [مقدمة في الفلسفة السياسية، مقالة: ما هو التعليم الليبرالي؟ شتراوس، ص٣١٦].

وما تراه هنا فإنما هو من قبيل المعرفة ومتعتها، وسبيل تحقيقها بروح متطلعة واتساع في التجربة، وتنويع في المطالب، وقصص لمن ارتاد دروب المعرفة والحصافة وأخبار سلاكها، وهو يحقق لك فكرة فيما تقرأ، وسيرة لمن فكر فيما رأى، وحسنات ذاقوها، ومرارات مرّوا بها، ومعينات أعانتهم على البقاء عليها والصبر والإنتاج. وقد طرقت هنا أبواب مواهب عديدة، لعلك من أهل شيء منها أو تجد نفسك في إحدى زواياها، أو يعينك إن كنت على جادّتها.

ولأن القراءة والكتابة توأمان، فقد تعرضت لقضايا في الكتابة في هذا السياق، والكتابة بعد المعرفة صيد للفكرة، وصيد للوجدان. وقد يجملون الجانبين في المزاج، فالكتابة الجيدة لها شروط وجود عديدة، وهي كبقية الفنون يحاولها كثيرون ويجيدها الأقلون، وإن لم يكن صاحب الفكرة قادرًا على صيدها وتسجيلها ثم التفكير فيها وصياغتها ذهبت منه. وكذا الشاعر إن لم يحبس لحظة الوجدان ويسجلها، فلن يكون قادرًا على أن يكون شاعرًا.

صحبة الكتب متعة ورفقة وسلوة، خاصة عندما تقل وقدة العمل، ويأتي زمن التأمل والحكمة، يقول الرئيس جون آدمز لابنه جون كوينسي آدمز الذي أصبح رئيسًا في حياة والده: «الكتب متعة والدك الأخيرة». و«من كان في جيبه ديوان شعر لم يصبه الضجر». وعندما بلغه فوز ابنه بالرئاسة ـ التي حال جيفرسون بينه وبين الحصول على جولتها الثانية ـ صمت عن الكلام، وسالت الدموع على خديه، دموع فرح وانتصار، ودموع سعادة الأب بنجاح ابنه، ولا أنسى خبر دموع فرح الآباء بأبنائهم حين لا يكفي القول تعبيرًا عن الاعتزاز

والفوز. وقال الماوردي: «العلم عوض من كل لذة، ومغن عن كل شهوة، فمن تفرد بالعلم لم توحشـه خلوة، ومن تسـلى بالكتب لم تفته سلوة». [أدب الدنيا والدين، ص٩٢].

وقد تجد في الكتب التي تحدثت عنها ما تراه أقل أهمية من كتب رائدة في الموضوع، أو تجـد كتبًا ونصوصًا لعلك قد تراهـا أكبر من سـن قارئها الذي اطلـع عليها في فتـرة مبكرة مـن حياته، فاعلـم أن هـذه الكتـب والمعلومات والأقاصيص مررنا بها، وأثرت في جيلنا، قرأناها وكان لها دور مهم في تشكيل اهتماماتنا وتوجهاتنا، فلا تفهم مني تزكية لكل ما ذكرته، ولا لومًا له، ففي هذا السـياق هـذه قطعـة من تاريخنـا الثقافي فحسـب، لا تحملها فـوق قدرها، ولا تهضمها حقها. وقد تأتي أجيال لا تعرف نقاشاتنا وعصرنا، فهذه الأوراق تؤرخ ثقافة حقبة في جهد شخص، وحين تبحر في هذا الكتاب لا تستعجل الوصول إلى ميناء حددتَ أنت وجهته سـلفًا، فما قصد هذا الكتاب إلا المتعة والفائدة، وإن بنيتَ حواجـز النقد قبل ذلك، ثم بقيتَ في بقية الرحلة تهدم حاجزًا وتبني آخر، فقد قضيت على متعتك بنفسك. وأنا هنا لا أريد قراءتك السلبية المستقبلة فقط دون مشاركة، ولكني أعلم أيضًا أن قراءة الشـغب، ومزاج الرد والخصام على الكاتب مفسدة للقراءة، قاتلة للفكرة، مشوهة للكاتب والقارئ. فلاتشغب على نفسك، فما يريد هذا الكتاب أن يطاول عالمًا، ولا أن يرد على مفكر، وإن فعـل دون علمـي فـلا غرابة، فهذا شـأن الكتـب ـ من قديم ـ تتمـرد حتى على كتابها، وتتسرب لها أفكاره التي لم يرد أن يقولها أحيانًا.

هنا ضرب من القول نبدأه على غير طريقة معهودة، نقول فيها ما يصلح أن يكون مذكرات، وما يصلح أن يكون مراجعات أو مقالات تساق لعشاق الكتب والـكلام المرسـل. منهـا ذكرى لـي أحببـت إبقاءها وقد شـاهدت العناويـن تبهت، والأسـماء تذهب في تلافيف ذاكرة جَحُود، أطلب الكتاب

فتضن علي وقت الحاجة، ثم أتركه فترفع رايته في عيني ساخرة بما كان وما نسيت. فلأغالب هذه الذاكرة، أو لأحاول غلابها، فما عرفت عليها في التاريخ منتصرين إلا قلة، ولست منهم فيما أتيقن. غير أني رأيت كبار العقول في التاريخ يسوقون شكاواهم المرة بلا نهاية، ويتوسلون بالغالي والرخيص، ويبذلون كل مال وحيلة ليمسكوا بهذه المتمردة «الذاكرة» فلا تستجيب لهم هذه المتمنّعة، ولا يستطيعون عليها هيمنة. تتمنّع على الفهم كما تمنّعت أختها الأخرى «النفس» على ابن سينا، وقد هبطت عليه «مِنَ المَحَلِّ الأرفعِ، وَرْقاءَ ذاتَ تَعَزُّزٍ وتَمَنُّعِ»، أو هكذا بدأ قصيدته الفلسفية النابغة بنبوغ المطلع.

فها هم يدعون الله أن يجعل ماء زمزم لقوة الحفظ، وها هم يقلبون وجوههم في كل موطن مبارك أو مسجد قديم، كرّم ثراه الركع السجود منذ قرون (كما كان يفعل ابن تيمية)، وأملوا في كل ساعة تحرّوها وقتًا لإجابة دعوة خالصة. وكانوا يَصِفون الزبيب وغيره لقوة الحفظ (ثبت ـ حديثًا ـ أن العنب الأحمر يساعد على قوة الذاكرة)، ويوهنون قواهم الجسمية لتقوى الذاكرة، أو تشف الروح (وقد ثبت أنَّ شيئًا من الجوع يقوي الذاكرة). وبعد أن تقرأ وترى سير وجهد الجاهدين من هؤلاء اللاهثين وراء جودة الحفظ؛ يأتي موهوب وهبه الله ذاكرة قوية، فيعبث بها وينفقها في حفظ لوحات السيارات! وكم يسعى مثقفون ومتعلمون جادون في تعلم اللغات، فيتعلمون القليل منها بعد جهد جهيد، ثم يبزهم عامل بسيط يعمل عامل استقبال في فندق يلهج فتجده يلهج بدزينة من اللغات، تعلمها وهو يلهو في عمله مع ضيوفه!

فهذه الصفحات إن لم تكن علمية الهدف، ولا خالصة الصناعة في فن معروف ولا درب مسلوك من قبل، فذلك أحرى بها وأقرب لهدفها، فإني

ما تعمدت نسجها على مثال، ولا أن تكون شبيهة بغيرها. ولست أستبعد أنني في قراءتي لعرب أو غيرهم، قد تأثرت بطريقة بعضهم. ومما أمتعني فتأثرت بـه ـ وقد حدا بي لكتابة هذا ـ أنني كنت أرجو أن أقرأ مثل هذا القـول منـذ زمن، وكلمـا قابلت في كتاب صفحات شبيهة بـه، فرحت بها وأنست واستمتعت، ولكن هـذه النمـاذج لا تجدهـا إلا قليلـة مقطعة في الكتب، ثم ينصرف كاتب الكتاب لما يراه أهم منها. هذا عن طريقة الكتابة، أما المحتوى والأسلوب فلن تشابه غيري إلا أن يحيا حياتي ويقرأ قراءتي، ومهما تشابهت الكتب والمذكرات إلا أن في كل واحدة منها لمسة شخصية فريدة، وخصوصية مفيدة لا تجد لها شبيهًا من قبل ولا من بعد. وهذا من آيات الله في اختلاف الناس والأيام والأشباه والظروف والنفوس، فما أجمل حياة كل ما فيها جديد!

تحذير من هذا الكتاب

عندما كنت أتصفح كتابًا قديمًا قرأته، وجدت أنني أشّرت بخطوط تميز المقطع التالي عن غيره: «ليس في المؤلفين قط أولى بازدرائي من الجمّاعين، الذين يأخذون من هنا وهناك أجزاء من كتب غيرهم، ويُضَمّنونها كتبهم كقطع من العشب في روضة، وليسوا في عملهم هذا أفضل من عمال المطبعة يرتبون الحروف ويصفّونها، ثم يطبعون كتابًا لم يبذلوا فيه إلا عملاً يدويًا، ولهذا أريد ألا يحترم الناس إلا الكتب الأصيلة المبتكرة». [مونتسكيو، **الرسائل الفارسية**، ص١٤٣ - ١٤٤].

وماذا سأقدم لك في كتابي هذا إلا جمعًا من القول قاله غيري؟! فقليلاً ما تدخلتُ في هذه النصوص، وسبب هذا أنني أسوق أخبار الكتب والكتّاب الذين صحبتهم، وأعلق مرة هنا وأخرى هناك؛ لأنني أريد من الكتاب أن يحقق متعة القراءة، ويكون هاديًا في عالم الكتب، ويكشف معاناة القراءة والكتابة. ولا يليق بي ولا بغيري أن نخوض هذا البحر، ثم نحدثك فقط عن أخبارنا في موضوع مبناه كلام الآخرين، وغايته معرفة وتسلية وفكرة عما تحب أن تجده عند جمع من النابهين الذين سبقوك في بحر المعرفة.

الفصل الأول
متعة القراءة

كلما انتهى الكاتب من نص قال مقربوه: لمن كتبتَ هذا النص؟ وقال ناقدوه: إنه لم يحدد مخاطبيه. ثم تأملتُ قولهم فعلمتُ أن الكتاب المتميز هو الذي يكتبه الكاتب لنفسه، قليل الحِمْل من مجاملة القراء، خفيف العِبْءِ من استعراض أهواء الجميع، وملاطفة المختلفين الذين إن سرتَ وراءهم قالوا: قدمتَ الفكرة على الأسلوب، أو إنك تهاونتَ بالأسلوب مراعاة للفكرة، أو تساهلتَ ولم تتكلف ولم تفخّم العبارة ولم تصنع الأسلوب؛ سعيًا وراء الفكرة المشاكسة.

إن الكتب الجيدة هي التي كتبها مؤلفوها لأنفسهم أولاً، يخاطبون فيها مراقي الخير في أنفسهم، ويتحررون بها من كبت أفكارهم. «فما فائدة الكتابة إذا لم تعط للكاتب حرية أكبر من التي يعرفها في حياته العادية؟!» [**أوراق**، عبدالله العروي، ص٢٣٦]. ولكن هل يتحرر ويكتب اسمه فوق أو تحت كتاب للحرية؟ إنه قليل أو نادر الحدوث يا عروي، وقد رفض الروائي الفرنسي الشهير برنار كلافيل وسام «فارس» الذي تقدمه الحكومة الفرنسية، ورفض من قبل وسامًا قُدّم له في السبعينات، وعندما رجاه زملاؤه في «أكاديمية غونكور»، وكانوا قد حصلوا على أوسمة مشابهة، رفض، وأدى به هذا إلى الاستقالة؛ لأنه يرى الكتابة أسمى من ذلك كله، ويرى أن الحرية وسمو الكتابة قضيتان يجب أن تشغلا الكاتب. وقال: أريد أن أبقى بعيدًا عن الدروب المعبّدة المرسومة سلفًا، أريد أن أبقى حرًّا؛ لأقول ما أريد. وعقَّب كاتب الخبر في «جريدة السفير اللبنانية» (١٩٩٨/٨/١م) مؤكدًا: «فالثقافة والسلطة السياسية خطّان لا يلتقيان». قلت: هذه قطعية صعبة القبول، فماذا تقول عن لينين

وتشرشل؟ بل ميتران وهو قريب العهد من الحادثة والبلد، فقد ظهر في العالم الغربي في القرون الأخيرة حكام في قمة الثقافة والمعرفة، كما حدث في عصور الإسلام الأولى، حين كانت السيادة والقوة والمعرفة شقائق. ولو تحدث المعلق عن أنواع من السلطة، أو من الثقافة لكان أخفَّ وطئًا.

الكتب موائد للعقل والروح متنوعة فهناك «النص الطريف» السريع الذي يصعب على القارئ أن يجمع معه سواه، وهناك «النص الدسم» والممتع جدًّا وهو الذي يتذوقه كل يوم، تجد غنى ومتعة وعلمًا وجمالاً، وتشفق عندما تنتهي منه فتبدأه مرة أخرى، ذلك شيء رائع أن توده وتتعامل معه، وقد قال لي قارئ أمريكي مسلم مرة إن عنده كتابًا يقرأه قطعة قطعة، يخاف أن ينتهي الكتاب، فيتذوق منه أو كما نقول: «يتبقّص» في كل يوم مقطعًا!! وقال إنه يحقق متعة قراءته مترسلاً متأنيًا مشفقًا أن ينتهي من الكتاب.

فبعض الكتب كشربة على ظمأة، تبقى ذكرى ريها ونعيمه أجمل من جلوس على شاطئ نهر. لا بل لم أجد على قلة اطلاعي أجمل من قول الشاعر الذي يصف فيه مسافرًا انقطع به الطريق عن الماء، بعد لأي وسفر وظمأ شديد، ولا يجد في قربته الصغيرة «صميل» قطرة ماء، وفجأة يجد صخرًا يظلل صخرة أخرى، وفي السفلى وقر به ماء بارد، من القطر قريب العهد بالسماء، قال:

«وألذ من قطر بوقرٍ تحت غار   يلقاه من لا في صميله قطاره»

وكلمة وقر كلمة خالدة ولطيفة عند سكان الجبال بمائها الصافي البارد، تلذ للرعاة، وهم يعرفون «الوقران» ومواقعها. وقد وجدت بعض محققي كتب السلف الكبار يمرون بالكلمات الغريبة عنهم فينكرون عروبتها وهم أولى بالنكران، ومثله محقق «**ديوان البرعي**»، فقد جاء بالمضحكات، وكنت لا أعرف أأضحك من بلادة المحقق، أم أعجب من شاعرية ومواعظ ومدائح البرعي؟!

إن من أجمل ما تقرأ ذلك الكتاب الذي يثير متع العقل، ويولد فكرة وراء فكرة، وله من نجائب الأفكار أسلوب جميل، ولكن أنى لك أن تجد من يجمع، فما أندر ذلك! وقد أقبل في كتب التفلسف الفكرة المتوالدة، فهناك نذهب للفكرة، وفي الأدب نرحل للأسلوب والصورة والجمال. ويسعد الكاتب إن حصل القارئ لكتابه على أي منهما. وقد فرح كارل بوبر فرحًا لا ينساه عندما استقبله مجتمع الفلسفة في بريطانيا خير استقبال بأن مدحوا كتابته بـ«خصبة الأفكار» و«تكاد كل جملة أن تعطينا شيئًا لنفكر فيه». [**بحث بلا نهاية، ص١٤٠**].

واعلم أن النص الذي تقرؤه لا ينفك يعيش مع مشاعر حياتك الأخرى ولحظة معاناتك، ويلقي على نص قديم مشكلة اللحظة ومشاعرها، فرسالة تقرؤها تبكيك اليوم، ولكنها لا تثير فيك نفس المشاعر غدًا، وبيت شعر يكبر عندك الآن، ولكنك قد تراه باردًا بعد وقت! فاستمتع بلحظة إقبال نفسك على شيء ما، ولا تكرهها عندما تدبر.

وتجارب الكتابة مختلفة ومتعددة، ومعاييرها وغاياتها ليست واضحة؛ لأن لحظة الكتابة فيها شيء من السحر والغموض غير المفسر. فمن الكتب التي كانت شهرتها أكبر منها رواية فولتير «**كانديد**» التي كتبها في ثلاثة أيام، وقد عدَّها قوم كثيرون من الروائع، وهي عمل بسيط، ولكن ربما كانت لغتها الفرنسية في زمانها طريفة، ولكن ليس في غير لغتها، كما أن أفكارها قليلة، ومن جيد ما وجدت فيها مما يتعلق بالكتابة قوله في هذا النص: «يجب على المؤلف أن يكون مجددًا في غير شذوذ، وأن يكون في معظم الأحيان سامي النزعة، وفي كل حين طبيعيًّا غير متكلف، وأن يكتنَّه القلب البشري ويتعرف على سرائره، ويجعله هو الذي ينطق بالكلام مفصحًا عما يختلج فيه، وأن يكون المؤلف شاعرًا فذًّا عظيم الشاعرية، دون أن يسبغ شاعريته تلك على

إحدى شخصيات روايته، وأن يكون مجيدًا لغته أتم إجادة، وأن يستخدمها خالصة من كل عجمة، في انسجام موصول دون أن تخل القافية بالمعنى». ثم وضح أن من خالف هذا القول فقد يؤلف عملاً أو عملين يحوزان بعض الإعجاب، «ولكن هيهات له أن يسمو إلى مرتبة الكتاب البارعين». [كانديد، فولتير، ص ١٢٩ - ١٣٠].

لماذا نقرأ؟

«يعتقد كل ولوع بالكتب أن الكتب تفسر الحياة». [تاريخ القراءة، ألبرتو مانغويل، ص١٢٤]. هكذا يخبرنا ألبرتو مانغويل، وقد أعجبني هذا القول، فقد كنت أقرأ كتاب «الصيف الطويل»، والحق أن بداياته الطويلة حملت ذهني بعيدًا، ليس لتفسير الحياة، ولكن لقدرة الكتب أن توهمك بما لا يُعقل، وخاصة أن المؤلف تحدث عن حياة الناس وطعامهم ولباسهم وعلاقاتهم قبل عشرين ألف عام، وليس بيده من معلومة إلا الخيال، وشيء قليل من الأحافير يستحي العاقل من الاستدلال بها. وماذا عن المؤلف؟ إنه رئيس تحرير مجلة «أمريكا العلمية ـ Scientific American»، وله جوائز ومناصب وشأن كبير. ولم يزل الناس عبر القرون يحبون من يستطيع أن يخرجهم من الحقيقة للخيال، ويغامر بهم ويوهمهم أنه يملك سر الأسرار. ونحن نسعد بهذه الأخبار؛ فحيث لا معلومات ولا أخبار ينقذ الخيال أحيانًا الوالهين إلى المعرفة، وما أجملها، حتى عندما تكون كذبة كبرى، فيكفي أنها في كتاب! إنها ذات الحرية التي يشعر بها الكاتب حين يكتب، والقارئ حين يقرأ، أو يعيد الكتابة بطريقته!

وربما هو الشعور بالراحة النفسية في أوقات الفراغ، حيث لا تجد حضنًا أفضل من كتاب تستظل به، وتأنس بصحبته. فقد كان نيتشه يرى الراحة أحيانًا

في الكتب، ويرى القراءة تخلصًا من الواجبات ومن العمل، ويحث الإنسان على اختيار راحته المناسبة فيقول: «ينبغي اختيار نوعية الاستراحة المناسبة لكل شخص، وبالنسبة لحالتي الشخصية فإن كل أنواع القراءة تعد استراحة، وهي من الأشياء التي تبعدني عن نفسي، وتمكنني من التفسح بين علوم وأنفس غريبة عني، أي فيما لم أعد آخذه بجدية. إن القراءة تريحني بالفعل من جديتي. في الأوقات التي أكون منشغلاً فيها انشغالاً عميقًا بالعمل لن يلاحظ المرء كتبًا لدي؛ إنني أحرص على ألا أدع أحدًا يتكلم أو حتى يفكر بجواري». [نيتشه، هذا هو الإنسان، ص٤٥].

ويرى أحدهم بأنه: «يجدر بنا أن نقرأ لنكون أقوى؛ ولأن الكتاب مصباح في اليد». فالقراءة عند كثير من القراء حياة ثانية، أو ربما أكثر من حياة، هكذا يراها العقاد فيقول: «لا أحب الكتب لأنني زاهد في الحياة، ولكنني أحب الكتب لأن حياة واحدة لا تكفيني، فمهما يأكل الإنسان فلن يأكل بأكثر من معدة واحدة، ومهما يلبس فإنه لن يلبس على غير جسد واحد، ومهما يسافر فإنه لن يستطيع أن يحل في مكانين بوقت واحد، ولكنه بزاد الفكر والشعور والخيال يستطيع أن يجمع أكثر من حياة في عمر واحد، ويستطيع أن يضاعف فكره وشعوره وخياله، كما يتضاعف الشعور بالحب المتبادل». [مجلة الهلال عدد يناير ١٩٤٨].

إن القراء يأتون للكتب بحثًا عن القوة، أو المعرفة، أو المتعة، أو العلاج. غير أن الكتب التي تأتيها مختارًا قد تبقى معها دون اختيار، فتسجنك بلا وعي بقيودها، وقد تسلبك القوة وأنت تتوهم أنها تعطيك، فالكتب تسلب الكثير من خلق الفطرة ومواهبها، كالبراءة والتذكر والملاحظة المطلقة قبل ورود العلوم، وقد تهوي بك بعض المعرفة في مغاور الجهل، بما تزعمه لك الكتب من علم قد لا يكون إلا معرفة ناقصة، وقد تفتح لك الكتب بابًا للشقاء!

يذكر بسام بركة في مقاله: «لماذا نقرأ؟» أن القراءة كانت ولا تزال عملية عبادة، فهناك من يقرأ للاطلاع على العالم، وهناك من يقرأ ليغيب عن العالم، وليستمتع ويتلذذ بالقراءة، وينصرف عما عداها، ومن هنا جاءت كراهية المرأة لمكتبة زوجها. ثم ينقل نصوصًا تقول: «يجب أن نقرأ لنزيد من قوتنا، كل قارئ يجب أن يكون رجلاً ديناميكيًّا مفعمًا بالحياة، والكتاب إنما هو دائرة نور تقبع بين يديه». و«لا يمكن أن نكتب إلا إذا كنا نعرف أن نقرأ.. القراءة هي فن الحياة الرائع». وآخر يقول عن القراءة: «فن اليقظة والحذر». و«كل قراءة إعادة للكتابة». [مجلة العربي، العدد (٥١٨)، يناير ٢٠٠٢م، ص٢٦ - ٢٧].

قلت: قص علينا الدكتور فاروق القاضي وهو مؤرخ ومترجم، ومن أقدر من سمعته يتحدث عن علم بالتاريخ، وبلغة جميلة نادرة بين مجايليه في تخصصه، قال: إن أحد أساتذة «جامعة عين شمس» عاد من التدريس ليجد زوجته الألمانية قد أخرجت كتبه للشارع، وبدأت تشعل فيها النار، وقد كان محظوظًا، إذ لم تتم عملية الإحراق أو تم منها جزء يسير. وهذا يذكرنا بقصة كتب المبشر بن فاتك، وكان أميرًا مثقفًا، فقد عمدت زوجته عند وفاته إلى إلقاء كتبه في بركة وسط الدار، وأغرقت كثيرًا منها، وكان في نفسها منها؛ لأنه يشتغل بالكتب عنها. [ناصر الحزيمي، حرق الكتب، ص١٣٦]. وأعود للدكتور فاروق القاضي، فقد كان عالمًا متواضعًا صامتًا، لا يدعي ولا يتنفج بمعرفته، وذات يوم كان في النادي الأدبي في «أبها»، فجاء ذكر كتاب لعله «ملحمة جلجامش»، وأن مترجمها اسمه فاروق القاضي، فلم يذكر أنه هو، حتى سأله أحدهم عن ذلك فقال: نعم أنا، ولكن ترجمتي أصبحت قديمة؛ لأنني ترجمت عن الإنجليزية، وقد خرجت بعدها لطه باقر ترجمة أحدث عن السومرية مباشرة.

وثمة قوم يقرأون للعبادة، وقد يعانون ويتعتعون فيؤجرون، عسى أن تتحقق لهم السلاسة والفهم ــ وربما المتعة ــ لاحقًا. فالأسباب الإسلامية للقراءة

والمعرفة أسباب مهمة في الاطلاع والفهم والعبادة بقراءة القرآن، أو ممارسة شعائر الدين وفهمه. والحاجة الروحية الإيمانية دافع، ورغبة المعرفة دافع كبير أيضًا، فنحن نقرأ لنتعلم. قال الله تعالى: ﴿ٱقۡرَأۡ بِٱسۡمِ رَبِّكَ ٱلَّذِي خَلَقَ ۝ خَلَقَ ٱلۡإِنسَٰنَ مِنۡ عَلَقٍ ۝ ٱقۡرَأۡ وَرَبُّكَ ٱلۡأَكۡرَمُ ۝ ٱلَّذِي عَلَّمَ بِٱلۡقَلَمِ ۝ عَلَّمَ ٱلۡإِنسَٰنَ مَا لَمۡ يَعۡلَمۡ ۝﴾. (العلق: ١ - ٥).

فباب العالم الأوسع أمامك موصد حتى تقتحمه بمعرفة، وباب عقلك موصد، مفتاحه بأيدي أصحاب المعارف، وباب الروح مرآب تحتاج لعون غيرك على معرفة آفاقه. وسماعك لآية تهز أعماق الروح ما كنت لتحصلها لولا عكوف على آية، ودرك واع للغة الآية. فتعلّم وتواضعْ، واعلم أن فوق كل ذي علم عليم. ومتى أعجبتك نفسك في علم أو فن، تذكر أنه قد يكون ناس كثيرون جدًّا يبزونك ولا تدري، وعلمك وغرورك وثقتك به جاءت من جهلك لا من علمك، واحترامك لنفسك وثقتك بها لا يمنع من تواضع صادق تذوق لذة نفعه، ولا تستهن بغيرك، فبنو عمّكَ فيهم رماح!

سافرت مرة بين «ديترويت» و«لندن»، وهي رحلة طويلة مملة، تبحث فيها عن كتاب نجيب أو كلام يطوي من البعد، وليست عندي موهبة أبي ريشة في كتابة الشعر، ولا أستطيع نظم قصيدة كـ: «وثَبَتْ تَسۡتَقۡرِبُ النَّجۡمَ مَجَالًا»، فكان إلى جواري شخص في نحو العشرين، يتأمل ويكتب أشياء كأنها في الموسيقى، فتحدثت معه عن المعرفة وأهميتها، وعرجنا على بعض المعارف، ولمحت سعة في الثقافة غريبة، وملامحه خليط من شعوب شتى، أوروبية وشرقية، ولم يكن لديَّ ما أتميز به إلا أنني أعرف أيضًا لغة أخرى، ونافذة على العالم أرى من خلالها عالمًا غير الذي كنت أعرفه من لغة واحدة، فامتدح جاري الفكرة، ولما اطمأننت للموافقة سألت: هل يعرف لغة أخرى؟ قال: نعم، والدي من الصين فأعرف الصينية، وولدت وعشت في البرتغال فأجيد البرتغالية، والإسبانية لغة قريبة جدًّا منها فلا أجد فرقًا كبيرًا بينهما، وعندما كنت طفلاً

صغيرًا كان والدي يسافر بنا لبلدان أوروبية عديدة، فعرفت الألمانية والفرنسية، وأتحدث الإيطالية بصعوبة، غير أنني أقرأها بسهولة، وكان يتحدث الإنجليزية التي كنت أراها لغته الأم! وقد برع في الموسيقى إلى درجة عالية، فهو يدرسها، وواحد من أسباب رحلته أنه سوف يقدم حفلات صغيرة يستخدم فيها براعته ودراسته الموسيقية. لا أدري لم كان المآب له الموسيقى بعد كل هذا الحشد من اللغات؟! هل يبحث عن وحدة ما تجمع شتات ثقافته وتنوع تكوينه؟! استحييت، ولو لم أقف بنفسي على الأمر لشككت في تيسر هذه الأمور لصغير السن! وهل سيستفيد من ذلك مستقبلاً؟! لست أدري، فالبداية مبهرة، لكنها قد تحمل بذور التمزق.

كذلك البحث عن الأخبار والتعليقات على ما يدور في العالم حافز كبير من الحوافز للقراءة. وحب الترقي والتميز على الآخرين في المعرفة، والتعويض عن النقص في جوانب لا يرى الشخص أنه قادر على التجاوز فيها لغيره. وقد قال لي قارئ: «إنه سلك طريق القراءة لأنه الجانب الوحيد الذي يعرف أنه سيبز غيره من زملاء فصله الدراسي فيه».

ومن ذلك الرغبة الصادقة في المعرفة، وهذه حقًّا متعبة لأربابها، وعشاق القراءة الآخرون أسعد حالاً وأقل ثقلاً من هذا النوع الأخير. وطرفًا من هذا تجده عند كلام ابن تيمية وهو يحاول أن يفهم معنى آية، ثم لا يجد عند المفسرين ما وقر في قلبه من معنى أو ما يتوقع أنه معنى الآية، ولم يشفوا رغبته بمعنى قريب مما يجده، وهكذا تلح عليه الحاجة للمعرفة. وهذا النوع من القراء خير القراء وأصعبهم مهمة، وأجدرهم بأن يسيء عامة القراء بهم الظن، وأن تسلقهم العامة من المحسوبين على العلم بالألسنة، وينكر عليهم الحرس القديم أفكارهم. وهم الذين أتمنى دائمًا أن يوفقني الله لقراءة كتبهم، وأنى لي بها! أما القراء المتظاهرون بمعرفة الكتب، المتزينون بمعرفة نفس

الكلام من عشرات المصادر، ممن لا يفتقون أذهانهم ولا يفيدون قراءهم أو محاوريهم، فإنهم لا يخطون بك بعيدًا.

ولطالما سئلت السؤل المعروف: متى بدأتَ القراءة؟ ولماذا أحببت القراءة؟ وأعترف أنني لا أمتلك إجابة دقيقة، غير أني أظن أن تمكن الطالب من القراءة، وتغلبه على عقدة الفهم في الأعوام الأولى من سني الدراسة، سوف تساعده على الاستمرار في القراءة. وأن النصوص الصعبة مانعة من القراءة، وحاجزة إذا تلقاها الطالب وهي أعلى من عمره العقلي، أو كانت لغتها بعيدة المنال. فاللمسات الأولى للكتاب لمسات توجس وخوف وتهيب، كعالم جديد يدخله طفل صغير بكامل الدهشة، ثم تبدأ علاقة الوعي بالكتاب، علاقة ثقل عند بعض القراء، وعلاقة اندماج وحب عند آخرين، وأسرع الطلاب تولعًا بالقراءة هم الذين يمتلكون مهارة القراءة مبكّرًا، أما من تأخرت قراءته فسوف يرى طوال حياته أن القراءة همٌّ وعبء ثقيل. فإن اكتسب الطفل هذه المهارة مبكرًا، وانبثق في روحه حب للاطلاع، فقد رسخ نفسه في لغة الكتب وأرضها الخضراء المنزلقة والمتحركة بشراهة.

وهناك رجال عاقتهم القراءة في بدايتهم، فأخلصوا لها ولتعلمها ليحلوا المشكلة، فتجاوزوا بسبب العقدة أغلب الناس. فأنت تقرأ عن محمود شاكر أنه رسب في امتحان اللغة العربية، فتوجه لها وأخلص الاهتمام بها حتى تجاوز في إدراكه لروح العربية ونصوصها كل الذين نعرفهم في العصور المتأخرة. وهذا سيبويه لحن في مجلس شيخه حماد لحنًا شائنًا عندما قرأ على شيخه حديث الرسول ﷺ: «ما من أصحابي إلا من آخذ عليه ليس أبا الدرداء». فقرأ سيبويه: «ليس أبو الدرداء». فجعل أبا الدرداء اسم ليس، بينما ليس هنا أداة استثناء، وما بعدها منصوب، أي: أستثني أبا الدرداء. فصرخ به شيخه في الحلقة وعاب لحنه، فقال: لأطلبنَّ علمًا

لا يلحنني فيه أحد! فطلب النحو وكان منه ما نعرفه من أنه كتب «الكتاب»، وهو أول وأهم كتاب في قواعد العربية.

وعلي المزروعي المفكر والسياسي الكيني الشهير، كانت عقدته في بدء دراسته من اللغة الإنجليزية، فقيل إنه رسب في الامتحان النهائي بسبب ضعفه في الإنجليزية، فتعلمها واجتهد فيها حتى كان من أقدر من يكتبها ويتكلمها، ولغة كتابته في الفكر والسياسة بالإنجليزية لغة سلسة من النوع الواضح الأنيق. يقول تلميذه الدكتور محمد الحارثي أستاذ العلوم السياسية في الرياض: «إن كلام العباقرة وكتبهم فيها جمال وبساطة، وكتب ضعفاء المعرفة معقدة». قلت له: غالبًا صحيح، ولكن هناك استثناءات أحيانًا تكثر حتى تكاد ألا تكون استثناء.

فهؤلاء المتحدون الصامدون ضد ضعف لغتهم تغلبوا ونجحوا أيما نجاح، وهناك الغالبية وهم الذين يقبلون بالصدمة ويهربون من التحدي، وهؤلاء هم الذين يقنعون أنفسهم أن العلوم صعبة، والمعارف غير مقدور عليها، ومنهم محق، فالله أعطاه قدرات محددة في علوم ومفاهيم قد تكون في غير هذا الميدان أو ذاك. ومنهم من لم تكن عنده هذه القدرة ابتداء، فيقسر نفسه على غير فنّه، ولا يستطيع التغلب على مزاجه وتركيب عقله. وأنصح أن يختار المرءُ قرار المواجهة أولاً، ويصبر فترة من الزمن، ثم بعد ذلك يختبر نفسه؛ لأن من وقف عند الصدمة الأولى ولم يجرب المواجهة، ربما أضاع على نفسه فرصة النجاح القريب والفلاح في مراده، لمجرد عقبة يسيرة. والحياة فنون عديدة، وألوان رائعة كثيرة، لم يحصرها خالقنا في نمط يناسب عقل زيد أو عمرو، ليختار للناس نسقًا يفهمه هو ويلزم به غيره، وأبواب الحياة المختلفة لا تستجيب إلا لمن يطرق ويستمر ويلح ولا يستسلم. وقد جرب أحدهم على كبر أن يتعلم الكومبيوتر فكان يخاف ويهاب، ولكنه اضطر له فأبدع وأجاد أكثر مما كان يتوقع هو أو غيره أن يبدع ويتعلم.

نقرأ للواجب ونقرأ للمتعة

يسطر لك الشيخ محمد أحمد الراشد هذه الكلمات النيرة في القراءة وعالمها، ويلوم دعاة الإسلام على تقصيرهم في القراءة، فيقول: «ولهذا يكون الإعراض عن القراءة من كبائر الناس الكبيرة، ولعلها «الموبقة الحادية عشرة»، بعد إذ أمرنا رسول الله ﷺ باجتناب العشر الموبقات، فإن المتلقين تجب عليهم همة للقراءة، توازي تلك الهمة التي عصرت الحكمة من قلوب الكاتبين. إن من مصائب أمتنا أنها لا تقرأ.. وطريق الاستدراك طويل، ويبدأ بيقظة الخاصة ليقودوا البقية. لقد عرفت شباب الإسلام فوجدتهم من أنقى الناس سريرة، لكن كثافة المطالعة تنقصهم، ولو أنهم أحنوا ظهورهم على كتب التفسير والحديث والفقه والتاريخ طويلاً، واكتالوا لهم من الأدب والثقافة العالمية العامة جزيلاً، لكملت أوصافهم، ولتفردوا في المناقب. وإني لأعجب من دعاة الإسلام الذين أراهم اليوم كيف يجرؤ أحدهم على إطالة العنق في المجالس والنشر في الصحف، قبل أن يجمع شيئًا من البيان جمعه الطبري في «**تأويل آي القرآن**»، وقبل أن يرفع له راية مع ابن حجر في «**فتحه**»، ولم ينل بعد من رفق «**أم**» الشافعي وحنانها، ولا كان له انبساط مع السرخسي في «**مبسوطه**»، أو موافقة للشاطبي في «**موافقاته**»، وكيف يقنع الداعية وهو لم يقرأ بعد المهم من كتب ابن تيمية وابن القيم، والغزالي وابن حزم؟ وكيف يسرع داعية إلى ذلك وهو لم يكثر من مطالعة كتب الأدب العربي القديم، ولم يعكف مع الجاحظ وأبي حيان، أو ابن قتيبة وأديبي أصبهان؟ وأعجب أكثر من هذا الداعية أثير حماسته لهذه العلوم والآداب فيقول: ليس لي وقت! كأنه غير مطالب بإتعاب نفسه تعبًا مضاعفًا، ولا شرع له السهر! ثم أعجب أكثر إذا ذكرت له كتابًا فيأتيني من الغد مغاضبًا لخطأ وقع فيه كاتبه، أو بدعة طفيفة، كأن العلم لا يؤخذ إلا ممن أحب سنة محضة وكتاب مصون». [**نحو المعالي، ص٦٠ - ٦١**].

فلا تذهب نفسك حزنًا على أنك لم تستكمل من العلم مرادك، فذلك مالا تبلغه الهمم العالية، ولكن عليك أن تعلم أنك لن تكون كل شيء في زمانك، ولـن تـدرك الكثير مـن علومـه، والتخصص يفيـدك ويعلي معرفتـك، ثم ضع بجـوار تخصصـك اهتمامـات رافـدة، وهي سـترفد تخصصك مهمـا يكن من العلوم، وإن كان بعيدًا جدًّا عن ميدانك.

* * *

إننا نقرأ للمتعة، وهذا قد يكون خير مدخل للقراءة، فالذي يقرأ لأنه مجبر قد لا يسـتفيد ولا يسـتجيب لهدف النص، ولا يدرك هـدف القراءة ودوافعها. فالقراءة من أجل المتعة والتلذذ بالمغامرات والأفكار والمشـكلات والمسائل، والصور الفكرية والتاريخية والأدبية، تجعل من القراءة رغبة دائمة. وعيب هذه الرغبة أنها تجرف القارئ ليقرأ فقط، وربما ليحقق شهوة دون عبادة، وليستمتع ويخـرج مـن متعة نـص لمتعة نص آخر، وهكذا يسـلمه كتـاب لكتاب وكاتب لكاتب ويفقد هدف القراءة، هذا إن لم تجرفه الكتب ليفقد هدف الحياة. فكل متعة وكل فكرة حق تحتاج إلى وضعها في سياقها الصحيح ومراجعة دوافعها. قلت هذا هربًا من كلمة ضوابط؛ لأن القراءة الجيدة تتمرد كثيرًا على الضوابط. ومـن أحسـن المواقـف الثقافية أن يتمـرد الطالـب على النصوص المدرسـية، ويبحث عن النصوص الشاردة والقوية والجميلة، وغير المعتادة.

وفـي مقابلة مع نيوت جينجرش صاحب «الثورة اليمينية» في الكونجرس، والـذي قـاد الجمهوريين في السـيطرة الكبيرة على الكونجـرس عام ١٩٩٤م، وحـث أمريـكا على نهج طريق دينـي جديد ومحافظ. قال ـ وقد سـأله مثقف يقـدم برنامجًـا يناقش الكتـب الجديدة بعد كتابـه التالي لـ«**تجديـد أمريكا**» ـ: نعـرف أن بينـك وبين الرئيس كلينتون نقاط خلاف كثيرة، في الفكر والسياسـة

والتوجه، فهل بينكما من نقاط اتفاق؟ قال: «نعم بيننا هواية مشتركة تميزنا عن غيرنـا، وأجد نفسـي لـو تحدثت معه خـارج قضايا الخلاف فـي منطقة محببة مشتركة، وهي أنه قارئ نهم وأنا كذلك، وهذه كفيلة وحدها بصنع صداقة».

ومن طرائف الحياة الفكرية في أمريكا وبخاصة المرحلة الأخيرة من عهد كلينتون، أن الكتب التي كان يقرؤها الرئيس ترتفع أسهمها في سوق المبيعات، وتحظى باهتمام القراء والصحافة، فحظ المؤلف والناشـر جميل إن رأى أحد الكتـاب بيـد الرئيس، أو قال إنه يقرأ الكتـاب الفلاني. وإذا ذهب لإجازة نهاية الأسـبوع اصطحـب معه عددًا من الكتـب، ومرة أخذ معه اثني عشـر كتابًا في إجازة قصيرة، أثار عددها سخرية الساخرين، فأي هذه الكتب سيقرأ؟! لأنه لن يقرأهـا جميعا مهما يكن نهمه! ولطالما تراه حينما لا يكون في وضع رسـمي يصطحب كتابًا يقرؤه، أو الإنجيل في صباح الأحد، وهذه وحدها لمحة تثقيفية وتربوية مفيدة وغير متكلفة.

وقـد أنسـت بـ«**مذكـرات جـارودي**» أيّمـا أنس! لا سـيما بالمقاطـع التي استطعت فهمها، ذلك أنه توسط بيننا ذوقان قرقوط مترجمًا، فمسخ من النص ما استطاع، وما بقي بعد التشويه فهو الذي نتحدث عنه، ولكم تمنيت أن عددًا من الكتب الممتازة التي تعرَّض لترجمتها لم تمسها يده؛ ليُيَسّر الله لها مترجمًا غيـره. فهو يعجمهـا ثم يعكّها ويلكّها، حتى لا تخـرج الكلمات إلا نكدة، ولا المعانـي إلا أنكـد! ثـم أمتـدح الكتاب بعد ذلـك؟ نعم فتلك مذكـرات مثقف مطلع واسع المعرفة بثقافة عصره، وغامر فيها من أعلى وأهم مواقعها، شرب الشـيوعية حتى فلسـفها لأهلها، وخرب على الشيوعيين الكثير من آرائهم، مما اضطـر كبـار كهنـة موسـكو الشـيوعيين الذيـن اندثروا أن يـردوا عليـه بكتاب «**التحريفية المعاصرة**». ثم لجأ إلى الكاثوليكية حتى أعاد لها الكثير من الحيوية بعـد قهرها. ثم أسـلم مخلّطًا فلفت الانتباه لدين الله الحق. يروي عن قسـيس

فرنسي مقيم في الجزائر أنه بعد أن صدر قرار التعريب في الجزائر، بدأ المبشر يدرس القرويين أو البدو الأميين العربية، يقول المبشر: «أعلمهم العربية، وأنا أعلم أن الجزائري يقول لي: إنني أتعلم العربية من أجل قراءة القرآن». فلا يستطيع معلم العربية أن يذهب بعيدًا عن القرآن وإن كان مبشرًا نصرانيًا!

وقراءة الكتب تنقسم لأنواع: فمنها مالا بد منه، كالقراءة اللازمة لعملك، والقراءة اللازمة لمساعدة أطفالك، وقراءة الأخبار التي تحب بها أن تعرف حركة العالم في يومك، وهذه ليست المقصودة هنا بالمتعة ولا بالتعب، ولكن قراءة المتعة هي تلك المتعة التي ينضجها القارئ بجانب قراءاته الواجبة، وتنتج له جانبًا ممتعًا مؤنسًا يحبه كلما وجد فرصة للهرب له، وهي كتابات تخضع للجوانب التي تمرن فيها القارئ. والقراءات الفكرية والفقهية والفلسفية والسياسية والأصولية من النوع المتعب المرهق، ولكن رجالاً لهم «نُفُوسٌ لَهْوُهَا التَّعَبُ»، فلا تشك عندما يقول لك قارئ أن متعته في الكتب الصعبة. وإن كنت في زمن قد درجت على البحث عن أسهل الممكن وأمتعه من الروايات والمذكرات، وهناك أجد متعتي غالبًا، ثم عند الجاحظ وأبي حيان، ونادرًا ما أجد هذه المتعة عند ابن تيمية والغزالي ومن تلاهم من العربان والعجمان. وليس طريق المعرفة هو ذات طريق المتعة غالبًا، ولكن عادة القراءة تتحول تدريجيًا مع الزمن إلى متعة، تختلط فيها خيوط المتعة بخيوط الواجب والمنفعة والتعلم.

أما هؤلاء الغربيون فقد رسم كثير منهم خطوط المتعة بالقراءة المتميزة عن خيوط الواجب، ويستطيع أن يفرق بين الخطين بسهولة، ويميز بين متعة الكتب وواجب المعرفة فيها. وغالبًا فإن لهذا علاقة بسنوات التكوين أكثر مما له علاقة بما تبع. ولا أتوقع أن الخيوط ستتمايز عند المتقدمين الراغبين المهووسين بالكتب، فهي أمة بعضها من بعض وإن اختلفت بلدانها والحروف التي تندمج

معهـا، فهـي لا محالة تتفـق في مكان مـا، «والعِلْمُ بَيْـنَ أَهْلِهِ نَسَـبٌ» وكم رأيتني أندمج مع قارئ من أمة أخرى، ولا أجد هذا التوجه والاندماج مع عريب نسيب!

ونقرأ للتمذهب وللقضاء عليه

صغـار العقول يكلفون جدًّا بالمذاهب وحماية حدودها ورسـومها، وكأنها وجدت قبل الكون وقبل العقل وقبل العلم، ولهذا تجد العقول الكبيرة متمردة، وتجد العقول الحكيمة تتمرد بلطف، فتحترمها أمام العامة، وتحافظ من المذهبية على طقوس تحطمها سـرًّا. إنهم السياسـيون ذوو العقول الكبيـرة، يهربون من المذهبية دون أن يراهم أحد، ثم يتربعون في مجالسها وخيامها للعامة.

ومن المتمردين الكبار الذين لم يسـتطيعوا أن يكونوا سياسـيين ـ بل ربما فاتهم التوفيق كثيرًا ـ المعري، فلنستمع له يشرح موقفه من المذاهب:

إِذَا رَجَـعَ الحَكِيـمُ إِلـى حِجَـاهُ تَهَـاوَنَ بِالمذَاهِـبِ وَازْدَرَاهَـا

ولا تفهم من قولي السير مع تهاونه كما أراد.. لا، ولكني قصدت التمذهب والتحيز الذي ذمه نجوم الإسلام عبر العصور. وعلى الواعي أن يكون شجاعًا مـع نفسـه ومع النـاس، واسـتمع لواصف لهـذا الموقف: «هب أنـك ناقضت نفسك، فماذا وراء ذلك؟! إن الثبات السخيف على رأي واحد هو فزع العقول الصغيرة، هو الفزع الذي يخشـاه صغار السـاسـة والفلاسـفة ورجال الدين، أما الروح العظيم فلا شأن له بمثل هذا الثبات، وإلا فكأنه يأبه لظله فوق الحائط، انطق بما تفكر فيه الآن في ألفاظ قوية، وانطق غدًا بما تفكر فيه غدًا في ألفاظ قويـة كذلـك، حتى إن ناقض كل ما قلته اليوم.. واعتمد على نفسـك ولا تقلد أبـدًا». [والـدو إمرسـون، عن: «**حيـاة الفكر في العالـم الجديـد**»، زكي نجيب محمـود، ص٤٥]. فهل تذكرت وأنت تقرأ هذا النقل موقف عمر بن الخطاب فـي مسـألة العمريـة في الفرائض وقد قضـى فيها بقضاء، ثم بـدا له غير ذلك،

فاحتـج عليه السـامعون ومن علمـوا المذهب الأول، فرد بقولـه: «ذاك على ما قضينا، وهذا على ما نقضي». نبوغ عمر رَضِيَ اللَّهُ عَنْهُ فوق النبوغ، وليست السلطة هي التـي جعلتـه لا يحتاج لعـذر، فقد كان عبقريًا لا يفرى فريه، وشـجاعًا يسـائل رسول الله صَلَّى اللَّهُ عَلَيْهِ وَسَلَّمَ يوم بيعة الرضوان. لله كم لهؤلاء العباقرة من لمحات منيرة قتلها التمذهب، وأضعفها الرواة الباردون!

كيف نقرأ وماذا نقرأ؟

يقول ألدوس هيكسـلي: «كل من يعرف كيف يقرأ يستطيع توسيع قدراته، وتنويع وجوه وجوده، ليجعل حياته مليئة ومهمة ومثيرة».

وينصح أبو الوليد محمد بن رشد بتعلم علم واحد في وقت واحد، وينهى عن تشـتيت الذهن، وهي نصيحة قديمة متجددة. يقول: «فإن من رام أن يتعلم أشـياء أكثـر من واحد فـي وقت واحد، لـم يمكنه أن يتعلم ولا واحـدًا منها». [**الضروري في أصول الفقه (أو مختصر المستصفى)**، ابن رشد، ص٣٨].

ومن مفيد الأسـاليب في القراءة أن تسـتجمع في ذهنك أو فهارسك الكتب والموضوعـات والمعلومـات المتعلقة بالنص المقـروء أو الموضوع، فهذه تغني وتوقظ، وتربط أطراف الأمور، فالوعي ليس حفظًا، والعلم ليس جمعًا فقط؛ لأن القراءة الواعية عملية إحياء وبحث للروح في الكلام المسطور أمامك، وتجاوب وأخذ ورد. وتلك الشـدة التي هجا فيها نيتشه القارئ البارد كانت هجاءً مروعًا، ولكن تطرف قوله يناسب تطرفه كله شخصًا وكتابة وأسلوبًا وتجربة.

الصحفـي يحب الحديث عـن الكتب الجديدة وكأن المعرفة ولدت اليوم، والسياسـي المسـن يبحـث عـن النص السياسـي المتجـدد في ثقافتـه الماضية ويحاكـم النـاس لهـا. فاحذر تـرك القديم، واحـذر الغرق في الجديـد. وهناك كاتـب قديـم يقول: إن أكبر أخطاء الصحفيين أنهـم لا يتكلمون إلا عن الكتب

الجديدة كما لو كانت الحقيقة دائمًا جديدة، ويخيل لي أنه لو أتيح لرجل أن يقرأ جميع الكتب القديمة، لم يجد أي سبب يفضل به الكتب الجديدة عليها». [**الرسائل الفارسية**، مونتسكيو، ص٢٤٠ - ٢٤١].

إن الجواب عن «ماذا أقرأ؟» عمره عمر السؤال، غير أني أقول لك إن جُلّ من قرأت لهم من قومنا ومن غيرنا يقولون: عليك بـ«المنابع العظمى»، عليك بالكتب الأصيلة الجيدة، عليك بكتب «المؤسسين الكبار» للعلوم والأفكار. ودع عنك الشروح والردود والتعليقات والملخصات. وقد كان ابن باز يُنهي كتابًا من «كتب الحديث» ليعيد القراءة مرة أخرى، ولا يتوسع في «كتب الفروع»، بل لا يقرأ ما لا يتناسب مع شخصه وأدبه. فقد قال إنه بدأ قراءة «**المحلى**» ثم لاحظ سلاطة لسان ابن حزم على العلماء فترك القراءة. [نقلاً عن أبي عبدالرحمن الظاهري في مقاله التأبيني للشيخ في جريدة الجزيرة].

وللفيلسوف مورتيمر إدلر ـ هكذا يعرف نفسه «فيلسوفاً» ولعله ليس كذلك! ـ نصيحة قرأتها في «**مذكراته**» الجميلة حقًّا بجزأيها، وقد درس «الكتب الكلاسيكية» في «جامعة كولومبيا» ثم لما انتقل لـ«جامعة شيكاغو» نقل فكرته معه، وكان يلزم طلاب الدراسات العليا بقراءة النصوص ودراستها، ثم الاجتماع عليها في الفصل ومناقشتها، ثم الكتابة عنها. فيصبح الطالب دارسًا وشارحًا ومعلقًا على المتن الأصلي، وهذا خير له من البقاء على هامش على تعليق التعليق، أو الاشتغال بفرع بعيد جدًّا تآكلت لغته، وغابت فكرته، وتوارى هدفه. فإنك مهما انصرفت لفرع دون أصله فلن يوصلك لشيء. ثم قاده ذلك لمشروع الكلاسيكيات التي نشرها مع دائرة المعارف البريطانية عندما تولى إدارتها. ومرة قال في مقابلة معه عندما سأله المذيع: ماذا تقرأ إذا انتهيت من كتاب تراثي مهم؟ قال: أعيد قراءة آخر. وهذه نصيحة المتقدمين والمتأخرين منا ومن غيرنا، فمالنا لا نحب فعل ذلك؟!

فقـد لاحـظ مورتيمـر أن لكل حضارة روحًا ثقافية وكتبًا مؤسسة يجب أن تتوارثهـا الأجيـال وتعيـد درسها باسـتمرار في الجامعـات والمـدارس وكل الوسـائل، وقد صرف زمناً من عمره في تدريس هذه الكتب للأجيال، وحققها وحقـق معه كثيرون، وكتبوا دراسـات عديـدة وطبعـت وكان الغربيون يعيدون درسها وشرحها والترويج لها وتعميم وجودها، وغالب من خلبه هذا المزاج مجموعـات مـن الفلاسـفة مثلـه ومثـل زميلـه دوريـن، وكذا مؤسـس مدرسـة المحافظين الجـدد شـتراوس زميلهم في شـيكاغو، وهذه الكتـب رغم وجود مصائب فيهـا وأكاذيب وعنصرية، وأمور كثيرة عفى عليها الزمان لكن بعضهم يـرى أن الشـعوب تقـوم قوتهـا علـى مزيج مـن الخيـال التاريخـي المتوارث والعنصريـة والثقـة العمياء والدين والعرق والجغرافيا، وأنه يؤمن مسـتقبلا قويا ومستمرا لهذه الثقافة وتلك الشعوب.

وهذا يقوم بدور آخر وهو أن الذين يفدون علـى هذه الثقافة، أو يدرسونها ويذوبـون في خطابهـا تنتهي عندهم الذوات الأخرى المخالفة، وتنتهي عندهم عناصر أي اعتزاز بالذات، أو بالعرق، ولعلك واجد في بعض كتب العرب هذا العنصـر، ممـن تعرض لهذا التأسيس الغربي العنصري، من فقدان الذات في الآخرين، وهذا قديم وشـواهده عديدة، ولا سبيل لتجنب فقدان الروح الثقافية والحضاريـة إلا بتعرض المثقف لتطعيمات أولية يقراهـا كمورد ثقافة عامة أو وطنيـة دينيـة، وبدون هـذه التطعيمات المدرسـية القديمة من تراثنـا القديم أو المعاصر فإن المثقف العربي والمسـلم يفقد ذاته، ويفقد اعتزازه بنفسه. ويفقد شعوره بذات حضارية.

وينقل أحمـد بهاء الديـن عن الحكيـم: «الطبـاخ الماهر يتعلـم من تذوق الطعـام نفسـه لا من قراءة كتب الطهي، فأنا أهتم بالعمل نفسـه، لا بالأبحاث الموضوعة عن هذا العمل، والغلطة التي يقع فيها الكثيرون أنهم يعرفون أسماء

المؤلفين الكبار ويقرأون عنهم، ولكنهم لا يدرسون أعمالهم نفسها». [**اهتمامات عربية**، ص١٦٥].

ربما المشكلة الأبرز التي تواجهنا في القراءة عمومًا، وفي قراءة «الأصول» على وجه الخصوص هي اللغة، فنحن نحب ما سهلت عبارته وعاصرت واعتدناها، وهذا قول عام، فعندنا تعلق بالكتب البسيطة، القريبة. وكنت قد بدأت مع صديق سلسلة دروس في فتح الباري مرة، وقلت: هذا حتى نتعود لغة أهل الحديث ومصطلحاتهم، وخاصة ابن حجر، وقد استنكر الفكرة، فلما بدأنا عرف المقصود، واستفدنا وإن لم نستمر. فدون مجلدات العسقلاني أهوال، كيف وقد بلغت مراجعه في مجلد واحد نحو مائتي كتاب! ولكل فن لغته، ولعل «الفن» خاصة من أقل الموضوعات غنى بلغة خاصة به، ولهذا تسيح المعاني، وتكثر الألفاظ، ويقل الوصول إلى للمقصود.

يقودنا سؤال: «ماذا نقرأ؟» لسؤال آخر بذات الأهمية: «لمن نقرأ؟». ربما يتخيل أن أي إجابة على هذا السؤال هي بداية لمشروع وصاية، هكذا يبدو، ولكن من العبث البحث عن بديل لهذه العبارة وهذا الموقف، فمن نصح فقد أوصى ووجّه، ليس هذا فقط، بل من ذكر قصة وشخصًا وحادثة فقد ساقها سياقًا إيجابيًّا، كما أن بعض شخصيات الكتب تدخل من باب الثقة والقوة والطمأنينة، فتفرض حضورًا كما شاءت وأحبت. وقد كنت أتحدث مع أحد المثقفين وجاء الثناء على «**عبقرية عمر**» للعقاد، وكتاب آخر لحسن العلوي عن عمر، فقال: الشخصية هي التي تجعل الكتب المكتوبة عنها مهمة وذات قيمة، وليس الكاتب، ولم يخل قوله من حق كبير.

والكتب أنواع، فمنها: كتاب مستولٍ على قارئه، يخدر أو يحاول القضاء على فريسته (القارئ)، وآخر محاور منبه ومستفز للعقل، أو مؤثر يذهب ويجيئ دون سبب ظاهر، وآخر يؤكد رغبات مجتمع ما وميوله، ويؤكد ثقافته

ويريحه من الخلافات ويعيد ثقته بنفسه، ويصنع له أساطير تميز مريحة، وكتب أخرى هي من اللغط المنتشر، ومن الكتب ما هو وسط في جودته، وهذه أكثر ما بأيدي الناس، وهي تجلب الغم والبلادة، وقديمًا حذر الجاحظ من الفن الوسط، ونقل عن أحدهم قوله: والله لفلان أبغض من ظريفٍ وسط ومن مغنٍ وسط. [البيان والتبيين، (١/ ١٤٥)]

وخطورة الكاتب المستولي على القارىء، أنه ـ غالبًا ـ كاتب ناجح، والقارئ منفعل أو ضحية. وهذا النوع بمقدار ما ينفع قارئه لفترة، فإنه يضر المقلدين الذين يلقون عليه هالات العصمة، فيضر المتأخر بمقدار ما ينفع. ويسكت عقله عن النقاش أو يخرسه عن محاورة الكتب.

* * *

قرأت للجاحظ في «**البيان والتبيين**» وفي «**الحيوان**»، وكان أول كتاب كامل قرأته له «**رسالة التربيع والتدوير**» من مطبوعات «دار صادر» في أغلفتها الصفراء وورقها الخشن القديم، ولم يكن يعجبنا آنذاك حتى رأينا الغربيين يطبعون عليه طبعات رديئة من رواياتهم، فكان لا بد لنا أن نعجب بذلك الورق الرخيص التعيس. ونرجع لأبي عثمان عمرو بن بحر الجاحظ، فقد تصفحت «**البيان**» وقرأت فيه على غير ترتيب؛ لأن حجمه يكبر عن قدرة مبتدئ في القراءة، وبعد زمن غير قصير أدركت عبقرية التعليقات والنصوص التي يبثها، وتمنيت أن أجدها مجموعة في مكان واحد. وأصبحت أقرأ ما بين أو ما بعد أو قبل تلك الأساطير التي يقصها للناس، مدركًا أن هذه الجمل التي يبدعها والتي تتخلل الأقاصيص هي خير النصوص في الصفحة. فيضطر عمرو بن بحر أن ينسج الحكايات على لسان غيره؛ هربًا من أن يمسك به متلبسًا بالحديث بنفسه، فلا بد أن يروي عن قائل متخيل أو حقيقي عرفه أم لا، لا يهم، وقد عشق المطلعون أكاذيبه عبر القرون.

تذكرت هذ وأنا أقرأ لهنري ثورو «العصيان المدني ومقالات أخرى» فالورق أسوأ بكثير من ورق «دار صادر»، وذلك ليتمكنوا من بيع النسخة بأقل من دولار. وهو يزعم أن الناس يأبون قراءة كلامه وخبرته ورأيه، ويريدون البحث عن أنفسهم وعن آرائهم هم وعن مواقفهم هم في كلامه، وقد دعوه لمحاضرات عديدة، وخبرته فيهم أنهم يشتهون أن يسمعهم ما يريدون وما يعرفون، فقرر أن يعطيهم سبعة أثمان، وأن يعبر عن نفسه وما يريد قوله في الثمن الباقي.

ولهذا تجد الكتب التي نثني عليها هي التي تكرر ما نعرف، وتقرر ما نحب، فنقبل الكاتب الذي يقول لنا ما نعرف، اعتدنا عليه، أو شرح ما خطر بالبال مما لم نتمكن من صياغته نحن. ونكره الكلام الجديد وإن كان حقًّا، ولهذا عشقنا في زمن التخلف أن يقتسم ديننا أربعة رجال في العصر العباسي، وأن يقتسم تفكيرنا رجلان: صوفي وسلفي (أي: الغزالي وابن تيمية)، وأن نحتشد في بقية العصور خلف هؤلاء أو هذين فقط، فليس لك الحق عند المذهبيين أن تخالف الأربعة، ولا عند الصوفية أن تخالف الغزالي، ولا عند السلفية أن تخالف ابن تيمية، فانتهى عالم العلم والفكر والعبادة، وأغلقوا الأبواب من خلفهم!!

هل قرأت كل هذه الكتب؟

قال أحدهم: لا يقرأ كل كتبه إلا مجنون. وقد يصدق هذا على زماننا، لكنه لا يصدق على الأزمنة البعيدة حين كان النسخ فيها هو الوسيلة الوحيدة لتداول الكتب، وكانت الكتب نادرة. يقول جبرا: «كثيرًا ما يبادرني زائر يراني في داري محاطًا بالكتب، فيسألني بشيء من الدهشة: هل قرأت هذه الكتب كلها؟! وقد تعلمت مع الزمن أن أجيب: لقد اطلعت عليها كلها». وقد أحسن في اقتناص أصدق وأدق الكلمات، وتأمل كلمة «تعلمت مع الزمن». إذ لطالما تلعثمت في

جواب أحدهم ملحًّا عليَّ بهذا السؤال، أو السؤال الأصعب: لماذا كل هذه الكتب؟! ثم يقول: «فالكتاب ضرب من العشق، والعشق الواحد هنا ينافس العشق الآخر، مطالبًا بوقتك وعنايتك. ولكن رد فعل العاشق مع الكتاب يتخذ أشكالاً متفاوتة، والمرء يتذكر مقولة فرنسيس بيكون المشهورة: بعض الكتب وجد لكيما يُذاق، وبعضها لكيما يبتلع، والبعض القليل لكيما يمضغ ويهضم، ليتمثله المرء في كيانه إلى الأبد». [**معايشة النمرة وأوراق أخرى**، ص٤٥].

ويبدو أن كاتبنا هذا لم ير كتبه أحد من الأعراب فيجمل له كل محتوياتها، فقد وقف أعرابي على مكتبة في دار شيخ تزاحمت الكتب على جدرانه، فتعجب وهاله ما رأى، وهو الذي لم يشهد للمنظر مثيلاً فقال: يا شيخ، هل تحب أن أخبرك بما في كل هذه الكتب؟ قال الشيخ: تفضل وقل. فقال: إنها كلها تقول: «كن رجلاً جيدًا»!

ورب كلام كثير وكتب عديدة تساعدنا على فهم أو تطبيق فكرة صغيرة، أو شرح طويل يساعدنا على إدراك مفهوم عميق. وقريب من هذا الحوار بين البدوي والشيخ تجده في رواية «**الخيميائي**» لباولو كويلو، إذ يقول الرحالة الإنجليزي لبطل الرواية الشاب الإسباني: «إن أهم بحث في الكيمياء جاء في بضعة أسطر!»، قال الشاب: فلم كل هذه الكتب؟! قال الإنجليزي دون أن يكون مقتنعًا بما سيقول من جواب: «لكي تساعد على فهم تلك الأسطر القليلة!». [**الخيميائي**، ص٩٧]. ولكن السؤال الذي طالما خطر بالبال: هل يأتي الفهم من تلك الكتب الكثيرة ومن القراءة الواسعة؟ أم من مناقشة ومجالسة كبار العقلاء والمثقفين؟

ثمة مواقف كثيرة كنت أغبط فيها شبابًا ألتمس فيهم وعيًا وفهمًا، وتقدمًا في اليقظة أبرع مني، فأغبطهم وأقول: لم سِرْتُ كل تلك الدروب الطويلة وتعثرت في محطات الفهم وعانيت عسير الكتب؟! هل كل هذا لأكون متأخرًا عنهم؟!

ثم أقول: لا ضير في ذلك فقد يكون الفهم عملاً تسير فيه، والمحاولة هي الفهم أو طريقه. فقد يكون هدف رحلة ما هي السير نفسه، والطريق هو الغاية. والوعي بالدنيا خليط من هذا وذاك، من كتاب وكلمة، ومن قصة حيوان ومسيرة شجرة، وغيمة وغمرة في بحر، تتعلم من الذكي ومن الغبي، تأنس للذكاء الحاد وترى فيه منحة رب العالمين، وتعجب مما يخيل لك أنها بلادة، وقد تكون من الخير ومن العمق الذي غابت عنك حكمته! ومن الطريف أن فيلسوفًا كوايتهد يعترف بأن وعيه ونضجه أو إدراكه للأمور الفلسفية أتى له متأخرًا، مقارنة بغيره.

وإن كتب وأفكار الفيلسوف الشهير كارل بوبر بالغة الفائدة في تقدير طريقة أو فلسفة جديدة للتعامل مع المشكلات، وتصليح الأخطاء، والتصميم على مجانبة حس العصمة اليابس لموقف أو تجريم آخر، دون معرفة وإلمام بطريقة التفكير، لما نراه علمياً أو غيره ولكنه يصل لمرونة إنسانية صد العلمية أو وهم العلمية. وعدد من كتبه متوفر بالعربية مثل: «**الحياة بأسرها حلول لمشاكل**».

فلو كانت الكتب تسوق لنا الفهم لكان أمر الفهم أمرًا يسيرًا، ولكانت البشرية أسعد بفهمها، ولكان الناس أقرب للملائكة ولأخلاق الأنبياء، ولكن الفهم مطلب عسير، تشيب هامة الشيخ الجليل وتنحني قامته وهو مكب على خير الكتب يطلب الفهم، ثم يغادر العالم وهو يأمل في فهم قد يجيء بعضه وقد لا يجيء، وقد كان ابن تيمية يعفر وجهه في المساجد القديمة ويقول: «يا معلم آدم علمني، ويا مفهم سليمان فهّمني!».

ثم تجد شابًّا يشدو علمًا وهو فخور مختال بفهمه، يرى أن الشيوخ والشباب لم يعلموا علمه، ولم يفهموا فهمه!! إن هذا لا يسوءني، بل أطرب لغرارته، فهذا الجنون خطوة أولى ليبدأ طريق الفهم، وغرور منه سيشق بعده طريق الاستقلال بالوعي والمعرفة، فلا حرج في هذا وقد قالوا: «ليت الشباب

يفهم وليت المشيب يقدر». فمأساة الإنسان تكمن غالبًا في هذا التضاد العجيب بين الشباب والحكمة؛ فعندما تكون أبداننا قادرة تكون أفهامنا ضعيفة، وعندما ينفتق الفهم تكون قوة الأبدان قد ضعفت أو غادرت، ولم يبق للمشيب إلا أن يعظ الشباب الشرود الجموح القوي المستكبر، فالشباب الطائش ملح الحياة وقوتها ومفتاح دروبها، قوة تشق الطريق في الكون فترسم دربًا جديدًا، أَنْعِمْ به من درب لو استمعوا في سبيلهم لحكمة الشيوخ!

ويحضرني الآن هذا الموقف، حين انفعل عصام العطار في مؤتمر لرابطة العالم الإسلامي، وانفجر في وجه وزير الأوقاف السوري التابع لحكومة البعث آنذاك، فناداه الشيخ الوقور الذي حاز حكمة الشيوخ وهو شاب فقال له: «يابني، إن الإسلام بحاجة لحماسة الشباب ولحكمة الشيوخ!».

ورددها كثيرون من قبل، لعل منهم عبدالملك بن مروان الذي قال: «من لا يصبر على أنفاس الشيوخ البخر، لا يصلح للحُكْم». وقال إسماعيل صبري:

«أواهُ لو عَرَفَ الشَّبابُ وآهٍ لو قدرَ المشِيبُ!»

ورغم هذا الولع بالقراءة، فإن وجدت فرصة للحديث مع قارئ ملتهم للكتب ذكّره بقصة تحذير بيكون من الكتب ـ وهو مدمنها الأول ـ غير أنه وعى فأعطى نفسه فرصة للخلاص منها والتفكير فيها فأنجب. وحذره من أن تمارس الكتب سيطرتها على العقل والإبداع الذاتي، فيذوب القارئ في كتبه وينحسر إبداعه، لذا يشير نيتشه إلى أنه في وقت العمل والتفكير يخاف أن تتسلق الأفكار الصادرة عن الناس أو الكتب إلى عقله، فيغلق المنافذ. يقول: «على المرء أن يتجنب قدر الإمكان كل المصادفات، وكل المؤثرات الخارجية؛ إن نوعًا من الانغلاق مع سد كل المنافذ لهو من العناصر الأولية «للذكاء الغريزي» للحَمل الذهني». وهذا قريب جدًّا من مزاج الوحدة والعزلة للكاتب

التي تحدث عنها باموك وشاكر. ثم يقول إنه في وقت الراحة يسمح للكتب والناس أن يؤثروا عليه: «هل سأسمح لفكرة غريبة أن تتسلق الجدار الذي ضربته على نفسي؟ سأفعل ذلك إذا ما قرأت، بعد أوقات العمل والعطاء يأتي وقت الاستراحة؛ إلي إذًا أيتها الكتب الممتعة، وأنت أيتها الكتب الدسمة والكتب الذكية!». [نيتشه، **هذا هو الإنسان**، ص ٤٥].

وكما أن فرعًا ضيقًا يضيق الحياة والفكر، فإن البقاء الدائب مع الكتب بعيدًا عن حركة الحياة اليومية مرض عضال، ونقص في التجربة والفهم. ويشير جبرا لهذه الفكرة في قوله: «علينا أن نكثر من المطالعة، على أن نجعل منها عونًا في حركتنا الدائبة، لا تعويضًا عنها، فتصبح الكتب مراجع للحياة لا بديلة عنها؛ فالأمر الأهم هو هذه الحياة نفسها: التجارب والابتكار، والتمتع بالجميل والقوي، الدهشة والإعجاب والحب والألم. والكتب إنما تتحدث عن خصب هذه الأشياء أو تلاعبها أو تأثيرها. وعلينا أن نستمد منها عونًا في اختباراتنا، إلى أن تتصف حياتنا بشيئين مهمين: العمق والحركة». ويقول: «إننا في الواقع ملتقى قوى هائلة دقيقة تفعل في وعينا، وإن وعينا تغزوه الآلام فتزيد من نشاطه وحدّته، وبذلك نصل في النهاية إلى القول بأن ما نبغيه من الحياة هو الاستزادة من الوعي بها، عن طريق القوى الهائلة الدقيقة فينا ـ من حسية وعاطفية وفكرية ـ والإغراق في الحركة في أجواء الحياة الفسيحة، نتعرض فيها لتقلبات الشمس والرياح إلى أن نموت». [**الحرية والطوفان، دراسات نقدية**، ص ١٢٩].

جبرا ناقد ومبدع فذ، فلا تنس في قراءتك التعريج عليه، وذلك القول منه قول جميل، فما عرفت متطرفًا في عزلته وقراءته إلا وعليه أثر من نقص الوعي بالحياة والظروف الدائرة، فجهده ووعيه منقوص بمقدار ما كان غائبًا عن الحياة اليومية. واعلم أن كثيرين ممن يزعمون العزلة من أجل العلم والمعرفة

يجدون نقصًا في شخصياتهم، أو نقصًا في معارفهم، أو ضعفًا في مواجهة الناس فيعتزلون، فالعزلة غالبًا مصدرها الضعف وليس القوة، والأصل معاناة الاعتدال، ولذا فالاعتدال مصنع الوعي، مشاركة بمقدار وعزلة بمقدار، وقد تعودنا أن نطالب أنفسنا بفوق طاقتها ثم نترك الطرفين!

مساكين عشاق الكتاب، يجاورون الموتى، ويحاورونهم، ويلتمسون عندهم العلم والمعرفة، وقد يصدّون منادي الوعي في قلوبهم وعقولهم، استسلامًا للكتب وهيبتها وقداستها، ويتركون الحياة بين أعينهم. ذلكم كان حقًّا ووهمًا، فحقًّا إن مراد بعض الناس من بعض الكتب ما قاله، ولكنه لم يتوقع أنها طموحات مكبوتة، وآلام معروضة، ومتع خيالية مرغوبة. وعلاج لأمراض، ونور في الظلام. مساكين من لم تغرقهم الكتب وتستهلك أعمارهم، فهم لم يعرفوها بعد. من لم يحنّوا لها ويطربوا بها ويألموا بها فلن يفقهوها. وستبقى الكتب أجنبية عنهم متمنعة على دارسيها حتى يتحولوا معها وبها إلى خلق آخر غير الناس.

فالهدف من القراءة والكتابة حراثة العقل وتقليبه وتجديده، وإنقاذه من الترهل والموت البطيء وليس العكس، فإذا أصبحت القراءة سجنًا جديدًا لذواتنا علينا أن نعاود النظر في آلية القراءة وما نقرؤه، القراءة هي النافذة نحو الحياة، لكنها ليست السجن الذي نحبس فيه؛ لأن هناك أشياء كثيرة تحبس العقل، وتجعله متلقيًا سلبيًّا في حياتنا المعاصرة، فإننا «ما إن نترك مقاعد الدراسة حتى يترك العديدون منا عقولهم للتجمد، فلا نقوم بقراءة جادة، ولا نستكشف أية مواضيع جديدة بعمق حقيقي خارج دائرة عملنا، ولا نفكر بطريقة تحليلية، ولا نكتب بطريقة نختبر فيها قدرتنا على التحليل، وبدلاً من ذلك نجلس لمشاهدة التلفزيون». [ستيفن كوفي، **العادات السبع**، ص٣٠٨ - ٣٠٩، بتصرف]. ثم يقول: «التلفزيون مثل الجسد، خادم جيد وسيد سيئ». [ص٣٠٩].

إن المناقشة ومحادثة الناس خير من استسلامك السلبي للتلفاز دون تحريك لذهنك وفكرك، لذا كان واجبًا أن تتخلص من الاستسلام الدائم لأي وسيلة ثقافية تكون مستهلكًا سلبيًا لها، ولا بد من تفاعل ورد يُحيي ما ينفعك، ويدفع عنك ما يضرك، وحتى إن كان أغلبه نافعًا، فإن النفع يحتاج حيوية المتلقي ليطور ذاته.

ومن المفيد تدريب العقل، وشحذه بآراء ومعارف الآخرين، وأن يتنحى عقلك جانبًا لمعرفة آراء غيره وتجاربه؛ فالثقافة تجديد عقلي في غاية الأهمية لشحذ العقل وتوسيعه، لذا فإن من المهم أن تتوسع في القراءة، وأن تعرّض نفسك للأفكار العظيمة. وعليك أن تتدرب على قراءة الكتب الجيدة. ويوصي ستيفن بقراءة كتاب في الشهر، ثم كتاب كل أسبوعين، ثم كتاب كل أسبوع، فالشخص الذي لا يقرأ ليس خيرًا من الأمي الذي لا يعرف القراءة، واحذر من عقدة إصدار الأحكام على الكتب قبل فهمها؛ لأن هذا يضعف فائدة قراءتها». [ستيفن كوفي، ص٣١٠، بتصرف]. وانظر للذين شغلوا أنفسهم بعيوب الكتب والكتاب، إن قراءتهم لم تنهض بهم عقلاً ولا سلوكاً ولا قدرة على الكتابة ولا القراءة الصحيحة. وأسوأ منهم حالاً من جعل غايته كتاب أو كاتب أغلق عليه طرق الفهم. وما أكثر هذه الأنواع وإني أكاد أقول إن هذا من أسرار استيطان السطحية والتقليد والبلادة؛ أن تسلم عقلك لأحد ولو كان عبقريًا.

يحاور زوربا العامي - وهو بطل رواية «**زوربا**» لنيكوس كازانتزاكي - المثقف الذي استهلكت الكتب حياته، فيقول:

- «إذن فكل تلك الكتب القذرة التي تقرؤونها ماذا تنفع؟ قل لي لماذا تقرأها؟

- إنها تتحدث عن حيرة الإنسان الذي لا يستطيع أن يجيب عما يسأل يا زوربا.

- أريد أن تقول لي من أين نأتي وإلى أين نذهب؟ لا بد أنك بعد هذه السنوات الطويلة التي أمضيتها وأنت تستهلك نفسك بالكتب، قد عصرت ألفين أو ثلاثة آلاف كيلو من الورق، فأي عصير استخلصته منها؟

لقد كان صوته قلقًا جدًّا إلى حد أن أنفاسي تلاحقت ولهثت. آه! كم وددت لو أستطيع إجابته! كنت أحس إحساسًا عميقًا بأن أعلى ذروة يمكن أن يبلغها الإنسان ليست هي المعرفة، ولا الفضيلة ولا الطيبة ولا النصر، بل شيء أكبر وأكثر بطولة وأشد يأسًا: الرعب المقدس!». [نيكوس كازانتزاكي، **زوربا**، ص٢٧٣].

الكتب قد تشرح لك أفكارك الغامضة، وتدلك على مسالك ترى شبحها ولا تستطيع التعبير عنها. تلك رؤية القارىء اليقظ الذي يرى الكاتب يشرح له ما فكر فيه ذات يوم، وهذا بعض من سر محبتنا لبعض الكتب والكتّاب وبعض الأفكار، نحبّها لأن كتابها يعبرون بكلمات أكثر ترتيبًا وجمالاً، أو يجمعون أدلة للأفكار التي راودتنا ذات يوم. وهذا السبب ـ رغم جماله ـ قد يكون مخادعًا، فقد تزيدنا قراءتنا جهلاً؛ لأننا نستمع ونستمتع بما نحب. وإمرسون حوّم بأسلوب جميل حول هذا، ولكنه أسرف في اعتبار الأفكار شيئًا عامًّا مشتركًا، وأن ما يقوله لك العلماء والفلاسفة موجود عندك، ولكنك كسول الذهن تحب أن يقوم غيرك به. وقد قال بعض الأفكار التي يحسن قراءتها، وقد انتقاها لنا زكي نجيب محمود وسمَّى هذا الموقف: «الاستقلال العقلي الأمريكي»، فالكاتب يدعو قومه لصناعة ثقافتهم بعيدًا عن «التأثير الأوروبي»، فيقول: «إن يوم اعتمادنا على غيرنا، وتتلمذنا الطويل على علم بلاد أخرى يقترب من نهايته. إن الملايين من حولنا، والتي تندفع نحو الحياة، لا تستطيع أن تعيش دائمًا على البقايا الذابلة من المحصول الأجنبي». ويضيف: «لا بد لكل عصر أن يكتب كتبه». ثم يبدي سخطه على الشباب الذين ينفقون أوقاتهم وأعمارهم يتتلمذون ولا ينجبون معرفة وعملاً جديدًا، فيقول: «ينشأ الشباب الذليل في

المكتبات وهم يعتقدون أن من واجبهم أن يبلوا الآراء التي أدلى بها شيشرون ولوك وبيكن، ناسين أن هؤلاء كانوا شبابًا في المكتبات مثلهم عندما ألفوا هذه الكتب، ومن ثَمَّ بدلاً من «الإنسان المفكّر» يكون لدينا «قراء كتب». فتنشأ لدينا طبقة المتعلمين من الكتب، الذين يقيمون للكتب وزنًا لأنها كتب، لا لأنها ترتبط بالطبيعة وتكوين الإنسان.. ومن ثَمَّ يظهر أولئك الذين يردون كل مقروء إلى أصله». [**حياة الفكر في العالم الجديد**، ص٤١ - ٤٢].

وهذا تي إي لورنس يقول عنه تلامذته في إحدى كليات أكسفورد: «إن مكتبة الكلية كان فيها نحو مائة ألف كتاب، وفي ثلاث سنوات من الدراسة تعرف عليها جميعًا». [**معايشة النمرة**، جبرا، ص٤٦]. وهذا القول لم يتم فيه شيء من الاطلاع المطلوب، ولكن هذا رسم وتبين للطريق ربما قبل سلوكه، ولا يصلح هذا القول لمن يتوقعه وقوفًا مجردًا على الغلاف أو الفهرس، ففيه من هذا وذاك. وهذا أول عمل المثقف، وهو الوقوف على الرفوف، وتصفح الكتب، والإغراق في بعضها إلى النهاية، ثم العودة إلى التصفح الذي إن لم يتم ما بعده فليس بشيء. وهو أشبه بعمل بائع كتب محب، يقف على العناوين وينشغل بالزبائن. وهكذا سواد نهاره، ناجح في عمله، فقير في فكره وفهمه، مجرد دليل للباحثين.

ويقول سليمان الندوي عن الشيخ أنور الكشميري: «كان رَحِمَهُ ٱللَّهُ بحر المعلومات، سلطان الذاكرة، نادرة زمانه في سعة العلم، وكان بحق مكتبة حية، قلما يكون قد فاتته قراءة كتاب مطبوع أو مخطوط». ثم نقل نصوصًا أخرى تدل على سعة اطلاع وحفظ هذا النابغة. [أبو غدة، **تراجم ستة من فقهاء العالم الإسلامي**، ص ٣٨]. وقد تعجبت من قول الشيخ: «سلطان الذاكرة!»؛ فالأمر نسبي، وما يبالغ الناس فيه من تمجيد قوم لذاكرتهم فلأنهم تقدموا في دروبها، وليس لأنهم كانوا سلاطينها، بل كلمة سلاطين نفسها قد لا تكون صحيحة؛ لأننا تعلمنا أن سلطة الإنسان مهما كانت فهي منقوصة لا تتم.

هل نقرأ أي شيء؟

كنت أناصر هذه الفكرة في غرارة الصبا، ونفذتها زمنًا ولم أبال، وهرّبت من الكتب الممنوعة ما استطعت، وأسررت كتبي على القريب والبعيد، ولما سمعت عن كتب عبدالله القصيمي بعد قراءة «**الغربال**» أو «**الغربال الجديد**» لميخائيل نعيمة، وحواره الساخر بالقصيمي قلت في نفسي: لم لا تقرأ له؟ فحرصت على كتبه فلم أجدها عند أحد من معارفي، ولا في الدول العربية التي لي فيها أصدقاء. فلما سافرت للدراسة وجدت نفسي في مكتبة «جامعة ميشجن» التي جمعت «كل الكتب». هل هذا وصف صحيح؟ ربما يكاد. وهناك صرفت وقت الدراسة لقراءة ما اتسع له يومي، فأذهب لها كل يوم بعد الدوام أو الليل، وهي لا تغلق إلا في وقت متأخر جدًّا، في الثانية صباحًا. فهي تفتح لمدة عشرين ساعة في اليوم، ويخرج منها القراء بالتهديد! فما حال المكتبات في جامعاتنا؟! ليس هنا الحديث. وكان مما تذكرت البحث عنه كتب القصيمي، فقرأت له، وعند لحظة معينة وهو يتكلم عن الأنبياء شعرت باشمئزاز شديد من كتابته، ورأيته يسف إلى درجة غير معقولة في شتم الرسل والأنبياء. وأحسست أن هذه النفسية المستخفة الساخطة تعاني من مرض وليس من ثقافة ومعرفة؛ فطريقته تمطيطية ثقيلة، تستعين بتنويع الكلام وتكراره الممل في كتب كبيرة جدًّا. شعرت أنه يمتهن الإنسان، كل إنسان، وأنه يحتقر نفسه في صورة الآخرين، ويشكو إفلاسه بالزعم أن الآخرين أفلسوا.

رميت كتب هذا الثقيل المتخافف المغرور المتنفج غير راغب. ولكني بدأت أشك في القاعدة التي مشيت عليها، ولأنني نشأت في بيئة محافظة جدًّا وبين أصدقاء محافظين، كنت لا أخبرهم بقراءاتي البعيدة أو المخالفة لاهتماماتهم؛ خوفًا من سخطهم، وبحثًا عن الأصدقاء والبيئة الطيبة التي تحتاج لها. ومر زمن حتى قال لي نبيه مثقف: كيف استطعت أن تقرأ تلك الكتب في تلك البيئة؟ بل

من دلّك عليها؟! قلت: الكتب يجر بعضها بعضًا. ويأتي الغث مع السمين، وينبت الشوك على درب الحبل (الكرم)، و«من أجل الورد نسقي العليق».

ومر زمن أطول حتى كنت أقرأ «**الاستقامة**» لابن تيمية، وهو أرقى وأنضج ما كتب، وفيه بحث جميل عن القراءة، وهل يفتح الإنسان عينيه على كل شيء في طريق المعرفة؟ كان يناقش القشيري في قوله في القشيرية:

«قال أبو القاسم في السماع: قال الله تعالى: ﴿فَبَشِّرْ عِبَادِ ۝ ٱلَّذِينَ يَسْتَمِعُونَ ٱلْقَوْلَ فَيَتَّبِعُونَ أَحْسَنَهُۥٓ﴾ (الزمر: ١٧، ١٨). قال أبو القاسم: اللام في قوله: ﴿ٱلْقَوْلَ﴾ تقتضي التعميم والاستغراق، والدليل عليه أنه مدحهم باتباع الأحسن».

قلت (أي ابن تيمية): وهذا يذكره طائفة منهم أبو عبدالرحمن السلمي وغيره، وهو غلط باتفاق الأمة وأئمتها؛ لوجوه أحدها: أن الله سبحانه لا يأمر باستماع كل قول بإجماع المسلمين حتى يقال: «اللام للاستغراق والعموم»، بل من القول ما يحرم استماعه، ومنه ما يكره، كما قال النبي ﷺ: «مَنِ اسْتَمَعَ إِلَى حَدِيثِ قَوْمٍ وَهُمْ لَهُ كَارِهُونَ صُبَّ فِي أُذُنِهِ الآنُكُ - يعني: الرَّصَاص - يَوْمَ الْقِيَامَةِ». (ذكر المحقق أن الحديث في البخاري). وقد قال الله تعالى: ﴿ ▯
▯ ▯ ▯ ▯▯ ▯ ▯ ▯ عَنْهُمْ ▯ فِي وَإِمَّا
▯ ▯ ▯ ▯ ▯ ▯ ٱلذِّكْرَىٰ مَعَ ▯ ▯ ۝ وَمَا عَلَى ٱلَّذِينَ يَتَّقُونَ مِنْ حِسَابِهِم مِّن شَىْءٍ وَلَٰكِن ذِكْرَىٰ لَعَلَّهُمْ يَتَّقُونَ﴾. (الأنعام: ٦٨، ٦٩). فقد أمر سبحانه بالإعراض عن كلام الخائضين في آياته، ونهى عن القعود معهم، فكيف يكون استماع كل قول محمودًا؟!

وقال تعالى: ﴿وَقَدْ نَزَّلَ عَلَيْكُمْ فِى ٱلْكِتَٰبِ أَنْ إِذَا سَمِعْتُمْ ءَايَٰتِ ٱللَّهِ يُكْفَرُ بِهَا وَيُسْتَهْزَأُ بِهَا فَلَا تَقْعُدُوا۟ مَعَهُمْ حَتَّىٰ يَخُوضُوا۟ فِى حَدِيثٍ غَيْرِهِۦٓ ۚ إِنَّكُمْ إِذًا مِّثْلُهُمْ﴾ (النساء: ١٤٠). فجعل الله المستمع لهذا مثل قائله، فكيف يمدح كل مستمع كل قول؟!

وقال تعالى: ﴿قَدْ أَفْلَحَ الْمُؤْمِنُونَ ۝ الَّذِينَ هُمْ فِي صَلَاتِهِمْ خَاشِعُونَ ۝ وَالَّذِينَ هُمْ عَنِ اللَّغْوِ مُعْرِضُونَ﴾ (المؤمنون: ١ - ٣). وقال تعالى: ﴿وَعِبَادُ الرَّحْمَٰنِ الَّذِينَ يَمْشُونَ عَلَى الْأَرْضِ هَوْنًا وَإِذَا خَاطَبَهُمُ الْجَاهِلُونَ قَالُوا سَلَامًا﴾ إلى قوله: ﴿وَإِذَا مَرُّوا بِاللَّغْوِ مَرُّوا كِرَامًا﴾. (الفرقان ٦٣ - ٧٢). ورُوي أن ابن مسعود سمع صوت لهو فأعرض عنه، فقال النبي ﷺ: «إن كان ابن مسعود لكريمًا». فإذا كان الله تعالى قد مدح وأثنى على من أعرض عن اللغو ومر به كريمًا لم يستمعه، كيف يكون استماع كل قول ممدوحًا؟!

وقد قال تعالى: ﴿وَلَا تَقْفُ مَا لَيْسَ لَكَ بِهِ عِلْمٌ ۚ إِنَّ السَّمْعَ وَالْبَصَرَ وَالْفُؤَادَ كُلُّ أُولَٰئِكَ كَانَ عَنْهُ مَسْئُولًا﴾. (الإسراء: ٣٦). فقد أخبر أنه يسأل العبد عن سمعه وبصره وفؤاده، ونهاه أن يقول ما ليس له به علم. وإذا كان السمع والبصر والفؤاد كل ذلك منقسم إلى ما يؤمر به وإلى ما ينهى عنه، والعبد مسئول عن ذلك كله، كيف يجوز أن يقال كل قول في العالم كان، فالعبد محمود على استماعه، هذا بمنزلة أن يقال كل مرئي في العالم فالعبد ممدوح على النظر إليه. ولهذا دخل الشيطان من هذين البابين على كثير من النساك فتوسعوا في النظر إلى الصور المنهي عن النظر إليها، وفي استماع الأقوال والأصوات التي نهوا عن استماعها، ولم يكتف الشيطان بذلك حتى زين لهم أن جعلوا ما نهوا عنه عبادة وقربى وطاعة» (الاستقامة ١/ ٢١٨].. ونقل الشيخ أكرم ضياء العمري عن الذهبي قول الثوري: «من سمع ببدعة فلا يحكها لجلسائه، لا يلقها في قلوبهم». ثم عقب الذهبي: «أكثر أئمة السلف على هذا التحذير، يرون أن القلوب ضعيفة، والشبه خطافة». [**قيم المجتمع الإسلامي من منظور تاريخي**، أكرم ضياء العمري، (١/ ١٥٢ - ١٥٣)].

وقد تتبعت بدعة نقد للقرآن ظهرت في أمريكا، وشهدت مقالها الأول وعجبت منه، وعلمت أن مقصود مشيعه أن يثير بلبلة في العقول والقلوب، وقد

قدّمها في سياق جذاب وخبر مهم وغلاف مجلة مخصصة لها، فاتصلت ببعض المجلات والهيئات الإسلامية راجيًا منهم ألا يذكروا الخبر ولا يشيعوه ولا ينتقدوه، فالسكوت عنه إماتة له. ومر نحو من ثمانية أعوام، وإذا بالمجلة نفسها تنشر نقدًا للقرآن وللإسلام، ثم تقدم لمشروعها بمقدمة يتعجب فيها كاتبها كيف أن أحدًا لم يتابع المشروع النقدي الذي طرح من قبل - مشيرًا للسابق - وعاد ليؤكد أن الإسلام بحاجة لتفكيك وشك ونقد وتمحيص، تنزله من القداسة لأرض الناس، وتجعله بجانب بقية الكتب الدينية التي تنتقد كل يوم، وأبدى سخطه لأن الإشاعة والبدعة لم يحملها أحد للناس ولم تروج كما ينبغي!

وهكذا تجدون أن الرد أحيانًا ينم عن جهل الراد، وضعف تبصره في طريقة التعامل مع الحوادث والبدع. فجزء كبير لا يريد إلا البحث عن نقد ورد، فنجاحه في استثارة الكلام عنه، وشيوع خبره، وإن كان محض كذب.

وقد وجدت في ترجمة الإمام أحمد عند الذهبي التالي: «قال أبو قلابة: لا تجالسوا أهل الأهواء - أو قال أصحاب الخصومات - فإني لا آمن أن يغمسوكم في ضلالتهم، ويلبسوا عليكم بعض ما تعرفون. ودخل رجلان من أصحاب الأهواء على محمد بن سيرين، فقالا: يا أبا بكر، نحدثك بحديث؟ قال: لا. قالا: فنقرأ عليك آية؟... قال: خشيت أن يقرآ آية فيحرفانها فيقر ذلك في قلبي. [**سير أعلام النبلاء**، (١١/ ٢٨٥)].

إن للنصوص والأفكار المشككة أثرًا أبعد مما يتوقع الإنسان، وأنا لا أملك مصباحًا واحدًا يضيء جميع الطرق والزاوايا أمامك، لتميز السهول الخضراء والأخرى المجدبة. وذلك لأسباب لعل أهمها: أن الناس يختلفون في مستوى القراءة والفهم، فربما قرأ هذا النص من بلغ معالي الأفكار، فحظر الأمور عليه عبث، مع إنه لا محالة واجد عقلاً خيرًا من عقله، وذكاء أنجب من ذكائه، وما تأملت الكتب إلا رأيت «عواصف للعقول» فوق المعقول، وربما قرأ كلامي في

الحث على التوسع من هو أبعد عن الموضوع، وأقل خبرة في المغامرة، فضره قول هنا وهناك، وسمّ قلبه بسموم يصعب عليه شفاؤها، وقد لا يجد حاذقًا يأخذ بيده في دروب آمنة. ولعل من خير ما نقول هو الحث على أن تتضلع من خير قول أهل طريقتك، حتى إذا شط بك الموج في البحر، تذكرت جزرًا تأوي إليها، وتنقذك من الغرق. واعلم أن مدى الإنسان مهما بعد فهو قريب، وعقله مهما كبر فهو صغير، فكم من عبقري عاش في الخزعبلات!

واعلم أن الأفكار مصدر للشقاء، كما هي مصدر للسعادة، ففيها نوافذ للنور، وبها دروب شائكة للعتمة، ولها لذة كما لها ألم بئيس لا يرحم، ولا يتركك تخلو هانئ البال إلى وسادتك، ولكنها تفتق العقل فتخرجه لما هو أبعد من مداه، فإما أن ترده مهديًّا راشدًا، وإما أن تعود به مرهقًا معذبًا بما لا يطيق.

عادة القراءة

يعرف ستيفن كوفي العادة المطلوب تعودها بأنها: «تشابك المعرفة والمهارة والرغبة». [**العادات السبع**، ص٤٢].

وهذا ثلاثي رائع، فمن الصعب أن تتحول أي ممارسة حياتية إلى عادة، ما لم تتوفر لها هذه الزوايا الثلاث: عمق المعرفة، وإدراك ماهية هذه الممارسة، وتوفر المهارة الحقيقية، والأهم من ذلك وجود هذا الصدى الداخلي العميق الذي يتردد باستمرار «الرغبة».

والقراءة حين تتحول إلى عادة، يصبح الإنسان أكثر قدرة على التعاطي مع الكتاب ومرافقته، إلا أن هذا الانسجام لا يجب أن يصل إلى حد الذوبان، فإن من الخطر الاستسلام للكتب دون تفكير فيها وفي النصوص المقروءة، وكذا الثقافة الباردة المجردة من المهارات العملية، فعليك أن تبعد نفسك بعض الوقت عن القراءة المستمرة، وتفكر فيما قرأته بعين ناقدة، وعندما لا تلوح لك

قدرة على نقد ما قرأت تحدث به لعاقل أو فطن، واستمع دون إصرار، وناقش بمقدار وعي مخالفك، وإن لم تجد من تناقش فاقرأ للمخالف لذلك الكاتب.

قال مكتشف «النظرية النسبية» أينشتين: «القراءة بعد فترة من العمر تذهب بالعقل بعيدًا عن الإبداع والإقناع، فالإنسان الذي يقرأ كثيرًا ويستخدم عقله قليلاً يسقط في اعتياد الكسل الفكري». إن القراءة بعد فترة توغل في متعتها، وفي طلب تصديقها، وفي السخرية من الإبداع، إنها تثور على هدفها، فبدلاً من أن تقوم بتنفيذ نصيحة: «طبق كل ما تستطيع مما قرأت»، أو «اعمل بما علمت»، تصبح القراءة إدمانًا فارغًا باردًا، يعطل القدرة على الإبداع وإثارة الفهم والتجاوب مع الآخرين. يصف مونتسكيو هذا النوع من الناس خبراء الكتب فيقول: «هذا يجيبك جوابًا شافيًا؛ لأنه منكب ليل نهار على فك رموز كل ما ترى من الكتب، إنه رجل لا يصلح لشيء». [مونتسكيو، **الرسائل الفارسية**، ص٣٠٤].

قراءة الصبا

الذين يكتبون لاحقًا ويتعلمون ويؤثرون في عالمهم كثيرًا ما يبدأون مبكرين، كتب جون كويتزي عن طفولته في كتابه «**أيام الصبا**» وكيف كان يغيب عن المدرسة من أجل القراءة؛ ليكون رجلاً عظيمًا فيما بعد، يقول: «كان يستلقي بأكبر قدر من الهدوء يمكنه إلى أن يذهب أبوه، ويذهب أخوه، وعندها يستطيع أخيرًا أن يهيئ نفسه ليوم من القراءة، كان يقرأ بسرعة كبيرة، وباستيعاب تام. وكانت أمه خلال نوبات مرضه تزور المكتبة مرتين في الأسبوع لاستعارة الكتب له: كتابان على بطاقتها، وكتابان على بطاقته... كان يعرف أنه إذا أراد أن يكون رجلاً عظيمًا كان عليه أن يقرأ كتبًا جادة، أن يكون مثل إبراهام لنكولن أو جيمس واط، يدرس على ضوء الشمعة فيما يغط الآخرون في

النوم، يعلم نفسه اللغة اللاتينية واليونانية وعلم الفلك. لم يكن يستبعد فكرة أن يصبح رجلاً عظيمًا، وكان يعد نفسه بذلك بأن يبدأ القراءة الجدية قريبًا، أما الآن فكل ما كان يريد قراءته هو القصص. [كويتزي، أيام الصبا، ص١٢١ - ١٢٢]. وقد أصبح كويتزي كاتبًا عظيمًا ونال أعلى الجوائز، منها: «البوكر» و«جائزة نوبل».

أما والده الذي كان لا يطيق المعرفة فيقول عنه: « كان يقرأ الصحيفة بسرعة وبعصبية، يقلب الصفحات كما لو كان يبحث عن شيء ليس موجودًا فيها، يصدر قرقعة ويصفع الصفحات وهو يقلبها. وعندما ينهي قراءته كان يطوي الصحيفة، ويبدأ في حل الكلمات المتقاطعة.[كويتزي، أيام الصبا، ص١٢٣].

وقد كانت كتب والدي القليلة من أول ما أحببت قراءته، وكنت في الثالثة أو الرابعة الابتدائية أتمنى أن أصل إلى مستوى قراءتها، وكان يمنعني من قراءتها؛ لأنها فوق قدرتي وإمكاناتي، ولكني لم أصل إلى نهاية المرحلة الثانوية إلا وهو يقول أظنكم ـ أي أنا وأخي ـ ستخرجوننا من البيت لتملؤوه بالكتب! وقد تكونت أول مكتبتي في أواخر المرحلة الابتدائية، ثم كبرت خليطًا وتنوعًا استمر معي فيما بعد.

قرين القراءة

لقيت هذا الصديق وأنا في بداية السنة الثانية في الجامعة، وما كنت أتوقع أن تتم صحبتنا العميقة التي سارت في طريق الكتب زمنًا طويلاً، فبعد لحظات قليلة من اللقاء الأول بدأنا بالحديث عن الكتب، واستمر الحديث حتى نهاية اللقاء، ثم أصبحت القراءة الرابطة الأقوى بيننا، فكلما مل أحدنا من الكتاب أمسك به صاحبه. صفحة تلهث للتالية، وكتاب يجر وراءه الآخر بلا نهاية. وبعد زمن أصبح لكل منا مكتبة عامرة، مكتبة متشابهة المحتويات، قليلة الفرق

مع أختها. كلاهما حمل روح التوسع الممكن آنذاك، في الأدب والشعر والفقه والتاريخ، وقليل من الفلسفة، وكثير كثير من كتب الفكر الإسلامي. وقد ازدادت هذه الصداقة والألفة إلى حد الانسجام العجيب بيننا، فترى أحدنا فكّر في أمر والآخر يفكر فيه في نفس الوقت، ويلاحظ مسألة فيعجب من الآخر ويدرك أن صاحبه مشغول بها في اللحظة نفسها. وانسجام الخواطر أمر عجيب، فقد وصلنا إلى مرحلة لا يعبر فيها أحدنا عن فكرته؛ لعلمه بأن الآخر يفكر فيها ويستنتج نفس الاستنتاجات والروابط بالأفكار والموقف. حاولت أن أجد لهذا الموضوع معنى عند كاتب آخر، فلم أجد إلا إشارة أبي حيان في «**الصداقة والصديق**» إشارة أعجبتني ولم ترو لي غلا؛ إذ لم أجده معبرًا عن هذا الموقف الثقافي الفكري القوي، المبني على قناعة وشجاعة وفكرة تجاه العديد من القضايا. وفي الوقت نفسه حمية وعزمًا وشبابًا وقادًا ودفاعًا عن الموقف الذي نؤمن به، وقد مرت سنين قبل أن يجرؤ أحدنا ويقول للآخر: إن له موقفًا خاصًّا يختلف في قضية ما.

فقد كان عمق الصداقة والود والتقدير المتبادل يمنع، ويحجر الحق أو الباطل في زوايا بعيدة، ولا يقتحم بحر المودة. وبعد طول البعد، وتنوع الناس، وصعوبة اللقاء في بعض السنوات العجاف، كان من يصحبه على فكرته الآنية يراه صاحبه، ويجد في هذا نفعًا وفائدة. واقتنعت بأن خير طريق هو الصدق والإخلاص والاندفاع بصداقة واعية، فلن تتضرر منها كثيرًا كما يهول السابقون. ولا يليق أن تقطع غياهب الليالي ورمال الأيام دون رفيق، وإن عدمت الصديق فحدثه غائبًا، واستشره، وتخيل لكل موقف صديقه، فهو عون، وهو نور في ظلمات بعض المواقف، ونفس تأنس بنفس قوية، ونفس تألف وتؤلف تجمع النفوس، وتبني الخير والتغيير. ولا تشترط في صديقك أن يكون الكمال خالصًا، فذلك ليس لك ولا له، وقد تؤوب من رحلتك بلا صديق، وكثيرًا

كثيرًا ما يحدث، وتذكر ذلك الذي مر بالغابة يبحث عن غصن يصنع منه قوسًا، فكلما مر بغصن عابه، حتى إذا أدركه الليل اقتطع آخر غصن وجده أمامه، بعد أن استحال المطلوب المتخيل وأصبح الاستمرار في البحث عبثًا مستحيلاً.

فالتكلف نقص في الكمال. ألم تشهد الرسول ﷺ يسكت عن عابث في الصلاة! ولم يزل الناس من عهد آدم يولد فيهم كل لحظة الذكي الزكي، الصادق الأمين، من يسعدك حضوره، ويعلمك كلامه، ويهديك برأيه. إن الصاحب الجيد قد يكون الذي سيأتيك غدًا. أو الذي أهملته أمس، أو الذي تراه ولا تعطيه وجهًا.

القرناء يوقد بعضهم في بعض نار الهمة والتنافس، فيصبح لهم أثر وصولة وجولة، ويوم يخفت التنافس يخفت الجهد والمثاقفة، ويضعف مستوى المثقفين، تمامًا كما يضعف السياسيون بلا منافسة، وفيما قص خالد محمد خالد من طرائف زملائه من أمثال سيد سابق الذي لقبوه بـ«المحيط الهادئ» بسبب سعة علمه وهدوئه، ومنافسهم الشيخ محمد الغزالي وغيرهم عبرة بفائدة المنافسة، وتجد هذا واضحًا في جهد المدارس الفلسفية خاصة مثل: «مدرسة فيينا»، و«حلقة كامبريدج».

وميزة قرين القراءة أنه قرين الهواية، وذلك تجده حيث تجد روحك وعقلك، وليس في ميدان واحد، ونحن هنا مشغولون بمذكرات هواية، أصبحت مهنة وتقاليد حياة.

التكرار

لا يغرينك تنوع الكتب وبهجتها بأن تتنقل فيها مجددًا لها، ومعيدًا لقراءتها طوال العمر، فإن من الكتب ما يستحق القراءة مرات عديدة، وكلما فرغت منه عدت له. ولعلي أكرر عندما قلت في أحد المجالس وقد سألني أستاذ فاضل

قائلاً: أحب أن توجز لي نصيحتك في القراءة. فقلت: اقرأ كثيرًا، ونوّع مقروءاتك، واعتن بالمتميز من الكتب، ثم أعد قراءة أجودها.

قال المزني العالم النبيه تلميذ الإمام الشافعي (قال عنه الشافعي معجبًا بلوذعيته وذكائه: لو ناظر الشيطان لغلبه!): «قرأت «الرسالة» (أي: كتاب الرسالة للشافعي) خمسين مرة أو أكثر، فكنت أستفيد منها في كل مرة ما لم أستفد في السابقة». [عبدالغني عبدالخالق، بحوث في السنة المشرفة، ص٣١]. وقال أحد زملاء عاصفة الفلسفة في القرن العشرين فيتجنشتين أنه كان يعيد قراءة بعض الروايات اثنتي عشرة مرة، وقرأ كتب مشاهير الرواة في زمنه، وكان يجد النصوص الأرسطية في الروايات، فيخبر زملاءه في أي مكان هي من نصوص أرسطو. [لودفيج فيتجنشتين، مذكرات طالب، ص٥٠ - ٥١، كتبها: ثيودور ريد باث، الناشر: دوك وورث لندن، ١٩٩٠م]. فمعرفة علم أو علوم تقتضي التكرار الممل؛ حتى يصبح عادة.

وهنا يجدر التنويه بخطر هذا الاستبداد، إذ إن الكتب «مألفة»، فإذا ألفت منها صنفًا تحكم فيك ولم تتحكم فيه. فاحذر سيطرة كاتب أو صنف عليك؛ لأنه يقطعك ويبعدك عما أنت بصدده. ولا بد أن تخرج لغير كاتبك المفضل أو كتبك المفضلة لتشهد الدنيا خارجها، وتسأل عما جد من جديد، أو ارتفع من حكم علمي أو حاكم على غيره.

ولتكرار المقروء فائدة أخرى، وهي تقوية الذاكرة والاستفادة منها على الوجه الأكمل، يقول مطهري: «الإنسان الرشيد هو الذي يمكنه الاستفادة الصحيحة من ذاكرته، وأما غير الرشيد فيمكن أن تكون ذاكرته قوية جدًّا، ولكن لا يمكنه الانتفاع منها واستثمارها، بل يتصور أن الذاكرة مستودع يجب ملؤه بكل شيء. وأما الإنسان الرشيد فيفكر في الأمور التي يملأ بها ذاكرته، ولا ينتقي منها إلا الجيد المفيد، إن ذاكرته مقدسة، ولا يجدر أن يملأها بأي

شيء، بل يلاحظ ما يفيد ومقدار فائدته، ويضع قائمة بهذا، ثم ينتخب ما هو أكثر فائدة لذاكرته، ويعتبرها كالأمانة التي يلزمه المحافظة عليها، فيجب أن يتعرف على المسائل العلمية أولا، وبصورة دقيقة وواضحة، ثم بعد ذلك ينقلها لذاكرته». [مطهري، **مقالات إسلامية**، ص١٠٩].

ثم ينصح بما يلي: «كل ذاكرة مهما كانت قوية تفتقر إلى قراءة الكتاب الجديد بالقراءة مرتين على الأقل، وبصورة متوالية، وبعد ذلك يحاول التحقق حول كل فكرة من ذلك الكتاب، وتمحيصها وتحليلها، وملاحظة المطالب التي سوف يحتفظ بها في ذاكرته، ثم يحاول أن يقرأ كتابًا آخر في الموضوع نفسه الذي يدور حوله الكتاب السابق؛ حتى لا يمتلئ ذهنه بموضوعات متعددة متباينة وبصور غير منظمة. وهنا يحاول ـ قدر الإمكان ـ أن يملأ ذهنه بما له علاقة بالموضوع نفسه، ليكون أكثر تعرفًا عليه، وأكثر ترسيخًا في ذهنه». ثم ينكر على القارئ أن يتنقل في موضوعات وكتب عديدة متنوعة قبل الرسوخ والوعي بالكتاب نفسه والإلمام بالموضوع، إلى أن يقول: «الإنسان الرشيد يبحث في الكتب المفيدة له ويكرر قراءتها، ثم يلخصها، وهذه الخلاصة يودعها في ذاكرته. ثم بعد ذلك ينتقل لموضوع آخر. ومثل هذا الفرد حتى لو كانت ذاكرته ضعيفة، لكنه رغم ذلك، أكثر استفادة وانتفاعًا من الشخص المتخبط في قراءته، وإن كان قوي الذاكرة». وضرب مثالاً بمن لديه مكتبة كبيرة غير منظمة، يضيع في البحث فيها ساعات، على عكس ممـن كانت مكتبته قليلة ولكنها منظمة، يصل لما يريد بلحظة واحدة». [**مقالات إسلامية**، ص١١٠ ـ ١١١].

ولاحظ قوله: «وهذه الخلاصة يودعها في ذاكرته!» ألا تراه يتمتع بذاكرة رائعة يـودع المعلومات فيها؟! عجبت لذاكرته، وكنت أقرأ له في كتاب مهم آخر فإذا هو على مذهب ديكارت يشكو مـن الذاكرة، ويقول: لا أدري أين قرأت هذه الفكرة أو تلك. وهكذا ترى الأمور نسبية ذكر الناس أم نسوا. فلا

تبالغ في لوم ذاكرتك، فتفقد بعض الثقة بنفسك. ولا تطمع فيما لا تجد، وإن سمعت قول سفيان الثوري: «ما استودعت قلبي شيئا فخانني».[سير أعلام النبلاء، الذهبي، (٧/٢٣٦)]، فإن كثيرين من عباقرة العالم عانوا كثيرًا من ضعف حفظهم. وكان ديكارت يشكو من الذاكرة شكوى مرة، وقد نشرت شكواه في مقال بعنوان: «شكوى من الذاكرة».

وقيل: إن القراءة استغرقت الجاحظ حتى نسي ما لا ينسى، روي عنه أنه قال: «نسيت كنيتي ثلاثة أيام حتى أتيت أهلي فقلت لهم: بم أكنى؟ قالوا: بأبي عثمان». [مقالات الطناحي، (٢/٥٢٤)].

وكذلك أحمد بن الصديق الغماري المحدث الكبير، نقل أن الشيخ الكتاني كان يكتب إهداء على أحد كتبه لتلميذ له، ثم وقف وقفة طويلة، فسألوه: ما الذي يحدث؟ فقال: لقد نسيت اسمي، فلقنوه اسمه! [أحمد بن الصديق الغماري، جؤنة العطار، الكتاني، ص٨٢ – ٨٣].

ومن هذه الحوادث وأمثالها تجد أن بعض الناس يصد عن المعرفة بحجة سوء ذاكرته، وهذا صحيح؛ فقد تكون الذاكرة ضعيفة أو تتردى، ولكن القراءة لا تحمل المعلومة فقط، فالمعلومة غلاف للفهم، وكم لقينا ممن هذبته المعارف ورقت بعقله وذوقه، ولم تنهض به ذاكرته!

وممن شكى من ذاكرته زكي نجيب محمود، يقول: «ما أشقاني بهذه الذاكرة الضعيفة العاجزة، التي توشك أن تبدد لي كل ما قد وعيت وخبرت في أعوامي السوالف، فلا تبقي لي من ذلك شيئًا، وإني لأعلم عن ذاكرتي هذا الضعف الشديد وهذا الإسراف في تبديد الودائع، حتى لتراني أتحوط بكل ما يشير به علماء النفس من وسائل، فأشدد الروابط بين أجزاء الشيء المحفوظ، وأضع تحته الخطوط، وأوضحه في هوامش الكتب، ولكن هيهات للغربال أن

يحفظ في جوفه ماء، تراني أقرأ الكتاب، فلا تمضي أيام قليلة بعد الفراغ منه حتى يذهب عني وتذهب كل آثاره، فلا عنوانه هناك، ولا اسم كاتبه، ولا شيء من مكنونه. فالرأس بعده خلاء خواء كما كان قبله، فلا زيادة به إن لم يكن به نقصان». [**الكوميديا الأرضية**، ص٨٧، دار الشروق، ١٤٠٩هـ ـ ١٩٨٩م].

غير أنك لو قارنت بين زكي وعبدالرحمن بدوي لرأيت ضعف ذاكرة زكي كانت لمصلحته، إذ أصبح مفكرًا فيما علم أو قرأ، وجنت ذاكرة بدوي عليه فبقي ناقلاً ومحققًا بلا إبداع، وهذا ما لاحظته وأنا أكتب هذا السطر إثر فراغي من مذكرات بدوي الواقعة في جزأين، قارب عدد صفحاتهما ثمانمائة صفحة، وقد كانت زاخرة بالمعلومات الكثيرة الثقيلة المسجلة بطريقة عالم، ولكنها كانت خالية من الروح ومن أسلوب الأدب، ومن الاستبطان لمعاني الأحداث، أما الفن فلا وجود له في تلك المذكرات.

وقد نقلوا عن شخصيات عديدة في التاريخ الإسلامي عجائب وطرائف في الحفظ، فمنهم من يستمع لرجلين يتشاتمان بلغة غريبة فيحفظ أقوالهم دون وعيها، قرأت ذلك في سيرة الإمام أحمد، وقيل مثلها في سيرة المعري. ومن أخبار حفظ بورخيس أنه لقي أستاذًا جامعيًّا من أصل روماني عام ١٩٨٦م في «جامعة أنديانا» فألقى عليه قصيدة بالرومانية من ثمانية مقاطع، كان قد سمعها من شاعر روماني لاجئ في جنيف عام ١٩٦١م، ولم يكن يعرف اللغة الرومانية حينها، وكان بورخيس يحفظ أقوال وأشعار الآخرين ولا يحفظ أعماله. [هامش للمترجم في كتاب «**صنعة الشعر**» لبورخيس، ص١٠].

وللعمر علاقة وثيقة بالذاكرة، وهناك علاقة متبادلة بين الذاكرة والفهم، فعندما تتراجع الذاكرة يتقدم الفهم عند بعض الناس، وبعضهم يبقى له بقية من ذاكرة بلا فهم، كما كانت في مطلع عمره تعيش الذاكرة فقط، ومن لم يفتح للفهم نوافذه، ويكسبه موارد ومعاناة فسيقل وجوده ويضعف تأثيره، ويحتج

على الفهـم وعلى العقـل بالذاكرة، وتصبح الذاكرة وسيلة لمطاردة الوعي وملاحقـة حسـن تقدير المواقف والسـخرية من عقول العقلاء! وهذا نوع من الذاكرة كارثة على الشـخص والمجتمع، ولأنها أسـهل تحكمًا وأبسط خطابًا، وأكثر شـعبوية وجماهيرية وإنامة للعقل، فيهرب العقل والوعي منزويًا مسلمًا مواقعه للذاكرة الجماعية الحاشدة للجموع أكثر منه.

أجواء القراءة

شكوت إلى صديق أعرف قدرته الكبيرة على القراءة، وفي الوقت نفسـه يسـتطيع أن يقضـي وقتًا طويلاً مع أسـرته، فكيف جمع بيـن الأمرين؟! فقال: إنني تعـودت أن أقـرأ وسـط الضوضاء، فلا أشـعر بـأن حديثهم ومشـاجرتهم تزعجني، وإن أرادوا مني شـيئًا كنت قادرًا على أن أتحدث وأشـارك بشـكل طبيعي في الحركة اليومية للبيت. ومر زمن آخر وتحدثت مع قارئ أكثر خبرة من الأول، فإذا هو يقـرأ مع وجود ضيوفه المعتادين أو من يغشـونه باسـتمرار، ومـع أهله بسـهولة، فبعض الناس يسـتطيع أن يخلوا بالكتـاب في مجلس مع الناس أو مع الأسـرة، ولا يشـعر بضيق، وبعضهم لا يطيق وجود عارض يعترض ولا صوت يقطع طريقه مع الكتاب والفكرة. غير أني لاحظت أن هذه القراءة هي من النوع السـهل، قصص وروايات ومقالات سياسة عربية، وكتب مواعظ وأخـلاق، وهذه الكتـب لا تحتاج عنـاء انفراد بالكتاب في مكان أنت والكتاب فيـه فقط. ومن أنواع الانفراد؛ المقاهي، فهـي تعطي للقارئ أو الكاتب انفرادًا وسـط الصخب، وربما كان هذا ينطبق على المقاهي في مناطق من العالم يجد القارئ أو الكاتب الجاد أنه في المقهى في خلوة أو شـبهها، وأنه قد سـلم من المنغصات، غير أني بلوت بعض المناطق العربية فما راعني في تلك المقاهي إلا أنها مدخنة، تسـيء لك إن دخلت بسـوء الرائحة، والصخب الذي لا يقبل، ولا تصلح معه القراءة أو الكتابة، ومنها ما تعاب بدخوله.

أما روجيه جارودي فكان يقرأ وهو يرأس جلسات البرلمان الفرنسي، ذكر أنه مرة طلب من السكرتير أن يحضر له كتابًا لهيجل أثناء جلسة كان يترأسها بنفسه؛ لأنه في تلك الأيام كان يعد كتابًا عن هيجل. [جارودي، **جولتي في العصر متوحدًا**، ص٨٣ - ٨٤]. وذكر أنه كان مشغولاً بالقراءة والكتب كل وقته، حتى وهو في الطريق ذاهبًا أو عائدًا من المدرسة كان يقرأ، حتى إنه كان يصطدم بقناديل الغاز في الطريق، وقد سببت له كلومًا أو حدبات في وجهه. وفي يوم واحد قرأ رواية: «**أحدب نوتردام**»، قرأها لمدة إحدى عشرة ساعة، ثم نهض وخيالات فيكتور هوجو تسيطر عليه فكسر المملحة. [**جولتي في العصر متوحدًا**، ص٢٣، بتصرف، (مع محاولتي لفهم الترجمة العسرة)].

ومن طريف ما ورد في مذكراته - وطريفها كثير - أن رومان رولان تنبأ بمستقبل لجارودي منذ عام ١٩٣٩م. [ص٣٤، المصدر نفسه]. وكذا أيضًا تنبأ سيد قطب لأخيه محمد، فقد كتب عنه سيد قبل وفاته بستة عشر عامًا:

فأَنْتَ عَزَائي في حَيَاةٍ قَصِيرَةٍ ... وأَنْتَ امْتِدَادِي في الحَيَاةِ وخَالِفِي
أَخِي أَنْتَ نَفْسِي حينَمَا أَنْتَ صُورَةٌ ... لآمَالِيَ القُصْوَى التي لَمْ تُشَارِفِ

[صلاح الخالدي، **سيد قطب من الميلاد إلى الاستشهاد**]. وهو من مقطوعة قصيرة كتبها سيد كإهداء في مقدمة ديوانه «**شاطئ المجهول**». [ذكر ذلك الخالدي في المصدر السابق، دار القلم بدمشق، ط٤، ١٤٢٨هـ، ص٤٨]. وكذلك: [**من ديوان سيد**، جمعه عبد الباقي حسين، دار الوفاء، القاهرة، ١٤١٨هـ، ص٧]. ومن الذين تنبأوا بمستقبل وتحول وتأثير لبعض الأشخاص ما كتبه أبو الحسن الندوي في «**مذكرات سائح في الشرق الإسلامي**» عن زيارته للقاهرة ومقابلته لسيد قطب، وتوقعه أن يكون ذا أثر لو اتجه للإسلام، وكان ذلك قبل تحوله بزمن. وفي «**مذكرات هيلاري كلينتون**» التي كتبتها إثر خروجها مع زوجها من البيت الأبيض، ذكرت أنها عادت من العمل لتبحث

عـن زوجهـا، وكـان قد انتظرها يقرأ في المقهى ـ وكان كلينتون قارئًا نهمًا ـ ثم تأخرت فخرج، فسألت النادل: هل رأيت رجلاً شكله كذا؟ فقال: نعم، وهذا الشـاب سـيكون رئيسًـا لأمريكا مستقبلاً!! وتذكر أن علاقتها به كان لها صلة بالكتـب والمكتبة كمـا في مذكراتها، وكان كل منهما قارئ. وفي قصة تعرف مالـك بـن نبي على زوجته الأولى وكانت فرنسية، أنه كان يرتـاد مكتبة وكان يهتم بنوع معين من الكتب وكلما بحث عنها وجدها معارة لسيدة تهتم بذلك النوع، ومع تكرار الحادثة طلب من مسئول أو مسئولة الإعارة أن يتعرف على هذه السيدة، ومن هناك كانت معرفة فزواج.

وقرأت في «مذكرات رسل» أنه كان هو وزوجته يقـرآن ويتبادلان القراءة زمنًـا طويـلاً، وقرأ في أشـهر زواجه الأولى كمية هائلة مـن الكتب في التاريخ وغيره، اعتبرها هي مرحلة تأسيسه الكبرى. [رسل، سيرتي الذاتية، ص١٩٥].

وكان رسل قد تعرّف عن قرب على أسـتاذه ألفريد نورث وايتهد، وناقش معـه الكثير من الكتب والأفكار، وكان وايتهد عالمًا في الرياضيات، جليلاً في ميدانه، ثم اهتم بالفلسفة بشكل أكبر عندما ترك بريطانيا وذهب لجامعة هارفارد، أو كما يقول رسـل عنه: «إن أمريكا هي التي اكتشفت فيه الجانب الفلسفي». وكانـت معرفتـه بالتاريـخ كبيرة، قال رسل عن ذلك: «وكانت معرفتـه الوثيقة بالتاريخ تثير إعجابي ودهشتي». [رسل، سيرتي الذاتية، ص١٩٨]. وقد وجدت رسـل قارئًـا نهمًـا في التاريـخ، فقد ذكر أنه قرأ كثيـرًا من الكتب عـن التاريخ الرومانـي، وبطبيعـة الحـال كتاب جيبـون: «اضمحـلال الإمبراطورية الرومانية وسـقوطها»، وهو متوفر بالعربية، وكنت قد طلبته من صديق دمشقي كان معنا فـي أمريكا، وكانت له قريبة مهتمة بالكتـب، فطلب منها أن تبحث لي عن هذا الكتاب، فاشـترت لي نسـخة معربة جلّدها تجليدًا جميلاً مالكها السابق: فياض حسن ريال، كما كتب على فاتحة صفحاتها، وقد جلبت لي تلك السيدة الكثير

من الكتب النادرة. وقد قرأ رسل كتب كارلايل وأثنى على مزاجه وذوقه الفني، وانتقد ميوله الإيماني المسيحي؛ لأن رسل يكره المسيحية والأديان عمومًا، وله كتاب طريف سمَّاه: «**لماذا لستُ مسيحيًّا؟**»، ساق فيه بعض الطرائف أيام زيارته لأمريكا، وكنت قد اشتريته ثم غاب عني منذ فترة، ولعله قليل الأهمية.

قلت: وكنت قد قرأت كتاب وايتهد «**مغامرات الأفكار**» قبل أن أقرأ «**مذكرات رسل**»، وكان سبب اهتمامي بوايتهد عنوان كتابه، فقد كان طريفًا، وكنت حاولت قراءته بالإنجليزية فوجدت صعوبة بالغة، وكانت سعادتي كبيرة عندما وجدت الكتاب مترجمًا في «مكتبة الهدى» في لندن، وهو في اللغة العربية لا يقل صعوبة عن نسخته الأصلية، وفي أواخر نسخته العربية صفحات مستغلقات، كددتُ الذهن فيها ولم أخرج بكبير فائدة، وقلت لنفسي: لعل علة ذلك قلق تلك الأيام، أو سوء الترجمة لهذه المقاطع. وفي الحقيقة وايتهد من ذلك النمط العميق في معرفة التاريخ وفلسفته ورجاله وتحولاته، ورؤية العبر منه، وهو من النوع الذي تقرأ منه صفحات، ثم تستريح لتتأمل ما جرعته منه، فليس المقروء يسهل هضمه بسرعة، وسوف تتسرب من بين يديك أفكار كثيرة، وعبر لا تذكرها إلا بعودة للنص مكرورة. وهذه طبيعة بعض النصوص الفلسفية العميقة، فاصبر عليها تجن أحيانًا فهمًا جيدًا ولو مؤقتًا، وعندما كنت أراجع هذا المقطع وقع بيدي كتاب: «**ما وراء الحرية والكرامة، تكنولوجيا السلوك الإنساني**»، وكنت أقرأ وأعاني، ولولا شهرة المؤلف سكنر لما أرهقت نفسي. ومثله ستيفن بنكر عالم اللغة والدماغ، عانيت ـ ومازلت ـ مع كتاباته، فمن القراء من ينصح بضرورة الفهم والاستيعاب الكامل، وأحياناًيكون متعذراً أوصعباً فابذل جهدك.

بعض القراء يحتاجون لطقوسهم حتى تتم لهم «متعة القراءة» المقدسة، فيقرنوها بعادةٍ محببة إليهم، أو بممارسة حياتية لا يمكن الاستغناء عنها، كشرب القهوة، أو التدخين، أو حتى تحريك أعضاء الجسد بشكل ما، فمن القراء من

يستولي عليه النص الذي يقرأه، فلا يحس بشيء خارج الكلمات التي ينظر لها، وقد يسرف في حركة متكررة لا معنى لها، يحك رأسه محرجًا، أو يضع أصابعه على صدغه متأملاً، أو يسرف في شرب القهوة أو الشاي، وكلما عسرت عليه عبارة أو فكرة أو مل من تكرار أمر مد يده طالبًا لشربة منقذة، أو سجارة مبعدة عن أذى اللحظة. ومن مدمني الدخان الكاتب الفرنسي الشهير بلزاك الذي عاش نحوًا من اثنين وخمسين عامًا، وكان يكتب معظم الليل ويدخن، ثم مات بعد حياة قصيرة. وهو الذي ناداه ـ متوسلاً ـ شاب ألماني فى الشارع في فيينا قائلاً: بالله عليك دعني أقبل اليد التي كتبت رواية «**سيرافيتا**».

وكان ماركس يقول لأحد محبيه المعجبين به: «إن كتاب «**رأس المال**» لا يمكن أن يدفع أو يعوض عن تكاليف الدخان الذي دخنه وهو يكتبه». [من كتاب لإريك فروم بعنوان: «**مفهوم ماركس للرجل**» **أو** «**الإنسان عند كارل ماركس**»، ص٢٢٣]. وهذا الكتاب التعس «**رأس المال**» كثر الكلام عن صعوبته؛ أن كثيرًا من الشيوعيين وغيرهم يتنفج بالحديث عن قراءته، وهم لم يقرأوه، وهذه مسألة تكاد أن تكون إجماعًا، وقد قرأت أن الاقتصادي الأشهر صاحب الحلول النظرية والعملية للاقتصاد العالمي كينز لم يحتمل معاناة السير في قراءة كتاب «**رأس المال**»، [كما ذكر: أشعيا برلين، **قوة الأفكار، ص١٣٠**]. وكان ماركس شديد الولع بالتدخين، وعلى هذا جرى الكثير من المعجبين به، وربما توقع بعضهم أن الدخان سيجعل عقله وقدرته كعقل شيخهم، فبقي لهم أذى الدخان، وذهب كبيرهم برأس الفتنة. وهكذا في المشهور عن جيفارا وكاسترو وبقية الشلة. وكان جمال الدين الأفغاني من ذوي الشراهة في التدخين. وحينها كانت اللحى الكَثَّة شعار رجال الفكر ومشاهير الساسة في زمانهم من القرن التاسع عشر، فكان السلطان عبد الحميد، وكان بسمارك، وإبراهام لنكولن، وقيصر روسيا، والأفغاني، وماركس، وإنجلز، وهرتزل، ثم

فرويد، ولينين، وتروتسكي، وبعض بقية القياصرة وملوك أوروبا يرون اللحى ذات أهمية كبيرة في صورة السياسي ومهابته الشعبية.

ولعلك تسألني: لم لا يتجه الكاتب بعمله لجانب واحد فقط (القراءة أو الشرب)؟ وأقول لك: إن الإنسان تتجلى فيه آية عظمى لخلق الله وإعجازه، فما أن ترى ذهنه قد استغرق إلا وتجد بدنه يطالب بدور وحياة ومشاركة في الكون، فلا يقبل الله من الإنسان الإغراق الشاذ في جانب، حتى وإن كان العلم، فالإنسان محتاج لأن يقوم بعمل ما في هذا الكون، وبدنه وعقله وعاطفته تناديه أن ليست الحياة كلها هي تلك الزاوية الضيقة التي تستمتع بها الآن وتلذ لك، بل هناك الجوانب، بل المسارات الحيوية الكبرى التي لها خلقنا وبها امتحنا، وهي تحتاج للفاعلية والمشاركة، فتنهض يد ويتحرك جسم. ويحتج واقع كبير على القراءة الميتة التي لا تشارك في حركة الوجود. ومع أن بعض هذه الأفكار تكتب في جو هادئ راكد، بقلب حي متحرك، ولكنها تثير حركة عاصفة في الكون والحياة، ومع ذلك فلا بد أثناء أي مرحلة من مشاركة جوارحية، تكمل صورة الفكرة التي لا توجد من مجرد فكرة، فما قال أحد لنا فكرة إلا وقد عمل عملاً ما، وإلا لما قلنا إنه قال فكرة. ولقد حقق من فكّر عملاً كبيرًا، ومات من أضاع عمره في عبث اجتماعي مجامل بلا نتيجة، ومفكر أو كاتب لا يعطي للمجتمع حوله وللعبث في حياته مجالاً سوف يزور الطبيب النفسي لا محالة، أو يبقى تحت وطأة المرض النفسي، يدرك الناس مرضه وهو الوحيد الذي يرى أنه يتمتع بصحة نفسية جيدة.

ودعوكم من الخيالات التي تصنع قممًا بشرية سليمة بلا ألم، واقرؤوا كلام ابن العربي عن شيخه الغزالي وهو يراه مريضًا ولا يحير لشيخه علاجًا، بل الشيخ يكتب هذا ولا يبالي من وصفه. ومن حكمة الغزالي أنه سافر يضرب في الآفاق لما اشتد عليه المرض، ولم يستطع الأكل ولا الشرب ولا التدريس بسهولة ولا يسر.

وفي زماننا القريب كان هناك الشيخ الدويش، فقد حفظ من كتب العلم ما فاق به كثيرًا من الماضين المشهورين بحفظهم وقراءتهم، وهو في مقتبل شبابه، ثم اشتد به المرض وابتعد عن الناس وعن أهله، ولعله لم يجد له على المرض عونًا.

وتُلم بالمثقف المتدين أو العلماني ـ أحيانًا ـ أوهام ومظاهر تتحجج بالتقوى والزهد والخصوصية، والتدين والنخبوية، والتفرد والتسامي، لتضرب دون الحقيقة ستارًا وهميًّا لا وجود له إلا في مخادعة النفس والناس.

ولقد تخيلت فترة من حياتي أن الكتاب متعة فشبعت منه، ثم تخيلته معرفة، فعرفت أو تخيلت أنني عرفت بعض ما أريد، وبخاصة عندما كنت أجالس بعض أقراني، ثم رأيت القراءة مجدًا ينسج في العزلة، فكرهت مجدًا غامضًا منعزلاً، على رغم قول ابن الرومي الذي عرفته متأخرًا:

سَالكًا في كُلّ فَجّ وحدَهُ حِينَ لا يُوحشُهُ طُولُ انْفِرَادِ
وكَذاكَ البَدْرُ يَسْرِي في الدُّجَى ولَهُ مِنْ نَفْسِهِ نُورٌ وهَادِي

ولم يعرف ابن الرومي في زمانه ما عرفنا في زماننا أن «له من غيره نور وهادي». غير أنه بمرور الزمان، ووحشة لقيتها في أكثر من مكان، أنست بالوحدة، حتى لتمر أيام ولا أتحدث لأحد بكلمة إلا مثل: هات وشكرًا، وذلك عندما أحتاج للكلام مع الباعة أو خدم الفنادق أو أسلم على مسلم ولا أدخل معه في نقاش، حياة صعبة أشبه بالعيش في زنزانة منفردًا. وتلك ظروف عبرت أرجو ألا تكون بقيتها طويلة.

وابن حزم الظاهري لا يأبه يشرح أزمته مع نفسه صراحة بلا مواربة، والطبري يرحمه الله يعلم داءه ويفارق تلاميذه، يدرسهم من كوة في الجدار، بعيدًا عنهم وعن مرافقتهم. فإذا أعجبك خلوصك للعلم وللمعرفة، فراقب

نفسك بوعي ودعك من غرور الكتب، ومن ترفع المثقفين على الناس، الترفع الذي يكون ظاهرة مرضية أحيانًا وليس كما يدعون وقارًا ومهابة. فاجلس مع الناس، ودعك من قول شيخ الإسلام: «مجالسة أمثال هؤلاء تفت القلب فتًّا». فقد جالس رسول الله ﷺ اليهود والنصارى، والمجوس والمشركين، وبسطاء الناس من الأعراب، وناقشته العجائز، وحاور وناظر ودعا وبايع وشارى، وعاهد وحارب وسافر ولاعب، موقفًا لنا على الإنسان في غاية كمال إنسانيته ورجولته. وربى من نسائه من كانت مثالاً لغاية كمال المرأة ومشاركتها الفكرية والسياسية والدعوية، فخديجة وعائشة كانتا غاية في الكمال.

إن خروج الفرد من مقياسه الخاص، ومن غروره وتعلقه وخضوعه لعاداته، يجعله أقدر على فهم نفسه ومجتمعه وإدراك دوافع الآخرين، فإن لم يتخلص من أنانيته، وإن لم يرها بعيدة ـ ولو قليلاً ـ عن ذاته بعض الوقت، فسوف يحاول بعد قليل أن يجعل ذاته ورغباته والأعراف السهلة جزءًا مهمًّا من الدين أو الخلق، ولو أنزلها منزلة الأعراف لهان الأمر، وكان الموقف أسهل وأجدر بالجدل من أن يكتسب قداسة غير مشروعة.

قارئ الكتب التافهة

لو قلت لك إن هيجل كان مدمنًا على قراءة الكتب التافهة كما وصفه هيدجر، لقلت: وماذا في هذا؟ ولكن جرب قراءة كتبه أولاً، فإذا أنست بهذا القلم المتوحش وعرفت من آيات الله العجيبة وما منحه سبحانه من قوة الفكرة، وعمق النظر، لما كدت تصدّق أن هذا الكاتب يمكن أن يكون مدمنًا على قراءة الكتب التافهة كما قال خصمه. ولن تتوقع أنه كان يألف كتابًا سهلاً؛ فهو يقد كلامه من صخور العبارات، كلمات متماسكات أو مظلات عميقات متعبات، كل كلمة تنقلك درجة نحو فكرة قررها، أو تهويمًا يتخيل قارئه أنه

جاء فيه بما لم تجئ به الأوائل، ويتهم القارئ فهمه في النهاية لا الفيلسوف الكبير. وهذه من فوائد الشهرة، كما أجاب كيسنجر وقد سئل فقال: «أحسن فوائد الشهرة أنك عندما تكون مخطئًا فإن الناس يتهمون عقولهم». وقد يتهمون أذواقهم وأمزجتهم إن لم تنسجم مع المشهور. ومن أمثلة مصادرة المشاهير للوعي والعقل عند التلاميذ والمقلدين ذلك النقاش بين ضحايا شهرة ابن تيمية، كيف يجمعون بين أخطائه في مسائل كإنكار «المجاز»، وبين مرجعيته المبالغ فيها!

والتلاميذ لا يقلون خطراً على الشيخ والمذهب منه، فهم من يبني أو يهدم فكره ومدرسته، ولشخصية الشيخ أثرها في تلاميذه كزعامته وقياديته، وحرصه على نشر رأيه ومذهبه، وهناك خيط رابط بين أنانيته ودوغمائيته وكثرة أتباعه، وليس هناك من رابط لازم بين القدرة العلمية وكثرة الأتباع، وكان أحد الفلاسفة يعجبه أن يقول عن تلاميذه إنهم أبناء رأسه! وعنده أن أبناء الرأس تلاميذه ممن تعلموا منه أو حاورهم وأفادهم واستفادوا منه، أما أبناؤه من صلبه فقد لا يكونون أبناء رأسه.

وقد رأى هيجل الناس في حياته يسيرون وراءه عميًا متألهين مثل تألهه، ولما شاهدهم ماركس مقبلين على شيخه هكذا قال لهم: «إن عبارات الشيخ خيالية، وطريقته عكس للمسيرة، وبنايته منكوسة، فانزلوا الدرج ولا تصعدوه!»، فهبطوا وهبطوا حتى احتفروا حفرة عميقة، فأقام لهم فيها لينين وستالين مجازر لا تنتهي آثارها. ولما مر على موت ماركس قرن، جاء ياباني ليقلب هرم ماركس وليعيده على بنيان هيجل، فقرر نهاية التاريخ. ثم لا تتخيل أني أنست بهيجل، لا ليس كذلك، لقد تعبت منه قبل أن أجد نصًا طريفا لجون ستيوارت ميل يقول فيه: «إنه كلما هم بقراءة هيجل انتابه شعور خفيف بالغثيان». [وجدت هذا النص عند برنتن في كتاب «**تشكيل العقل الحديث**»، ص٢٥٨]. وقال

كارل جوستاف يونج: «لقد خمدت حماستي لهيجل بسبب اللغة التي يستخدمها، فهي لغة متعجرفة متصنعة، مما جعلني أراه بعين الشك. فقد بدا لي أشبه برجل رهين سجن كلماته التي يتمنطق بها، متبخترًا بين جدران سجنها!». [**ذكريات أحلام وتنبؤات**، ص٧٧].

ثم اعلم أن هيجل كان مدرسًا ناجحًا محبوبًا، ومتحدثًا لبقًا، لكن كتابته عسيرة. وكان يدرس في الجامعة الفلسفة وبجانبه قاعة يدرس فيها شوبنهور الفيلسوف التعيس، عدو النساء وناشر الإلحاد، فما كان أحد يحب شوبنهور، وقاعته كانت شبه فارغة مقارنة بهيجل.

أما أنا فما صبرت عليه، غير أنني كنت أقرأ قطعًا من كتاباته وأعجب منها ثم أعرض. ولم أكن قادرًا على تفسير السبب، فقد نُعرض إعجابًا وانبهارًا أو تقديرًا، كما نُعرض حياءً أو شفقة أو عدم قدرة على المجاراة أو نيل المراد. وأحيانًا يُعرض عنا المعنى فنتظاهر بأننا نحن الذين أعرضنا عنه، وهذه تسلية للصغار يعرفها الكبار، أو يسمونها أحيانًا «حامض»، على طريقة أبي حصين الثعلب، وليس ثعلب إمام اللغة الذي كان له مع أشباهه من النحاة واللغويين أغرب الأسماء وأبعدها عن الذوق، كما كان منهم ابن خروف، وابن نعجة، ونفطويه، وسيبويه، وخمارويه أوحمارويه، وابن جني، والأخفش الصغير، والأخفش الكبير، وهلم جرا.

وللأسماء سلطة ما، فقد رأيت مرة أمريكيًّا آخر اسمه هيجل، فكدت أسأله هل هو من ذرية هيجل؟ وإن كان مثقفًا فلا بأس بسؤاله عن تلك النار التي شبت في أوروبا وأحرقت مناطق من العالم، أوقدها عقل ذلك الجد الجبار! ولما هممت بسؤال صاحبي أوقفني تذكري لنص عجيب مررت به لموقد نارٍ أخرى هو نيتشه، فقد ألح نيتشه على هجاء أبناء العباقرة، وأنك لو جمعتهم في مجتمع واحد لكان مجتمعًا من المتخلفين عقليًّا كما يرى! لماذا هذه القسوة

الظالمة؟ وهل نعدها من جنونه أم عبقريته؟ لا أدري! غير أنك واجد سخف العقل أحيانًا مع عبقرية من نوع ما، وواجد سماجة الخلق مع الذكاء في بعض الناس، تجد ذلك في ذوقه واختياره، فتتساءل: هل هذا من مسائل الأعراق أو التهذيب والتربية؟ ربما سيجيب العلم عن هذا السؤال العالق، والذي أثيرت حوله العديد من الإشكالات، تأرجحت بين إقرار طبيعة عرقية، أو ثقافة مكتسبة، أو جينات متوارثة. وقد رأيت في بعض من لهم نسب أو ادعاء نسب شريف وعال ما لا يقبل إلا في من يزعم أنهم من الأراذل. ولعلك لاقيت في طبقات من الناس لا يُتوقع منها علو الشأن والخلق ما يشكك في كل أقوال وعلوم الأنساب. غير أني أعلم أن النار تشتعل في الحطب مرة واحدة ـ ولكن هل هذا قياس؟ ـ وهكذا أنتجت تلك النيران الألمانية «العبقرية الألمانية»، وقد تسببت هذا الحرائق بإشعال الحرب في ألمانيا وروسيا، فنار هيجل التي أوقدها أعطاها لماركس، فأوقدها من موسكو إلى الصين إلى كوبا إلى عدن، ولم يزل ينفخ إلى اليوم رمادها أو دخانها فوكوياما في «**نهاية التاريخ**»، ويعترف أنه يتكئ على بقايا تلك النار الهيجلية.

وقد رأيت كتابًا عن «العبقرية الألمانية» يؤكد هذه التفاصيل، فالفلسفة التي حركت ماء العقل الراكد بحجر عنيف في القرنين الأخيرين كانت ألمانية، والسلاح النووي الذي أفزع العالم انطلق بشرارة هذا العقل الألماني الجبار، والتحليل النفسي الذي تغلل في هوة الوعي الإنساني كان من هذه البقعة الأوروبية القلقة، وكثير كثير من المخترعات الفكرية والهندسية، حتى كاد المؤلف يقول إن العالم الحديث ليس سوى ألمانيا وإنتاجها! وربما كان من أهم أسباب ذلك: التعليم القوي جدًّا والجامعات، واستيعاب اللغات، والحروب التي ساعدت في بذر الغرور القومي، وفي استثماره والهلاك به في آن واحد، وتلك مفارقة ساخرة!

وكثيرًا ما يؤمن الآباء والأبناء بفكرة واحدة وطريق واحد دون أن يشرح أحدهم للآخر فكرته، ويسير في شيء من نبوغه على طريق والده، دون تأثر مباشر، ولما قرأت في كتاب «الخيانة في الدم»، عن فيلبي (الأب عبدالله) والابن كيم، وقرأت «مذكرات الابن كيم»، وكتابًا عن الأب ألفه خيري حماد، كان الابن يسرد قصة زيارته لوالده في الرياض وزيارة الخرج، ثم يعقب بأن والده كان بعيدًا عن أن يؤثر عليه بعد آلاف الأميال، وكل المواقف الحاسمة لكيم تمت بعيدًا وبدون معرفة الأب، وربما كان سيصعق لو بقي على قيد الحياة وعرف حقية ابنه بعد تفجر قصته في بيروت وموسكو، وفي الوقت ذاته كان الابن يشك بمعارضة والده. [الحرب الصامتة، كيم فيلبي، ص١٢٧]. وخلاصة ما فهمت من حال الرجلين أن العلاقة بينهما ليست علاقة قطيعة وخيانة، كما يحب خصومهما إلصاقها بهما، بل هناك ذكاء للرجلين يصل لحد العبقرية في الأفكار واللغات والتاريخ والسياسة، وسلوك فطري عميق، وهو الإخلاص لما يؤمنون به من أفكار، فالأب أسلم واقتنع بالاسلام، ولم يكن بحاجة ليتجسس على عبدالعزيز، برغم كرم عبدالعزيز مع الجواسيس، ولكنه اقتنع بدينه الجديد. والابن شيوعي أحمر عميق القناعة بالشيوعية كملايين الشيوعيين في النصف الأول من القرن، إذ كانت جذابة للمثقفين الشباب في العالم حتى كاد روزفلت يشير لقناعة ما بالفكرة في ذلك العصر، وكان كيم الابن صارخ القناعة بفكرته والعمل لها هو ورفاقه من شيوعيي بريطانيا، وكان قد عمل أثناء الحرب العالمية الثانية لصالح بلده بريطانيا، ولما خرجت بلده لمحاربة فكرته الشيوعية واختلف مسارها عن مسار روسيا، بقي على إخلاصه لشيوعيته، وذميم منه وعليه عمله في جهاز تجسس، وإن كان حاول كثيرًا تبرير ذلك. أما والده فانحاز علنًا دون مواربة لدينه الجديد، وهذا موقف مختلف؛ لأنه أصبح أوضح، وهذا الوضوح هو ما جعل لفيلبي أثرًا ثقافيًا وجغرافيًا جيدًا في زمنه، ولو أنه لم يصبح ذا قيمة. ولعل من الطريف

أن ترى الابن وهو يجازف في شـرق تركيا يتعرف الطرق والمنازل للجيوش، والأب يفعـل ذلـك في الجزيـرة العربية فـي وقت واحد أو متقـارب، وعندما مـات الأب فيلبي طلب أن يصلى عليه صلاة المسلمين، وأن تكتب الفاتحة على قبره، وقد فعلوا.

ولـم يزل هوسـي بالكتب ملامًا حين أذكر أني دفعت حوالي ثمانين جنيهًا استرلينيًّا في كتابـه «أعالي الجزيـرة العربيـة»؛ لأن البائع في لنـدن زعم ندرة الكتـاب، وهو كتاب يمـس تاريخ وجغرافيا مناطق قريبة مـن القلب والتاريخ. وقـد تُرجـم الكتاب فيما بعد، وجمعـت كتبه من أبنائه أو أبنـاء أبنائه وهم من سكان الريـاض. وعلـى خلاف طريق التجسـس لابن عبدالله فيلبي كان ابن محمد أسد الأشـهر طلال أسد مغامرًا فكريًّا على سنة والده، مع إلحاد وضياع فكـري فـي مـدن عديـدة ودروب مختلفة كثيـرة، وأنسـاب خليطة بيـن اليهود والمسلمين العرب.

وبالعـودة لألمانيـا ومـا فيها فإنك لن تجد عند هيجل حنانًا كحنان «أم الشـافعي» ـ كما يقول الراشـد ـ ولا لغته ولا إشـراقة بيانه. فكتابة الألمان خشـنة كمعيشـتهم إلى مـا بعد منتصف القرن العشـرين. وأنـت واجد في «الرسالة» عمـق الترتيب المنطقي البانـي، وواجد عند ابن خلـدون مغامرة التفلسـف التاريخي الذي يعـوض بعض مغامرات هيجـل. وأفكار وصولية حرص فيها ابن خلدون على أن يكـون واقعيًّا حتى وقع. وما لم تغامر في صفوف هؤلاء وتسـتأنس بعالمهم الموحش الغريب فلن تذوق معنى لركام هذه الكتب.

وقـد أبعدت بـك عن الموضوع بعد، ألا وهو قـراءة الكتب التافهة، وقد وجدت فيلسوفًا آخر هو تومس كون (كوهن) يقول: إنه مولع بقراءة القصص البوليسية، لا يـكاد يتركهـا إلى غيرهـا، وربمـا كان يقصد في أواخر عمره.

[**الطريـق منـذ بنية الثورات العلميـة**، ص٣٢٢ - ٣٢٣]. ورأيـي في هذا النوع السـهل من الكتب (وربما هي التي عناها ديكنز بقوله: هناك كتب أحسـن ما فيها أغلفتها) أنها مهمة للقارئ إن لم تكن ضرورية. فأما إنها ضرورية فلأنك لست واجدًا دائما كتبًا رائعة ونادرة المثال، ولن تجد «الكتب الجادة» في كل وقـت، وأنـت بحاجـة للترويح عـن النفس بالكتـاب السـهل، والعقل يحتاج لكافـة الأطعمـة والمذاقـات المختلفة. فلن يقبـل اللحم والدهـن دائمًا، ولا الحلـوى ولا صنفًـا دائمًا، ومن زعم ذلك فلا تسـتبعد له علة ذهنية. ولسـت أدري عن تحمل كبير السـن بعد السـتين للكتب المرهقـة ذهنيًا، هل حكمها حكم «الأطعمة الدسمة» أم لا؟!

نشـهد اليوم إقبالًا كبيرًا على الكتب الأمريكيـة، ولو كانت رديئة، وتترجم لعدد كبير من اللغات، وذلك بسبب نفوذ وقوة الدولة، وكم كانت القوة والنفوذ من أهم وسائل نشر الآراء والأفكار مهما تكن، وقديمًا كان الإنجليز في القرن التاسـع عشـر لا يرون فائدة ولا أهمية لقراءة الكتب الأمريكية فضلاً عما قبله مـن قـرون، ففي مطلع القرن التاسـع عشـر كتبـت مجلة: **أدنبرة ريفيو** تسـاؤلاً لمصلـح ديني شـهير عـام ١٨٢٠ يقول مستنكرًا: «من يقـرأ كتابـا أمريكيًا في جهـات الدنيـا الأربـع؟» وكانت أوروبا ومنهـا إنجلترا تنظر بدونيـة إلى الثقافة والمثقفين الأمريكان، ولكن بعد شـهرين من نشر المقولة السابقة وفي المجلة نفسها نشرت نصًا فيه إشادة بكتاب واشنطون إيرفنج تبشر بأن الكتاب «يشكل عصـرا لـلآداب في أمته» ولعل سـبب قبول الإنجليز بـه أن كتابه تضمن مدحاً لهم ولعالمهم، وقد كان واشنطن إيرفنج أول كاتب أمريكي يعيش حياة كريمة من عائدات كتبه، وقد حقق له في نهاية الثمانينيات ٢٦ مجلداً من أعماله. أنظر مقدمة ويليام هجنز لكتاب واشـنطون إيرفنج: **أسطورة سليبي هولو**، ص: VIII وواشنطون هذا هو مؤلف كتاب: **الحمراء**، وهو من أجمل وأقدم ما كتب عنها

بالانجليزيـة، وقـد كانت الحمراء مغلقة قبله في وجه الزوار، حتى وجد طريقه إليها، وقد عشقها وسكن فيها، وكان ربما حمل سراجه في الليل فيسير ويتمشى فيهـا متمثـلاً حياة ملوك غرناطة العرب وتجوالهـم فيها، وقد أثنى على عملهم ودورهم الحضاري المشهود، وكتابه **الشهير الحمراء** الذي ترجم للغات الحية ومنها العربية، ما زال يباع بعدد من اللغات في مركز تسوق عند مدخل الحمراء في غرناطة.

ورغم أن إيرفنج وغيره أنقذوا الكتاب الأمريكي ثم ما تلى ذلك من كتب مهمة نشرت في نهاية القرن التاسع عشر وما بعده إلا أنه إلى اليوم تصدر كتب قيمة ولكن الغثاء كثير والمترجم منه إلى العربية أكثر من صالحه.

من لا يقرأ سـوى التفاهات فسـوف يعجـب بالقريب منهـا. وقد صاحبت رجالاً أفذاذًا غير أنهم درجوا على قراءة الصحف والمجلات، وكتب السياسة والمذكـرات السـهلة، فأصبحوا يعجبون بأنفسـهم غاية العجـب؛ لأن كتاباتهم أحسن من كتابة الصحفي فلان من طبقتهم، وأوضح من علان أو أشجع، ولما قيـل لهم عن تواضع كتابتهم وأنهـا لا تحمل جديدًا يهم، أنكروا على من قال لهـم، وربمـا رأوا فيـه منحرفًا عن طريقهـم أو مغرورًا يطلب مـا لا يمكن، أو حاسدًا لم يجارهم في نفس النسق. وقد كان بعيدًا عنهم فهو يطلب ما يجهلون ويقـارن مـا يكتبون بما يقـرأ لغيرهم فيرى ضعفهم مقارنـة بغيرهم، وهم يرون قوتهم مقارنة بأقل منهم.

وللناس في طرق رؤيتهم مذاهب. فأنت مستمتع بمائدة من الخضار مرة، ولكن لن تكون كالمائدة التي وصف عمر رضي الله عنه من مشـويات صغار المعزى. فـإن لهـا ثمنًا ولها شـواة ولهـا ذوّاقة. وكذلـك الكتب القيمة لهـا أهلها؛ فهي ليسـت مما تهفو له النفس من أول نظرة، بل ربما بعد محاولات ومحاورات وإكراه للنفس.

قدّاح الهمم

كتب سعد زغلول لأستاذه محمد عبده هذه الرسالة الرائعة بعد نفي الشيخ إلى بيروت حيث أقام ثلاث سنين: «مولاي، ذكرت لحضرتك أن الضعف ألم بفكري، فبالله ألا ما قويته بتواصل المراسلة، غير تارك فيها ما عودتنا على سماعه من النصائح والحكم التي نهتدي بها إلى سواء السبيل، ونتمكن بها من السير في العالم المصري الذي اختبرت حقائقه وعرفت خلائقه، وما يناسبها من ضروب المعاملة». [ذكر ذلك طارق البشري وهو يترجم لسعد زغلول في: «**شخصيات تاريخية**»، ص١٣]. وقد كان أستاذ التاريخ «الخفيف» هو من قدح همة طارق البشري للقراءة والمعرفة، وكذا يذكر عبدالله العروي في كتابه «**أوراق**» وهو مذكرات ثقافية، فذكر أنه لم يبد أي تفوق في السنتين الأوليين من الدراسة، ثم في أواسط السنة الثالثة حرر اختبارًا كتابيًا، فعلق عليه أستاذ الأدب الفرنسي، ومدحه في الفصل معقبًا على امتحان كتابي له، فقال: «ينم عن ذهن نافذ». ويعقب بأن هذا التشجيع أثر فيه وصار في تقدم مستمر، وقبلها كان متوسط المستوى بين زملائه في الدراسة. ومن تتبعي لكتب العروي لم أر له مثيلاً في المغرب، وبعضهم يراه الأول مكانة بين عرب عصره، وخاصة ممن استوعبوا ثقافة الغربيين. غير أنه لا يكاد يوقفك على أرض ولا مذهب إلا تمكنه من ثقافة اليساريين، وقد تنعم بلغة عربية قوية، فإذا ناقش أفكارهم أو عرفها تجده وقد لانت له أعمق الأفكار الغربية صياغة وفهمًا ونقاشًا، وهو حنون على قومه، خائفًا من دعاة «الأمازيغية» أن يصيبوا قومهم بأمية ثقافية تحت غطاء الترويج للأمازيغية، فيتكون من ذلك جماعة عنصرية عمياء تضر بنفسها وهي تتوقع أنها تصنع هوية وتحارب غزاة، وكم صنع الفرنسيون من فتن ونشروا من أمية جارفة، فسهل عليهم قيادة الأميين من كل القوميات، للانتقام من كتلة كبيرة من العرب المسلمين!

وعودًا على قادحي الهمم، فقد كان أستاذي محمد الحفظي ـ وهو أستاذ للغة العربية، وكُلف مؤقتًا بتدريس التاريخ لنا؛ بسبب عدم وجود من يدرس التاريخ ـ ممن أثاروا ذائقة التاريخ عندي وحبي له، فقد طلب منه القيام بتدريس مادة التاريخ وليست تخصصه، فبدأ يحضر دروسه من «**البداية والنهاية**» لابن كثير، ومن كتب مفصلة كثيرة، فآب بثروة ومعرفة وقصص وأخبار جعلت درسه متعة وحثًّا لمعرفة المزيد.

وقد يتنبه حاذق لشاب ذي همة، فينبه لوجوده وينصح به، فأحد أساتذة أنطونيو جرامشي قدمه لأستاذ آخر، وأوصاه بقوله: «أعطه الكثير من الفلسفة؛ لأنه سيكون ذا أهمية في زمن ما». [أنطونيو جرامشي، **حياة ثائر**، ص٩٢]. وقد أبدى جرامشي جدًّا عظيمًا، وكان مهتمًّا بالدعاية وبنقل الأفكار من الأقوال إلى الأعمال، ثم تعرض للاكتئاب والمرض والفقر وانقطع عن الدراسة، ولكنه عاود اهتمامه بالمعرفة والكتابة، وكانت المحاضرات والكتابة والحركة مخلّصًا له من أدوائه، وقد بلغ ما كتب في أربع سنوات لـ«جريدة تورين» وغيرها من خمسة عشر إلى عشرين مجلدًا، كل مجلد في نحو أربعمائة صفحة! وقد رفض أن تنشر مختارات منها لما طلب منه أحد الصحفيين ذلك. [أنطونيو جرامشي، ص١٠٤]. وقريبًا من اكتئاب جرامشي حصل لجون ستيوارت مل الفيلسوف البريطاني، وقد أنقذته زوجته من ظلمات الكآبة وأخرجته للعالم، فكان فيلسوفًا سويًّا، وكذا قد تكون الزوجة عونًا ومساعدًا، وربما آفة للمعرفة. وقد شكر كثيرون زوجاتهم مبينيين أثرهم عليهم، مثل: مالك بن نبي. وممن له أثر كبير على عمل زوجها تحريرًا ودراسة زوجة توينبي التي صقلت عمله.

أما عن العلاقة بين القدوة والتلميذ فهي بحسب موضوع الاقتداء ونوعه، وما العلاقة المؤثرة بين المفكر وطلابه إلا علاقة متعة ذهنية أو فكرية، فقد كان أفلاطون يحمد الرب على أنه ولد في زمن سقراط. [مونتسكيو، **روح**

الشرائع، ص٢٣]. وتحدث مرة الكاتب الروسي غوركي عمن أثار اهتمامه بالقراءة أول الأمر، وهو الصبي الذي لم يستطع أن يستمر في المدرسة إلا بضعة أشهر بسبب فقره، وعدم قدرة جده على دفع تكاليف تعليمه، فقال إنه عمل مرة غاسلاً للمواعين في سفينة، وكان عمله هذا مع طباخ قارئ قال له مرة: «إن أعظم متع الحياة وأبقاها القراءة». فأثرت فيه هذه الحكمة، ونَهَجَ نَهْج القراءة ثم الكتابة. وكم في هذه الحكمة من صدق! فمتعة القراءة أعم من متعة الروح، وهي أبقى من كثير من متع البدن، فلقد شهدت والدي في آخر عمره يقرأ القرآن طوال الوقت، ثم لفت أخي سعد انتباهي لهذا وقال: «جزى الله خير الجزاء من علمه القراءة!». فها هو لما ضعفت قواه وانتهت متعه، وجد في القِرآن روحًا وفائدة وسلوة ومعرفة وأجرًا. وقد كانت القراءة في شباب والدي في جبال السراة ميزة نادرة الحدوث في جيله.

إن القراءة والحديث تثيران الذهن وتقدحان الهمم، فكم كانت بعض المجالس من أرقى المدارس، ولا يحد لسانك إلا الحديث، ولا يرقى بك إلا أستاذ يرفعك لعالمه، ويقدح التفكير في عقلك، والتأمل في مقروئك! كتب هردر عن أستاذه كنت ـ وبعضهم يكتبه كانت ـ أنه كان محظوظًا بمعرفة فيلسوف هو أستاذه، كان مفعمًا بالحيوية والنشاط في شبابه وإلى آخر حياته، جبهته الواسعة خلقت للفكر، ومعقلاً للقوة الذهنية والمتعة، تتدفق الأفكار الغزيرة على شفتيه، مع تحكم ذكي في السخرية والنكتة، إنه يحاضر وكأنه يقصد الإمتاع، عقله يحاكم وينقل عن كبار العلماء والفلاسفة ويستعرض آخر كتاباتهم، ويعرف بآخر المخترعات في العلوم، يزن كل تلك الأعمال والمخترعات والأفكار والتواريخ الإنسانية والرياضيات والعلوم الطبيعية، ثم يعيد طلابه إلى معرفة غير منحازة لما يستحقه الإنسان من قيم، فلا حسد ولا انحياز ولا طائفة ولا متعة ولا رغبة في الشهرة تبعده عن التعرف على الحقيقة،

كان يشـوّق ويغري طلابه ويدفعهم برفق ليفكروا بأنفسهم، كان الجور والظلم غريبًـا علـى عقله. ثم يكيل لأسـتاذه الكثير مـن ألفاظ التحيـة والتقدير. [تجد النص في أغلب التراجم للرجلين، وفي بعض مقدمات الكتب عن كنت].

وبمناسـبة السـخرية والنكتـة، فكثيـر من النابهيـن لديهم هـذه المهارة. وقرأت في كتاب صديق سيد قطب محمد فتحي عثمان أن سيدًا كان فكهًا سريع النكتة.

أعود فأقول: إن لم يتيسـر لك أسـتاذ، فقرين تطاوله للتفوق والتقدم للفهم ويطاولـك، كأغصـان الأشـجار تتزاحم وتتطـاول؛ لتحوز أكبر قـدر من الضوء «غذاءهـا الأعلـى»، والفهم والوعي غـذاء النجباء، يتسـلق بعضهم على أكتاف بعض، فيتقدم رجال ويطولون، أو يشمخون في سماء المعرفة والفهم أكثر من غيرهم، ومن لم ينافسه أحد قَصّر وقل شأنه.

وعندمـا تصفحـت «**مذكـرات جـون سـتيوارت مـل**»، رأيـت كيـف كان محظوظًا بوالد عالم مؤرخ جمّاع للكتب. [ص٨٥]. ولكن ما كان أحسن من ذلك هو جِدّ والده معه وتربية ذلك الوالد العجيبة، فقد منع ابنه من الذهاب للمدرسـة واختص الأب بتدريسـه في البيت، ثم اصطحابه في مشيه [ص٥]، وقراءتـه بعـض الكتب النكدة معه مثـل: القانون الرومانـي [ص٤٥]، وذهابه معه في زيارات وحوارات وأسـفار جمعت والده مع الفيلسوف بنتام، ثم مع أخ بنتـام فيمـا بعد، واعترافه بدور صديق والده في تفتيح ذهنه، ثم الأصدقاء النجبـاء الذيـن كتب معهم كتبـه الأولى في المنطق، وأعانـوه في مجلته. ولا أدري إن كانت هذه المذكرات قد ترجمت للعربية أم لا، ولكنه بدأها بـسـتة وعشرين صفحة عن الطفولة والتعليم المبكر، وتستحق القراءة من كل أب أو معلم نجيب.

ثم إني قرأت في حياة الفيلسوف برلين ما يشبه قصة الفيلسوف مل، فقد بقي في الشقة في بتروجراد عندما كان صغيرًا ولم يخرج إلى المدرسة ولا غيرها في صباه المبكر، بسبب هروب أهله من ريجا في «لاتفيا» أثناء الحرب العالمية الأولى، وقعد يقرأ وأقسم لكاتب سيرته ـ لا أدري بمن أقسم ولكن هكذا أورد ـ أنه بدأ القراءة الجادّة مبكرًا قبل العاشرة، فقرأ كتابي تولستوي الشهيرين الكبيرين: «**الحرب والسلام**» و«**آنا كارنينا**» وقرأ لأليكسندر دوماس في ذلك العمر المبكر. [**حياة أشعيا برلين**، ص٢٢]. ومن المعروف أن حياة القطيع المدرسي سجن للنابغة ولعقله الفذ؛ حين يلزم بمتوسط قدرات القطيع المدرسي، ولكل منهم نبوغه المختلف، وحينها يقع الظلم على الجميع، النابغة والمختلف والضعيف، ولكن أنى لنا بمعرفة النابغة، فلا تكفي مؤشرات البداية، فكم من نابغة في أوله آل إلى لا شيء؛ لأن هناك عوامل ذاتية وبيئية تحيط بالفرد فتفتق ذهنه وتقدح نبوغه، أو تكسر نبوغه وتبلد فهمه، أو قد يكون الضعف مكونًا أساسيًّا في شخصيته. نقل اللباد عن شيخه الشيرازي قصة زميل للشيرازي كان فذًّا في دراسته، وكان الشيرازي وأمثاله يتمنون شيئًا من مواهب هذا الزميل، ولكنه ترك العلم وعمل حدادًا! وكان لي قريب أصغر مني كان يلتهم الكتب بسرعة فائقة مع ذاكرة قوية، وقد وهبه الله ذكاء وموهبة في الخط والإنشاء تثير غيرة الكبار، وكنت أذهب للمكتبة فكان أمينها يتعجب منه ويذكر لي أخبار قراءاته، ثم هرب من المعهد وتوظف جنديًّا فكان نبوغه فاكهة لمن فوقه من الضباط فيطلبونه يكتب لهم، وكانت ثقافته تثير استغراب زملائه وسخريتهم، فلما عاف هذه البيئة عمل مترجمًا شفاهيًّا (فوريًّا) دون أن تكلفه المهنة الجديدة في الترجمة إلا إصغاء عارضًا، ووقتًا يسيرًا حيث كان يسمع فلا ينسى.

وطالما تأملت حياة القراء والمفكرين وتراجم حياتهم، فما وجدت منهم مستغنيًا عن الأدلة من الكتب التي تدل على أمثالها، أو الرجال الذين تحاورهم

فيفتحـون لك في المعرفة آفاقًا لم تكن تتوقعها. فالكتب الجليلة لا تغنيك عن نابغـة يقـدح همتك، ويثير عزيمتك، ويفتق لسـانك. قـال القاضي عبد الوهاب شيخ المالكية في عصره وهو يصف شيوخه الذين تعلم على أيديهم: «صحبت الأبهري، وتفقهت على أبي الحسـن القصار وأبي القاسـم بن الجلاب، والذي فتـح أفواهنـا وجعلنا نتكلم أبو بكر بـن الطيب (يعني: الباقلانـي)». [من مقدمة تحقيق: «**التقريب والإرشـاد**» للباقلاني، كتبها: عبد الحميد أبو زنيد، (١/ ٣٤)].
وقد يمجد التلاميذ الشيخ لسبب يدركونه ولا يصفونه، فطالما جمجم المتكلم عن أمر يعجب به غاية الإعجاب، ولا يملك ذلاقة اللسان ولا العبارة للوصف، وطالمـا وجدنـا أثـر الرجـال الكبار علـى تلاميذهـم، ولا نجد لهـم مؤلفات، فتاريخنـا مليء بجلـة من هؤلاء في مختلف العصور، يثيـرون الهمم ويوقدون الرجـال، ويؤلفونهـم ولا يؤلفون كتبًـا، ولو مثلت لقصرت، فربمـا قتل المثال الفكرة، وهدم الشاهد الضعيف القضية، وهذا مما يُرى ويجرب، ولا يُطنب فيه بالتدليل عليه. وممن وصف هؤلاء فأحسن الوصف الشيخ عبد الفتاح أبو غدة، فقـال: «وكذلك طالـب العلم، قد يعيش منعزلاً خاملاً منطويًّا على نفسـه، فإذا حظـي بشـيخ عليم قـدّاح للهمم، مفتح للمقـول، نابه منبه، انقـدح زناد علمه، ولمع نور عقله وفطنته، وبرزت مواهبه المكنونة ومزاياه الثمينة الدفينة، فإذا هو إمـام فـي علمه، ورجـل أمة في رجاحـة عقله، وسـداد نظره، واسـتنارة ذهنه، وقديمًا قالوا: كم في الزوايا من خبايا؟!

بِعِشْـرَتِكَ الكِـرَامَ تُعَـدُّ مِنهُـمْ فَـلا تُـرَيَـنْ لِغَـيْـرِهُـمُ أَلُـوفَـا

[من كتاب: «**تراجم ستة من فقهاء العالم الإسلامي في القرن الرابع عشر**»، ص٢٩١ - ٢٩٢].

وقـد ذكـر هـذا بعـد ترجمته لسـتة مـن فقهـاء العالـم الإسـلامي، آخرهم محمد بن إبراهيم آل الشيـخ، الذي أثار حركة علمية سـلفية نادرة المثال وملأ

تلاميذه الآفاق، فجلة علماء الجزيرة تلاميذه، كابن باز وابن حميد وغيرهم. ولا يذهب بك الأمر أن هذه القدرة على قدح الأذهان خاصة بالمسلمين، لا.. بل هي سنة من سنن الله عجيبة ترى أثرها وشواهدها في كل قطر، وكل مذهب، وكل أمة. وقبل كتابة هذا المقطع كنت أقرأ كلام محمد عبده عن شيخه جمال الدين الأفغاني، فكان يشير له بنحو هذا الأثر العجيب في إشعال الشرق على غزاته، وإثارة العلوم والمعارف والجرائد والكتابة والأحزاب والجمعيات، ومهما قيل عن انحرافه فكل هذا لا يهوّن من قدرته العجيبة على الإثارة. وهكذا ماركس ولينين وفرويد وتشومسكي، أشعلوا في الدنيا أثرًا واسعًا وضجة كبيرة. وتاريخ الإسلام مليء بمهتدين هداة، وضالين مضلين من هذه الأنواع.

وتأمل ما يقوله محمد عبده عن شيخه وقادح همته وموقظ القلم في مصر وغيرها جمال الدين الأفغاني: «وتقدم فن الكتابة في مصر بسعيه، وكان أرباب القلم في الديار المصرية القادرون على الإجادة في المواضيع المختلفة منحصرين في عدد قليل، وما كنا نعرف منهم إلا عبدالله باشا فكري». وذكر آخرين، ثم قال: «ومن عدا هؤلاء فإما ساجعون في المراسلات الخاصة، وإما مصنفون في بعض الفنون العربية أو الفقهية وما شاكلها. ومن عشر سنوات ترى كتبة في القطر المصري لا يشق غبارهم، ولا يوطأ مضمارهم، وأغلبهم أحداث في السن، شيوخ في الصناعة، وما منهم إلا من أخذ عنه أو عن أحد تلامذته، أو قلد المتصلين به، ومنكر ذلك مكابر، وللحق مدابر». [من مقال لمحمد عبده بعنوان: أستاذي جمال الدين، ص٢٥، وطبع مع مجموعة مقالات أخرى بعنوان: «الثائر الإسلامي جمال الدين الأفغاني»، دار الهلال، القاهرة، ١٣٩٣هـ]. ثم ذكر أنه وافى الأفغاني بعد إخراجه من مصر في باريس، وأنه عهد إليه بتحرير العروة الوثقى. وذكر غير واحد أنه عهد إلى عدد بتحرير

المجلات وإخراج الصحف منهم نصارى مثل عنجوري، ومثل أبي نظارة، ومسلمين آخرين أصدروا صحفًا بتوجيهه أو حثّه، ولعل همته العالية وذكاءه النادر المثال، ونزعته المؤججة وماسونيته، كلها وفرت له علاقات واسعة ومالاً وأثرًا. ثم يغرق عبده في مدح شيخه ويقول: «أما منزلته في العلم وغزارة المعارف فليس يحدها قلمي إلا بنوع من الإشارة إليها. لهذا الرجل سلطة على المعاني وتحديدها وإبرازها في صورها اللائقة بها، كأن كل معنى قد خلق له. وله قوة في حل ما يعضل منها كأنه سلطان شديد البطش، فنظرة منه تفكك عقدها، كل موضوع يلقى إليه، يدخل للبحث فيه وكأنه صنع يديه، وإذا تكلم في الفنون حكم فيها حكم الواضعين لها.. وكفاك شاهدًا على ذلك أنه ما خاصم أحدًا إلا خصمه، ولا جادله عالم إلا ألزمه. وبالجملة فإنني لو قلت إن ما آتاه الله من قوة الذهن وسعة العقل ونفوذ البصيرة هو أقصى ماقدر لغير الأنبياء لكنت غير مبالغ. ذلك فضل الله يؤتيه من يشاء والله ذو الفضل العظيم». [ص٢٨ - ٢٩]. ثم يستطرد ويبالغ. وهذه مبالغة عجيبة ولكن الأثر الذي فتق به ذهن تلميذه جعله يعظم من أثره، لكنه لم يترك الإشارة إلى مشكلة الأفغاني وهي الحدة، فيقول: «إلا إنه حاد المزاج، وكثيرًا ما هدمت الحدة ما رفعته الفطنة». [ص٣٠].

هذه الملاحظة تجدها في كل جيل محظوظ بقدّاح للهمم، ففي فرنسا نجد عصرًا كاملاً سمي «عصر فولتير»، بما قدح من همم ومشكلات وقضايا وأفكار، وما جمع الله له من سلاسة الكتابة وانقداح الفكرة، وسرعة النكتة، وكثرة الحركة. وهم يحمدون أيضاً لمونتسكيو دوره الجبار في التوعية، توعية المثقفين قبل غيرهم، حتى إنه يُقال: «لقد جعلنا مونتسكيو نفتح أعيننا ونرى». [مونتسكيو، **السياسة والتاريخ**، ص٥]. وفي روسيا قالوا: إن الرواية الروسية خرجت من معطف جوجول (روايته: «**المعطف**»). وقالوا: إن الذي رتب الشعر

العربي وهلهله هو المهلهل. ويدين كانت لديفيد هيوم بفضل كبير في كتابه «نقد العقل المحض»، فقد ساقه كتاب هيوم «تحقيق في الفهم البشري» إلى آفاق أخرى لم يفكر فيها من قبل.

ونواب صفوي قدح نيران الهمة والحرية والمواجهة، وقد تأثر به الخميني، وتلميذه وصديقه منتظري. واستمع لقارئ آخر قدح الخميني همته، فقد قال عنه واحد من أشهر تلاميذه مرتضى المطهري ـ ولم يستطع وقتها ذكر اسمه ـ: «وكنت في تلك الأيام عند أستاذ يختلف عن بقية الأساتذة..؛ لأنه لا يعتبر موضوع الدرس سلسلة محفوظات، وإنما قد استوعب أعمق الأفكار في ذلك الموضوع، وهو يبينها أجمل وأوضح بيان، ولست أنسى ما بقيت لذة تلك الأيام، وخاصة تلك الطرق البيانية الرائعة التي كان يسلكها». [العدل الإلهي، ص١٢٦]. ولاحظ في قوله كلمتي «الاستيعاب» و«الطرق البيانية»، فهما عملان يأتيان بعد القراءة، فكم من حافظ لعلم لم يستوعبه، ولم يدرك مقاصده! وقوله عن الجمال والوضوح والطرق البيانية؛ حيث إنها الأغلفة الجميلة التي قد لا تغلف الفكرة فحسب، بل تمازجها فتبرع، وتكسب الفكرة نصرًا وإن كانت باطلاً، أو يضعف الأسلوب فيوهن ويشوه الحق في الطريق، ويصل مجردًا دون لباسه اللائق، فلا تبتهج به العيون، ولا تهتز لمرآه القلوب. ألا ما أروع أن تزهو الفكرة القوية بأسلوب جميل!

أما في «بوسطن» في أمريكا حيث عاصمة الجامعات وجيرة العلم والمعارف في أمريكا، فإنهم يدينون لرجال كثيرين، ولكن منهم العالم أجاسيسز الذي صنع بيئة معرفية ومنهجية للعلوم التطبيقية جادة ندر أمثالها، وتأثر به أهم رجال العلم والفلسفة مثل تشارلز بيرس، وهنري جيمس، وقد أوفاه الكثير من حقه وحق البيئة التي نشأت حول «نادي الماورائيات» الأديب لويس ميناند في كتابه الممتع «نادي الماورائيات».

والخلاصة أن هناك رجالاً لا حظ لهم في أساتذة ممتازين، أو إنهم هم لا يرون العبقرية والنبوغ في أساتذتهم، وهذه مشكلة تدوم على رأس التلميذ الذي لا يرى إلا النقص في أستاذه. وإن رأى جانب قدوة لم يثره للاقتداء، وهذا خسران له قبل غيره. فلنجعل من أعيننا أدوات رصد جيدة، تلتقط النباهة من الناس، وتحس العبقرية، وتترسم الذوق الراقي، وتتبنى الفكرة الشرود، فما يقوم رجل رائع إلا على أكتاف مثله، ولا تتأتى الفكرة المهمة إلا من أفكار كثيرة عميقة، ولا تلد نجيبة إلا من نسل طيب، من بعيد أو قريب.

ليس حسنًا لنا أن يهون أساتذتنا علينا، ولا أن ندعي أن قدراتنا ولدت على جانب الشارع بلا آباء، ولا أخوال ولا أقارب عطفوا وحنّوا، وربّوا وأعزّوا ومجّدوا القدرة، وشحذوا الهمة. إنه حق لهم أن نذكرهم، وحق للقادمين أن نقول لهم: هكذا تعلمنا، وهذه دروب السداد. فهذا أحمد أمين يتحدث عن أصدقائه الذين أعانوه كثيرًا، ويشيد بتنوع ثقافتهم وبمجالسهم من أمثال: أحمد زكي، والكرداني، ومحمد خلاف، ومحمد كامل سليم، وأبي حديد، والغمراوي، وفي مواقع أخرى ذكر طه حسين، والشيخ الفقيه القانوني الكبير عبدالرزاق السنهوري. ثم يقول عن أصدقائه: «كانوا مدرسة لطيفة لي، مدرسة خلت من عبوس الجد وثقل المدرس». [**حياتي**، ص١٦٢]. ويذكر أنه كان أول شيخ يشترك في ناد رياضي: «كانت عمامتي أول عمامة اشتركت في النادي، وربما كانت آخرها أيضًا، فإذا حضرت خلعت عمامتي وجبتي وقفطاني». [ص١٦٣]. وكان ممن قدح ذهن أحمد أمين أستاذه عاطف بك، الذي أثنى عليه وعلى عقله كثيرًا، وكان يدارسه «**الموافقات**» للشاطبي ساعتين في اليوم، ثم حوله إلى «الآثار» وقضى معه زمنًا درسوا فيه «**الخطط التوفيقية**» لعلي مبارك، ومروا بجميع آثار القاهرة يقارنون المكتوب بالموجود. [ص١٤٠]. وكان ميزة أستاذه ـ كما يراها ـ قوة التحليل وسلامة التفكير. [ص١٩٧].

كذلك كتب العقاد عن دور محمد عبده في قدح همته، ودور أستاذه الدشناوي فقال: «كان أستاذنا في اللغة العربية والتاريخ الشيخ فخر الدين الدشناوي يعرض كراساتي التي أكتب فيها موضوعات الإنشاء على كبار الزوار لمدرسة أسوان، وكان كبار الزوار لهذه المدرسة أكثر عددًا وأعظم شأنًا من كبار الزوار لمدارس القطر كله؛ لأن أسوان كانت قبلة العظماء والكبراء من جميع الأرجاء في موسم الشتاء. واطلع الأستاذ الإمام الشيخ محمد عبده على إحدى هذه الكراسات فقال: «ما أجدر هذا أن يكون كاتبًا بعد». فكانت هذه الكلمة أقوى ما سمعت من كلمات التشجيع». [**أنا**، عباس العقاد، ص٦٠ - ٦٣، عن كتاب «**عندما كان الكبار تلامذة**»، لإبراهيم مضواح الألمعي، ص٩٠].

وحين أتحدث عن هذه النماذج، فأنا أدرك تمامًا ما يمكن أن تقدمه للأرواح المتقدة، فلا زلت حتى الآن أذكر «مصابيح الهداية» الذين اهتموا بأن يكون لي صلة بالكتاب ـ وأشكرهم على التشجيع ـ ومنهم الأستاذ محجوب محمد الخير، سوداني درّسني في السنة السادسة الابتدائية في «المدرسة الرحمانية» في «أبها»، وكان كثيرًا ما يحدثنا عن أخبار عنترة وشجاعته وقصة حبه وقصائده، ولعلها معلومات استقاها من الروايات التي خرجت قبل ذلك بعقود في مصر والشام عن أساطير العرب، ومزج الشعر بالرواية على نهج ألف ليلة وليلة، وقد أثار فينا الاهتمام بالكتب، وتأسيس مكتبة البيت.

وما زلت أذكر دور أستاذ الإنشاء الأستاذ عبد الخالق الحفظي، الذي كان مدير تعليم منطقة «رجال ألمع»، فقد كان يكتب كلمات مدح طويلة على النصوص التي كنت أكتبها في مادة الإنشاء، أقلها كلمة: «أحسنت جدًّا». وبعض هذه الدفاتر ما زلت أحتفظ بها وأعتز بذكراها، مع أنها كانت في المرحلة المتوسطة، وكان يُري بقية الأساتذة تلك المقالات، منها نص عجيب قرأته بعد سنين فأبكاني وكان عن والدي، ولم يكن قد توفي رَحِمَهُ ٱللَّهُ، بل كان في عز

قوته وتأثيره، وعجبت لما كتبت آنذاك واستبعدت أن أقدر بعد مرور السنين على كتابة نص مثله. وقد أخذ أستاذي النص وأراه لعدد من المدرسين، فجاء أحدهم وهو الأستاذ محمد عبدالخالق الحفظي ـ عمل فيما بعد مفتشًا في وزارة المعارف ـ فأثنى على ما كتبت، وأثر في جدًّا ذلك الموقف، ثم عقّب بسرد قصة عن زعيم شهير متعلم، حضر الناس ليباركوا له مكانته التي وصل إليها، وكان والد هذا الزعيم موجودًا في المحفل وكان عاميًّا بسيطًا، فقال أحدهم: «نعم الابن وبئس الأب!». قال الزعيم: «لا، بل قل: نعم الوالد وبئس الجد!»، فالوالد البسيط هو من صَنَع الابن القدير. وزار الأستاذ محمد والدي في مرض موته فكانت لفتة كريمة، بعد مرور أكثر من ثلاث وثلاثين سنة على معرفة كل منا بالآخر، معرفتي طالبًا عنده، ومعرفته لوالدي. إن من الصعب قبول من يلوم كل أب بسبب قصور أو تقصير ابن.

وكان لنا أساتذة قديرون كثيرون، في اللغة والأدب والنحو والفقه والتفسير، أهمهم الشيخ يحيى معافى، وكان عالمًا جليلاً في فنون كثيرة، وكان مفكرًا قديرًا، بحرًا في الفقه واللغة والتفسير رغم ضعف ذاكرته، وكان يخطب الجمعة ويدرس في المسجد، وحضرت عنده دروسًا في «**زاد المعاد**»، وكانت تعليقاته وملاحظاته عميقة، وكان مستوى خطبه أعلى من جمهوره، وقد تتلمذ على الشيخ حافظ الحكمي. وأما الشيخ إبراهيم سير مباركي، فكان موقظًا ومحفزًا للوعي والقراءة. ومن الذين نعد فضلهم الأستاذ الشاعر علي مهدي الذي ترك التدريس فيما بعد، وعمل في تجارة الذهب، ثم الأستاذ علي الحفظي، وكان أستاذًا قديرًا في النحو، والأستاذ علي غاصب القحطاني نحوي كان يحاول التزام الفصحى في الفصل طوال الوقت، وقورًا صارمًا لا يبتسم، ومرة كان عندنا مراجعة في مادة التفسير (إذ جرى العرف أن تعطى مادة التفسير لأستاذ في اللغة العربية بسبب طبيعة المادة، ولأن أساتذة اللغة كانوا أكثر) وكان لنا زميل صاحب «فضل» ومعابثة ولم

يكن قد راجع الدرس، فسمع السؤال عن معنى كلمة، فلمح الكتاب والتقط الكلمة التي تفسرها فكانت: «تقدم معناها»، فقال: «تقدم معناها». بينما مقصود المؤلف أنه سبق شرحها وتقدم الحديث عنها، فضج الفصل بالضحك؛ لأنهم لاحظوا أنه كان يقرأ الكتاب من الدرج، ثم أعاده في وسط الارتباك والسرعة، ونطق ما قرأ دون تفكير في معنى السؤال ولا الجواب، وكانت تلك المرة الأولى وربما الأخيرة التي نرى فيها أستاذنا الصارم يبتسم!

وكان من الذين نجحوا في تدريس «**شرح ابن عقيل**» في النحو الأستاذ عبدالرحمن الغوينم، تولى إدارة التعليم في أكثر من مدينة، وإدارة فرع الجامعة، وكان مدرسًا أقدر منه مديرًا. والأستاذ محمد بن حموض في التفسير، وفي التاريخ درسنا الأستاذ محمود رزق، والجغرافيا الأستاذ شنوان من فلسطين، وكان شديدًا فانتهى الأمر بهذه الشدة إلى أن دفعة من قبلنا بزمن ضربوه كما سمعنا، وقصة ذلك أنه تحول برنامج الثانوية من عامين إلى ثلاثة، فقررت الرئاسة آنذاك أنه من حصل على درجة جيد جدًّا فأعلى فإنه يتخرج أو يذهب للجامعة، ومن كان أقل فيستكمل السنة الثالثة الثانوية، فالذين ألزموا بعام دراسي آخر رأوا السبب أستاذ الجغرافيا؛ لأن الدرجات التي كان يعطيها قليلة، مما خفض مستواهم، فضربوه بسبب ذلك. ونذكر هذا لأن ضرب المدرس كان كارثة كبيرة جدًّا لا يسمع عنها، لما للمدرس من المكانة والمهابة، وليس كما تراجعت الأمور اليوم.

وكان من الموجهين المؤثرين الذين درسونا في المعهد، ودرست عنده لاحقا الشيخ عبيد الله الأفغاني، وأول ما رأيته في مسجد في وسط السوق، وكانت لحيته ومهابته تخيفني، وقد عرض عليّ والدي وأنا في الابتدائية أن أدرس عنده، فلم يكن ردي مشجعًا، ولم يكن والدي عازمًا في حديثه، وهو الشيخ الشهير في زماننا ـ كان من زملاء يونس خالص في الدراسة، وساعد

فيما بعد في دعم حربهم للاحتلال الروسي ـ واستقر أخيرًا في المدينة المنورة، وكان ينهاني عن الكتب العصرية ويحبب لنا كتب السلف، قال: «كنا صوفية في بلادنا حتى قدمت بغداد فوجدت مكتبة رأيت فيها كتاب ابن تيمية «اقتضاء الصراط المستقيم مخالفة أصحاب الجحيم»، فاشتريته وذهبت به إلى حديقة عامة مجاورة، وبدأت أقرأ فيه، وجذبني بشدة فلم أستطع تركه وأكملته في وقت قصير، وتغيرت فكرتي عن ابن تيمية وعن مذهبه». وكانت تلك بداية تسلّفه واهتمامه بالشيخ، فالناس في بلاده كما قال: «كانوا لا يحبون ابن تيمية، وإذا ورد ذكره عند العلماء فإنهم يلومونه أو يعرضون عنه». وقد كان مدحه لكتاب ابن تيمية مما جعلني أحرص على قراءته فيما بعد، قرأت النسخة التي كانت في مجلد واحد قبل التحقيق. ولم يكن الشيخ يعرف الأجواء الأكاديمية، ولا خبرة له بها، وتصرفاته كانت توحي بالغرابة للطلاب والمدرسين، وأذكر أنه في أول عهده بالتدريس، دخل علينا بدفتر معه وقال: في هذا الدفتر أسجل أسماء «الكسالى والتنابلة»! فكانت تسمية الدفتر طريفة للطلاب، وكلما وجدوا فرصة سألوه عن دفتر «الكسالى والتنابلة»، فيعدهم بأن ينضموا لقوائمه، وقد انتقل الشيخ مع شيخين آخرين للتدريس في كلية الشريعة عند إنشائها في «أبها» وهما: يحيى معافى وإبراهيم سير مباركي لمدة قصيرة.

وفي الجامعة درّسنا في السنة الأولى أستاذان قديران في التاريخ القديم، هما: رشيد الناضوري، ومحمد بيومي مهران، وكلاهما كان من أبرز علماء التاريخ القديم، وقد قدما زائرين إلى «أبها»؛ لأنهم لم يجدوا أستاذًا للتاريخ القديم، فزارانا لمدة شهر، وأعطيا جدولاً مكثفًا، وكانت محاضراتهما نقلة نوعية في فتح أبصارنا وبصائرنا على التاريخ القديم (ما قبل الإسلام)، وقد استمتعنا بخبرات وتجارب وثقافة واسعة لا مثيل لها لدى الأستاذين، وكان رشيد يفتخر باللغات الكثيرة التي يعرفها من اللغات القديمة والمعاصرة، وكان

بيومـي يفتخـر كثيرًا بمعرفـة العالم المعاصـر، ومعرفة القرآن والسنة والتوراة والإنجيـل، ولديـه حافظـة عجيبـة، محاضرتـه ممتعـة مليئة بالمعلومـات، ونبع معرفي قل أن يضاهى.

وفي العام الأول في الجامعة درسنا السيرة النبوية محمد عبدالفتاح عليان، وكان مخلصًا للمعرفة عجيبًا ومتدينًا واعيًا، مهتمًا بالإعداد لمحاضراته، يعود بعد فترة فيصحح لنا خطأ وقع فيه، أو يشـرح تفسـيرًا آخر لحدث سبق أن قال بغيـره، وكان مثالاً لأستاذ جامعـي باحـث، وكانـت رسالته للدكتوراة عـن «القرامطة»، وقد درس لنا بعد ذلك «الدولة العباسية»، وأفدنا منه كثيرًا. وشجعنا علـى القراءة فقرأت في عام تال كتاب شـاكر مصطفى عـن «الدولة العباسية»، ليـوم الامتحـان رغبـة لا إلزاما، مـع كتاب أحمـد ابراهيم الشـريف ومذكرات الأسـتاذ نفسـه، ولعلي كنـت مدفوعًا بنـوازع المعرفة والتميّز آنـذاك، وقد كان كتـاب شـاكر ممتعًا برغم ضخامتـه (في مجلدين). وشـاكر مصطفى درس في جامعة الكويت، وكان أديبًا مؤرخًا غزير الإنتاج ومتفاوته، بدأ حياته سفيرًا في أمريكا الجنوبيـة، ثم وزيـرًا للثقافة في سـوريا، وكتب عن القصة في سوريا، وعندما امتهن التاريخ أبدع.

ثم من بعد عليان درسنا الدكتور زكريا سليمان بيومـي، واهتمامه عروبي إسـلامي معاصر. كتب كتابًا مهمًّا عن «الحزب الوطني» كرسالة ماجستير، ثم كانـت رسـالة الدكتوراه عن حركة «الإخوان المسـلمين»، وهمـا كتابان مهمان سبقـا غيرهما، وفي تلك الأيام أو بعدها صدر كتاب شـهير أيضًا للمستشـرق ميتشـل الذي كان رئيس قسـم «تاريخ الشرق الوسـط» في «جامعة ميتشجن»، وقـد ورث كرسيه وعمل بعده في القسـم نفسه إلى الآن يوان كـول المؤرخ والسياسي اليسـاري ـ ويقال إنه مسلم إسماعيلي على مذهب زوجه ـ الذي له اهتمامات خاصة بالشيعة والإسماعيلية، ويترجم من الفارسية إلى الإنجليزية.

وأقول: تسود المعرفة والتفنن في العلوم في عصور الحرية والاستقرار المدني لأي حضارة، ولكل حضارة نجوم من طبيعتها، وفي غرب العالم اليوم تشع ما يسمونها بنجوم ثقافتهم الساخرة، أو ما سماه أحدهم قديمًا بالمساخر، فتمتلئ أعمال «هوليود» وشوارعها بالنجوم، وتمتلئ المجلات والكتب بالنجوم، وتمتلئ وسائل الإعلام بهذا الحشد الذي لا يحد من المشاهير، وتقرأ عن أولئك النجوم الأولين في عصور الإسلام الأولى هذه الأعداد الهائلة للعظماء المسلمين في كل فن، ثم تبهت الصورة في عصور الجهل وتغيب تلك النجوم، ويطبق الظلام فلا تحس منهم من أحد، ولا تسمع لهم ركزًا، ويندر أن تجد في القرية من يفتلي حرفًا!

ومن تأمَّل سير أشخاص مثل فرويد تبين لي من كلام تلميذه وزميله ثم خصيمه كارل جوستاف يونج في مذكراته الجميلة حقًّا ـ والتي روت سيرة مثقف وطبيب نفسي جاد، تمرس في الوعي والقراءة والكتابة والمشاهدة ـ أن فرويد كان من هؤلاء القداحين المثيرين للوعي والتفكير والكتابة، ومن النوع المزور الديماغوجي الذي يقرر قولاً واحدًا بعناد، وإن خالفه أحد شنع عليه وتعرض له وأبعده ودمره، وقد بعثت كتابات يونج التفكير والفهم من وراء السنين. وإنك تشهد في تلك المذكرات ـ وغيرها ممن زاملوه وخالفوه ـ انحرافه الشنيع، وكيف بنى حوله عصابة من المروجة والمطبلة الذين صادروا حرية الكلمة لغير مدرسة فرويد؟! ومع كل هذا الفساد والديكتاتورية يبقى قادحًا للتفكير، كبيرًا في زمانه ومن بعد زمانه.

ومن طريف ما نقل تلاميذه عنه وعن هوسه بالشهرة أنه كان يغضب أشد الغضب يوم لا يجد ذكرا لاسمه في كتابات تلاميذه الذين كانوا يكتبون عن التحليل النفسي في المجلات السويسرية، فقالا ـ يونغ وريكلان ـ له إنهما لم يفكرا بأن كتابة اسمه ضرورية فصلته بالتحليل النفسي معروفة، فغضب فرويد

منهم، وينقل جونز «أذكر أنني اعتقدت أنه جعل من الأمر مسألة شخصية، فجأة وأمام دهشتنا الشديدة وقع على الأرض وأغمي عليه، فحمله يونغ إلى أريكة في الصالون، حيث استعاد وعيه بعد قليل.» **مهمة فرويد، تحليل لشخصيته وتأثيره**، ص٥٣

وممن لهم أثر في مجالسهم ومُجالسيهم محمود شاكر، فلا ينسى يحيى حقي أن يشيد بمجالسه، وكذلك إحسان عباس، ومحمود الطناحي، وثلة كبيرة أخرى مثل: عصام العطار، ومالك بن نبي، ومحمد محمد حسين، وعبدالعزيز قارئ، وكثيرون لا نعلمهم أنسوا به وبعلمه ومنهجه ومجلسه.

والحديث أحيانًا يتفوق أثره على الكتاب، يقول مونتيني: «إن خير مران للعقل وأجداه في رأيي هو الحديث، وهو عندي أحب متعة في الحياة، ولهذا فإنني إن اضطررت في هذه اللحظة للاختيار بين السمع والبصر لما ترددت في اختياري لفقدان البصر بدلاً من فقدان السمع والقدرة على الكلام، ولقد كان الأثينيون ـ والرومان بدرجة أكبر ـ يضعون ممارسة الحديث في مرتبة الشرف في أكاديميتهم. إن «دراسة الكتب» عمل هزيل بطيء لا دفء فيه، على عكس الحديث، فيه الثقافة والرياضة الذهنية في نفس الوقت؛ لأني إن تحدثت مع رجل ذي عقل قوي يحسن الضرب والطعان، فإنه سيستطيع أن يضغط جانبي، ويصوب طعناته يمينًا وشمالاً، وستحفزني آراؤه على إعمال الفكر، وستدفعني المنافسة والزهو وحرارة النضال إلى التفوق على نفسي. ولكن الموافقة في رأيي هي عنصر يدعو إلى الملل الشديد. وبقدر ما تقدر عقولنا في الاتصال بالعقول القوية المرتبة، فلا يمكن أن نتصور مقدار خسارتها وانحلالها حين تستمر صحبتها وصلتها بأصحاب العقول الهزيلة الدنيئة، إن عدواها أسرع من سريان النار في الهشيم، وأنا أعرف بالتجربة كم يكلفنا الذراع من هذا النسيج. إنني أحب المناقشة والجدال ولكن في صحبة قلة من الأصدقاء، وفي خلوة

بعيدة عن الرقباء؛ فعرض الإنسان لنفسه في مجلس العظماء ومحاولة جذب أنظارهم إليه بسرعة بديهته، وجمال ثرثرته في مباراة مع الآخرين عمل لا يليق ـ في رأيي ـ بالرجال الأشراف». [من مقال: «عن فن الحديث»، في مجموع مقالات: «**روائع المقال**»، ص٦ - ٧].

وختامًا أقول: إن من القوة والعظمة الشجاعة في الاعتراف بفضل الآخرين، ومن الضعف والخيبة الخوف من ذكر المعروف وأهله، فحين تتصفح كتابًا غربيًّا تجد قائمة بالذين ساعدوا الكاتب، وبذكر نوع أو أنواع المساعدة التي قدموها له منذ كان الكتاب فكرة صغيرة تافهة، حتى تم لهم ما تم من كتابة ومراجعة ونشر. أما الضعيف فتراه يرى نفسه صنع العالم قبل أن يعرفه الآخرون، ويفكر في إعادة ما انتهت منه الأمم.

نهم المعرفة

جاء في الأثر: «منهومان لا يشبعان: طالب علم، وطالب مال». وكان أبو الحسن العامري مولهًا بطلب الحكمة أو الفلسفة، حتى نقل قولاً يسنده لأفلاطون، وهو أن الحكمة لا تُنال إلا بأن ينقطع إليها من كل شيء، كالثروة والكرامة والرياسة والإخوان والأهل والأولاد، حتى الفضائل كالنجدة والعفة وصلة القرابة والعشرة؛ لأن كل شيء يحتاج إلى زمان في اكتسابه، وطلب الحكمة مستغرق كل وقته في طلبها، يستنبطها ويحيا في رعايتها. [ناجي التكريتي، **الفلسفة الأخلاقية الأفلاطونية**، ص١٨١]. غير أن بعض ما قاله أفلاطون أو تلميذه مما يدخل في السكر بالمعرفة، وقد قرأت للغزالي قوله: «ولم أزل في عنفوان شبابي وريعان عمري منذ راهقت البلوغ، قبل بلوغ العشرين إلى الآن، وقد أناف السن على الخمسين، أقتحم لجة هذا البحر العميق، وأخوض غمرته خوض الجسور، لا خوض الجبان الحذور، وأتوغل

في كل مظلمة، وأتهجم على كل مشكلة، وأتقحم كل ورطة، وأتفحص عن عقيدة كل فرقة، وأستكشف أسرار مذهب كل طائفة... وقد كان التعطش إلى درك حقائق الأمور دأبي وديدني من أول أمري وريعان عمري، غريزة وفطرة من الله... حتى انحلت عني رابطة التقليد، وانكسرت علي العقائد الموروثة على قرب عهد سن الصبا. [**المنقذ من الضلال**، ص٧٩ - ٨١].

وقرأت نصًّا شبيهًا جدًّا لابن الوزير في هذا الشأن، أعني شأن الجد في البحث وليس الاجتهاد، وذكر محمد باقر الصدر أنه اجتهد قبل بلوغ العشرين، ولم يقلد أحدًا منذ ذلك الزمن المبكر.

والرغبة في المعرفة الواسعة سمة رائعة إن استولت على الإنسان؛ لأنها لا تعود عليه بالفائدة وحده، ولكنها تمد نورها عبره إلى مجتمع فسيح من البشر. إن العارف واسع الاطلاع نور للمجتمع الذي يحياه غالبًا، وقد يكون مشكلة لمجتمعه. إنه نور يهديها في ظلمات جهلها، وكلما اتسعت معارفه عظم نوره، وتنوعت مآخذه وألوانه، وزاد الوجود من حوله جمالاً وبهاء. إن المعرفة الواسعة ـ مع غنى الشخصية وتنوع مواردها ـ رواء وخير للمحيط بها، وكثيرًا ما يسيء الناس التعامل مع الموارد العظمى لمجتمعهم؛ لأنهم أكبر من إمكان المصنفين على التصنيف والتوصيف. لذا تراهم موضع اتهام الصغار ومضايقتهم غالبًا. والكبار لا يملكون تصغير عقولهم، وأحيانا لا يُسهلون عباراتهم، فتكبر الأسئلة وتضعف الإجابات. يقول ليبتز:

«من شهد باهتمام صورًا أكثر من النبات والحيوان، وعددًا أكبر من الآلات، ونماذج أكثر من المنازل والقلاع، ومن قرأ من الروايات الرائعة أكثر، ومن سمع من القصص العجيبة أكثر، فهو أكثر معرفة من غيره، وإن لم يكن هناك ظل للحقيقة فيما شهد وسمع». [**أزمة الضمير الأوروبي**، بول هازار، ص٢١٩]. وليبتز قائل هذا كان قد درس كل شيء توفر له في زمانه،

فـدرس اللاتينية واليونانية، والبلاغة والشعر، والفلسفة والدين والرياضيات والقانون والكيمياء، حتى إن أساتذته دهشوا لشهوته المنهومة المبكرة. [**أزمة الضمير الأوروبي**، ص٢٢١]. وقد عمل أخيرًا أمينًا لمكتبة «هانوفر» عام ١٦٧٦م، ثم عرضت عليه أمانة «مكتبة الفاتيكان» عام ١٦٨٩م. [ص٢٢٦]. وكذا كان عمل ليسنج أمينًا لمكتبة، وألف خلال عمله هذا «**تاريخ القراءة**»، [ص١٢٤]. وممن عمل أمينًا لمكتبة من علماء المسلمين، وأفاد فائدة جلية: ابن حجر العسقلاني، والمعلمي اليماني المحدث الشهير صاحب «**التنكيل**»، وآخـرون ربما كانوا أقل شـهرة، من أمثال: علي رضا صاحب كتب التراجم للراشـدين وغيرهم، وهي كتب جامعة وإن قَلَّت الدراسـة فيها، وكذا المفكر الشـهير تزفيتـان تـودوروف ـ وهـو بلغاري هاجر لفرنسا بعد إنهاء الدراسـة الجامعية ـ كان والداه أميني مكتبة، وتركا له بيتًا كان مزدحمًا بالكتب، [**الأدب في خطر**، ص٥].

وقـرأت عـن داروين إلحاح والديـه عليه بترك القراءة، وكان والده ينتزعه للخروج للهواء الطلق، لينقذه من كتبه التي غرق فيها مبكرًا، وتذكرت وأنا أقرأ قصتـه إلحاح والدتي علي بالتخفيف مـن القراءة، وكانت حجتها رحمها الله الخوف على عيني، وكانت تخفي خوفًا آخر وهو الخوف على عقلي أن تسبب لـي الكتب مشكلة، وهذا فارق مابين ثقافتين، ودورين يقص على القارئ في كتابه **متعة القراءة**، وكان مما ذكره في بدء الكتاب أن والده خاف عليه وعلى عينيه، ولكن خوف والديه لم يكن له مبرر فها هو يقرأ بعد السبعين بلا نظارة!

وكان من المهم في كتابه أن وضع قوائم للقراءة لمدة عشـر سـنوات وهي مـن الفكر الغربي في الفلسـفة والأدب والتاريخ، وقد رأيـت أن قائمته تلك تسـتحق أن يكون لها مثيل في عالمنا فكتبت ملحقًا قصيرًا ببعض أهم ما يهم المثقف قراءته إلى جوار بعض ما أورده وتجده ملحقًا.

قراءة دائمة

قال لي أحد جيراننا وكان يعمل مع الشيخ ابن باز كاتبًا في محكمة الخرج، ويخرج معه في قضايا عديدة: فما أعجب منه إلا أنه إن كان الطريق سهلاً ـ وكانت الطرق ترابية آنذاك ـ فإنه يطلبني أن أقرأ في السيارة عليه، وإذا نزلنا متعبين كان أول قوله: أين الكتاب؟ اقرأ، ويدعو له.

وللقراءة أحيانًا شهية غلّابة، فقد وجدتني أقرأ وأنا أقود السيارة، لا أذكر أن رغبة القراءة كانت تغلبني بهذه الحدة، إلا مرة كان بيدي ديوان خفيف لطيف، وأحببت إكماله قبل بدء المحاضرات زمن الجامعة، فأكملته وأنا متجه إليها على طريق الحزام في «أبها». وما زلت أجد شيئًا من طرافة المشهد أو لذة الأبيات أو غرابة التصرف، ولم أكرر ذلك. ولما قرأ الأستاذ سامي الحصين مسودة هذا الكتاب أرسل لي نصًا من كتاب لجابريل جارثيا ماركيز عن سيرة حياته عنوانه: «**أن تعيش لتحكي**»، يتحدث فيه عن صديق له، فيقول: «لم يتعلم قيادة السيارة؛ لأننا كنا نخشى أن يمارس قراءة الكتب أثناء القيادة!». [ص٨٧].

أما إن كنت راكبًا مع أحد، فالقراءة أحيانًا شيء جميل إن سنحت الظروف، ولم يحدجك بالنظر أحد، كما فعل معي السائق الحربي بين المدينة وجدة. وكنت عرفت تلك المكتبة العتيقة «المكتبة السلفية» في المدينة المنورة، عام ١٤٠٤هـ ـ ١٩٨٤م، المملوءة آنذاك بكل الأنواع من الكتب، منها السلفي ومنها ما ليس سلفيًا، وكان صاحبها يجلس عند بابها، وبضاعته من الكتب مركومة خلفه لا يعرف عنها شيئًا، تسأله عن الكتاب فيقول ابحث عنه. وقد وجدت فيها من طريف الكتب المخالفة لاسم المكتبة كتاب أبي رية عن أبي هريرة الذي عنونه بـ «شيخ المضيرة»، ووجدت عنده أيضًا «ديوان ابن الفارض»، وهو كتاب صغير لم أره من قبل، فأحببت قراءته ليلاً في الطريق الطويل، وكان السائق لا يحب أن يسمح لي بإضاءة الضوء في السيارة للقراءة،

وأخيرًا قدّر أني ربما أكون مقدمًا على امتحان ونحوه، فسكت مشكورًا، ولم يأذن لي صلف الشباب أن أشركه في سماع:

حَادِيَ الأَظْعَانِ يَطوي البِيدَ طَيْ مُنْعِمًا عَرِّجْ عَلَى كُثْبَانِ طَيْ
وتَلَطَّفْ وَاجْرِ ذِكْرِي عِنْدَهُمْ عَلَّهُمْ أَنْ يَنْظُرُوا عَطْفًا إِلَيْ

فلربما أطربته الأبيات، وأنسته طول الطريق وثقل المسافرين الوحيدين معه، المعزولين، كلٌّ في عالمه، أحدهما لاهٍ بالديوان، وآخر مستغرق لعله كان يتأمل هذا الغريب ضحية الكتب!

وكان يعجبني أن أتخلص من الدرس - وأحيانًا بين الحصص في المرحلة المتوسطة والثانوية - بقراءة كتاب أخفيه تحت الطاولة، وكشفني المدرسون مرتين، ففي المرة الأولى أمسك بي أستاذنا الشيخ إبراهيم سير حفظه الله وطلب أن أريه الكتاب الذي بيدي، فرفعته له وكان عن «النكسة» للشيخ يوسف القرضاوي، فعلق على الكتاب وبين أنها قصة انتهت، وأننا دخلنا فيما هو أسوأ منها. ومرة أمسك بي أستاذ آخر وأنا أقرأ «معركة الإسلام والرأسمالية» لسيد قطب، وكان أهم ما أذكره أنني استدنت بعض ثمن ذلك الكتاب في اليوم السابق، ولفرحتي باقتناء الكتاب حملته معي اليوم التالي للفصل، وبقيت فقرات منه عالقة بالذاكرة إلى الآن.

يقول جبرا عن نفسه إنه يقرأ راكبًا ويقرأ ماشيًا ويقرأ منتظرًا، ويقرأ أينما وقف وجلس.. ومع هذا فما عاش لحظة من حياته حلوها ومرها إلا بشهية وغزارة، وكان الكتاب هو دومًا بعض المحرك، أو المحرك الأكبر في ذلك كله أو في معظمه. [ص٤٩]. ولكن هل هذا على إطلاقه؟ لا أشك أن الكتب تعطي للإنسان معنى أوسع لحياته، وتفتح له من منافذ الفهم والسعة والغنى ما لا يجده من لم يعرفها، ولكنها لا تحمل له السعادة على طبق جاهز، بل كثيرًا ما رأينا لها ضحايا بلا عدد، بل أكاد أقول إنها باب أحزان وعُقد وآلام، ومقابر

لطموحات مكبوتة، ومثيرة للأحزان والآلام، وكم شاهدنا من قارئ يلجأ للانتحار من معاناته وصراعه بين الفكرة والواقع، وبين الطموح والإمكانات! فهذا خليل حاوي انتحر، وكتاب عديدون انتحروا، وجُنوا، وتشردوا! ولكن السعادة شيء آخر غير القراءة وعوامل السعادة ومضاعفة الحزن، أو السعادة قد تجد في القراءة معينًا لا ينضب. فالسعادة في أغلب أحوالها موقف. فذوو المزاج الحزين تزيد القراءة من معاناتهم، وذوو الانفتاح والانبساط تفتح لهم للَّهْو بابًا أوسع. ولعل أشهر الأمثلة على صاحب القراءة الواسعة والمزاج الحزين هذا كير كجارد.

وهناك قارئ لا يستفيد مما يقرأ، فهو «محضر الدرس». هذا هو أغلب القراء، ولا أظن أن قارئًا لا يعرف ولم يعش هذه المرحلة، ألا وهي أنك تقرأ لتؤكد أفكارًا وقناعات سابقة، وتريد من النص الذي أمامك أن يؤيد ما استقر في الذاكرة، أو تعودته العين. وهو الذي يقول عنه زكي نجيب محمود: «ماذا يصنع كاتب أمام قارئ يغمض عينيه حتى لا تشهد ما يقع أمامها؛ خوفًا من أن تأتيه شهادة العين بما يكذب أوهامًا في رأسه؟!». [**بذور وجذور**، ص٣٤٤]. وهذا النوع أقرب له أن يكون محضرًا للدروس، ومعيدًا للمواد التي سمعها. وليس في هذا عيب للقارئ، غير أن العيب أن يرى في كل علم ومعرفة وثقافة أنها لا تقبل النقاش، فهناك مالا يقبل ونعلم يقينًا أنه مما لا يصل فيه الإنسان بنفسه لمعرفة، أمور عديدة في الاعتقاد وغيره. ولكن هناك دائرة واسعة ـ بل هي الأصل في حياة الإنسان ـ وهي ميدان بحثه عن المعرفة والعمل. وليست هذه الدائرة مغلقة ولن تغلق، وتوهم توسيع دائرة ما لا يمكن معرفته ليشمل أقوال واجتهادات الناس، فهذا نوع تحجير، وقسر على أن يجهل الناس ما واجبه المعرفة.

ولا أشك أن المثقفين في علوم الإسلام القديمة، ومعارف العصر الحديث هم من ضحايا المعرفة والثقافة التي يتداولونها، فلا يهمّهم تقييمها بعد تحصيلها،

بل المزيد منها والمزيد، وتأكيد المعلومات كلها، وتزكيتها وجمع الشواهد على
صحتها، كما فعل سلف كل علم من تلك العلوم. وهذا ما جعل علومنا ومعارفنا
القديمة سننًا ثابتة وحقائق راسخة، ما يستحق هذا الوصف وما لا يستحقه. ألا
تعجب من أن أساتذة الفقه يدرسون بعد ستمائة سنة متنًا وشرحًا لازمًا لهم، مع
أن بين أساتذة هذه الكلية وتلك من هم أقدر، أو بإمكان العشرات منهم أن
يكتبوا كتابًا لزمانهم؟! وتجد الفكرة نفسها في علم النفس وعلم الاجتماع، تأخُّر
موحش عن متابعة هذه العلوم أو تطويرها وتبيئتها (جعلها مناسبة للبيئة) ونقدها.
الجميع يسلم لسلف في عصر ولو كان سلفًا ضعيفًا، كالقرن الثامن والتاسع
الهجريين، أو مخالفًا كالسلف الغربي في العصر الحديث.

* * *

الكلمة كانت ولم تزل من أهم عوامل صناعة الإنسان وحركته على
الأرض، وعلاقاته ونضوجه وانحطاطه، وكلما ربطت العقل بالقلب كانت أكثر
تأثيرًا وخلودًا، ومن هنا كانت نصوص الديانات من العوامل المجتاحة للروح
والبدن، وحركة عظمى للإنسان؛ لأنها تستفز أكبر قواه. وهي أكبر من كونها
جسورًا، كما يقول نيتشه: «الروعة والجمال تكمن في الكلمات والأصوات،
فما هي إلا جسور من الوهم ممدودة بين الكائنات المنفصلة إلى الأبد».
[هكذا تحدث زرادشت، ص٢٤٨، بتصرف].

إن عددًا هائلاً من الناس لا يحصيهم أحد ـ رأيتهم في حياتك أو لم ترهم
ـ مروا بعالمك الذي تظن أنك تعرفه، وصاغوا المفاهيم التي تظنها لك، وأثروا
في علاقاتك، ومثلك هناك عدد كبير من الأدباء والشعراء والمفكرين والعلماء
وعامة الكتاب، كان لهم دور كبير في تكون علاقتي بالكتاب، وبالتالي المعرفة
والفكر وجوانب الحياة، استمتعت بكتب علي الطنطاوي الأدبية مثل: «قصص

من التاريخ» و«رجال من التاريخ»، وبعدد كبير من رحلاته وسخرياته اللطيفة، وهـو أديب أولاً وشـيخ آخـرًا، وكان لكتاب خاله محب الدين الخطيب «مع الرعيـل الأول» أثـر لا يُنسـى، فقـد كان كتابًا للمطالعة من خير مـا قرأت من النصوص الإلزامية.

وقرأت جُلّ ما نشـر الأديب الطبيب نجيـب الكيلاني والذي نشـر روايته الأولى «الطريق الطويل» وهو في الرابعة والعشـرين من عمره، فكانت هزة في روايات زمانها، ونالت أعلى الجوائز حين صدورها، وشفعت لكاتبها طالب الطب أن يخرج من السـجن ويواصل دراسـته ويؤلف، ثم يعاد سـجنه بشبهة انتمائه للإخـوان وبقي في السـجن دهـرًا، ولما خرج من سـجنه وحانت أول فرصـة للهروب، هـرب بعائلته للخليج يعالج المرضى ويكتب ويتنفس حرية منقوصـة، وكنـت قرأت له أغلب رواياتـه، قبل أن أراه مرة واحدة في مناقشـة لرسـالة أدبية في الرياض قبل وفاته بسـرطان البنكرياس بأحد عشـر عامًا، كنا نقرأ رواياته مثل: «**عمالقة الشمال**» و«**ليالي تركستان**»، وقد نُصحت بها في أول إقبالـي على القراءة؛ لأن فيهـا تاريخًا وأدبًا وفكـرًا، بينما روايـات مجايليه أو الأكبر منه سـنًّا أمثال: السباعي وإحسان عبدالقدوس قيل لنا إن رواياتهم مجرد قصـص جنسـية، والغريب أني لم أقـرأ أي رواية لأي منهمـا، لا لعبدالقدوس ولا للسباعي، رغـم إننا نشـأنا ورواياتهم تغطي بسـطات ورفوف المكتبات، وكان مـن أسـباب النفـور مـن تلك الروايـات أغلفتهـا الفجة التي كانت تَسِـم روايات ذاك الزمان، فكانت الصور النسـائية والمتاجرة الرخيصة بالمرأة تغطي تلـك الأغلفة فنفرنا منهـا. فنحن إلى جانب أننا محافظون، ننتمي إلى بيئة تنفر من تلك الغثاثة في الأغلفة المستفزة. وكان مما قرأته لأحد المثقفين الكبار أنه نشـر كتابًا فكريًّا في بيروت، فخشـي الناشـر ألا يباع فزيّن غلافه بصور نسـاء، بينما لا علاقة بين محتوى الكتاب والغلاف.

وعندمـا كنت أقـرأ كتاب «قـرن الجنـس» (The Century of Sex: Playboy's History of the Sexual Revolution, 1900-1999) وجدت فيه نقاشًا طويلاً ومهمًّا عن استخدام المرأة في بيع البضائع وترويجها، وقد مرت عقود طويلة قبل أن تولـد حملـة أمريكيـة مضادة لمواجهة تسليع المرأة أو جعلها وسيلة تسويق رخيصة للمنتجات، وقد وجدت هذه الحركة قبولاً، ولكن حاجة المرأة للمال وقوة شـركات التسـويق كانت أقوى من المقاومين والمقاومات، وكانت بداية التسـويق للبضائع بواسـطة المرأة محدودة، ثم سيطرت واستغلتها تيارات سياسـية وطائفيـة تنتقم من ثقافـة المسـلمين، فمزجت غاياتهـا الخاصة تحت غطاء الشـهية العامة للجنس، تمامًا كما حدث هناك وبإشارات خبيثة ـ وأحيانًا صريحة ـ من فرويد وجيشه.

وقـد سـرني كتاب نجيـب الكيلاني «محمد إقبال الشـاعر الثائر» وبحثت عن ترجمات لأعمال إقبال، وكان من خيرها ترجمة عبدالوهاب عزام لأعماله. وكذلك قرأت لعبدالحميد جودة السـحار، وقرأت «الأيام» لـطه حسـين في السـنة الأولى المتوسطة، وطه ممن خدمتهم الشـهرة على حسـاب الفكر، وهو زعيم جماهيري مروج للأفكار أكثر من كونه مفكرًا، وقرأت لأبي الحسن الندوي معظم ما نُشر له إن لـم يكـن كله، حتى كتابه عـن «الأدب العربي»، وهو قريب مـن الطنطاوي من حيث سهولة الأسلوب وقرب المقصد، وكان كتابه في السيرة النبوية ككتاب محمد الغزالـي، كلاهمـا مختصر بسـيط لا يفي بمطلب، وشـهرة الكتابين بسـبب شـهرة مؤلفيهمـا، وتابعـت «مجلة البعث الإسـلامي» التي كانت تصدر فـي الهند ويرأس تحريرها أحد أقاربه، وقد نشـر «الإسـلام الممتحن»، وهو من الكتب التي هيجت كوامن كثيرة من الاهتمام بقضايا الإسلام والمسلمين في العالم.

وممـن اسـتمتعت بحرارة وعاطفة نصوصهم محمـد أمين المصري، وكتبه قليلـة لكنهـا مؤثرة، منها كتاب «المسئولية»، وآخـر عـن «المجتمع»، وجزء في

«التفسير» وآخر في «الجهاد»، وكان مختصًّا في «الحديث»، وكان عديل الشيخ الألباني، ومات قبله بزمن. أما كتب محمد قطب فكان من أنسبها لزمن بداياتنا: «هل نحن مسلمون؟»، و«جاهلية القرن العشرين»، وكتابه المهم الذي أخرجه متأخرًا «مذاهب فكرية معاصرة» الذي كان يدرّسه لطلاب الدراسات العليا في «جامعة أم القرى» في مكة. ومن أول ما قرأت للترابي «الإيمان والحياة» كان أهم كتبه التي بدأ بها، وكتاب «الصلاة عماد الدين». أما القرضاوي فكانت مسرحية «عالم وطاغية» أول ما شد انتباهي له، مع أنه كتبه مبكرًا، ثم لم أرجع لكتبه إلا في نحو الأربعين، ولم يزل معطاء، وقد تفوق كثيرًا على شيخه محمد الغزالي، الذي لم أحب كتبه كثيرًا؛ لأني وجدت كتاباته قريبة من كتابات الأدباء، يكتب أحيانًا بالغريب والوحشي من الكلمات، مع فقر فكري أو روايات لا يتحقق منها، وقد لاحظت ذلك حين أردت كتبًا سهلة لأولادي يقرءونها، فوجدت لغته فوق المبتدئ ودون المتقدم. وكان مقررًا علينا كتابه «فقه السيرة»، وهو دون العنوان والموضوع، ولا يرقى لكتاب البوطي بالعنوان نفسه، وقد تجنبوا تدريس كتاب البوطي ربما تعصبًا ضد تعصبه. والتعصب من قوادح العلم وهوادم العقول، مضر بصاحبه قبل غيره. ثم زاد بعدي عن كتب الغزالي لما قرأت له إنه لا يراجع نصًّا كتبه! أما كتابه عن السنة «**بين أهل الفقه وأهل الحديث**» فقد كان طريفًا في لغته ووضوح فكرته، وقد قرأته بسبب الضجة التي أحدثها، أما مبالغة وقول القرضاوي فيه، فهو قول صادر عن تقدير تلميذ لأستاذه، وتعبير عن محبة، والمحبة غلابة. ونعم ما فعل من تقديره لأستاذه، وقد تجاوز التلميذ في علمه وعقله شيخه بكثير.

ومن المجلات التي تابعتها في صغري ثم واصلت قراءتها سنين من بعد: «مجلة العربي»، و«**مجلة المجتمع**»، و«**مجلة البلاغ**»، و«**مجلة العرب**» لحمد الجاسر، و«**مجلة الفيصل**»، و«**مجلة المستقبل العربي**» الصادرة عن «مركز

دراسات الوحدة العربية»، و«**مجلة الدوحة**»، و«**مجلة الأمة**»، و«**مجلة الاعتصام**»، و«**مجلة الدعوة**»، و«**مجلة إسلامية المعرفة**» الصادرة عن «المعهد العالمي للفكر الإسلامي»، وقد نشرت فيها مراجعة لكتاب «**الشهود الحضاري**» لعبد المجيد النجار، وكانت «مكتبة المعارف» المصرية تتدفق بخير الكتب وجميلها، طباعة ومراجعة وإخراجًا لكبار أدباء العربية، وكانت «مكتبة وهبة» موردًا لكتب الإسلاميين.

القراءة أم السماع؟

نعني بالقراءة رؤية العين للكلمات على الورق والحاسوب، أو أي وسيلة في المستقبل آتية قد لا نعرفها. فبعضهم يكتفي بالسماع والضبط دون قراءة الورق ولا غيره، وكان النظّام يحصّل علومه بالسماع والمدارسة، دون أن يكون قادرًا على القراءة. وقد كانت له حكاية مع جعفر البرمكي تقول إن النظّام ذكر أرسطو بحضور جعفر، وقال إنه نقض عليه كتابه، فرد عليه جعفر: كيف وأنت لا تحسن أن تقرأه؟! فقال النظام: أيهما أحب إليك: أن أقرأه من أوله أم من آخره؟! ثم اندفع يقرأ شيئًا فشيئًا وينقض عليه». [هادي العلوي، **شخصيات غير قلقة في الإسلام**، ص١٩١]. فما القراءة بالعين على الورق إلا واحدة من الطرق الغالبة على الناس، ولكن طرق تحصيل المعارف تتجدد، خاصة في هذه العصور التي تَعِدُ بما يتجاوز خيالنا. وقد تطورت في زماننا طرق السماع للكتب، وأصبحت المطابع الغربية تخرج النسخة السمعية مع المطبوعة، وقد وقعت في هذه السنين في متعة الكتاب المسموع، أسمعه وأنا أمشي، فسمعت عددًا كبيرًا من الكتب، ومن الطمع أني جمعت الكتب المسموعة ونسخها المطبوعة، فلما رأيتها أمامي ما كدت أصدق أني سمعت كل تلك الكتب كاملة، وكنت أشتري النسخ الكاملة للكتب؛ لأنهم يخرجون أيضًا نسخًا مختصرة لكل كتاب في ساعة أو ساعتين بجوار النص الكامل.

هل قتلوها؟

مـرة كنت أنتظـر الطائرة في «مطار دنفر»، وكنت أسـير في الممر فلمحت على الجهة اليمنى شابًّا منهمكًا في قراءة كتاب، وفجأة سمعت آخر من الجهة المقابلة يصرخ به موجهًا سؤاله للقارئ المندمج مع النص قائلاً: هل قتلوها؟! ومـع لطـف السـؤال وذكائه إلا أنه يدلك علـى تقنية الروايـات، إذ تكاد تكون أحيانًا معروفة، فلم يستغرق القارئ إلا عند نص مثير في الرواية!

ويقال إن فيليب الثالث ملك فرنسا لاحظ وهو واقف يومًا في شرفة قصره في مدريد طالبًا بيده كتاب على ضفة «مانزاناريس» المقابلة، وكان الطالب يقرأ ولكنـه بيـن حين وآخر كان يقطع قراءته ويلطم جبينـه لطمات عنيفة، تصحبها حـركات لا حصـر لها من النشـوة والطرب، فقـال الملـك: «إن الطالب إما أن يكـون مجنونـًا، وإما أنه يقرأ «**دون كيخوته**»». [قصـة الحضارة، (٢٩/ ١١٨)]. و«**دون كيخوتـه**» كتاب اللغة الأسـبانية الأول، وهـذا الكتاب لـثربانتس ـ الذي بقي أسـيرًا خمس سـنوات في الجزائر ـ من أهم كتب المتع والأخبار والهزل فـي تاريخ البـلاد، وإلى سـخريته يعيدون تراجـع مهابة ومـكان ودور الجيش والقوة ومكان الفروسـية الأسـبانية. ومما قاله في روايتـه: «إن الدجاج والمرأة تضيعان إذا سرحتا». ويقول: «بين قول المرأة نعم وقولها لا، لا أوافق على أن أضـع سـن دبوس، فالواحد منهما قريـب جدًّا من الآخر». وقـال: «إن الطبيب يبذل نصيحته بجسـه نبض جيبك». وقال: «كل إنسان كما صنعه الله، وكثيرًا ما يكون أسوأ». [**قصة الحضارة**، (٢٩/ ١٢٢)] ولم أقرأ رواية «**دون كيخوته**».

ومـن حـظ ثربانتس أنه بعد أن نشـر الجزء الأول مـن «**دون كيخوته**» كتب أحـد لصـوص الأدب جـزءًا ثانيًا، وزعـم أنه الجـزء الثاني الموعـود؛ بحثًا عن المـال، فاسـتحث هـذا ثربانتس وأنجـز الجزء الثاني فـكان رائعًا كسـابقه. يقع الكتاب في مجلدين كبيرين، وتوجد في اللغة العربية ترجمتان للكتاب: إحداهما

لعبد الرحمن بدوي، والأخرى لسليمان العطار صاحب مقولة: «العربية أمُّ اللغة الأسبانية». وهذه الترجمة الأخيرة عن الأسبانية دون لغة وسيطة.

وهنا أحاول أن أجيبك على سؤال مهم، وهو: لماذا يقرأ الغربيون؟ نعم منهم طائفة غير قليلة تقرأ للخلاص من اللحظة، ومن أزمات ومشكلات نفسية واجتماعية وشخصية، بل هناك من يكتب لهذا السبب. ومن الأطباء من يصف الكتابة أو القراءة لهذا النوع من الناس، فهي قد تكون متعة مجردة. وقد ذكر مالوان عالم الآثار البريطاني الجاسوس الذي قضى سنين في الشرق في العراق، وهو زوج الروائية الشهيرة أجاثا كريستي، التي زاد عدد النسخ المطبوعة من رواياتها ملياري نسخة في لغات العالم المختلفة حسب قوله!! سبب قراءة رواياتها كما قال أحد قرائها: «إنها كانت تريحه ذهنيًّا عن مشاغله الكثيرة». [**مذكرات مالوان**، ص٢٤٨]. ويقول مالوان مرة أخرى: «إن كتبها مشاكل تستحوذ على الاهتمام الكلي، مثل لعبة الورق. إنها تتطلب تلك الدرجة من التركيز التي تكفي لفرض عزلة تامة عن العالم المحيط بالقارئ، ويصبح القارئ القلق سعيدًا كأنما بفعل ساحر، ويتمكن من التخلص من همومه فورًا. إن هذا عقار مسكن حقًّا لمن يستطيعون تناول الدواء». [ص٢٥١].

تلك حقيقة لم أعرفها مبكرًا، فقد كنت أتوقع في بداية العلاقة بالكتاب أن القراءة فقط للمعرفة والعلم، حتى راقبت نفسي فعرفت منها بعض ما ذكر الكاتب السابق، فهي ـ أحيانًا ـ مهرب من الواقع، ومتعة لعب كبيرة، وإلا فما أعرف سر تلك المتعة التي تجعلني أقضي زمنًا مندمجًا مع مالك بن نبي مع عسر كتابته، ولكن لأنه من مثيري التفكير ولعبة التأمل، وإثارة الصغيرة والكبيرة من غرائب التحليل، فإنه في نفس الوقت يشغل الذهن الرغوب في المتابعة ومحاولة الفهم، حتى لتكاد تقول: هل قتلوها؟! أو هل قتل مالك «الفكرة الاستعمارية»، و«القابلية للاستعمار»، ونظريات الإنسان والتراب

والوقت؟! ومن أحب أن يتذوق طعمًا جميلاً من المذكرات فليقرأ له «**مذكرات شاهد للقرن**» (**الطفل والطالب**). من هنا تعلم أن القراءة علم وعلاج ومتعة، وهروب من العالم، ومخدر للوعي وللجسم، والقراءة تشغل عن الشغل، فلا توظف في عملك قارئًا نهمًا إلا أن تكون حاجتك لمتعته، كأن يراجع أو يعلم صنوفًا محددة من العلم مما له علاقة بعمله، فلديه استعداد أن يغيب عن العالم وهو يقرأ، ويلتذ وينسى الآخرين، لذا قالوا في الغرب: «لم يحدث أن انتحر قارئ وهو يقرأ كتابًا رائعًا، ولكن انتحر مؤلفون وهم يكتبون كتبًا رائعة»؛ لأن الكتاب الرائع عبء وثقل ومعركة مع أصعب المهمات مع القارئ الملول، ومع نطاسي الكتب، ومع العالم الأديب الذي سيقرأ لك، ومع المفكر الذي يستطيع أن يطيّر في جو الثقافة من أسطرك فكرة قاتلة عنك، أو يمجد كتابك فترحب به. لذا تجد أكثرهم يحب أن يكتب كتاب العمر ويتأنى فيه ويحسنه، حتى إذا خرج كانت روحه قد سبقت المطبعة أو على وشك؛ حتى لا يهمه ما أحدث كتابه بعده.

غير أن بعض الكتاب العرب أوصوا بكتب العمر أن تطبع بعد موتهم، فلم تر النور، كالوردي ومنيف الرزاز. وننتظر «كتاب العمر» لبعض من وعدوا به. يقول ماكري: «المبدعون في الموضوعات الجديدة المتطورة، تختمر أفكارهم عادة في وقت متأخر». ويرى أنموذجًا لهؤلاء ماكس فيبر الذي كان عندما مات على وشك القيام بأبحاث العمر! [**دونالد ماكري، ماكس فيبر**، ص٧].

وعندما وقفت على هذا النص تذكرت بحثًا كتبه العقاد في كتاب قديم جميل، كان من القراءات المبكرة، وهو كتاب «**ساعات بين الكتب**»، أو هو كتاب «**بين الكتب والناس**»، وفيه تعرض لموضوع النبوغ والموت، وقول الناس: لو كان فلان عمّر لفعل شيئًا عظيمًا، فتحدث ناقلاً عن ناقد غربي تعرض لهذه المسألة، معقبًا بمثال شيشرون الذي مات صغيرًا وقد هزت

عبقريته عصره وما بعده، وأنه لو عاش لشهد العالم منه مالم يشهد، يقول العقاد ناقلاً إن كل إنسان في هذا الكون عنده شيء واحد يقوله، ثم يردده ما عاش بوجوه مختلفة، فلن يتجاوز في بقية عمره ما سبق أن قاله. ومعنى هذا ألا تقفوا ولا تتحسروا على نابغة مات مبكرًا؛ لأنه قد أكمل نبوغه وانتهى.

وخطر ببالي القول أنه لا قاعدة يعرفها الإنسان في هذا، ولا داعي أن نتقول على ما لا نعلم، ولا نتكلف القواعد، فقد قطع الموت حبال التوقعات، وانتهت هذه الفلسفات بآخر نفس. ثم إننا رأينا في حياتنا أفذاذًا قالوا شيئًا أو فعلوه وليس بعد عملهم عمل، ولو عاشوا لهدموه، ورأينا أفذاذًا أقاموا أعمالاً رائعة، ثم عادوا عليها بالهدم. ورأينا رجالاً قالوا أشياء رائعة ثم انتهت إمكاناتهم، ولأنها أقرب بفيض رباني عجيب لا يدركون مصدره، قالوه وانتهوا. وفي سيرة «أينشتين» دليل كبير على هذا. لحظات من الاستغراق ومحاولة الفهم أدت مؤداها وانتهت. و«أديسون» فعل العجب في تاريخ البشرية ثم مات والناس يتوقعون منه الغرائب.

ومن نماذج الاستغراق العجيبة ما ساقه رسل عن أستاذه الذي أصبح زميلاً له، يقول رسل: «كانت قدرة وايتهد على التركيز في العمل قدرة خارقة تمامًا، ففي يوم من أيام الصيف الحارة، عندما كنت مقيمًا معه في «قرية جراتشيستر» المجاورة لـ«كامبريدج»، جاء صديقنا كرومبتون ديفز فاصطحبته ليسلم على مضيفه. وكان وايتهد جالسًا يكتب شيئًا في الرياضيات، ووقفت أنا وديفز أمامه على مسافة لا تزيد على ياردة، وشاهدناه وهو يملأ الصفحات صفحة وراء صفحة بالرموز الرياضية، ولكنه لم يحس بوجودنا قط، وبعد برهة انصرفنا وقد تولانا شعور بالرهبة البالغة». [رسل، السيرة الذاتية، ص١٩٩ - ٢٠٠]. وكان وايتهد لا يرد على جميع الرسائل التي تصل إليه، بل القليل جدًا منها، ذلك لأنها تصرفه عن العمل الأصيل. [رسل، ص ٢٠١]

فلنترك متعة التقنين المضحكة تلك، وليت العقاد إن كان خالف طريقه هذه المرة قد خالفها في «مفاتيح الشخصيات». وحقًّا أقول لكم: لو لم يلبّس علينا عباس ويهرف بتلك القوانين، هل كانت شخصياته ستكون ممتعة؟! أقول من وراء السنين: لا، بل كان مفتاح الشخصية عنده عبثًا جميلاً وطريقًا مغريًّا منذ الصفحات الأولى. ترى لو حاول أحد أن يسطّر مفتاح شخصية العقاد ماذا نجد؟! لندعه فقد قيل فيه الكثير، ودعوا قول الناس فيه، واستقوا من النبع من عبقرية عمر.

يعيبون القراءة

في مراحل التعليم الأولى كنا نذهب لقريتنا في الصيف، وفي القرى وقت وافر جدًّا، وكنت أحمل معي كتبًا أقرؤها، غير أني ما كنت أجرؤ على ممارسة هذه الهواية أمام الناس، فمن العيب أن تقرأ في الإجازة، ولو فعلت لكان هذا يعني أنك رسبت ولم تنجح في الدور الأول، وأن عليك أن تدرس في العطلة لتعد لامتحان الدور الثاني أو التكميلي في نهاية الصيف. فلا يعرف الناس قراءة هنا غير الدراسة النظامية. والقراءة الموروثة قديمًا في المجتمع القروي قرينة للتدين والضعف، مع بقايا من السحر والشعوذة، ففقهاء القرى لا يخلون من السحر. وهنا التقت ثقافتان كلاهما ضد القراءة، فالثقافة الحديثة والتعليم الحديث يربط القراءة في الإجازة بالرسوب والفشل في الامتحان، والثقافة القديمة تربط القراءة بالخرافة والسحر! عجبًا كيف التقت أطراف التخلف قديمها وجديدها لتجعل من المعرفة والعلم عيبًا! فالقراءة قديمًا تؤهل لشيء من الشعوذة، والقراءة حديثًا تؤهل للنجاح في الامتحان، وهذه غاية العلم في المجتمع المتخلف. واتفق القديم مع التحديث لصناعة عرف يشدد على وهن مكان القراءة. لذا كنت لا أقرأ إلا وقد تأكدت من أن الوقت مناسب، وليس لدينا جار يرى ولا ضيف يصمني بعيب الرسوب، وأهل البيت لا حرج منهم

فقـد أدركوا هذه الرغبة، ولا بـأس أن يروا بعض الكتب القليلة، فهي لا تؤذي ما دامت مخفاة أو لا تلفت انتباهًا.

وعجبت لحالنا وغربة المعرفة عندنا مقارنة بغيرنا، فهذا الشـيخ شـامل في «جبال داغستان» قبل أكثر من مائة عام وعقود، كان يقرأ ويحمل الكتب العربية معه على الدواب ويحارب في الجبهات، وزميله صاحب مهنته الذي التقى به في دمشـق الأمير عبدالقادر الجزائري، كان يحمل كتبه مع حاجيات «الزملة»، يقرأ ويكتب الرسائل والفتاوى وبعض النظم وهو يحارب الفرنسيين!

وكان نابليون يقرأ الكتب على الجبهة، وعندما ينتهي من بعض الصفحات يقطعها ويعطيها للجنود من خلفه، ولذا أشاعوا أن جنده هم أكثر الجنود ثقافة، وكان مـن الغنائـم المهمـة التي استولى عليها لنفسه من مصر مائتين وسبعة وثمانيـن كتابًا، وهذا لا يعني أنهـا مجموع الكتب التي أخذها الفرنسيون من مصر بعد غزوها.

فمـاذا حل بالناس؟! ضعفت القراءة والكتابة حتى كان العراقيون يتلقون المنشورات التي تسـقطها عليهـم الطائرات البريطانيـة، وفيها معلومـات أو تنبيهات أو أوامر، ولأنه ليس فيهم قارئ كانوا يجمعونها عند أحدهم ويقولون: سـقطت الأوراق مـن الطائرة لأنه كان «فيها ثقب» سقطت منه الأوراق! وفي كل مجتمع عربي من الأخبار المشابهة والأساطير ما يؤكد هذا المرض العام. والآن بعد أن كانـت الرسالة تمـر بعدة قرى لا تجـد من «يفتليها»، وبعد أن أصبحت بعض القرى تمتلئ بحملة الدكتوراه هـل غادرت الأمية الحقيقية رؤوس الدكاتـرة؟! هـل يتلقون الكتـب والمعرفة بشـوق أم إنهـم نجحوا في الامتحان، والقراءة لم تزل عند الدكاترة عيب؟!

مجالس المتعـة المعرفيـة تتهـاوى فيهـا الأسـاليب العمليـة في غسـق الحضـارات. وتمسـك بخناقهـا العقول الواهنـة، وتهرف عليها ألسنة الجبناء،

جبناء العقول والقلوب والأيدي، فينظر لها الإنسان الأقرب للفطرة نظرة شك. ويبتعد منها الشجعان، ويقلاها المحاربون، إنها عيب ووهن. وفي عصور أوروبا المظلمة كانوا يجنبون أبناءهم النجباء مجالس المعرفة والعلم والأدب؛ لأن المعرفة «كانت تحد من قوة الشجاعة» لدى الرجل! [حديث الطريقة، انظر هامش٣٦، ص٥٢].

وكم هي جميلة عبارة فولتير: «هناك حقائق ليست لكل الرجال ولا لكل الأحوال!». وكان قد سُئل عمّن سيقودون الجنس البشري؟ فأجاب: «الذين يعرفون كيف يقرءون».

وقد رأيت أذكياء القراء من المدمنين جدًّا، ولكني تأملت حال بعضهم، فكدت أنصحه بترك القراءة زمنًا، ولكنه كان قد بلغ حالاً يصعب نقاش حالته، أو طعن في العمر بما يمنعه من تغيير عادته. وأيضًا لربما كنت غير متأكد من مشاعري تجاهه، فقد كانت خليطًا من نوازع رجوت ألا تكون الغيرة منها، أو القصور من جهتي سببًا لنقد النقاد، فربما سكت لأني لا أستطيع تفسير الموقف، فهل أضرت به كتبه أم هكذا تركيبته؟!

القراءة الكثيرة داء أيضًا، ومن يستقبل كل شيء يضره الخلط الكثير، وقد استمعت إلى صديق مثقف وهو يسوق عبارة موجعة، وهي هجاء للقارئ النهم، ربما قال: «رؤوس القراء قبور الكلام!». شككت أنها من نصوص حساد المثقفين وحساد القراء، ولأن ليس كل طريف في لغة أو معنى هو طريف في لغة أو في سياق آخر، ولا كل بيئة تشابه الأخرى، أو لعل ذلك النقد كان لقراء كبار أو لمدمنين غير مبدعين. وليست القراءة مما يعاب جملة، بل الأصل فيها المدح جملة، والاستثناء يذم، بينما غيرها أكثر عرضة للنقد.

ومن نماذج هجاء القارئ ما قرأته في رواية «**الحارس في حقل الشوفان**» لسالنجر، في قوله عن أحد شخصيات روايته: «إنه جاهل كثير القراءة!». أي

جمال وتعبير عن كثيرين تراهم مثقلين بالقراءة، مع فقر مدقع للفهم، وللأسف فإن جهلهم ينتشر بسبب كثرة القراءة وأخبار ما يقومون به وما يحفظون رغم تردي وعيهم وفهمهم. وكذلك قرأت في قصص قصيرة مترجمة لـ«ز لنتس»، ـ وهو كاتب ألماني ـ، قصة ساخرة جدًّا من القارئ المغترب عن العالم، والمندمج في القراءة دائمًا، وهي صورة معبرة عن غفلة القارئ وهامشيته، حيث يعيش في عالم الكتب بعيدًا عن العالم، يعيش مع الكتب منقطعًا عن كل شيء، أشبه بالمريض المغترب، فبطل القصة منهمك دائمًا في القراءة، وحين تغزو عصابة وزعيمها الفاجر قريته، ويتحرك كل شيء للمقاومة، حتى الحيوانات تهرب من طريق الغازي الفج، ويخرج لملاقاة الغازي جميع السكان، ينتبه أحد المتأخرين لصاحبنا القارئ فيلحّ عليه بالخروج لإنقاذ نفسه ممن سيمزقه ويجعله كالورق والكتب المقطعة ـ لاحظ أن المثال كان من عالم المهووس بالقراءة ـ فيحتج القارئ قائلاً: وكيف تتجرأ وتسيء الأدب وتزعجني وأنا أقرأ؟ وبصعوبة بالغة ينتزعه من بين كتبه بعدما أصر أن ينهي الكتاب الذي بيده، ولا يكاد يخرج ويقبل بأن يشاركهم ببندقيته إلا بصعوبة، وهو دائم الاحتجاج على قلة الأدب والإزعاج؛ لأنهم قطعوه عن القراءة. أخيرًا بعد إقناعه بأن الحرب قرب داره، والخطر عليه يجيز الانقطاع عن الكتب، يحفظ كتبه في وعاء فخاري يمنع كتبه من الاحتراق، ثم يذهبان لرصد العدو من خلال غرفة صياد قريبًا من الطريق، وبقيا ساعات ينتظران الغازي حتى تجمدت أصابع القارئ وهو ينتظر، فراح يبحث بين القش ويحفر في المكان يبحث عن طريقة يدفئ بها يديه. وبينما هو يحفر في الركام وجد كتابًا، فاندفع يقرأ الكتاب ويندمج في قراءته، وينسى يديه المثلجة، وينسى أنه مرابط على الجبهة، وينسى صاحبه، حينها يقترب الغازي ويناديه زميله الراصد أو الخفير مرات ومرات قائلاً له: إنهم اقتربوا.. إنهم في مرمى سلاحنا، فيقول: بقي فصل، بقيت صفحات، والله بقي قليل من الفصل! وينكشف العدو فيرميهم

صاحبه ويتبادلون الرمي، ويجرح زميله، ولكن الغازي يهرب من وجه الرمي ويبتعد، ويرجع الرامي الذي صد الغازي مدمى الأذن. أما القارئ فلا يلتفت ويستمر، ثم يعتذر ويقول: باقي أربع صفحات، بقي ستة وثلاثون سطرًا فقط أرجوك، فقط عشرة أسطر! ويعود المحارب المنتصر بعد نهاية الجولة مع العدو إلى صاحبه القارئ المصر على البقاء خارج العالم يقرأ، ولا يعرف ما حدث على الجبهة، فلا ينتبه له، وهو لا يزال مستغرقًا، ثم ينتهي ويلتفت للمحارب قائلاً: «يبدو لي أنك قلت شيئًا ما يا ...». يكتشف المحارب أخيرًا أن القارئ لا يصلح لشيء، يصلح قارئًا فقط !

وفي لحظة من اللحظات كتبت: إن جمع الكتب هو هواية لا تختلف عن هواية جمع الطوابع. وفي طريقي لتسجيل ذلك وقفت على أحد كتب «فلسفة الفن»، فاستمتعت ببعض النصوص ثم قلت في نفسي: هل جامع الطوابع يشعر بصدمة بعض النصوص وقوة بعض الأفكار كما يشعر جامع الكتب القارئ؟! لم أجرب متعة جمع أدوات أخرى حتى أحكم، ولو أني في زمن الاغتراب البعيد لقيت صديقًا كانت لديه متعة شراء الأحذية، وآخر كانت متعته شراء الأقلام، ولا أستبعد أنهم يجدون متعة كبيرة باستعراض تلك الهوايات كما يستمتع من يجمع الكتب ومن يقرأ ومن يفهم، ولكن المشكلة أن الفهم ليس ذاتيًا بمقدار ما هو حكم خارجي من الناس، معاصرين أو بعيدين في غبار العصور القادمة أو في مكان بعيد، فلتكن متعة الكاتب وهمًا يرحّله من معاصريه إلى قادمين في دهر بعيد، فليسخر من نفسه وليقل لنفسه: «فهمي كبير، وسوف يأتي من وراء القرون من يرى فهمي ونبلي يوم يعثر على قولي». والممتع أن قوله أو فعله قد لا يعثر عليه أحد، فيكفيه أنه عاش متعته وقطع ملل زمانه، كما كان يرى أبو محمد بن حزم، ذلك الذي ترك سجلاً ضخمًا بما عانى من زمانه ورجاله وأفكاره، وضيق عطنهم به، وكثرة اعتراضهم عليه

أو كراهيته هو لاعتراضهم. فقد يكون الكاتب دكتاتورًا مستبدًا يحب أن يُؤمّن لـه الناس دائمًا على طغيانه في حياتـه، وإلا فبعد مماته. وكم يتعلق المولعون بالبقاء ببقاء أخبارهم وذكرياتهم! ولكن: «من هذه المدن لن يبقى سوى الريح التي عبرتها». نقول تبقى الريح لأن من الصعب أن نعرف أي ريح عبرت وهل هي هي؟ أم لعل الريح التي عبرتها هي نفسها «مياه النهر الذي لن تضع قدمك فيه مرتين»؟!

وقد قرأت لكارل جوستاف يونج قولاً يؤيد بعض ما سبق، فهو يؤكد أن: «المعرفة وما تتمتع به من مزايا ـ من حيث المبدأ ـ تعمل نوعيًّا في غير صالح الفهم». [التنقيب في أغوار النفس، ص ١٦].

فالمعرفـة تؤيـد بل تنهج طريـق التصنيف ووضـع مجموعات للأحوال والأفكار والأشخاص، والفهم كثيرًا ما يصطدم بالمعرفة، بل تعوقه المعرفة أحيانًـا كمـا تنفعه في أطـوار أخر، والفهم أعلى من المعرفـة وإن كان غالبًا يمـر بهـا فـي صعـوده وتحققـه، ولأن الفهـم يعـي الوحـدات واختلافهـا، ويستجيب لتميز الحالة، في الوقت الذي تشده المعرفة لأقسامها وتصنيفاتها، ولهذا كان السعي لبناء مجموعات جديدة داخل المجموعات وخارجها من الأفكار والأشياء.

وقد لاحظت أن المعلومات الكثيرة والذاكرة الجبارة ربما أضعفت الفهم، فـإذا أراد الحافـظ فهم موقف فإنه يتجول في صندوق معارفه ويعزل عقله، بل ربما بادر باتهام عقله ووعيه ولجأ لحفظه، والحفظ أدنى درجات الوعي، وكم جنـت الذاكرة على الوعي وحاصرته! وهذا حاضر جدًّا في ثقافتنا الإسـلامية، لأن زحام الحفّاظ فيها ربما رسّخ السخرية من العقل ومن الفهم الذاتي الذي يمارسـه الشـخص، فيبـادرون باتهـام عقولهم حتـى أدانوها وأضعفوهـا، وبنوا منهجية معادية لها، وبالتالي منهجية تحارب الوعي.

القراءة الكثيرة تجعل من صاحبها مجمعًا لما يحب وما يكره، وما يعي وما يجاوز وعيه، وخاصة إن أعطاه الله ذاكرة حافظة مجردة من ملكة النقد، فيا سوء حاله! ويا شناعة ما جمعه! إنه ينطق فيؤذي نفسه والناس؛ لأن هذا الخليط يفتقد لنظام عقلي كان يحتاج أن يسهر عليه سنين للترتيب وحذف الكثير من مقروئه، وترتيب مفهومه من أي مكان جاء. ولهذا يأتي التحذير من القراءة الدائمة الباردة دون تفكير في المقروء، علمًا أن عددًا عظيمًا من النابهين كانوا مسرفين في القراءة، وقد وهبهم الله عقولاً جبارة، فما كانت القراءة إلا سندًا للفهم والنبوغ.

كان نيتشه يقرأ بمقدار ما تسمح له عيناه، حتى إذا اشتد ألمها تركها. ووجدتُ الإمام محمد بن محمد الغزالي يقول: إنه كان يقرأ حتى يسقط متعبًا يغلبه النوم، ولا ينام إلا عندما يغلبه النوم.

يروي عطية سالم قصة بحث حدثت لشيخه محمد الأمين الشنقيطي ـ الذي عدوه من أهم مجتهدي الإسلام في العصور الأخيرة ـ قوله: جئت للشيخ في قراءتي عليه وشرح لي كما كان يشرح، ولكنه لم يشف ما في نفسي على ما تعودت، ولم يرو لي ظمئي، وقمت من عنده وأنا أجدني في حاجة إلى إزالة بعض اللبس وإيضاح بعض المشكل. وكان الوقت ظهرًا، فأخذت الكتب والمراجع فطالعت حتى العصر؛ فلم أفرغ من حاجتي فعاودت حتى المغرب فلم أنته أيضًا، فأوقد لي خادمي أعوادًا من الحطب أقرأ على ضوئها كعادة الطلاب، فواصلت المطالعة وأنا أتناول الشاهي الأخضر كلما مللت أو كسلت، والخادم بجواري يوقد الضوء، حتى انبثق الفجر وأنا في مجلسي لم أقم إلا لصلاة فرض أو تناول طعام وإلى أن ارتفع النهار وقد فرغت من درسي وزال عني لبسي، ووجدت هذا المحل من الدرس كغيره في الوضوح والفهم، فتركت المطالعة ونمت وأوصيت خادمي ألا يوقظني لدرسي في ذلك اليوم

اكتفاء بما حصلت عليه، واستراحة من عناء سهر البارحة. [مقدمة عطية سالم لـ: **رحلة الحج**، دار ابن تيمية، القاهرة، ص١٨ - ١٩].

وكبار المفكرين والكتاب يصابون في حياتهم بأزمة المنع من القراءة، حين يتحالف الطبيب مع المرض، فيصدران منعًا من القراءة، حدث ذلك لكثيرين، ومن أواخر من عرفت منهم: أحمد أمين، وزكي نجيب محمود، وحمد الجاسر. يقول أحمد أمين بعد منعه من القراءة: «وأدخل المكتبة لذكرى الماضي فيزيد ألمي، غذاء شهي وجوع مفرط، وقد حيل بين الجائع وغذائه! وأتساءل: هل يعود نظري فأستفيد منها كما كنت أستفيد؟ وهذه الآلاف من الكتب، من الأصدقاء، لكل صديق طعمه ولونه وطرافة حديثه، وقد كان كل يمدني بالحديث الذي يحسن حين أشير إليه، فاليوم أراهم ولا أسمع حديثهم، ويمدون إليَّ أيديهم، ولا أستطيع أن أمد إليهم يدي». [**حياتي**، ص٣٩]. هذا الحنين والقول المعبر لا يصدر إلا من عاشق صادق.

ولكن نيتشه يحذر من القراءة لسبب آخر، ويفتخر أنه هرب من الكتب سنوات فيقول: «ضرب آخر من حماية الذات تتمثل في أن يتلافى المرء قدر الإمكان رد الفعل، وأن ينسحب من كل الوضعيات والعلاقات التي تجعله مضطرًا إلى تعليق حريته ومبادرته الشخصية، ليتحول إلى مجرد آلة رد فعل. وسآخذ كمثال لذلك علاقتنا بالكتب. إن رجل العلم الذي لا يقوم على العموم سوى بتقليب الكتب، يفتقد مع الوقت القدرة على التفكير بصفة مستقلة، وإذا لم يقلب فإنه لا يفكر، إنه يستجيب لمثير عندما يفكر، أي إنه يرد فعلاً ليس إلا. إن العالم ينفق كلية طاقاته في مقولات الـ«نعم» والـ«لا» ضمن نقد ما فكر فيه غيره، أما هو فإنه لم يعد يفكر.. فقد ضعفت غريزة الدفاع لديه، وإلا لكان بإمكانه التحصن من الكتب. رجل العلم كائن متدهور. لقد رأيت ذلك بعيني: كم من الأشخاص الموهوبين ذوي مؤهلات ثرية وتكوين حر قد دمرتهم

القراءة، فغدوا وهم في الثلاثينات من أعمارهم عبارة عن مجرد أعواد ثقاب، لا بد من فركها كيما تحدث شررًا، أو تنطق بفكرة. أن يقرأ المرء كتابًا في الصباح الباكر عند طلوع النهار، في لحظة الطراوة والتوهج الصباحي لطاقاته ذلك ما أسميه فسادا ورذيلة!». ثم يقول: «فإن نسيان الذات، وسوء فهم الذات، وتحقير الذات والتحول إلى كائن ضيق الأفق ورديء تغدو عين الحكمة». ثم يشير إلى أن حماية الذات من النقد، والحفاظ على العلاقات هي التي تجعل الإنسان لا يسمح لنفسه بالمخالفة. [هذا هو الإنسان، ص٥٦ – ٥٧ – ٥٨].

وتجد بعضًا من النص السابق، وقد نقله ببعض الاختلاف هشام شرابي. ومما نقل عن نيتشه أيضًا قوله عن القراءة: «إنها فن المضغ الذي لا تجيده إلا البقرة». [الجمر والرماد، ص١٣٠ – ١٣٥].

وقريب من ذلك قول مونتسكيو في رسالة له: «وعندي أمين المكتبة يجيبك عما سألت جوابًا شافيًا؛ لأنه منكب ليلاً ونهارًا على فك رموز كل ما نرى من الكتب. إنه رجل لا يصلح لشيء، وهو عبء علينا». [الرسائل الفارسية، ص٣٠٤].

إننا لا نقرأ كتبًا إذا كنا نعرف مادتها من قبل معرفة كاملة، أو إذا كانت مادتها غير مألوفة على الإطلاق، ومن المحتمل أن تظل غير مفهومة. وكما يقول سكينر: «إننا نقرأ الكتب التي تساعدنا على قول أشياء نوشك أن نقولها كيفما اتفق، ولكن لا نستطيع أن نقولها تمامًا بدون مساعدة. كذلك فإننا نفهم المؤلف مع أننا لم نكن نستطيع صياغة ما نفهمه قبل أن يضعه هو في كلمات.

هذا رأي وملاحظات مهمة، علمًا بأن منهم من يؤكد على التكرار والمدارسة للكتب المدرسية (الكلاسيكية). وممن كتب وتحدث في هذا كثيرًا مورتمر أدلر، محرر «الموسوعة البريطانية» في أواخر القرن العشرن:

التفكير في المقروء

في كتاب أفلاطون المسمى «**فيدروس**» يحتج ثاموس الملك المصري أن من يتعلمون من الكتب ليس لديهم سوى مظهر الحكمة، وليس الحكمة ذاتها. إن مجرد قراءة ما كتبه شخص ما أقل استحقاقًا للثناء من قول الشيء نفسه لأسباب خفية، فالشخص الذي يقرأ كتابًا يبدو وكأنه قد ملك ناصية العلم، ومع ذلك فإنه ـ كما يقول ثاموس ـ لا يعلم شيئًا. وعندما يستعمل نصا أو كتابا لمساعدة الذاكرة، فإن الذاكرة تهبط إلى مستوى الإهمال.. وأن يقرأ المرء أقل استحقاقًا من أن يتلو ما قد تعلمه.. إن الكومبيوتر والآلة الحاسبة هي أعداء الذهن الحسابي». [سكينر، **تكنولوجيا السلوك الإنساني**، ص٦٠ - ٦١]. فالقراءة توفر المعلومات في الدماغ، وتمهد أسس المعرفة، ولكن التفكير هو الذي يصنع معرفتنا. بنحو هذا قال الفيلسوف لوك. [**الأفكار العظيمة**، ص٢٤٩]. وربما من أجل ذلك تفاضلت الأمم في معارفها، فنزلت الحكمة على «عقول الروم»، وعلى «ألسنة العرب»، وعلى «قلوب الفرس»، وعلى «أيدي الصينيين (الشرقيين)». كما قال أبو حيان. وقال علي عزت بيجوفيتش: «بعض الشعوب تناسبها بعض الفنون، فالألمان الموسيقى، والفرنسيون الشعر، والإنجليز والروس النثر الفني، والإيطاليون الرسم». [بيجوفتش، **هروبي إلى الحرية**، ص١٣٠].

كنت أقرأ كتابًا عميقًا ممتعًا، وبعد بضع صفحات رميته جانبًا قائلاً: اللهم لا طاقة لي بهذا! بعد تصرفي ذاك الغريب شعرت أنني أحسست بالهزيمة، أو عدم القدرة على كتابة مثل ذلك القول، أو أن طاقتي في الاستيعاب للمكتوب كانت أقل من القدرة على الاستمرار، وفي مثل هذا الحال ضع الكتاب الرائع بجانبك، ولا تبعده ولا تقربه تمامًا؛ لكي تستمتع به من وقت لآخر.

قال علي عزت: «القراءة المبالغ فيها لا تجعل منا أذكياء، بعض الناس يبتلعون الكتب، وهم يفعلون ذلك دون فاصل للتفكير الضروري، وهو ضروري

لكي يهضم المقروء ويبنى ويتبنى ويفهم. عندما يتحدث إليك الناس يخرجون من أفواههم قطعًا من هيجل وهيدجر وماركس في حالة أولية غير مصاغة جيدًا، عند القراءة فإن المساهمة الشخصية ضرورية مثلما هو ضروري للنحلة العمل الداخلي والزمن؛ لكي تحول رحيق الأزهار المتجمع إلى عسل. [**هروبي إلى الحرية**، ص٢٥ - ٢٦]. وفي مكان آخر من مذكراته ذكر أنه يأتيه نشاط للقراءة لمدة طويلة ثم خمول طويل.

أضرار القراءة!

لو كتبت الكتاب عن «أضرار القراءة» لربما كان ألفت للانتباه، ولكني لست بالذي يستطيع أن يكتب شيئًا كهذا. فقناعتي بالقراءة كبيرة، وفوائدها جمة، وللحقيقة أقول إن أضرارها عظيمة أيضًا، ليس لأنها تضعف الذاكرة، ولا لأنها تذهب بنور العينين عند بعض الناس، ولكن مع كونها من خير أعمال الإنسان فهي من أكبر الأضرار التي ينفذها الإنسان؛ فهي تخرجه من فرديته وشئونه الخاصة إلى زعازع المجتمع، وقد تربطه بقضايا دولية أبعد، وتحرم الإنسان هدوءه وراحته وفرديته، تكشف له عمّا يزعجه من نفسه ومن الناس.

يقول إحسان عباس وكأنه يشير إلى الآثار السيئة للقراءة ومخاطرها: «وأحس أن كثرة القراءة تفقدني الثقة في نفسي». [**غربة الراعي سيرة ذاتية**، دار الشروق عمان، ١٩٩٦م، ص١٢٢]. فقوله: «كثرة القراءة تفقد الثقة بالنفس». قول رائع من مجرّب، فرحت به لما قرأته؛ لأنني قد أصل إلى فكرة سديدة فيردها مؤلف فأنتكس إلى قوله، ثم تقرأ فتجد من أيّد رأيك من قبل، أو وضّحه بأسلوب أحسن، فيصنع هذا فيك ترددًا وعدم ثقة. وتلك من آفة الكتب، وآفة عبيد القراءة، آفة مطاردي العلماء ومتتبعي المشايخ والموهوبين، أو لأنهم يفقدون الثقة بسبب روعة بعض النصوص بحيث تشعر أنك لن تكتب مثلها، أو أنك

أمام زحمة من المبادئ والقيم لا تستطيع تحقيقها، أو أن النص يزرع الشكوك فيمـا كنت تراه صحيحًا أو مسلمًا به! وما آراء هؤلاء الذين زعموا أن لا قول يبتدع ولا يجدد ولا يطرأ إلا لأنهم ضحايا القراءة، وضحايا آراء القدماء ومشاهير المعاصرين وسجونهم التي أفقـدت التابع الثقـة في عقله. وللأسف تجد من يجمع الشواهد على تبرير النزول في السجون الفكرية التي بناها القدماء.

وكثيرًا ما تشعل القراءة العقل، وتلهب الهمة والخيال، ويتراكم منها كنوز تلـوح على اللسان، وتهـذب السـير في الطريـق، وتصنع اللمحة والبسمة والموقف، وتصوغ العقل واللسان صياغة جديدة، يجعل صاحبها فوق التفاهة والبساطة والسذاجة في كثير من جوانب تفكيره، وأيقن أن الإنسان مهما ارتفع فلـن يذهب بعيدًا جدًّا، سترى فيه الإنسان مهما بعد! وإليك هـذه الفقرة من ترجمة مارون عبود عن بول بورجه: «كل من يصفيه التفكير والمطالعة يتعرض لعـدم الامتـزاج بجماعتـه، فإمـا أن يثور على بيئتـه التي يتألم منهـا، أو يحاول الدخـول في غيرهـا، فهو كالنبتة التي تشـق جذورهـا الإناء الذي نشأت فيه، فيجب أن تنقل منه». [جـدد وقدماء، ص٣١]. وهكذا تعلـم أن المعرفة غربة مرتين، وهذه من عيوب القراءة العميقة. وكان قد سألني الأستاذ تركي الزميلي عـن عيـوب القراءة في مقابلة سـابقة، فذكرت عيوبًا أخرى، ونسيت كثيرًا من الأضرار الاجتماعيـة والنفسية والعقلية الذي تسببها المعرفـة لصاحبها. إنها تنتزع الإنسان لعالم آخر أكثر اضطرابًا وشكًّا، ومعاناة من مجرد هدوء المعرفة وسهـولتها. ومنهـا مراحـل يقينية تأتي متأخرة جدًّا، بعد شـقاء طويـل، وتأتي المعرفة بطمأنينة، بل شبه طمأنينة، فليت كثيرًا من المعرفة لا تأتي، ففي بعضها نـار شـكّ كبير، مخلـوط بمتعة اكتشـاف، ومغامرة مع عقول كبيرة، في أزمان قصيـرة، كلها عابرة وجلة، مرسـلها ومتلقيها كلهم صغير، وكلهم فان، ولكن غرورهم وثقتهم بألعابهم تضحك الحزين.

إن القراءة الواسعة المنفلتة ـ وهل غيرها قراءة؟! ـ لا تبعث على السعادة، ولا تزرع الطمأنينة، ولا تريح مسافرًا في عالمها الواسع. فلم طرقت وطرق هؤلاء عشاق الكتب بحر القراءة المتعب؟! إنهم لم يعلموا أنهم قد ركبوا البحر إلا عندما انتصفوا في لجته، ولم يعرفوا تلك المرارة التي تكاد تذاق باللسان إلا بعد أن كبرت ثم كبرت عن الضبط، وأصبحت فوق التحكم، ثم لم يعد بالامكان إسكات لهيبها، ولا كبت شهواتها المرعبة، ولا إسكات تساؤلاتها المتكررة. ولكن أجمل ما يجده الإنسان مواجهته بوجه الحقيقة: من أنت؟ وماذا تستطيع فعله والموت يرقبك هناك كل لحظة، أو بعد فترة قريبة جدًّا على الناصية؟ هون عليك لا تسرف فحبل العمر قصير، يسبق كل طموح للفهم.

ما أعظم طموح وتطلع الإنسان! وما أعجبه لولا ثلاثة عوائق كبيرة، يجبرنه على الاستجابة لما لا يريد سماعه، يذكرها له السديري بقوله: «لولا الهرم والفقر والثالث الموت»!

من عيوب العزلة والمعرفة

العزلة تغنى بها العلماء كثيرًا وراقتهم وأراحتهم من الناس، فكان كثير من العلماء مغلوبين بهذه الشهوة، ويرونها حلاًّ لما يجدون من نكدهم بالناس، حتى إن السيوطي برغم تغنيه بالروضة في جنوب القاهرة وجمالها، لم يعد يفتح طاقات بيته المطلة على النيل غرقًا في عزلته. [مقدمة «التحدث بنعمة الله»، ص٢١]. أو يجدونها تفرغًا للمعرفة، ولكن التفرغ عن تيار الحياة جهل، إلا لمن يعالج ما لا علاقة له بالحياة اليومية للناس ولا جديد المعارف. والعزلة العلمية تنجب شيئًا من الكبرياء أحيانًا، قال أناتول فرانس: «في كل علم قاع من الزهو والجرأة المرة». [مهنة المؤرخ، ص٤٦].

إن تعـود المـرء على عمـل مـا في مكان محـدد يجعلـه يتقمص هذا العمل بمجرد شعوره أنه في المكان، فالمكتبة تشعرك بالقراءة والمكتـب بالكتابة، ولـذا فـإن تعويد النفس على القراءة أو الكتابـة في أمـاكن مختلفـة أفضل من قصرهـا على مكان واحـد، وإلا فعلى الأقل مكان يعودك خير من تفلت دائم، وتذكر فكرة بافلوف في نظرية التعلم الشرطي، فعندما تعود نفسـك عملا في مكان تتهيـأ لـه النفس. ومن الكتّاب مـن يـرى أن العزلة فيهـا جوانب فطرية بشـرية، مرتبطة بحب الخلوة والفرديـة والتأمل، لا يلزم منها أسباب معرفية، فمـن عـادة الزولـو ـ كما أفاد أحمـد فال ـ أن يكون للرجـل منهم بيت خاص يحظر دخوله على النساء والصبيان خاص بالتفكير يسمونه: «إلاولوبولا». أما نزعة عزل النسـاء عن مجالس الرجال فيمارسها الرجال في مختلف الثقافات بطـرق مختلفـة، وهـي في أمـريكا راسـخة بطـرق غيـر مباشـرة، وكان الرجال ينتقلون بعد العشاء إلى مختصر لهم يقيهم حضور النساء بطريقة مقصودة، كما زعم أحدهم أنهم كانوا يضيقون باب مختصرهم ليصعبوا على المرأة بلباسها القديم المنفوش أن تدخل، وقد ذكر هذا تشومسكي عند حديثه عن شبابه مع أسرته والعزل الطبيعي للنساء عن مشاركة الرجال، حيث يبقين في زاوية البيت أو علـى طاولـة الطعام بعد مفارقة الرجال، وقد أدركت هذا في مجالس آبائنا حيـث ينتحيـن طـرف المجلس فلا يشاركن أو يشاركن نـادرًا، ويستمعن أو يتحدثن بينهن، وكثيرًا ما كان التلصص على حديث المجموعة الأخرى رجالاً أو نساء يثير النكتة والسخرية.

قلـت: وعندما تدرك القريب، وتـرى الجوار والبعيد، يخف غرور الكبرياء العلميـة والثقافيـة، ويخف زهوهـا الخادع. فالكبرياء تنبت في العزلة البشرية، وفي العزلة الشعورية فقط. أما عند الشعور بالناس، وتنوع قدراتهم، وبالكون واستشعار الآفاق الواسعة والمعرفة الحقيقية، فإن الآخرين منهم كبار كثيرون،

يستحقون التقدير، ولهم عالم واسع من المعرفة والفهم، والغرور رفيق الغر، بعيد عن واسع الأفق، وعن عميق الذهن، بعيد الغور. وقال شوبنهور: «إن حياة الوحدة قدر الأرواح العظيمة».

فالمعرفة تهز الفطرة، فتنضجها وتنمو بها باتجاه خير وسمو عقلي وعاطفي وروحي، وتنوّر للكون المحيط ورؤية للإنسان، وسعادة بإنسانيته الغريبة، التي كلما فتحت عليها نافذة من زاوية رأيت عجبًا عجابًا. ولو تأملت هذه المذاهب النفسية والفلسفية، وما تقود له كل يوم من عجب، فما هي إلا نافذة جديدة على عالم لم تنتبه له من قبل، مثال ذلك من يفتح لك نافذة على لوحة، وقبل ذلك يقول لك تأمل لونها الأصفر، وأين مكانه وكم يمثل من نسبة؟ ثم بعد قليل ترى اللوحة، وترى مكان اللون الأصفر، وتحصي مواقعه، ولما يغلق عنك المنظر يقول لك هل في اللوحة من لون أحمر؟ فقد تنكر وجوده، ثم يعيد لك اللوحة مرة أخرى ليريك كم كنت مصابًا بعمى الألوان؛ لأنك كنت مشغولاً بما يسيطر على ذهنك فقط، وغاب عنك عالم واضح بسيط بين عينيك، ذلك شيء من رؤيتنا للأشخاص والقضايا.

ومن هنا تدرك مدى إعجابنا بالنظريات النفسية والفلسفية والاجتماعية، وأنها تدلنا على زاوية من زوايا المعرفة، فيغرقنا دليلنا فيما يعرف أو فيما لاحظ، وكم تبعدنا هذه المعرفة الموهومة عن الحقيقة! فهذه المذاهب التي أعجبت الناس في زماننا ليست عارية تمامًا عن الصحة، ففي بعضها حق، ولكن مفكريها ودعاتها رأوا العالم من خلالها، وسخّروا كل شيء لها، وجعلوها قطعيات، فكانت مصدرًا للشقاء، ولو تأملت الفلسفة «الماركسية»، و«الداروينية»، و«الفرويدية»، و«اليونجية» (نسبة لكارل جوستاف يونج)، و«المالتوسية» (نسبة لمالتوس)، و«الكينزية» (نسبة للاقتصادي كينز)، وغيرهم، لرأيت في جوانب منها صحة لا تملك نفيها، ولرأيت فيها خطلاً لا يمكن

قبوله، فقد كانت هذه المعارف وسائل للجهل. ولو سلمت هذه الأفكار من زعم شموليتها، لربما استفاد من بعضها الناس في التحليل وفهم حياتهم، أو جوانب من حياتهم. فمشكلة هذه النظريات في زعم شموليتها أكثر من وجود عناصر صحتها.

ومن هنا نجد أن الكتب قد تكون وسيلة لتجهيل غير مقصود، وهي تريد التعريف، وعقل الإنسان مهما كبر فهو صغير، ويضعف جدًّا كلما اهتم بالجمع والنقل، فالنقل كما يغنيه ويرفعه فهو يكاد يلغيه أحيانًا. وقد شاهدنا من العقلاء النجباء من يسيطر عليه النقل بلا عقل، حتى يعميه عن كل ما بين يديه من حق ومن فهم. وهناك من يرى في «علوم المعقول» مهربًا لصاحبه من ضعف عقله، وهذه بداية جيدة، ولكننا شاهدنا من يزعم «تحكيم العقل»، ثم تبين لنا وللناس أنه يريد بـ«العقل» نقله هو عن عقل غيره، فلا يتم له ما أراد. ولهذا كان لا بدَّ للقارئ الفطن من عقل معه وله، وليس عقل غيره. فعقول الناس وآراؤهم أسلحة، لك وعليك، فحاول أن توجد لنفسك ولعقلك مكانًا بينهم، لا تؤلههم فتتبعهم بلا وعي، ولا تغتر برأيك، فتقع في الخطأ الشنيع.

كما أن المعرفة تشقي الإنسان، وتوجع الروح بمرارة بعض الحقائق المقطعة المنثورة في الكون، فذلك الألم الذي يزهق الإنسان ويرهقه ويطمس براءته، ويجعل منه شكاكًا خائفًا، أو ملحدًا يابسًا، أو مغرورًا، أو حاقدًا على البشرية، يرى الحيوان في الإنسان، أو يرى خداعه أو سوءه أو فساده عندما يلمس المعرفة الجافة، ويتحسس ما يراه صخرة المعرفة، ومرارة الحقيقة. إنه شعور حقيقي لإنسان يرى قطعة من الإنسان منفردة في يباب من الأرض. إنها قطعة مهما كانت جميلة فإنها بشعة زائفة منفرة، يسيل الدم من أطرافها، ويرقبها التعفن بعد ساعات، تلك هي قطع المعرفة الضائعة في بيداء الكون كما يراها من ألهبته المعرفة المقطعة. وخير منها اللجوء إلى «الجهل» عمود الطمأنينة. إن المعرفة

لذة عالية جدًّا، يذوقها من استطاع أن يجمع كثيرًا من الأجزاء المتناثرة في البيداء السابقة، ويلتذ بهذا التناسق الكوني البديع. وليس صحيحًا أن البراءة أو الإنسان الجاهل فاكهة حساسة ومرهفة، تفسد بمجرد لمسها بقليل من المعرفة كما يرى أوسكار وايلد. إنها «المعرفة الجزئية»، أو ما سماه العلماء بـ«العلم الشِبري»، أو أول شبرٍ من العلم يغرق فيه السابح، أما بعد عمق المعرفة فإن الصورة تتبين وتتكامل، وتصبح ذات جمال بمقدار ما تصبح مرئية أكثر. وسوف نغادر الكون ولم نستكمل المشهد، حزانى على ما عرفنا وعلى ما جهلنا سواء.

والكتب أنس بالغريب الذي لا يستأنس، ومهما عرفته فهو غريب، وكلما ارتقى النص كان غريبًا وجوهرًا نادرًا، وما أحببت جوهرًا كالكتب، فلها الوقت والزمان أثمر ما جنينا، ولكن الكتب والمعرفة تشترطا شروطًا جائرة، تشترط الانفراد بها زمنًا، وتشترط عليك ألا تراها وحشة. وقد تعيقك عن حياة الناس وتقول: الأنس بي وحدي، وهذا من ظلالاتها المحببة، ولكن بعد أنس بها تتوحش من الناس، أو تأنس بالناس فتتوحش بها. وقد قرأت كلمة جميلة للزعيم الأمريكي جون آدمز يقول لزميله: «لن تشعر بالوحدة وفي جيبك ديوان شعر». وقد وردت في كتاب عن جون آدمز، وهو من أجمل ما مر بي من الكتب عن الشخصيات الشهيرة للمؤرخ الأديب الكبير «ماكلف»، استمعت للكتاب كاملاً بصوت المؤلف المتهدج الجميل، وكأنك تسمع شعر الجواهري بصوته.

وقرأت في مذكرات بابلو نيرودا أن صديقه تشي جيفارا لما قتل في جبال بوليفيا كان يحتفظ في زوادته بكتابين فقط هما: كتاب في الرياضيات، وديوان «**النشيد العام**» لبابلو نيرودا. [**مذكرات بابلو**، ص٤٦٧]. وجميل أن يكون رفيق الثائر هذين الموضوعين، فكلاهما يفتح الأفق ويخرجك من لحظة مغلقة. ولهذا قالوا: «الأدب في الغربة رفيق، وفي الوحشة أنيس، إنه صاحب تبنيه وتصنعه في لحظات الانفراد بالمعرفة ليكون أنيسًا ساعة وحدة ووحشة، ولك

معزًّا لحظة ذلة». وهو نفسه الذي أشار أحدهم له أنه يتكئ عليه يوم لا يجد مستندًا ويخور عظمه ويرق، فلا يبقى له من قوة مؤثرة سواه. وقال شبيب بن شبة: «اطلب الأدب فإنه دليل على المروءة، وزيادة في العقل، وصاحب في الغربة، وصلة في المجلس. [**البيان والتبيين**، (١/ ١٩٠)].

والثقافة البعيدة في الزمان غربة عن العصر وأهله، فحُفّار القبور وعُشّاق الكتب يحيون بين الموتى، ويستقون حياتهم من داثر العصور. وهؤلاء خطرون في تفكيرهم وتعاملهم مع الكتب والأفكار، فقد يعتسفون الزمان، ويرهقون الإنسان، وقد لا يصلون لشيء ويحاولون إعادة أرواح الكتب للحياة في نفس الأجساد القديمة، ولو استدعوا العقل ليفكر في كتب الماضين، لفهم أن لها روحًا تنتقل عبر الزمان، ولكنها تتجاوب مع الجسد والزمان، ربما لن نجد تناسخيًّا يفسر هذه المعضلة. «ما هذه الكتب العديدة والأفكار المحببة التي تحيط بك؟ ما هي إلا أرواح لأشباح سلفت من قبلك» [جبران خليل جبران، **مختارات من أعماله** the voice of the master، ص٥٠٥]. وجبران له لغة مختلفة عن الكتاب قبله وبعده كثيرًا، ولعل سر الشهرة الاختلاف وليس الفائدة. وفي الغرب هذا جاذب للناس أكثر من عندنا، فلعله من أسباب شهرته. وليعذرني المعجبون به فما رأيت سببًا للتناسب بين كتابه «**النبي**» وشهرته. الشهرة عظيمة والكتاب هو ما تعرفون، لاحظوا بأنفسكم؛ فإني ما فهمت لماذا؟

عن الجد في البحث والمعرفة

قال ابن الوزير عن نفسه: «وبعد فإني ما زلت مشغوفًا بدرك الحقائق، مشغولاً بطلب المعارف، مؤثرًا الطلب لملازمة الكبار ومطالعة الدفاتر، والبحث عن حقائق مذاهب المخالفين، والتفتيش عن تلخيص أعذار الغالطين، محسنًا في ذلك النية، متحريًّا فيه لطريق الإنصاف السوية، متضرعًا إلى الله

تضرع مضطر محتار، غريق في بحار الأنظار، طريح في مهاوي الأفكار، قد وهبت أيام شبابي ولذاتي وزمان اكتسابي ونشاطي، لكدورة علم الكلام والجدال والنظر في مقالات أهل الضلال». [**العواصم والقواصم**، (١/ ٢٠١)].

وفي كتاب «**في فلسفة النقد**» فصل مهم كتبه زكي نجيب محمود من أمتع الفصول ذات العلاقة بالموضوع. [ص١٤٩]. وزكي نجيب من أنجب مثقفي زمانه، ويتفوق على مجايله عبدالرحمن بدوي بكونه يمتلك أسلوبًا أدبيًا أرقى من أسلوب بدوي، وهو قادر على توليد فكرة، أما بدوي فصاحب ذاكرة ودرس، ونقل متفوق وترجمة ولغات، وعند بدوي غرور بلغ حد المرض؛ لأنه رأى في إنتاجه فلسفة وإبداعًا، وللأسف لم يكن كذلك. وقد أفاد منقوله، وتقاصر جدًّا إبداعه عن نقله.

شط بنا الحديث في المقارنة، ونعود إلى النص الجميل القصير الذي كتبه زكي عن الكتب، تحت عنوان: «دور الكتاب في حضارة الإنسان»، وفي بدء قوله أثار مشكلة عويصة، ليست إنجازًا منه، بل هي نقل سريع للفكرة الغربية عن الإنسان، والذي كان عندهم حيوانًا، ثم تطور بحسب قوله، نقلاً عنهم قناعة أو استغراقًا لمثقفينا داخل ثقافتهم. وتلك مشكلة من المشكلات الكبرى في الثقافة المعاصرة، لا نقحمها بكبرها على كتابنا فتهز قلبه، وتشط بنا عن دربنا، وننحرف إلى الحديث عن معضلات الناس مع قصة الإنسان في هذا الكون، إذ إنها سوف تبعدنا عما نحب نقاشه في الحديث عن الكتب.

يرجع زكي بعد أن نشر كتابه الشهير «**تجديد الفكر العربي**» إلى كتب المسلمين يتذوقها ويفهمها، بعد هجرة طويلة في كتب الغرب، فعاد إلى ثقافة العرب ينهل ويستغرب أنهم قد قالوا أشياء كثيرة لم يتوقعها، فيصف لك كيف فوجئ بالغزالي وبغيره، وفي كتابه «**في فلسفة النقد**» يرجع إلى كتب عربية قديمة أدبية، منها «**الحماسة**» لأبي تمام، ويقول كلامًا جميلاً عن «ذوق أبي

تمـام الأدبـي»، وتفريقه بين ذاته وموضوعه، أو ما يراه مفيدًا مهمًّا من الشـعر، وهـذا موقـف موضوعـي، ولكنه لما كتب شـعره كتبه بطريقـة ذاتية، لا تكلف للموضوعيـة فيهـا، فهـو فنان يلقي آثـار انفعاله على جمهـوره، ولا يهمه كثيرًا أهمية الموضوع إلا لما كتب للناس.

ثم يسوق القول عن مجال حديثنا ألا وهو الكتاب والقراءة، ويقول إن الله تعالى أقسم بالقلم ﴿نٓ وَٱلۡقَلَمِ وَمَا يَسۡطُرُونَ﴾، هكذا أقسم سبحانه بالقلم وبما يسطر بالقلـم، وما يسـطر بالقلـم هو الكتاب، وقـد وردت لفظـة «الكتاب» في كتـاب الله الكريـم مائتيـن وثلاثين مرة، فإذا أضفنـا لها فروعهـا (كتابًا، كتابك، بكتابكم [وتصاريفها]) كان العدد ثلاثمائة واثنتي عشـرة مرة، ولا عجب.. فسر الحضارة البشرية هو في أن تنتظم حلقات التاريخ في سلسلة واحدة، تجيء كل حلقـة منهـا وثيقة الصلة بما قبلها وبما بعدهـا.. الكتاب هو الذاكرة التي تحفظ ما مضى ليكون نقطة البدء لما قد حضر». [ص١٤٩].

سمعت عن كتب فبحثت عنها بسبب جمال عنوانها اللافت، وطريقة اختيار المؤلفين لها، ثم بدأت في البحث عن المضمون بعد أن استهواني العنوان، مثل كتاب «**منطق الطير**»، فهذا عنوان جميل، لكن الكتاب أقل من عنوانه، وإشكالاته كثيـرة، ولكن صليل العنوان يبعث على البحث عنه. ومن قبل زمن قرأت مقال المنفلوطي: «خداع العناوين» وكان مما وجدت في المقال أنه تجنى على كتاب «**جواهر الأدب**» لأحمد الهاشمي، وكان الكتاب من مفاتيح كتب الأدب واللغة، وقـد قرأتـه في السـنة الأولى المتوسـطة، وعـاودت القـراءة فيه سـنين عديدة، وحفظت منه قدرًا كبيرًا في زمن مبكر، وللكتاب فضل علي لا أنساه، وكان مما طربـت لـه، وأنصح به المبتدئين فـى القراءة، لما فيه مـن جمع جميل ومدخل للتراث أصيل، فقد حفظت من الكتاب مقامات لبديع الزمان الهمذاني، وحفظت قصـة «المرأة المتكلمـة بالقرآن» وغيرها ممـا أتذكر اليوم مقاطع منها وأنسـى،

حتى عناوين تلك الأقاصيص. ومن جميل قصص العناوين قصة عنوان كتاب الشاطبي «الموافقات»، وتجد خبرها في أول الكتاب.

ودونك هـذا القول لعبدالرحمن بـدوي: «وخير قرطاس تكتب عليه هو الرمـل الـذي تـذروه الريـاح، والمـاء الجاري الدائم التجديد، إن الكلمة التي تسجل على قرطاس ثابت تقيد صاحبها، والكاتب الحر هو ذلك الذي لا تقيده كلماته، ولا تصبح عليه كَلّاً ولا غُلّاً.. الكتابة ضرب من الصلاة!». [عبدالرحمن بـدوي، مقدمتـه لكتـاب «الإشارات الإلهية»، وكالـة المطبوعـات، الكويت، ١٩٨١م، ص٢٤ - ٢٥].

وما أجمـل الوقت عندما نملأه بالمعارف والنقاش والفهم والعمل الجاد، فهـذا عامر بن عبدالقيس، وهو القائل عندما طلب أحدهم أن يكلمه: أمسـك الشمس! وابن الجوزي يرى الناس كمتحدثين في سفينة جارية تجري بهم وما عندهم خبر، ويقول: «فلما رأيت الزمان أشرف شيء، والواجب انتهابه بفعل الخير، كرهت ذلك وبقيت معهم بين أمرين: إن أنكرت عليهم وقعت الوحشة لموضـع قطـع المألوف، وإن تقبلته منهم ضـاع الزمان، فصرت أدافع اللقاء جهـدي، فـإذا غلبت قصّرت في الكلام لأتعجل الفراق. ثم أعـددت أعمالاً لا تمتنـع من المحادثة لأوقات لقائهم؛ لئلا يمضي الزمان فارغًا، فجعلت من الاستعداد للقائهم: قطع الكاغد، وبري الأقلام، وحزم الدفاتر؛ فإن هذه الأشياء لا بد منها، ولا تحتاج إلى فكر وحضور قلب».{صيد الخاطر ١٣}.

ثمرة الرسوخ

لا شك أنك واجد بعد القراءة الطويلة والتمكن من علم معين لذة ومنهجية في فهمه، ومرانًا في التعامل معه، يكسبك لذة لا شبيه لها، ومشكلة ذلك أن التفاصيـل تغيـب، وأن صوى الطريق تلوح لك دائمًا، وأنت قادر على وصف

المنهج ووضع القواعد. وقد تكون ضعيفًا في استحضار الأمثلة ووضع الأدلة، وهـذه مرحلـة تجريدية رائعة ومزعجة؛ روعتها طمأنينتهـا والثقة بها، وإزعاجها أنك تظهر للسـالك الصغير أنك ضعيف المعرفة قليل العلم، ضعيف العدة من النصوص المحفوظة. ويجهلون أن الحوادث المنتشرة قد لا تبنى عليها القواعد، وأن معلوماتهم ربما جمعتها رغبتهم في سباق، أو رغبة حزب أو مفكر أو شيخ في القديم أو الحديث، وأن المعلومات غير العلم. وقد لا يستوعبون أن المنهج الذي طرقته الأقدام قرونًا معرضٌ للضياع، حتى يأتي من يكشـفه، ويعيد العين للمنظـور، فقـد كانت هنـاك طرق حتى في جـادة الأرض سـلكت، حتى توهم النـاس أنهـا لـم تعد تقبل الضيـاع، وتتابعت عليـه القرون الصاحية فلم تشـك، ولكنها غابت حتى أمكن للأقمار الصناعية منذ سنوات أن تعرف طريق «عبار»؛ لأنـه منهـج القوافـل ولم تغيبـه الرمال، وبقـي في الأعمـاق ينادي بالسـائرين، ويقودهم إلى منازل غبرت فوقها القرون، وغطتها رمال فوقها رمال. فلما غاب المنهـج عـن عيون الناس اسـتطاعت الأقمار الصناعية أن تدلهـم أنه كان هناك طريق يقود إلى «عبار»، أو إلى «إرم ذات العماد» التي لم يخلق مثلها في البلاد، كما كان يقول الشيخ المسلم في الفيلم الغربي الذي كشف موقع المدينة. لكم نعجب للإنسـان يكشـف له غيره دروب أجداده، ونعجب أكثر أن الله لا يضيع هذه الدروب، ولا يلغي تعب الإنسـان حتى دك أقدامه ومواشيه على الدروب، تشـف عنها رمـال الربع الخالي لتقول مرّ أجدادكم مـن هنا. وهذا ربما يصدق كتابكم بعد أن شـك منكم قوم، فيأتيكم بالنبأ غيركم ممن لا تعرفوه، فاحتفلتم وقلتم: آه.. آه.. هذا الجواب، ونحن نسـكن على مشـارف «عبار» أو «عاد» ولا ندري عنها، رغم قراءتنا المتكررة لأخبارها.

ولهذا قد يسـتجيب العاقل لكلمة يقولها راسخ دك دروب العلوم، وأعطاه الله فهمًـا، فاتباعـه والسـماع لـه خيـر مـن الغـرور بالنفس، وبمـا حصلته من

معلومـات لـم تصبح علمًا ولا تهدي طريقًا، ومن تتبع للمعلومات على صلف ونزق. ويا ويحنا من صلفنا ونزوعنا لرغبات الخبرة الشـخصية، وعدم سـماع الناصحين، كأطفال نختبر المواعين الحارة بوضع اليد واللسان حتى نتأكد من أن النـار حـارة، ولا نثق بأب أو أم، ولا نقبل بـراو يقول لنا هذا خطأ! ولكنها طفولة العقل البشري تطارد الإنسان، وتبقى متعة التجربة الشخصية لها جمالها وألمهـا المباشـر الـذي لم يتعود الإنسـان أن ينيـب عنه فيه. وقـد وجدت من مفاهيـم المسـيحيين الغربييـن أن البرهان علـى معجزة أو حتى أمـر غيبي، قد يضعـف الإيمـان عند بعضهم؛ لأن الأصل الإيمان بلا براهين، لأنك تؤمن بما هـو فوق البراهين، فعندمـا تبحث عن دليل فإن ذلك يدل على ضعف الإيمان كما يرى بعضهم.

أمـا العلـم فينجـب المنهـج المشـترك رغم الزعـازع الكبـرى في هذا الباب، قال لنا أسـتاذ قدير قديم وهو يشـرح درسًـا فـي التاريخ: إنني بعد عشـرات السـنوات مـن القـراءة المتنوعـة والدراسـة والتدريـس للتاريخ، أصبحـت أفكر تفكيـرًا تاريخيًا، أسـتحضر القرون عابـرة أمامي، ودروس الحضـارات تقـوم وتسـقط وكأنها حياة قصيـرة جدًّا في عمـري التاريخي القصيـر أو عمـر التاريـخ المديـد، وأصبحـت لا أرى مقدمـات الأحداث والنتائـج إلا مترابطة، أكاد أفسـر الكثير منهـا، فتجدني وأنا أتعرض لقضية أبدأ بها من منبعها إلى مقطعها.

فالمعرفـة العميقـة في علم تصنع منهجًا لدى صاحبها في التعامل مع بقية جوانـب الحياة، وتلقـي بنورها على ظلمات في زوايا بعيـدة في علوم أخرى، وفي سلوك الناس. قال نقيب فرنسي: «لو أنني كنت أعرف شيئًا واحدًا بعمق، لعرفت كل شيء!». [**الفكر والحرب**، ص٤١]. وسترى فيما يلي بعض النماذج على ذلك.

وكما تصنع المعرفة المتماسكة منهجًا لدى صاحبها، فإنها كذلك تصنع خلقًا ودروبًا في العقل والسلوك، وتحمل الناس والأفكار إلى آفاق أبعد من معرفة مفردة وحادثة صغيرة، وتوسع الأفق والمغانم، فيعم خيرها الجاهل والمعاند، بل حتى من يكرهها.

فإن كنت ممن يلحون على مثال قديم، فهذا الشاطبي يقول في «**الموافقات**»: «حمل بعض العلوم على بعض في بعض قواعده؛ حتى تحصل الفتيا في أحدها بقاعدة الآخر، من غير أن تجتمع القاعدتان في أصل واحد حقيقي، كما يحكى عن الفراء النحوي أنه قال: من برع في علم واحد سهل عليه كل علم. فقال محمد بن الحسن القاضي ـ وكان حاضرًا في مجلسه ذلك وكان ابن خالة الفراء ـ: فأنت قد برعت في علمك، فخذ مسألة أسألك عنها من غير علمك: ما تقول فيمن سها في صلاته، ثم سجد لسهوه فسها في سجوده أيضا؟ قال الفراء: لاشيء عليه. قال: وكيف؟ قال: لأن التصغير عندنا لا يُصغر، فكذلك السهو في سجود السهو لا يسجد له؛ لأنه بمنزلة تصغير التصغير، فالسجود للسهو هو جبر للصلاة، والجبر لا يجبر، كما أن التصغير لا يصغر. فقال القاضي: ما حسبت أن النساء يلدن مثلك!». [**الموافقات**، (١/ ٨٤)].

وقول الشاطبي هذا كاد أن يطابقه كارل يسبرز في مختاراته، إذ يرى أن من أنجز بحوثًا علمية مثمرة في العلم وتمكن من أساسيات علم من العلوم فإنه سوف يستطيع التمكن بسرعة من أساسيات أي علم آخر. [**كارل يسبرز، الفلسفة والعالم، مقالات مختارة ص٢٠٤**]

قلت: وشرط هذا النضوج علم دائم المدارسة، وأفق مفتوح للمعارف الجديدة من علوم ومنهجيات أخرى، ويقظة وتنميط واع غير معتسف، فلن تتوفر للرجل منهجية من مدرسة واحدة. أما ما يذكره الشاطبي فهو مقصد المعرفة ونظامها لا تفصيلاتها، وهذه هي التي يسميها الغربيون: «فلسفة

التخصص» أو فلسفة علم من العلوم. ومنها تأتي كلمة «Ph.D» أي: «الدكتوراه في فلسفة العلم الذي فيه الشهادة» وهذا وصف قد لا ينطبق على حملته، ولكن مقصوده أنهم في طريقهم لهذه المنهجية. وهي الوصف المقابل للعالمية، والتي تدل على سلوك الطريق، أو إمكان الرسوخ، وإمكان حامل الشهادة أن يبدأ العلم. وفي بعض أعراف الجامعات المغالية في الاهتمام بسمعتها، أعرف بعضها في تخصص «التاريخ»، فهي تشترط على الطالب أن يضع خططًا وبدايات للأعمال العلمية التي سوف يبدؤها بعد حصوله على الدكتوراه.

الفصل الثاني

عين لا ترى إلا الكتب

كان ميمون بن سِيَاه إذا جلس إلى قوم قال: «إننا قوم منقطع بنا فحدثونا أحاديث نتجمل بها». [الجاحظ، **البيان والتبيين**، ١/ ٢٥٩]. وفي الصفحات السابقة لهذا القول كلام عجيب كما نقل في «**البيان والتبيين**» فالتمسه هناك؛ لأننا لا نستطيع أن نقتطف لك من بساتين الجاحظ، ففيها الكثير الكثير، فلا نستطيع حمل كنوزه، ومن لم يحتملها في كتبه فأنى له أن يحتمل كثيرًا منها منقولاً عند غيره. ومن خبرتي مع هؤلاء الكبار أنك إن لم تستطع قراءة كامل نصوصهم، فلا أقل من عزم النية على قراءة البعض، ولو قطعًا يسيرة كل يوم، وستجد نفسك قد قرأت الكثير.

القراءة بيت واسع، له من الضروريات ما يجعل الوصف ينطبق عليه، فمدخل معرفي محدد مهم لكل قارئ، ولا أقول تخصصًا، بل مدخل معرفي يلج منه الإنسان «عالم الكتب» أو «بيت العلم»، سواء كان هذا التخصص في اللغة أو الفقه أو الحديث أو التاريخ أو ما شابه ذلك. ثم يبني القارئ حجرات مجاورة لتخصصه، وكلما اتسعت وتناسقت وتكاملت معارفه كان قصره أرحب، مريحًا لنفسه ولزائره، يجول في حجراته بسعادة بالغة، وتنقذه بعض نواحيه من برد شديد أو من حر لافح، وتؤنس غربته بعض الفنون. وقد كنت أسافر مسافات بعيدة في متاهات أمريكا، فأسلّي نفسي مرة، وأطرد النوم أخرى بتذكر ما بقي في الذاكرة من شعر جاهلي أو غيره، وربما نسجت على منواله مما لا يصدق عليه وصف الشعر ما يحرك الذهن، ويطوي المسافة، ويؤنس الوحدة. وما أصدق العبارة التي عرفتها متأخرًا: «الأدب في الغربة رفيق». وقد

كان الشعر منزلنا حينًا من الدهر، شغلنا به النفس والذاكرة، وتطارحناه مع رفاق الشباب. وقد عرفت مبكرًا أن عندي قدرة جيدة على حفظ الشعر، ثم تراخت إلى أن غابت أو كادت.

ماذا ستجد في الكتب؟ إنك واجد كتب الهداية وكتب الضلالة، كتب السحر وكتب العلم، دليل العلم ودليل الجهل، كتب العمل وكتب الخمول، مهامز للهمة العالية ووصفات الركود، وكلها يسرد الأدلة على صحة مذهبه، ويستقصي طرق الإقناع لقارئه. فهل تهرب من هذه الغابة الموحشة؟ نعم، قد يكون هذا أسلوبًا، ولكن هذه غابة راقية جدًّا، وأنت تغادرها نحو غابة سهلة، غابة مجتمعك المتواضع البسيط، الذي يرفعك لأن إمكاناته صغيرة، ولن ترى فيه غايات الإنسان الكبيرة. لن تذوق لذة المغامرة والتشرد في بحار الأفكار، ولذاذات السير، وتضارب المصالح والمفاسد، وتعارك العقول العالية، تصطلم فوق الإنسان تبحث عنه، تختطفه وتسوقه راغبًا أو راهبًا، وهو حتى حين يحزن يكون لحزنه معنى كبير، وحين يفرح يكون لفرحه معنى أكبر. يفرح فرحة عصور ودهور، ويحزن بمثل ذلك بآلام الإنسان وعظمته وصغره. وما ذا في كتب الناس إلاه، أو عنه.

النصوص العظيمة الكاملة عندما تقرأها تجدها تبني في شخصك وفكرك خطًّا جديدًا. إنها رائعة عندما تكتمل قراءتك لها ومتعتك بها. إنها تمنح ما يسميه تودوروف: «قشعريرة من اللذة!»، وكان يكتفي بلذة الكتب عن لذاذات الصبا، ومغامرات الأطفال والشباب. [الأدب في خطر، ص٥].

وثمة شيء ملاحظ، وهو أن الكتاب ـ أحيانًا ـ يكون أرقى وأروع كثيرًا من مؤلفه، ولذا لا تنزعج عندما تقابل مؤلفًا فيكون دون نصه؛ لأن هذا هو غالب حال المؤلفين، ونادرًا ما تجد خلاف هذا. وربما هذا ما أراده كارل ياسبرز حينما قال: «بعض الكتب تحوي من الحكمة الأبدية أعظم مما يعرفه مؤلفها

نفسه، ولها من التأثير والنتائج ما لا يتوقعه الكاتب». [**طريق إلى الحكمة**، ص١٩٢]. ولذا نهرب من المؤلف إلى كتبه، ومن مواجهته حيًّا لنقرأه ميتًا يقلب على الأيدي، فهل هذا قرار صحيح؟ ذلك رأي القراء، يحبون أن يعرفوا الإنسان مستسلمًا لهم، ومسطورًا لا حيًّا يتحرك يخالفهم أو يخالف ما كتب لهم. إنهم مثل الأطباء لا يريدون رؤية الإنسان، بل لا يرون الإنسان المعافى ولا يتعاملون معه، يعملون مع مادته وجسمه، يستمتعون به عليلاً، يصب ماله لهم، وعواطفه إن بقي له بين أيديهم، والكتاب يلزمونه أن يكون قد تحنط في تصرف يفسرونه، أو يحولونه إلى عمل يفلسفونه.

الكتاب والمفكرون يصلحون ويهدمون حياة العالم وأفكاره، يعبثون بعقله أو قل يصلحون حياته، كلاهما صحيح وكلاهما ضروري؛ لأننا لا نعرف غير هذا، ولم تعرف البشرية دائمًا إلا هؤلاء المفكرين المُغَيِّرين، وكلهم يزعم الإصلاح. أما الأطباء فيحاولون إصلاح الأبدان وينجحون لأن عملهم أبسط، ولأننا متيقنون أنه عند لحظة ما ينتهي دورهم. أما المفكر فلم يعلم ولن يعلم مقدار أثره السارب في الأمم وعبر القرون. ما كان يعرف ذلك الطالب العنيد واصل بن عطاء، وهو يعتزل مجلس الحسن أنه سيشب معارك لا نهاية لها إلى يومنا هذا، ولا أنه سيشق المسلمين من بعده. ولم يكن يعرف الطالب الآخر مارتن لوثر وهو يعلق البيان على باب الكنيسة أنه يصنع المحتجين (البروتستانت)، ويشق المسيحية، ويفتح جرح «الحروب الدينية» ويصنع «الرأسمالية» ويوقد مشاعر الحرية، ويهون من قدر الأصنام في «روما»، بل ويساهم في صناعة شيء سيكون اسمه «ألمانيا».

فالمفكرون غالبًا موطن سخط، ينشرون الحقد والمحبة، ويمزقون الألفة، ويبنون الولاء. فخصوم كاسترو في «كوبا» إلى اليوم يلعنون ماركس، وماركس لم يعلم عن «الحروب الأهلية» في «روسيا» وغيرها، ولم يشهد «الحرب

الباردة»، ولا عشرات الملايين تموت كثير منها تحت اسم فكرته. ومارتن لوثر لا يعرف أن المعارك ستحتدم بين «الإيرلنديين» كل هذه الدهور، فهم عاجزون عن الحل، ولكن الناس يثقون بجدوى أفكارهم حتى عندما تكون ميتة أو مميتة، كما يدعي مالك بن نبي. فها نحن نلتمس حلّاً عند أحمد، والشافعي، وابن عطاء، وأبي حنيفة، ومالك كلما ضاقت علينا الطرق، ونجد أيضًا مبررًا للعراك عليهم والتمييز بينهم.

ولم يزل التفاضل بين الناس والأعمال سنة، وبالفروق يرتفع أشخاص وأعمال، وتهبط أخرى. وقد وجدت في كتاب ابن الوزير كلامًا جميلاً عن تفاضل الناس، وقد ذكر في مطلعه أن الله فاضل بين الأنبياء: ﴿تِلْكَ ٱلرُّسُلُ فَضَّلْنَا بَعْضَهُمْ عَلَىٰ بَعْضٍ﴾، وقال تعالى: ﴿فَفَهَّمْنَـٰهَا سُلَيْمَـٰنَ ۚ وَكُلًّا ءَاتَيْنَا حُكْمًا وَعِلْمًا﴾ فهذا تفضيل في الفهم بين سليمان وداود عليهما السلام، مع الاشتراك في النبوة، وقد فاضل الله بينهم فيما دون هذه المرتبة، فقال موسى: ﴿وَأَخِى هَـٰرُونُ هُوَ أَفْصَحُ مِنِّى لِسَانًا﴾. ثم يقول: «وعمود التفاوت الذي يدور عليه، وميزانه الذي يعتبر به في أغلب الأحوال هو: التفاوت في صحة الفهم، وصفاء الذهن، واعتدال المزاج، وسلامة الذوق، ورجحان العقل، واستعمال الإنصاف، فهذه الأشياء هي مبادئ المعارف، ومباني الفضائل، ولأجلها يكون الرجل جوادًا من غير إسراف، وشجاعًا من غير تهور، وغنيًّا من غير مال، وعزيزًا من غير عشيرة. [**العواصم والقواصم**، (١/ ٢٤٤)].

حكمة الكتب وغايتها

ليست الحكمة وليدة الكتب وحدها، وليست القراءة دائمًا ضمانًا للنضج، غير أنها من خير الدروب التي يسلكها الإنسان، فتوصله للحكمة والعلم والعمل الصالح. والله أرسل مع الأنبياء كتبًا، وهي دلالة صعود في مراقي

العقل والمدنية والتفكير، وتقاس المستويات المدنية اليوم عند الشعوب الأقوى بعدد الكتب المطبوعة في هذه الثقافات. ومع تسليمنا بأهمية الكتاب إلا إنه من الظلم وضعه المقياس الوحيد للصعود في هذه المدارج.

ومن ثمرة الكتاب والكتب أن يسيطر الإنسان على توجيه قواه العقلية وعلى ضعفه العاطفي، ليسيطر سيطرة استفادة واستثمار على قواه، وعلى قوى الكون وتحقيق المعنى القرآني العميق للتسخير، وهو معنى يراه الواعي أمام عينيه في كل طريق. وقد سأل الشابي الأرض يومًا:

«أَيَا أُمُّ هَلْ تَكْرَهِينَ البَشَرْ؟»

فقالت:

«أُبَارِكُ في النَّاسِ أَهْلَ الطُّمُوح وَمَنْ يَسْتَلِذُّ رُكُوبَ الخَطَرْ»

والإنسان يرقى أعلى الدرجات حين يتخلص من الحسد والعصبية والخوف. كان أحد رؤساء أمريكا يخطب في شعبه وقت الحرب قائلاً: «لا أخاف عليكم إلا من الخوف». هذه السموم الثلاثة المدمرة للحكمة، والمجافية للعقل، وهي أسلحة العاطفة البسيطة التي تبعد الإنسان عن العمق والقوة والأثر.

* * *

يجدر بالكتاب العظيم أن يودعك وقد منحك الكثير من الخبرات، مع شعور بالقليل من الاستهلاك، وقد عشت حيوات عديدة عندما كنت تقرأه. وقد كان لمونتسكيو موقف طريف يتحدث فيه عن شروح الكتاب المقدس، وتنوعها وكثرة أقوالها، والتي ربما تدل على غموض المتن، ثم يصل لفكرة طريفة، وهي أن يرونه مؤلفًا يمكن أن تستمد منه أفكارهم الخاصة سلطانها، ولذلك أفسدوا جميع معانيه، وأساءوا تأويل فقراته. [**الرسائل الفارسية**، ص٣٠٥].

فهل كل هذه الكتب وسائل لقول آرائنا؟ أم لنعرض الحقيقة وننقلها؟ هل نتحدث عن الناس والكون من أجل أن نستخدمهم لقول ما نراه، ولنهمس من وراء الشخصيات المهمة بأقوالنا؟ هل نستخدم الموتى والأحياء من أجل أن نتحدث نحن ونسكتهم، أو ننطقهم لنحرف أقوالهم، ولنستدرك عليهم؟

من المتحدث في هذه الكتب؟ أهي؟ وما هي سوانا؟ أهم القدماء؟ كيف ونحن من بعثهم وأفكارهم على صفحاتنا؟ أم هي رغبة الناس ـ الجماهير القارئة والمستمعة ـ هي التي حدت بنا لاستنطاق أنفسنا وقرائنا وموتانا وموتى العالمين، نتحدث بألسنتهم ويتحدثون نيابة عنا؟

وأنا أكتب هذه الصفحات، قلت لنفسي: لم كل هذه الكتب؟ ولم كل هذه القراءة؟ وما أنا إلا واحد من الناس الذين عشقوا المعرفة، فما غايتها؟ فجاءت ردود عديدة.

قال أحدهم: إنها ثقة تَسُوقك لليقين.

قال الآخر: بحر من الشبه والمشكلات يقودك للشك وللضعف.

وقال آخر: وهم يحرّرك من بعض الأوهام.

وقيل لي: معرفة تنقذك من الجهل.

وقال آخر: جهل سبح بك في بحار الجهل، ثم رماك على الشاطئ عاجزًا كليلاً.

قلت: الإخلاص للمعرفة يحرر عقلك وعاطفتك. فهل تطيق نتاج المعرفة؟ لا، بل نلحظه ثم نتركه بعيدًا، فأخطر سؤال هو هذا، فكم نترك مما تيقنا؟! كله نتركه ما عرفنا وما لم نعرف، فالمتعة في التجربة وليست في النتائج المتوهمة كثيرًا. وقد قال أحدهم: «لا تقل لي: إن العشب في حديقتك أخضر، بل قل لي: كيف يختلف عشب حديقتك عن حدائقهم؟».

كتب أحدهم بعد تأمل الثورة الفرنسية: «من الإنجيل إلى العقد الإجتماعي، فالكتب هي التي تصنع الثورات». [**بين الرشاد والتيه، مالك بن نبي**، ص١٢١]. وقيل: «القراءة ليست مهربًا من الحياة، ولكنها تدريب على الحياة». ولكني أشك كثيرًا في هذا، فقد تكون عند قوم بديلاً عن حياة. وقال مارك توين: «الكتب القديمة أشياء يحب كل شخص أن يكون قرأها، ولكن لا يحب أن يقرأها». وقيل: «في الكتب كما في الحب نعجب لاختيار الآخرين». ولاحظ أن هذا يحدث، والأصل أن تعرف: لماذا اختاروا تلك الكتب؟

وبعد جهد من القراءة والتعب في طريقها، تجد من يقول: دع كل هذا، فما تتعلمه من الحياة هو أحسن مما يمكن أن تعطيك إياه الكتب، ويجعل من القراءة والتلمذة على الأساتذة مرتبة دنيا من المعرفة، يقول قاسم أمين: «أقل مراتب العلم ما تعلمه الإنسان من الكتب والأساتذة، وأعظمها ما تعلمه من تجاربه الشخصية في الأشياء والناس». وبعد نقل قول قاسم أمين السالف هذا والتأكيد على نسبه الكردي، يعقب أحمد لطفي السيد باللوم على الاجتماعيين الذين يجعلون أدمغتهم محافظ لآراء الغير، فإذا حضرتهم المناقشة، أو دعتهم الكتابة في موضوع اجتماعي، أخذوا يسردون عليك محفوظاتهم من المؤلفين السابقين، من غير أن يكون لعقلهم في الموضوع نصيب من الرأي.. ثم يقول عن صاحبه السابق: لم يكن كذلك أبدًا، بل كان مفكرًا بالأصالة، نقادًا لا يستغني عن أفكار الغير، ولكنه لا يعتنقها إلا إذا اعتقدها». [أحمد لطفي السيد، **قصة حياتي**، ص٩٥]. قلت: لقد كان عنده مقياس مشهود في ذهنه، وصورة يمكن تكرارها، وقد لا يكون في الأمر أصالة. وهذه الملاحظة هي مطالعة في الحياة، كمطالعة الكتب، قد تظهر للناس ذات عبقرية في الالتقاط، وقد لا تكون كذلك، وهذه الملاحظة أصبحت أكثر تزييفًا ونقلاً في زماننا، حيث تيسرت وسائل المعرفة السطحية بمجتمعات أخرى.. والله أعلم.

كتب تخلف الظن

هـل سـمعت عـن كتـاب رائـع، دعتـك المجالـس والصحف ونقاشـات الأصدقـاء لقراءتـه، وطربـت للبحث عنـه؟ لا أنسـى كتابًا لألدوس هكسـلي، تشوقت له واشتريته واستصحبته في سفر، وكنت خطفته فرحًا به، «كما اختطف عاشـق حبيبتـه من فراشـها ـ ليلاً علـى عجل ـ وبعد جهد، وصـل مأمنه وفتح عباءته فوجد فيها جدة حبيبته الدرداء». [**بلدي**، ص٤١]. وكان هذا أول كتاب أتركـه عمـدًا في جيب مقعـد الطائرة، ياله من غث! ربما يكـون رائعًا في لغته الأصليـة، أو كان فـي عيـن غيري مهمًّا، ولا أبالي بمن أعجبـوا به، يكفيني مر مذاقه وبرودة أفكاره وسقم لغته، وهكذا سيكون مصير أمثاله وهي كثيرة.

وقد افتتحت به طريقة للخلاص من الكتب الثقيلة في السـفر، ولكن هذه الطريقـة قد تتعب غيـري، فقد لحق بي أحد طاقم الطائـرة في «مطار الدوحة» ليعطينـي كتابًـا تخلصت منه هنـاك، فكانت محاولة الخلاص الثانية أشـغل لي وله. وكنت أنسى بعض الكتب في جيب مقعد الطائرة الذي أمامي، وكان أول كتاب نسـيته كتابا للربيعي الروائي العراقي، لم أسـتطع العودة ولا البحث في الطائرة بعد نزولها «مطار أبها»، ومن يسـتطيع أن يقدر رغبة طالب الثانوية في كتاب نسـيه هناك؟! ونسـيت الكتاب الثاني بعد سـنين عديدة في «مطار سـنت لويس»، وكنت قادمًا من كندا، وذهبوا ليأتوني به، ولكني أعطيتهم رقم المقعد خطأ؛ لأني غيرت المقعد، فاسـتحييت من إعادتهم مرة أخرى للطائرة، وكانت الرحلـة وفـي وقـت متأخر ليـلاً، لقد آسـفني أن تركت «**حصاد السـنين**» لزكي نجيب محمود في جيب المقعد عربيًّا بين أعاجم، ولكنه قد يؤنس روحه بعودة فكـره لجذره هناك، كمـا كان زكي إنجليزي الثقافة والعقل بين الأعاريب. ولا أذكر بعدها أنني نسـيت كتابًا في الطائرة، ولك أن تقول: لعلك أصبحت تنسى أنـك تنسـى! قلت: تلك نعمة تمنهـا علي أن أنعم الله بالنسيان على الحريص

على الكتب. فما أسوأ أن تتذكر كتابًا مهمًّا ضاع، أو استعاره صديق يحب أن تكون له مكتبة جيدة، يكوّنها من الكتب التي يستعيرها! ومن غريب أنواع الناس من يرى أنه أجدر بكتبك منك!!

وللسفر أثره الكبير على المسافر في تفتح وعيه، وإدراكه لبيئة وعالم آخر، ويجلب من المنافع ما لا تجلبه الإقامة، ويرفع المسافر الطلعة المعرفة والفهم والعلوم في بلاده بجلب المفيد وكشف العيوب في مجتمعه أو في خارجه، وللأسف فإنك تجد الميل في بلاد العرب والمسلمين اليوم، وبخاصة المثقفين المتدينين والوطنيين والقوميين يميلون إلى الحديث عن عيوب الثقافات الأخرى، ويحبون أن يمتدحوا أنفسهم وبلدانهم ومناهجهم، ثم يغمطون غيرهم فيرضون بالأقل، رغم إن السفر مفيد جدًّا، والعين الرقيبة المهتمة المفيدة تجلب الكثير من المنافع. يقول ابن العربي: «ولولا طائفة نفرت إلى دار العلم ـ الشرق أو بغداد ـ وجاءت بلباب منه، كالأصيلي والباجي، فرشّت من ماء العلم على هذه القلوب الميتة، وعطرت أنفاس الأمة الزفرة، لكان الدين قد ذهب». [**العواصم من القواصم**، عن: «**فقه الإصلاح**»، ص٥٥]. وابن العربي وإن كان قوله عن علوم الدين وحملها لـ«الأندلس»، ولكن الفكرة عامة يصلح نقلها لميادين معرفية كثيرة.

وحديثنا متصل عن الخلاص من الكتب وليس من الأصدقاء، فقد كان أناتول فرانس يتلقى كمية هائلة من الكتب بالبريد، فيقول لخادمته: ضعيها في البانيو (المستحم)، وفي آخر الإسبوع يكون البانيو قد امتلأ بالكتب، فيقول لخادمته: جهزي لي الحمام. ومعنى تجهيز الحمام إفراغه من الكتب والتخلص منها! [من مقابلة أحمد بهاء الدين لطه حسين، **اهتمامات عربية**، ص١٦٢].

أما محمود شاكر فيتخلص من الكتب بطريقة ثورية عنيفة تتناسب مع مزاجه رَحِمَهُ ٱللَّهُ، فقد زار الدكتور عبدالله عسيلان أمين مكتبة جامعة الإمام الشيخ محمود شاكر مهديًا نتاج الجامعة من كتب ومجلات وغيرها، وقد غُلفت تغليفًا

جميلاً يناسب مقام الشيخ، فحملها الشيخ شاكر ورمى بها من النافذة، وقال: لا وقت عندي لهذا الغثاء، أو نحو قوله! مفاجأة وأنى لغير الشيخ شاكر هذا الإخراج الحاذق للمشهد، مما يذكرك حدة وحذق ابن حزم، وتوحش الطبري! وقد شهدت طرقًا عجيبة لتخلص الأمريكان من الكتب، منها: البيع أمام البيوت، وبيع الكتب بالوزن، وبيعها بالقدم (وحدة القياس عندهم القدم والياردة وليس المتر)، وبيعها بالكيس، الكيس بنصف دولار، ضع فيه ما شئت من الكتب.

زمن الكتاب وزمن القارئ

بين الكتاب وقارئه مراحل من العلاقة يحددها الزمن مرة أو طبيعة العلاقة، ولا أتحدث عن محب الكتب وعلاقته بها، لأنني لا أعرف علاقة الآخرين بالكتاب، فمحب الكتب يبدأ بهيمنة الكتب عليه، ومغادرته الشعور والتقدير لنفسه لتصبح هذه الكتب هي كل شيء في حياته، تحدد له الجيد والرديء، وطبيعة العلاقة وغيرها.

أما المرحلة الثانية فهي التي يبدأ فيها الشعور بنفسه مقابل هيمنة الكاتب، ويبدأ التفكير في المقروء، ويبتلي النصوص والشواهد، وهذه مرحلة شكية متعبة. فماذا يفعل الكثير من القراء تجاه هذه الأزمة؟ إنهم غالبًا يسلمون عقولهم إلى من يسمونهم بالثقات من الكتاب والمفكرين، ولسان حالهم يقول: امض بنا حيث شئت فنحن بك واثقون!

ولكن من هؤلاء الموثوقون؟ إنهم الذين انتشر خبر علمهم وثقافتهم في ذلك المجتمع، ونالوا تزكية عامة، وقبولاً واسعًا، فيحدث لهم هذا القبول المفيد المضر. فهؤلاء المقبولون عندما يخطئون يحتال لهم المعتذرون بالحيل، وعندما يصيبون أو يتوقع تلامذتهم أنهم أصابوا يحفّ التابعون أقوالهم بالمبالغة والقداسة.

ومـن مخاطـر هـؤلاء الموثوقين أنهم قـادرون على وصـم مواقف وأفكار بالخطورة مرة، وبالتفاهة مرة أخرى، وتتسرب الأخطار الكبار والمنافع الفكرية العظيمـة منهم إلى التابعين وإلى العامة، مزكّاة بهالة من التقديس المعقول مرة والباطـل أخـرى. ومـن زعم غيـر ذلك وددنا لـه الصدق والإنصـاف، وأنكرته الحوادث والعقول وإن تمنت صدقه القلوب.

سجن الكتاب وكتاب السجن

الكتاب سجن للعقل وسجن للتفكير، سجن عن الزمان، وسجن عن الألم وهجـرة إليـه، ومغامـرة في العالم، فمن جمـع بين الكتـاب والعالم فقد جمع أروع الفـرص، ومن اهتـم بواحد منهما فقط بقي في عقلـه وروحه فراغ كبير. وعن سجن الكتاب يقول السياب:

سـجينٌ ولكـنَّ سـجني الكِتاب　　وأَغْلالـي الآسِـراتُ السطورْ
فمـا بيـنَ جَنبيـهِ ضَـاعَ الشَّـباب　　وفَوقَ الصَّحائفِ ماتَ السُّـرورْ

وفي السـجن عرف عبد السلام عارف كتاب «**في ظلال القرآن**»، فاستهواه وعظم في عينه كاتبه، وكاد ينقذ بوسـاطته سـيد قطب من المشنقة، ولكن حقد عبد الناصـر كان فـوق طاقة الثقافـة والفكر والكتب. وفي السـجن يذكر أحمد سـليمان ـ الوزير والسـفير السـوداني ـ الذي كتب كتابًا جميلاً سماه: «**مشيناها خطـى**» وكنـت قد رافقت كتابـه بين الخرطوم وجدة عـام ١٩٨٥م في زياراتي الوحيدة إلى الآن، فاسـتمتعت به، وشـغلني عن كل شـيء حولي، وقبل إقلاع الطائرة إلى «أبها» كنت قد أنهيته، ووجدته يذكر في كتابه «**سياحة فكر وجولات قلم**» ـ وهو أقل شـأنًا من كتابه السـابق ـ أنه في سـجنه الذي أضرب فيه عن الطعام عام ١٩٥٩م ـ وكان وقتها مع الشيوعيين عندما دخل السجن ـ لم يجد ما يقرأ، فطلب مصحفًا وقرأه بعد سـنين من فراقه، فأعاده القرآن لسـاحته ولو

بعـد زمن. [ص١٩٧]. وقال عن غواية الشيوعية: «كنت ظلومًا جهولاً، ظالمًا لنفسـي، وجاهـلاً بحقيقة الزفّـة التي كنت أسـير ضمن طليعة موكبهـا». [انظر الصفحات: ١٩٣ - ١٩٧، ويقصد بالزفة: الحزب الشيوعي].

وقد أرّخ لبعض مغامراته معهم تأريخًا طريفًا، وأيام طلبه ونضاله مع الشيوعيين فـي مصـر، واكتشـافهم للكتاب الـذي أرخ للصين الشـيوعية «**النجـم الأحمر فوق الصيـن**»، الـذي عكـف على ترجمته، ثـم وضعه في مـكان خفي في إطار سـيارة، ولكن الشرطة المصرية اكتشفته! ثم زيارته لمصر وزيرًا ليقابل من كانوا سجنوه من قبل! وتجد أثر القرآن في السـجن يصنـع عجائب المواقف. وتجد للكتاب عمومًا دورًا في حياة السجناء مما يصلح أن يكون كتابًا طريفًا، وبخاصة عن أولئك الذين كانـت لهم مشـاركات وأدوار في حيـاة الأمم، وهم كثيرون جـدًّا في كل العصور. وقد كان منبع سـخرية من أحد الزملاء المثقفين السـوريين عماد صباغ، وله كتاب عن المؤمنين «**الأحناف**» قصد به الحنفاء قبل الإسـلام، قال لي إنه كُتب عنه تقرير للمخابرات السـورية بأنه من «الإخوان المسـلمين»، بينما هو مسـيحي! وفي مصر سجن بعض الأقباط بالتهمة نفسها، أو إن العلاقة كانت بسبب تبرع بخمسين قرشًا لمركز «الإخوان المسلمين»! [فؤاد علام، **الإخوان وأنا**، ص٢٦٦].

فراق الكتب

مثلما نَحِنّ للكتب ونتقرب لها، تأتي أوقات يحسن مفارقتها والبعد عنها، ويتراجع شـرف صحبتها لصحبة ما هو أشـرف منها، ولوجود داع أهم وأعلى. فالفرائـض تتفاضـل، كمـا تتقدم الفريضة علـى الواجب، والواجـب يقدم على المستحب وعلى ما يحسن فعله وقت الفراغ.

وقـد حفـظ لنـا التاريـخ سـيرة اثنين مـن أخطر الرجـال، تـركا الكتب في مرحلتيـن مهمتيـن وتحدثـا عن ذلك: نيتشـة وهتلر، نيتشـه في كتابـه «**هذا هو**

الانسان» ترك القراءة ـ كما يقول ـ بضع سنين، مع أنني لا أكاد أصدقه، ترك الكتب ليتأمل ويفكر ويكتب متحررًا من كتب الآخرين وأفكارهم العليلة.

أما هتلر ذلك الغويّ المبين، والسفاح العتيد ـ وهو من القراء الذين أنفقوا زمنًا طويلاً في القراءة وتتبع الأبحاث والدراسة، همًّا واشتغالاً بهم بلاده وأمته، وطالما رأى فيه كثيرون متحمسًا عسكريًّا لا صلة له بالكتاب، وليس الأمر كذلك ـ فيقول في كتابه الشهير «**كفاحي**» عن بداية الحرب العالمية الأولى: «ما إن نشبت الحرب حتى وضعت كتبي على الرف وقررت حمل السلاح، دفاعًا عن الشعب الألماني. وفي الثالث من آب ١٩١٤م وجهت عريضة إلى جلالة الملك لويس الثالث متلمسًا قبولي في إحدى القطاعات العسكرية البافارية، وشد ما كان سروري إذ فوجئت في اليوم التالي بكتاب يشعرني بقبول تطوعي، ويأمرني بأن أسارع إلى الالتحاق بفيلق بافاري معين. وهكذا بدأت بالنسبة لي وإلى كل ألماني فترة من حياتي هيهات أن أنساها، وأقمت أترقب بزوغ فجر ذلك اليوم المبارك، يوم السفر إلى الجبهة، يقض مضجعي هاجس واحد هو وصولي إلى ميدان الشرف متأخرًا.. اتجهت ورفاقي نحو الغرب.. وعندما انحسر الضباب ذات صباح.. أفلت من صدورنا نشيد «الراين» وأضحى صدري أضيق من أن يستوعب شعوري بالاعتزاز والفخار. بلغنا «سهول الفلاندر» في ليلة باردة، وشرعنا في الزحف تحت جنح الظلام دون أن نواجه أي رد فعل من جانب العدو، ولكن ما إن بزغ الفجر حتى بدأ الرصاص يتساقط حولنا، فتعالى هتاف مائتي مقاتل ترحيبًا بطلائع رسل الموت.. وعندما شرع منجل الموت يحصد صفوفنا نحن، أفلت من صدورنا الهتاف للوطن، ومشينا إلى لقاء الموت ونحن ننشد: «ألمانيا فوق الجميع».. وبعد أربعة أيام.. طرأ تحول أساسي على نفوسنا، فالأيام الأربعة كانت كافية لأن تجعل من فتيان في السابعة عشرة رجالاً مجربين مكتملي الرجولة.. وقام في داخل كل منا صراع عنيف

بين حب البقاء والواجب، كان الجبن يرود حولنا متنكرًا بزي العقل، محاولاً إقناعنا بعقم الجهد المميت الذي بذل. وقد انتهى هذا الصراع ووجدتني أقاتل وأنا رابط الجأش ثابت الجنان، ولم يزايلني هذا الشعور مذ ذاك. [**كفاحي**، ترجمة: لويس الحاج، دار صادر، ١٩٩٥م، ص٨٩ - ٩٠].

وهتلر القارئ المجنون، والمتحدث المؤثر، والخطيب العاصف، يحسن الكتابة والقراءة أيضًا رغم مآسيه الكبرى للبشرية. وهتلر من القراء والدارسين الجادين للحوادث والظواهر والتاريخ والسياسة. والاعتراف بحقيقة الشخص كما هو قبل محبته أو كراهته هو الطريق الصحيح لمعرفته ومعرفة حاله ورأيه، ومعرفة العالم الذي نعيشه عن كثب.

وهناك طبقة من الناس قد يلزم العاقل تأخير تعريفهم بالحقيقة إلى وقت يتحملونها فيه، وهناك من لا يصلح أن يعرفها أبدًا، وهناك من يحسن به أن يعلم ويعلم منذ أول يوم، ولا تكتم عنه معلومة! ثم «تأخذ الآذان منه على قدر القرائح والفهوم»، فمن صعب عليه القبول بأن ستالين وهتلر وموسوليني من عداد المثقفين، وقد يتقدمهم موسوليني؛ لأنه كاد يكون في الثقافة الإيطالية شيئًا مذكورًا، ومن عزّ عليه أن يعرف أن جمال عبدالناصر وصدام حسين كانا قارئين جادين في تتبع التقارير التي تهم حكمهم، وأنه كانت فيهما شجاعة ومبادرة ومغامرة، فماذا يريد أن يفهم؟! وهل يروق لعاقل أن يقرأ عن نقص الناقصين، وعيوب الكاملين؟! وكما يقول المثل الليبي: «يقرأ في الناقص». أي يتتبع النقص والقصور، أو يهتم بالسلب لا الإيجاب، وهو بهذه الطريقة لن يجني العسل من بين الشوك!

وكنت قد قرأت في كتاب محمد حسنين هيكل المحزن «**خريف الغضب**» أن عبدالناصر كان كثير القراءة، مقارنة بالسادات الذي صرخ في موظف جاءه يومًا بكومة من الملفات. إن واجبه كرئيس دولة قراءتها، ورغم هذا فقد كان

السادات يقرأ، وكتب كتاب «**يا ولدي هذا عمك جمال**». وهناك خلاف حول كتاب «**البحث عن الذات**» الذي صدر باسمه، وهل هو له أم إن أنيس منصور أو غيره كان له دور كبير أو صغير فيه؟ وقد جدد فكرتي عن الكتاب وكنت قد نسيته مؤلف كتاب «**العادات السبع**»، المبشر النصراني المورمني ستيفن كوفي، وأذكر أنه ربما استشهد بكتاب السادات مرتين ربما في الفصل الإيماني في الكتاب، وكان ستيفن واعظًا في الكنيسة، ونشر كتابًا في هذا المجال. ولما اشتهر بينهم نصحوه بأن يكون واعظًا عامًا ولا يلتزم بكونه واعظًا للمورمين وكنيستهم فقط، فغير طريقته وإن أبقى مضمون وعظه إلى حد كبير. واشتهر بالتحضير وتوجيه الإداريين، وعمله ناجح، وصنعة التحفيز الذاتي أصبحت في أمريكا صنعة واسعة الانتشار، أشبه بالرقية والتسلية والشعور الطيب مؤقتًا. ومازالت أمريكا بعد «حادثة سبتمبر» بعام تقريبًا إلا وقد أصبح خطباء الجمعة يعظون الناس بتلك الكتب، ثم يضعون عليها شيء من الآيات والأحاديث لتكون خطبة الجمعة. ومن الطريف أن اليهود في الأندلس كانوا يعظون في كنسهم بكتاب الغزالي «**إحياء علوم الدين**» بعد أن يبعدوا الكلمات الدالة على الإسلام، وفي الأندلس كتبوا قواعد العبرية بناءً على قواعد العربية.

فهم الكتب

كتاب الله لجميع الناس، فغلب أن يفهمه أكثر الناس، وبقيت في الفهم طباق من العلم والفهم قد تنقدح لها أفهام الخاصة، ولكن المعنى غالبًا قريب، أو ما قرب منه يكفي من سمعه. وكلام رسول الله الذي صح عنه كذلك، أما كتب الناس فهي بحسب مؤلفها ومتلقيها، فمنها كتاب فوق مستواك وليس لك، وآخر لقبيلك ونظيرك، وثالث دونك. فالذي فوقك لا يخلو من فائدة، ولكن معاناته قد تكون أكثر من فائدته. وما كان قبيلاً لك مثيرًا لفكرتك أو ممتعًا لعقلك وذوقك فذاك تفيد منه كثيرًا، وهو قادر على نفعك أو الإضرار بك. أما

ما هو دونك، فقد يُقلل أثره من عقلك وعلمك وذوقك، وقد لا يخلو من فائدة، وقد تكون فائدته في كونه مريحًا للعقل وللعاطفة، مسليًّا تقطع به زمنًا، ولا يخليك من نفع عارض أو خيال أو حكمة أو فكرة عابرة. ولكن العمر لا يسع التبطل مع «كتب البطالة»، فقلل قدر طاقتك من الكتب الضعيفة والمتوسطة.

ثم ماذا تريد من الكتاب؟ هناك كتاب للعقل ضعيف المعلومة، وهناك كتاب للمعرفة ضعيف العقل، وهناك كتاب للعاطفة ضعيف العقل والمعلومة! وكتاب للخيال يجعلك تغادر المكان والزمان. وكتاب للمتعة وللخيال وشيء من المعرفة، وهذه هي أكثر الكتب رواجًا في العالم اليوم، ولكنها ضعيفة الوجود في ثقافتنا العربية المعاصرة. وهذه الفنون تحتاجها بحسب حالك وزمانك ومرادك، فالفن والذوق والخيال نجعلها في طريق الشباب ليهتموا بالأدب، ويتعودوا القراءة، فيسيرون بها من الهزل إلى الجد، ومن الحيلة على جهلهم إلى المعرفة، ومن فقر اللغة إلى غناها، ومن ضيق الأفق إلى أمده الأوسع، بحسب ما توفره مواهبهم.

والنصوص الحكيمة تريح الصغير وتنبه الكبير، وقَلَّ من يبحث عنها إلا الناضج، ومن حسن الحظ أنني لقيت في مدة واحدة نصوصًا جميلة، لثلاثة أدمنت القراءة لهم زمنًا واحدًا، أو متقاربًا وهم: العقاد، ومالك بن نبي، وسيد قطب.

يدفع القارئ أثمانًا للقراءة كثيرة، منها ما يعرف بـ«كَرْب العلم» أو «كآبة المعرفة». كقول أبي الدرداء: «من يزدد علمًا يزدد وجعًا!». وقال الثعالبي: كان بعضهم يقول: «الوراق يأكل من دية عينيه». فهناك مجهود للبدن ومجهود للذهن، وقد لاحظت أن «التعب الذهني» أشد وطأة من تعب الجسم، ويحتاج لراحة أكثر من جهد اليدين، ولكن الفكرة والفهم الذي تعبت في طريقه يبقى. قال لوك: «المعلومة التي نملكها هي فقط تلك التي فكرنا فيها».

وكثيرًا ما تجد الفكرة الرائعة والسياق الحكيم في كتيبات صغيرة، فمثلاً في كتابي «**الأدب الصغير**» و«**الأدب الكبير**» إشارات مهمة عن العلم والمعرفة والحكمة والفهم، تجعل الكتاب جوهرة. وخذ هذه اللوحة الجميلة التي خطتها مؤرخة يهودية أمريكية كتبت عددًا من الكتب التاريخية العامة والسهلة، تقول: «الكتب حاملات للحضارة، بدون الكتب التاريخ صامت، والآداب غبية، والعلوم معوقة، والتفكير والتوقع جامدان. بدون الكتب يكاد التطور الحضاري ألا يكون، الكتب محركات التغيير، ونوافذ على العالم، ومنارات تضيء بحار الأزمنة، الكتب رفاق، وأساتذة وسحرة، وبنوك لكنوز العقول، الكتب إنسانية مطبوعة». [بربارا توكمن، **الأفكار العظيمة**، ص٤٢٣].

واعلم أن لك في الفهم مدارج تعرج فيها، ثم تقف عند أمور لا تطيقها، أو هي فوق قدرتك أو غمض عنك مسلكها، فلا تكلف نفسك فوق الطاقة ولا النوع الذي لست له. ولا يعيبك أن تولي من كتاب أو درس غير فاهم، إنما الذي يعيب هو عدم الحرص على الفهم. فالذين آبوا دون فهم كثيرون، ويكفيك من تلاميذ الخليل: الأصمعي والأخفش. فالأصمعي لم يستطع تقطيع الأبيات، ولم يمنعه أن يجمع «**الأصمعيات**» وغيرها، ولم يمنع الأخفش أن تقاصر فهمه عن فهم الخليل، فيسأل سيبويه عن كلام الشيخ ولا يفهم مرة أخرى بعد الشرح الثالث للمسألة.

وقد كانت لي تجربة طريفة مع كتاب «**فصل المقال فيما بين الشريعة والحكمة من الاتصال**» لابن رشد، فقد وجدت صعوبة في أول مرة حاولت قراءته، وتركته مع أنه أشبه بكتيّب صغير، أو مقال طويل. ومرت سنين وعانيت من بعض كتب الفلسفة، وعندما كنت أقرأ «**البراجماتية**» لويليم جيمس، وكنت أعاني من الكتاب، وقع بيدي نص ابن رشد، فوجدت لغة مشرقة قوية، أين منها عناء قراءة الفلسفة في لغة أخرى، أو في نص ترجمة غثيثة؟!

وقد وجدت قول ابن رشد في أنّ على بعض الناس أن يتجنب كتب الفلسفة كلامًا حكيمًا لناصح خبير، مع أنها قد تكون في حق بعضهم واجبًا، وفي حق آخرين مضرة، بل ربما مدعاة للكفر وللقلق وللضياع، وبخاصة قليلها وسطحيها وعاجلها مع المتقحمين الوثوقيين. لهذا فالقول القاطع فيها والحادّ بنعم أو لا قول لا يسانده عقل ولا شرع ولا مصلحة. وهي مع ما فيها من مشكلات ومضلات أحيانًا، لكن فيها لبعض الناس متعة لا مثيل لها. ومتعة العقل أحضر عند بعض الناس من متعة الروح، كما أن متعة الروح أنشط وأقرب عند آخرين من متعة العقل، وما أعلى حظ من جمع له بين متعة العقل والروح والجسد! كما أن القضايا التي تبعدها فلسفة تقربها أخرى، والفلسفة الملحدة الجاحدة ترد عليها فلسفة يقينية أخرى. وقد كان في النقاش العاصف في بريطانيا في عامي ٢٠٠٨م و٢٠٠٩م مثالاً مهمًّا للتعامل مع الإلحاد والفلسفة، بعد نشر كريستوفر هيتشن كتابه المثير «**الإله ليس عظيمًا**». وكان من الردود الجميلة عليه ردود كارين أرمسترونج، وقد أحالت إلى نداء الروح الذي يعسر نكرانه، وإلى أن للروح لغة غير لغة العلم. ولعل هذا الرد من الردود الفطرية القديمة الحديثة، وممن حدّثه الباحث في الأديان، البريطاني القسيس جون هِك، وقد كتبت عن هذا النقاش في غير هذا المكان. [في كتاب «**أسفار وأفكار**»].

وأحيانًا ينغلق عليك النص، ويعسر عليك الفهم، إما لبعد المزاج في تلك اللحظة، أو لانشغال البال بأمور أخر، أو بسبب مزاج قراءة آنية، فقد تكون تعاني قسوة نص وتحتاج قراءة خفيفة مريحة، فتجد نصًّا صعبًا فيصدمك، أو تكون قد صرفت بعض الوقت مع قراءة سهلة كالأخبار والتاريخ السهل والرواية، ثم تنتقل لنص عميق، فإن النفس تحتاج رياضة بحسب البعد حتى تصبح جاهزة لنمط معرفي بعيد عن السابق.

وقد تعجَّب رسل من صبر وايتهد على الكتب الصعبة والأفكار العويصة، فقد كان يقرأ بعض الكتب العسيرة وهو في فراشه. وإذا كنت جربت قراءة بعض نصوصه الفلسفية والتأملية في لغتها الأولى أو المترجمة، فلا شك أنك عشت تجربة مليئة بالمتعة والصعوبة، فهي من النوع الذي تأخذ منها قسطًا وتقف ريثما تعود. وقد استغرقت في بعض كتبه أشهرًا أناوب بينه وبين كتب أخرى!

نوجّه الكتب أم توجّهنا؟

هل سألت نفسك ذات يوم عن العلاقة بينك وبين الكتاب الذي بيدك؟ هل قلت إنك المتصرف في الكتاب رهينة يدك، أم هو الرائد الهادي أو المضل المؤثر على فكرتك وتوجهك؟ لا حرج، عليك أن تعترف بالحقيقة التي تعلمها من نفسك، فإن كانت الصفحات التي مرت بك من كتاب ساقتك لقرار عملي سلّمت به دون فكر، فإن كنت شابًّا وفي بحر الثلاثين فلا حرج في هذا كثيرًا، ولا لوم عليك أن تتبع الكتب، وتسلم بكثير مما فيها، أما إن كنت بعد الأربعين من العمر وما زالت تسوقك الكتب، فأنت أسير للمؤلفين وقليل الانتفاع بالكتب. فبعد هذا العمر من عشق الكتاب وصحبته، من المؤمل أن تكون غلبته ولو في بعض الأحيان، أو غالبته لتنتصر أحيانًا عليه، وكيف تنتصر عليه؟

ما من عاقل إلا ويقف مستسلمًا أمام كتب هنا، وأمام رجال هناك، ويتحير كثيرًا في مواقف، وتشكل عليه آراء، ويسلم أحيانًا بما لا يستوعب ليصل لما يستوعب. ومن لم يسلم للآخرين في قضايا لا يعلمها لم يستفد، وتلك حكمة جميلة ساقها برتراند راسل في «**مذكراته**»، عندما كان أخوه أو أستاذه يحاول أن يعلمه نوعًا من مسائل الرياضيات يحتاج للتسليم دون نقاش، فأبى الشاب الطموح أن يسلم دون فهم، فقال له أستاذه: لا بد أن تسلم بأن النتيجة هكذا وانتهى الأمر؛ لنستطيع أن نبدأ الدرس التالي. إن الغرور وزعم الأخذ دائمًا من

المصدر، والشك والوقوف رافضًا لكل شيء دون تعقل كامل مجرد وهم، ينتهي بأصحابه لشك لا مخرج منه، أو شخصية مزدوجة، تشك في شيء وتسلم بغيره دون نظام ولا قاعدة. فالاعتدال والتوسط، وإدراك بعض الحدود بين أمرين عسيري الفهم نعمة، ولكنها مهمة جدًّا قد يصعب وصفها وتقسيمها هنا. ونحن نسلم دائمًا بأمور ـ شئنا أم أبينا ـ فلنترك للتسليم مكانه عن قبول ورضا، وإلا فإنه سيأخذه اعتباطًا.

وقد يكون للعمر ووقت المعرفة وكميتها ونوعيتها دور في تأخر الفهم ونضوج القارئ، وأكثر العلماء المؤثرين في العصور السابقة كانوا يكتبون معرفتهم وملاحظاتهم ليستطيعوا أن يتعلموا، ثم بعد سنين طويلة قد يصبح لهم رأي آخر فيما تعلموه وفيما سجلوه، وتلك علامة خير ونضج لا يسمح به التقليد، ولا مجاراة العامة من المتعلمين. ولهذا تجد كثيرًا من العلماء يخافون العامة، ويخافون منافسيهم، ويلوح ترددهم وتقصيرهم، ويلجؤون للخلاص بتأكيد السابق والمشهور في الكتب، أو ما ردده الكبار ولو عارض قناعتهم الخفية.

كتب خاصة

من طريف ما يجده القارئ ضروريًّا في بعض مراحل معرفته واطلاعه وعلاقاته بالناس، أنه بحاجة لأن يخفي مقروءاته، وقد وجدت أن الطبري قد قيل عنه إنه كان لديه «اتجاه إلى مطالعة كتب الفلسفة في السّر». [هادي العلوي، **شخصيات غير قلقة في الإسلام**، ص٢٥٨].

وقد مررت بظروف كهذه في مناسبات عديدة، ويدعو لهذا التصرف أن تعيش في بيئة مغلقة ثقافيًا وأنت تقرأ لخصومها، فهذا مزعج لهم جدًّا، ويدّعون الخوف عليك، وكلما كنت صغير السن كان الخوف عليك أو منك أكبر. ثم ظروف السياسة، وهي أشد قسوة من غيرها، إذ يصبح الكتاب أحيانًا شبهة

كبيرة، يتخيل السياسي المضاد أو الموظف المضاد أن قراءتك لشخص أو فرقة يجعلك عضوًا في تلك المجموعة السياسية، أو موقفًا عقديًّا، أو فكريًّا، فويح المثقف المتسع الأفق كم سيضم له من فرقة! وكم سيتهم به من حزب وجماعة وسياسة ودولة! بل يا لصغر عقل الرقيب الثقافي على العقول والأفكار! إنه يواجه واجب توسيع الأفق بالتضييق. وكان ـ ولم يزل ـ من علامة الانتماء الحزبي قراءة الكتب والصحف ـ واليوم المواقع ـ التي تردد قول الحزب وتؤكده، وهذه القراءة انتماء عندهم.

وللكتب المختلفة آثار أخر على العقل والروح، فهي تسعد وتعلم وتشقي، وتنقص من الولاء الفكري، وتهدم الانتماء المذهبي والعقدي والسياسي، فمن تعرض للقراءة الواسعة جاء بمغانم كبيرة، وفقد كثيرًا من الهدوء والطمأنينة والوثوق في أقوال أهل مذهبه.

وبما إننا قد ذكرنا هادي العلوي ـ الذي كان شيخًا معممًا شيعيًّا، ثم فقد مذهبه وربما الإسلام، وعاش قلقًا حائرًا هاربًا متشردًا، يغرف من الكتب ويشقى ـ فإنه على الرغم من كل بعده، لكنك لو فصدته لخرج لك متمذهبًا رغم نقده الجلي، ومن أجمل ما قرأت له عن «الشيعة» أنهم مشغولون بالدعوة وليس بالتاريخ، ذلك أنه كان يشكك في مواضع عديدة من أقوالهم، وفي تعريفه بزيد بن علي أشار لكثير من آرائه الخارجة على أقوال الشيعة، مثل تبنيه للشورى، وقبل ذلك عندما كتب عن الصحابي سلمان الفارسي، الذي كتب عنه تحت عنوان: «**روزبة الأصفهاني**»، فنقد الكثير من أقوال القوم. ثم يعتذر للشيعة عن عدم التحقيق التاريخي أنهم دعاة لمذهب وعائلة، وليسوا مهتمين بالتاريخ، فالتاريخ كما يراه الداعية هو خادم ولا يهم التحقيق من صحته.

وكراهية الداعية لـ«التحقيق التاريخي» لازمة جارفة لأتباع أي عقيدة، وبخاصة في المذهبيات، لأن «التحقق التاريخي» يهدم بعض مسلماتهم أو

ينصر خصومهم، وقصة إفساد العقائد للتاريخ موضوع واسع بعيد، وقد أنهك أممًا قبل وبعد المسلمين، وهي قضية تستحق الاهتمام والتفكير لدى المتابع للكتب والمذاهب والأفكار، وهي الفصل ما بين رغبة الداعية وحقيقة المسألة التي يعالجها، وهذا من أعسر الأمور على الداعية إلى أي قضية، فهو يضحي بالحقيقة في سبيل الدعوة، وقد يكون عمله ودعوته وفكرته ضحية لهذا التفريط في الحقيقة تحت ضغط الرغبة، وما يسمونه بـ«التفكير الرغبوي».

نهب الكتب

أعني بـ«نهب الكتب» أن يسطو كاتب على كتاب مؤلف آخر، وينهبه نهبًا كاسحًا، كما وصف كلود ليفي شتراوس مؤلفًا شهيرًا بقوله: «والذي نهبه ديدرو نهبًا كاسحًا، بحجة أنه كان يفنده ويحاربه». [**النظر والسمع والقراءة**، كلود ليفي شتراوس، دار الطليعة، بيروت، ص٥٠]. ونقلت هذا قبل الإشارة إلى ما حدث من نقل وتبنّ لكتب علماء الإسلام، كما حدث بين كتابي الماوردي «**الأحكام السلطانية**»، وكتاب أبي يعلى الحنبلي تحت العنوان نفسه، فقد نهب أبو يعلى كتاب الماوردي عنوانًا ومضمونًا، كاملاً فيما عدى مسائل بسيطة خلافية بين المذهبين.

وعندما كنت أقرأ كتاب «**شاطئ البرابرة**» للمؤرخ الأمريكي ولف، وقد ترجمه: سعد الله، مر المؤلف بذكر رسالة علمية لم تنشر فقال: «لقد كنت أبعد نفسي عنها، وكم تمنيت لو نهبتها في كتابي!». وقد أعجبني أنه شرح مشاعره، وصدق فيها، وابتعد عن المعابة.

وقد شهدت في السنة الثالثة من دراستي في الكلية موقفًا غريبًا، فقد قدم مدرس في الجامعة محاضرة في السنة الأولى من تسجيلي في الجامعة، مفتتحًا بها الموسم الثقافي، وقد لاحظت أنه سطى على أحد الكتاب المشهورين، فقدم

محاضرته فصلاً من كتاب ساقه على أنه من بنات فكرته، ومن جهد بحثه، وفي العام الذي يليه قدم محاضرة أخرى، سطى فيها على كتاب محمد قطب «**دراسات في النفس الإنسانية**»، فقرأ فصلاً كاملاً، ثم سأله أحدهم عن مراجع مهمة للموضوع، فأشار لأي مرجع ممكن، دون أن يذكر الكتاب ولا الفصل الذي سطى عليه وقرأه علينا! وفي العام الثالث قدم كعادته محاضرته بعنوان «التفسير الإسلامي للتاريخ» وهو ليس مؤرخًا، فلما رأيت العنوان معلقًا ذهبت لكتاب عماد الدين خليل الذي كان بنفس العنوان، وقرأت فيه واستعديت لمشهد «العدوان الثقافي»، وبكل صفاقة قدم لنا أغلب الفصل الأول من دون تصرف يذكر ولا زيادة فكرة منه، بل كان مجرد قارئ للنص بلا إشارة لصاحبه، فطلبت التعقيب وليس السؤال، وبعد لَأْيٍ سمح لي بالتعليق على المحاضرة، فقصصت قصته كما هي. ثم أعطاني الزميل خميس الغامدي كتابًا مطبوعًا له، وكان مجرد تجميع لفصول من كتب عديدة كما هي، ولا يغير شيئًا، إلا إنه وضع جدولاً للآيات التي ساقها عماد الدين خليل، وتعرضت لمضايقة كبيرة بسبب ذلك. ولقيت منه أذى لاحقًا بسبب جرأتي، فأعطاني في الامتحان النهائي أقل درجة بين جميع الطلاب المنتظمين والمنتسبين، وكأن شعار الجامعات للأسف أن تسكت على السرقات الكبيرة حتى تستطيع مواصلة المسيرة!

عين لا ترى إلا الكتب

كنت مع صديق الصبا سعيد بن ناصر الغامدي، نسير في الرياض في أول عهدي بها بعد تخرجي من الجامعة منطلقين باتجاه حي الناصرية، فلمحت كلمة «مكتبة»، فأوقفته وكان مسرعًا، واضطر أن يرجع بعد مسافة برغم خطر السيارات الأخرى، وكان من عادتنا ـ ولم نزل ـ أن نوقف السيارة على بعد أقدام قليلة من غرضنا، ولا نسمح لأقدامنا بالمشي خطوات، بعكس أمم أخرى تحرك رجليها ولا تضيق بموقف بعيد. المهم عدنا للمكتبة وتبين أن

اللوحة كانت «مطعم مكة». والخطاط صغر كلمة «مطعم» وجعلها في الوسط، وكبر كلمة «مكة»، فقاربت «مكتبة»، أو إنني كنت لا أستطيع إلا قراءة كلمة «مكتبة» فقط! وكانت مادة سخرية لصديق يقظ.

والتردد على المكتبات وجوارها نافع ومضيع للوقت، وبخاصة حين تزورها فتتبع عينك شهواتها، وتفقد تركيزها، وتقصر في اختيارها، فيصبح مورد العلم بابًا لمضيعته، وعلى القارئ الجاد تجنب هذه الشهوة المغرية بالتجميع والتتبع، حتى لا تحوله الكتب إلى جامع لها، حامل للأواء مطاردتها ونفقة المال والوقت والجهد الذهني في جمعها ومقارنة نسخها، فهذا عمل يذهب بغاية الكتب، ويبعد عن رسالة الكتاب والمكتبة، وقد أصبح في الوسائل الحديثة غنية عن جمع الأسفار.

كنت سكنت مع الدكتور سعيد الغامدي في غرفة واحدة بضعة أشهر، فكان يراني أقرأ، فيدخل الغرفة ويقول: الآن تبدأ في هضم ما أكلت من هذه الصفحات. ويتهمني بأني إذا جالسته ناقشت ما قرأت تثبيتًا أو هضمًا كما زعم، وما كان هو أقل مني قراءة آنذاك، وظني أنه استمر على هذه الطريقة، وفي إحدي ليالي الامتحان كرهت القراءة وتضايقت منها، وخرجت إلى السوق المجاور واشتريت الكتاب، الذي ربما كان الوحيد في البقالة، وعدت به وقد انفرج الغم، فقال: علاج سريع وترجع للدراسة، وكان لطيفًا مزاحًا، ولا أنسى صوت سقوطه المرعب من سريره العالي ذات ليلة، وربما كررها عامدًا فيما بعد.

إن حب الكتب مرض موجع، وشهوة لا تنضبط أحيانًا، روى طه حسين لأحمد بهاء الدين: «أن عالمًا جزائريًّا جاء إلى مصر في أواخر القرن الماضي ـ القرن التاسع عشر ـ وكانت له مكتبة هائلة، جمعها من رحلاته في شتى البلاد من إستانبول إلى المدينة. وكان هذا الشيخ جالسًا في دار الكتب المصرية

يقرأ مخطوطًا ثمينًا، وأعجبه الكتاب جدًّا، فإذا به يستدعي وكيل دار الكتب ويقول له: اجلس بجانبي حتى أنتهي من قراءة هذا الكتاب؛ لأنني أخشى أن أسرقه!». [ذكره بهاء الدين في «اهتمامات عربية»، ص١٦١].

وتحدث أحد المعجبين بجبرا إبراهيم إليه، وأثنى على كتبه، وأخبره أنه قد حصل على كتبه سرقة من المكتبة العامة في بلدته إلا أحدها؛ لأنه كان كبيرًا لا يستطيع إخفاءه تحت ملابسه، فوعده بأن يرسل له الكتاب الذي لم يستطع سرقته.

وزار مثقف إنجليزي صديقًا له وكاتبًا مشهورًا، فطلب منه أحد الكتب عارية، فاعتذر له عن تحقيق رغبته، فقال: لم لا تعيرني؟ قال: لأن هذه المكتبة التي ترى كلها عارية!

وسافر كازانتزاكي لروسيا فكتب لزوجته: «ما يزعجني هو عدم وجود أي كتاب في حوزتي، ولا أستطيع الحصول على واحد، حاولت أن أشتري كتابًا في النحو الصيني؛ حتى أطلع على سر هذه اللغة!». قلت: لو كان حيًّا لراهنته أنه لن يعدم كتابًا في مكان ما من متاعه؛ فهؤلاء القراء الكبار لا يعيشون بلا كتب، لأنني أعلم أخلاق وتصرفات أهل هذه المهنة من طبقة كازانتزاكي. ولو حضر الفقيه لقال: «التخريج أولى فنقول: ليس في حوزته كتاب لم يقرأه بعد». وفي مكان آخر يقول عن مدينة: إنه لم يجد فيها كتابًا. [ص١٩٥]. ويقول: «الغنيمة التي عدت بها من كامبريدج أربعمائة وثمانية وعشرون كتاب». ويحزن لعدم الكتب ولا يحزن لموت زوجته: «توفيت وحسنًا فعلت، وما زلت أضحك على أصدقائي الذين أشفقوا على مصيري آنذاك». [ص٩٣]. ثم ينتبه في مكان آخر ليقول عن المثقفين: إنهم عقيمون ولؤماء. ولعله بوصفه هذا لنفسه أولاً ينصف الميتة المسكينة!

وجاذبية الكتب ومطاردتها تصبح مع الزمن طبيعة، فما نزلت مدينة إلا ذهبت لمكتباتها، حتى تلك المدن التي تبدو فقيرة من الكتب، ولا تكاد تتوقع

عندهـم قديمًـا ولا جديدًا. وقد ذهبت مرة لمدينة «بورتلاند»، وهي مدينة يكثر فيها اليهود واليساريون، ولا يعرف السلفيون فيها أنها مدينة جون ريد، المناضل الشيوعي العتيد الذي كتب أحسـن كتاب عن الثورة الروسـية في وقتها، يومًا بيوم لمدة عشرة أيام، وخرج بكتاب «**عشرة أيام هزت العالم**». لقد كانت الأيام الحمـر مـن غرائب أيام الدنيا، والكتاب هـز الذاكرة، وترك فيها صورًا لم تمح بعد خمسـة عشـر عامًا من قراءته. سـألت: هـل من مكتبة هنـا مهمة؟ فدلوني عليهـا، ولـم أعجب إلا لأنني وجدت فيها كتـاب «**الأعمال الكاملة لمحمد بن علي السنوسي**»، مؤسس «السنوسية»، وهو كتاب نادر.

فقد تجد الكتاب المهم في غير مكانه، ويذهب لغير مجانسه، ووجدت في دنفر «**ديوان البرعي**»، وعجبت للشيخ الصوفي يقول في غزل لطيف:

كم بـدور فـي خُـدورِ المنحَنَى يَسـتَعِيرُ البَـدرُ منهـنَّ التمَامـا
حُبّهـم حَـلَّ سُـوَيْدا مُهجَتـي وفُـؤَادِي بعدَمَـا فَـتَّ العِظَامـا

وقولـه هذا فيه تفوق شـعري، وسلاسـة قـل أن نجدها عنـد أمثاله، ولهذه القصيدة ما يشبهها في ديوانه. [ص١٨٠].

وفـي لندن مكتبـات أهمهـا «المكتبات الإنجليزيـة». وفيها مـا لذ وطاب، ولكن أسـعارها تقضي على أمل المشـتري، وكنت أزور بعض مكتبات الكتب المسـتخدمة في منطقة «رسـل سكوير» وما جاورها مثل «توتنهام رود»، بعضها أغلقت الآن لصالح سلسلة المكتبات الجديدة الكبيرة، التي تغلب عليها الكتب العامة والشعبية.

في زماننا سعدنا بوجود طرق لا حصر لها توفر الكتب ومواقعها بسهولة، ولكـن حادثـة طريفـة في البحث عـن كتاب جديرة بـأن تذكـرك بمعاناة قرون سـابقة فـي البحـث عنها، فقد نادى ابن الأخشـيد وهو عالـم جليل ورأس في

الحكمة من علماء المعتزلة نادى في الموسم في عرفات والبيت الحرام يهيب بالحجيج قائلا: «يرحم الله من دلنا على كتاب الفرق بين النبي والمتنبي لأبي عثمان الجاحظ على أي وجه كان» والجاحظ قال فيه ثابت بن قرة الصابئ ما أحسد العرب إلا على ثلاثة: عمر بن الخطاب والحسن البصري وعمرو بن بحر الجاحظ. [**جمهرة مقالات محمود شاكر، (٢/ ٦١٤)**]

عند أسوار الكتب

اشتريت كتبًا من أجل عناوينها المهمة، أو كلام الناس عنها، أو أسماء مؤلفيها، غير أنني وجدت صعوبة في قراءتها، بل صعوبة منذ السطر الأول منها! رأيت كتاب «**ما هي العولمة؟**» لأولريش بك مترجمًا للعربية، وقرأت عن أهمية مؤلفه؛ لأنني كتبت كتيبًا عن «العولمة» حينذاك، ثم رأيته مترجمًا للإنجليزية عن الألمانية، وصممت أخيرًا على قراءته بعد عناء فكرة الاقتحام، لا شك استمتعت به بعد قرار القراءة، ومنذ فترة قليلة رأيت كتابه الثاني «**هذا العالم الجديد، رؤية مجتمع المواطنة العالمية**» قلّبته واستعرضت فهرسه ومراجعه، وحاولت أن أقرأ السطور الأولى منه فوجدتها نكدة. وأسلوبه الذي قرأته في «**ما هي العولمة؟**» أسلوب ألماني بامتياز، في المعاضلة وقلة الكلمات، وكثرة الأفكار ـ أو وهم كثرتها ـ ووعورة الأسلوب لفكرة قد تكون سهلة قريبة، وكم أفسد الألمان بأسلوبهم الصعب الكثير من الأفكار والنصوص! وما أصدق نيتشه في قوله: «حيثما حل الألمان تكدر صفو الثقافة!». وكان يقول: «إني لا أؤمن إلا بالثقافة الفرنسية». [**هذا هو الإنسان**، ص٤٦ - ٤٧]. غير أن بعض كبار الفلاسفة الألمان زعموا بأن الفلسفة يصعب أن تكتب بلغة غير الألمانية، ولعلي قرأت هذا في كتاب «**شوبنهور**» لعبد الرحمن بدوي، وتكررت الفكرة عند عدد كبير من «الفلاسفة الألمان» في نهايات القرن التاسع عشر والنصف الأول من القرن العشرين.

واعلـم أن عبد الرحمـن بـدوي كان يلمـز بعـض كتاب الفلسـفة العرب بأنهم يكتبون أدبًا لا فلسفة، ويتهمهم بتهم مزعجة، ولعله يقصد زكي نجيب محمـود وأمثالـه، فـإن الدكتور زكـي نجيب نجح بأسـلوبه الأدبـي في قول فكرته. ثم إن كبار الفلاسـفة، بل أعني مؤسسـي الفلسفة من أمثال أفلاطون وأرسـطو كانـوا أدباء مُجَلّيين، فالأول كان قوله متعـة، والثاني كتب نصوصًا أدبية وإن غابت، إلا دستور الأثينيين الذي بقي فيه شيء من أسلوبه، وكانت محاضراتـه متعـة للشـاهدين، وكلام اليونانييـن عن مكانته الأدبية مشـهورة، ومجدها الأديب شيشرون وقلدها لقوتها أدبيًّا في لغتها، ولكن كتب أرسطو لم تصل، ووصلت مسـودات من محاضراتـه، فمثلاً «**كتاب الأخلاق**» وصل بأسـلوبين مـن كاتبين، وربمـا تكلف في بعـض كتاباته، والتكلـف وصعوبة الأسـلوب كمـا قال مؤرخـوه لم يكـن من سـلوكه، لا محاضـرة ولا كتابة. [ألفرد تيلور، **أرسطو**، ص١٨].

وعندما تطورت أساليب الكتابة الفكرية الغربية ـ كغيرها من الميادين التي لقيت عناية وأهمية ـ تعقدت أسـاليبها، ونضجت طرقها، فأصبحت متعبة لمن لـم يألفها، بعكس الكتابة الضعيفة التي غلبت على ثقافتنا في الدهور الأخيرة، عصـور الضعـف والتراجع، حيث إنك قد تعبر مسـافات من الكتاب ولا تفقد مهمًّا من فكرة ولا قضية.

ونعود لكتاب «**العولمة**» فنجد تعقيبه ـ تعقيب بيك ـ على الكتاب الممتاز الـذي كتبـه أنتوني جيدنـز كان ملخصًا مفيدًا، علمًا بـأن أنتوني جيدنز كان في كثيـر مـن كلامه عـن «العولمة» عالـة على بيك. وشـهرة جيدنز لأسـباب منها لوذعيـة الرجـل وعلاقاته وتعدد مواهبه، فقد أمسـك بالعصا من الوسـط، مثل صديقه أو تلميذه رئيس الوزراء البريطاني زمن احتلال العراق طوني بلير، فهو يمينـي مسـيحي متطـرف، في ملعب حزب العمال «اليسـار»، أو ما كان يسـارًا

معتدلاً قديمًا، وقد أصبح جيدنز ناشرًا شهيرًا، ودار نشره «بلوتو» تتقدم بين دور النشر البريطانية، وتميزت بعناوين جيدة.

وعودًا لكتاب «هذا العالم الجديد»، فلم أستطع البدء بعد الأسطر الأولى، مع اهتمامي بأن أعرف عن الموضوع، ولأنه أنفق كتابًا في تعريف العولمة، فقد كتب كلامًا كثيراً لم أجد منه في الجعبة شيئًا بعد فراق الكتاب الأول؛ فبعض الكتب تتمنع أسوارها، وتعلو وتتعالى على القارئ، حتى إذا اقتحمتها وجدت الأمر هينًا، كالدراسة في جامعة شهيرة يروعك اسمها، والصعوبة هي في دخولها لا في مناهجها، والسمعة لباحثيها لا لمدرسيها.

هل تقرأ الكتب الصعبة وتقتحم أسوارها مهما تكن متعبة؟ أقول عليك بكتب «المؤسسين الرواد» في الموضوعات التي تحتاج قراءتها، ولا تتعب نفسك مع كاتب لم يهبه الله أسلوب كاتب، ولم يفكر في إيصال فكرته عندما عرضت بباله، فكر في تسجيلها دون تسوية دربها، فلنتركها له، حتى نجدها عند غيره ما دامت لم تقلب نظريات الفيزياء ولا علوم الإنسان. ومالم يقتض علمك معاناة كتاب محدد فلا ترهق نفسك بالقراءة ليرتاح ناشر متعثر، ولا ليربح كاتب رديء، عليهما تهذيب كتبهما قبل الطباعة، ولا يلوموا القراء، فالكتاب الرديء رديء، وحسرة قارئه كبيرة، وسوء سمعة ناشره قادمة، وضعف ذوق كاتبه محقق.

كل هذه العقبات المزعجات لا تعني أن تقف عند أسوار الكتب العميقة، وتجد في أقوال الناس ووصفهم لكتاب أو كاتب بالصعوبة مبررًا للإعراض عن عمل قيم أو فكرة رائدة، بل تسور على هذه الكتب الجيدة أسوارها، وستجد لذة فائقة في تحدي الكتب القيمة المتمنعة، فبعضها غوال لا تقع في كل يد، ولا تقتحمها أي عين عابرة، جواهر مصونة، تلبس لباسًا يوحي بشخصيتها الحقيقية وقيمتها العالية، وتتحدى الضعفاء وواهني العزائم، فكأنها

تقول للقارئ الشرود وضعيف المقدرة: إليك عني، لست منك ولست مني، فإن لم تكن من أهل هذه الطبقة فلا تؤذ نفسك بما لا تطيق، غير أن ندائي هنا لعقول شريفة راقية، وهمم عالية، ولم تزل تقف عند الأسوار تتحير، وحقها أن تتخير وتتقدم. فلم تزل كذلك حتى فقدت القدرة على امتطاء الجياد. وهناك من يرده ملل وصدود نفس، وربما تعب أو بشم. وهل يصيب الكتبي بشم؟ نعم وكثيرًا ما يعاني ذلك، ولم يزل القراء يبتكرون العلاج لهذه العلة.

الكتب القديمة

لا تحقرن الكتب القديمة، فقد تجد عليها تعليقًا من فذ نبيه، لربما كان أقدر من المؤلف الشهير الذي علا نجمه بكتابه، فجمهور القراء نجباء، ومنهم كثيرون خير من المؤلفين. أما المؤلفون فلهم مزيد جرأة أو جلد، وليسوا بالضرورة أكثر علمًا من القراء، فنحن كتيبة القراء «الفئة الصامتة» شعب كبير، ولنا مداركنا ووعينا، وكم سخرنا بكتاب ومؤلفين كثيرين، أعجبتهم الكتابة، وغرتهم المطابع، فقدموا أنفسهم لها، وجانبت عددًا منهم المعرفة!

في مرحلة الجامعة كنت أجلس في مكتبة قديمة أُشتريت من ورثة الأديب أحمد عبيد، وقد فهمت أنه من سوريا، من هوامش كتبه وأماكن شرائها، واستمتعت بتعليقاته، وكنت أفوت محاضرات غير مهمة وأنا أرافق القارئ الكبير، ولا أعرف إن كانت كتبه التي كتبها مهمة أو كثيرة أم لا.

وفي أمريكا استمتعت بالكتب المستعملة، واستفدت منها كثيرًا، وقد كنت أعاني من طول الكتب المطلوب قراءتها أسبوعيًّا، وهي كتب تاريخ، والمؤلفون الغربيون يكثرون الكلام جدًّا، وقد تيسر لي أن اهتديت بالمعاناة وحدها إلى الكتب التي يترك القراء خطوطًا على المهم من أفكارها وقضاياها، ووجدت في مجلات المراجعات التي تراجع الكتب مادة غنية مفيدة ورائعة

جدًّا، وهناك فهارس لهذه المراجعات، وأين كتبت؟، وأماكن وتاريخ نشرها، فبعد زمن ليس بالطويل اهتديت إلى هذه الكنوز فأفادتني بأن أقدم فكرة الكتاب واضحة وملخصة ومنقودة، ولكنها أضرت بي؛ لأنها تبعدني عن الكتاب وقراءته كاملاً أو أغلبه، وكم من مُراجع تخدع مراجعته، فيضع من الجيد ويشيد بالرديء!

ووجدت بين مقتنياتي رسائل بين المؤلفين، بعضها قديمة جدًّا، وهدايا على الكتب، وقصاصات القراء وتعليقاتهم. ولست أدري إن كان هناك من يكتب عن هذا النوع من الفنون، ولا أشك أن هناك من يهتم به، فهناك من يهتم بكل شيء لا يخطر على بالك! وكنت أختلف إلى بعض المكتبات وأجد تعليقات جميلة وطريفة ومعبرة عن صراع التوجهات بين القراء والكتاب، ووجدت أن هناك مجموعة من «اليساريين» تحارب «اليمينيين» والمتدينين المتطرفين، وتطور موقفهم من الكتابة المباشرة على الكتاب المستخدم وسبه إلى إلصاق ملصق معد مسبقًا لمثل هذه الكتب، وهذا أنموذج ملصق قرأته على كتاب ألَّفه رالف ريد زعيم «التحالف المسيحي» بعنوان «**الإيمان الفعال: كيف يغير المسيحيون روح السياسة الأمريكية؟**»، يقول الملصق الذي كتبه يساري على غلاف الكتاب الداخلي: «تحذير ـ بالخط الأحمر ـ التصديق الحرفيّ بهذا الكتاب قد يدمر صحتك العقلية وحياتك!». ثم وضع صورة الخطر أو التحذير من الموت على ذلك الملصق. وفي الكتاب صفحات مهمة عن صعود «التحالف المسيحي»، وفيه قسم عن العلاقة المتوترة بين اليهود والتحالف المسيحي، يكشف عن حقيقة الموقف المخالف لما يروجه بعض المراقبين حول هذه العلاقات، فهناك موقف سلبي مبطن يلف الحديث عن طبيعة العلاقة واللقاءات، غير أن الموقف اللاحق ضد المسلمين ربما غير هذه الرؤية.

الكتب المعاصرة لك

كثيرًا ما تجد القراء في زمانك يصرفونك عن كتب عصرك؛ لأنها ضعيفة إذا ما قورنت بكتب العصور القديمة، والكتب الجيدة التي كتبها كبار المؤلفين منذ زمن بعيد. وهذه القناعات فيها من الخداع الكثير. فاعلم أن لكل عصر سادته ورجاله، والله لم يعدم البشرية من النجباء في كل زمان، واعلم أن مجد السياسة حيث يدور، قد يعاصره على الضفة الأخرى من نهر الحياة جهد ثقافي كبير، وحيث تلد القيادة والسياسة نجباء تلد المدارس والمكتبات والمصانع مثلهم وخيرًا منهم. وأما العصور التي كانت السياسة والقوة ظاهرة، والعلوم ضعيفة أو معدومة عند الغزاة ـ كما حصل في عصر المغول ـ فإنها لحظات قليلة في التاريخ، تتناسب مع بدء روح قد لا تكون روحًا ثقافية بل عسكرية مثلاً، كما في قصة المغول والأتراك. ولهذا افتح عينيك واجتهد في معرفة خير ما يكتب في زمانك، فقد يكون عصرًا ولودًا منجبًا، وتنبه إلى أن الشيوخ لا يحبون ثقافة ولدت بعدهم، وقد لا تكون لهم المرونة الكافية على معاناة أساليب جديدة، ولا القراءة لمن يعاصرهم أو يصغرهم. أما الذين عركهم الزمان وعرفوا سنن الله في كونه، لا تغيب عنهم الفطنة، ولا تحجبهم المعاصرة، ولا الوعي بأن لكل عصر رجاله وأفكاره ونوابغه، وإنما يشغل الناس عن نابغي زمانهم داء المعاصرة، فطالما عاش النابغة بين معاصريه فإنهم لا يرونه، بل يرون أحيانًا عيوبه أكبر. سواء رأيت نابغي زمانك أم لم ترهم فهم غالبًا هناك في محيطك، أو قريبًا أو بعيدًا منك. رأيتهم أم أبيت فهم هناك ينيرون الدياجي، رآهم من رآهم، وعمي عنهم من عمي. لا يضيرهم أن جهلهم جاهل، أو تعصب ضدهم موتور.

واعلم أن تنافس الناس ـ والقرناء خاصة ـ يلقي بظلال من الجهل والتصغير لكبار المتعاصرين، ويكبِّر من صغار سالفين وجدوا فرصة في الترويج، روجت لهم طريقة أو حزب أو عصبية. وقد يكون بعض ذلك مفيدًا للعامة، ومن يراد

لهـم أن يقسـروا ويقصروا ليكونوا أتباع مدرسـة مهما ضعفـت. ولكن العقول الكبيـرة واجبها أن تربأ بنفسـها أن تقاد وتسـاق في دروب الظـلام، وعليها أن تنظر للدنيا بنفسـها، وتقلل من الوسـطاء، وتبحث عن الأمناء، ليروك دليلاً في دروب زمانك. واتق الله في عقلك وقلبك إن علمت منه يقظة ووعيًا، فلا تغلق عليه نوافذ من النور، ولا تتبع كل صيحة، فلن يولد بعد المعصوم ـ في بلاغه ـ معصـوم. واعلـم أن الذين يوسِّعون دائرة العصمة، تحيط بهـم دائرة الخطأ. وتَسـود فيهم الغفلة، ويغرر بهم، ويرتكسون في ظلمات التقليد والجهل الذي منه يفرون، ولا يعلمون أنهم فيه يوغلون. وقد عرفت وجربت كثيرًا من هؤلاء الذين يقصرون المتعلمين على كتب قليلة، ومدارس محدودة، وأفكار مبتسرة، أن ليـس دافعهـم كله رعاية للأفكار وصيانة للمعرفة، بل منه جزء كبير بسـبب جهلهم هم للمعارف الأخرى وللثقافات والمذاهب، فيسـعون جهدهم لإعادة إنتاج أنفسهم، ثم تمجيد مشابهيهم، والرفع من شأن مقلديهم، لتكريس التقليد والجهـل، والترويـع مـن المعرفة والعلم. فـدع عنك حيل هـؤلاء المرضى إن كنـت صحيحًـا قويًّا، وقال لك ناصح أمين صـادق إنك قادر. ثم أدخل عينيك فـي صفحـات تهابهـا، وواصل ما دمت لا تحس بشـر غامـر، فالمغامرة رحلة سـارة، وإن لم تسـتطع أن تسـتوطن في علم جديد، أو لم يرق لك، فمعرفتك بمعالمه خير من جهلك، وقد استكملت هذا في مكان آخر من هذا السياق.

الطعام أو الكتاب

ألقى علينا شـاعر قارئ في «أبها» وكان أسـتاذًا في الجامعة ـ ذهبت ذكراه في تلافيف الذكريات الهاربة ـ قصيدة «الكُدْية» عن شـاعر قارئ اسـتجدته بنتٌ فقيرة مالاً، وكان قد اشترى بكل دخله **كتاب «الأغاني»**، فاعتذر لها بحال الطالب القارئ الشـاعر وبين لها حاله، فردت عليه بشـتم العلم والأدب بقوله: «لعنت كل العلوم وخصّت الشـعر». ثم يشـكو جبرًا أنه كان يجوع أيامًا من أجل الكتب التي صرف

لها ما يجد من المال، إذ لم يكن عنده كتب. ويقص هتلر في «كفاحه» ذلك الجوع الـذي يطارده أيامًا كلما اشترى كتابًا أو رأى فيلمًا، ولا تنسوا أن هتلر كان فنانًا ورسامًا. فشهوة الكتاب تعسر مقاومتها لمن هم بهذه الحال. ومن قبل من المسلمين من باع بيته ليشتري كتاب «الفنون» لابن عقيل الحنبلي. وهذا الكوثري لا يترك أن يذكرك أن مكتبته غرقت في البحر وهو متجه من بلاده للأستانة.

والقلب يسع القليل، ومن غلبت همته وعلت تفرّد إن عمل، واستصغر ما يـراه غيـره كبيـرًا، وقد يقف الرجل في خيار صعب بين همته وشهوته العادية، أو بيـن رغبتـه العلميـة وإمكاناته الماديـة، وعليه أن يختار، فإمـا هذه أو تلك. وفيتجنشتين يهرب من مال ورثه ليتخلص من أن يستخدمه هذا المال، وهذا قليل نادر، وفيتجنشتين هذا كان طالبًا يدرس في «كامبريدج» عند برتراند رسل، وفي أحد الأيام قال رسل لطلابه إنه الطالب فلان أستاذي في هذا، وتنحى عن منبر المحاضرة وسَلّمه للطالب الأجنبي ليشرح لرسل والفلاسفة، وكما هذه الحادثة دلالـة نبوغ مشهور فهي دلالة على تواضع الكبار. مثالـه قليل، وهو أقوى ما افتخر به ابن حزم؛ لأنه نشأ في الرفاهية ولم تشغله، وهذا سبينوزا أدرك مفاتيـح العلم وتعلق بهـا، وكان يحتاج للمال والكد فيـه، يقول: «فقد بدا لأول وهلة أنه ليس من الحكمة أن يتنازل المرء عما هو في يده من أجل شيء لم يكن عندئذ موثوقًا به. إذ كنت أستطيع إدراك الفوائد التي تجنى من الجاه والثروة، وكنت أعلم أنني سـأضطر إلى التخلي عن السعي وراء هذه الغايات، إذا ما أردت أن أكرس حياتي جديًا وراء شيء مختلف جديد». ويذكر أنه زهد في المال إلا ما يلزم لحفظ الحياة والصحة. [سبينوزا، فؤاد زكريا، ص٢٥].

وكان سبينوزا يعمل في مهنة صناعة العدسات. ويرى أحد الذين ترجموا له أن هذا العمل يشير إلى أنه كان يمارس أعلى التكنولوجيا في عصره، «عمل على حـدود البصريات النظرية والعلـم التطبيقي، إنها التكنولوجيا في حدها الأقصى،

تمامًا كما هي المعلوماتية في أيامنا». [بيار فرانسوا مورا، سبينوزا والاسبينوزية،
ص٢٩]. وهي ملاحظة ذكية من المؤلف. ولتولستوي نصيحة مهمة في مسألة
المهارة أو المهنة التي تلزم لكل عاقل. وتكفيه عن مشكلة أن يشغله العلم عن
غيره من الحاجيات، وهي إرشاد أو تقليد يهودي قديم. [السابق، ص٢٤].

وقد كره ابن الجوزي التكثّر من حواشي العلوم المشغلة عن الحياة أو عن
السعي في الأرض وكسب المعاش، ونقل الجاحظ عن دغفل بن حنظلة: «إن
للعلم أربعة: آفة ونكدًا، وإضاعة، واستجاعة، فآفته النسيان، ونكده الكذب،
وإضاعته وضعه في غير موضعه، واستجاعته أنك لا تشبع منه.» ثم عقب:
«وإنما عاب الاستجاعة لسوء تدبير أكثر العلماء، ولخرق سياسة أكثر الرواة،
إذ شغلوا عقولهم بالازدياد والجمع، عن تحفظ ما قد حصلوه وتدبر ما قد
دونوه، كان ذلك الازدياد داعيًا إلى النقصان وذلك الربح سببًا للخسران..
وقالوا علم علمك وتعلم علم غيرك.. [ونقل عن المزني ظنا منه أنه القائل]
لا تكدروا هذه القلوب ولا تهملوها، فخير الفكر ما كان عقب الجمام، وممن
أكره بصره عشي، وعاودوا الفكرة عند نبوات القلوب، واشحذوها بالمذاكرة،
ولا تيأسوا من إصابة الحكمة إذا امتحنتم ببعض الاستغلاق، فإن من أدام قرع
الباب ولج. قال الأحنف «السؤدد مع السواد» [البيان والتبيين (١/ ٢٧٤)]

قال حبيب الهذلي:

أترجـو أن تسـود ولا تُعنّى   وكيف يسود ذو الدعة البخيلُ

ثـم يقول جبرا: «إن هذا المعشوق «الكتاب» يحرمك الطعـام لبضعة أيام
وليـال كل مـرة، ولكنه يغذيك عقلاً وعاطفة طول عمرك، ويبقى رصيدًا لك
تعتمـد عليه دائمًا ولا تخيب. وفي بحر سـنوات قلائل وجدتني محاطًا بكتب
اخترتهـا جميعًا بنفسي واحـدًا واحـدًا، أنقلهـا قبل ثيابي أينما ذهبت برضا
وحماس، مع إنها أثقل متاع ينقله الإنسان في ترحاله، ولها الحق في أن تكون

كذلك، أليست هي التي تحمل خلاصة حكمة الإنسان، وتاريخه وتطلعاته وتباريحه وجوهر كينونته؟! [**معايشة النمرة وأوراق أخرى**، ص٤٦]. ولكن عالمًا رساليًا مؤثرًا كابن عباس كان يغني طلابه، فيشبعهم ويعلمهم. قال عطاء بن أبي رباح: ما رأيت مجلسًا قط أكرم من مجلس ابن عباس، أكثر فقهًا وأعظم جفنة. [**تراجم ستة من فقهاء العالم الإسلامي**، ص٣٠].

وحدثني المحدث مصطفى الأعظمي في «بولدر كلورادو» أنهم وهم طلاب في الأزهر، كانوا يذهبون إلى سيد قطب في «حلوان» يوم الجمعة بحجة الاستفادة العلمية، ولكن كما يقول: كان دافعنا الأكبر الطعام، وكان سيد غنيًّا كريمًا.

حمل الكتب

لكم عانيت من مشقة حمل الكتب من بيت لآخر، ومن قطر لقطر، في البر والبحر، وفي المستودعات وكراجات السيارات! وقد غرق منها قسم في بريطانيا، وتسرب الماء لها في المخزن، وضاع منها نخبة في المطارات أكثر من مرة. وحن عليَّ رفاق فحملوها معي عندما شهدوا حرصي عليها وعدم قدرتي على حملها، إذ لا أنسى ذلك التونسي السخيّ الذي تحملها معي في محطات القطار في لندن، ينوء بها كتفه عونًا أو عطفًا على من أشقته الكتب! ولم أستغرب نهضته للأمر، وقد عرفت أنه فيما بعد أصبح أستاذًا جامعيًّا في الآداب.

وشهدت زملائي في الكلية وهم يسخرون من كتبي قادمة على سير الأمتعة بعد نزولها، وقد رمى العمال كرتونًا منها فتمزق وتناثرت الكتب والمجلات في كل مكان، والضحك علي وعلى كتبي يعلو في القاعة، ثم نجمعها وأوزعها على رفاق الدرب ليوصلوها لي، فيحتفظ بعضهم بعدد منها، ربما لينال بها عند رقيب قربة، ولأن فيها سياسة مثل كتاب «**الإسلام فكرة وحركة وانقلاب**» لفتحي يكن، وقد توقع أنه حصل على ما لم يأت الزمن بمثله من المعلومات،

من كتاب معروض في الأسواق بلا منع. مسكين ذاك، ظن أن وقادًا طلعة للمعرفة حريصًا على الكتب ينسى منها شيئًا!

أما أبو حامد الغزالي فقد تعرض للصوص، وكادوا أن ينهبوه تعليقته وخلاصة الرحلة والطلب، فاستجداهم واستلطفهم حتى أعادوها له، فعكف عليها وحفظها حتى لا يفوته منها شيء أبدًا، فكانت السرقة نعم الدرس له! وكانت مشكلة السفر بالكتب قائمة معي منذ عرفت الكتب والسفر، والوسائل الحديثة في جمع المعلومات وخزنها رائعة، ولكنها تبقى طريقة للخزن لا للعرض والمراجعة والألفة بالكتب، إنها أساليب تبعد الكتاب ولا تخدمه. وإني مع طرق حفظ الكتب والمعلومات بالطرق الحديثة في حرب سجال، أجدها مرة، وتغيب عني مرات في غابة الحاسوب التي تتسع بلا حدود.

وتبقى هذه الطرق لها سلبياتها مثل طريقة القدماء في تصغير الخط، لتسهيل الحمل، أو لتوفير المال. وقد سألوا أحمد بن روزبة الفارسي عن سبب دقة خطه فقال: «لقلة الوَرَق، والوَرِق، وخفة الحمل على العنق». [**الكتاب في الحضارة الإسلامية**، عبدالله الحبشي، ص٣٧، عن «**فتح المغيث**» للسخاوي]. وذكر الحبشي قصص من كان يكتب سورة الإخلاص على حبة أرز، وذكر أن العلماء أجازوا تصغير الخط لمن ضاقت عنده الصفحة.

وقرأت نكتة يقولها يهودي عن والده الذي يسخر من بخله الشديد، وأنه أحرق مذكرات أمه، وكانت الأم تكتب في وجه الورقة وقفاها، ولو كانت تكتب في جهة واحدة لما أحرقها، ولرأى في وجه الورقة الآخر نفعًا، وحرص عليها وخزّنها، وبهذا كانت ستسلم المذكرات من الحرق! وهذا اليهودي الطريف الساخر ببخل قومه زعم أن زوجة والده التي تزوجها بعد موت أمه، كانت تطالبه بأن يشتري لها ملابس، فيلزمها بلبس ثياب الميتة، فتقول هذه الزوجة: لقد تزوجني لأني على مقاس ثياب زوجته الميتة حتى لا يشتري لي شيئًا!

بين النساخ والناشرين

وفي عصرنا دارت معارك بين المؤلفين والناشرين، أعادت مشكلات المؤلفين قديمًا مع النساخ. كما حدث للفراء مع نُسَّاخ زمانه الذين حجبوا كتابه عن الناس. وقد كان المؤلف يتعب في كتابه ثم تكون المغانم للناسخين، فقد كانت النساخة تجارة، فسريع الكتابة يغتني من النسخ، وقد كسب أحدهم منها خمسة وعشرين ألف درهم! وقال آخر: كنت أشتري كاغدًا بخمسة دراهم، فأكتب فيه ديوان المتنبي في ثلاث ليال، وأبيعه بمائتي درهم. وقد ترك هذا الناسخ ثروة عريضة. [الحبشي، **الكتاب في الحضارة الإسلامية**، ص٤٢ - ٤٣]. وقد عاش منها علماء مشاهير. ولما سرق متاع الإمام أحمد وثيابه في مكة عمل في النساخة، حتى اكتسى وسد رمقه، ومثل ذلك فعل أيضًا في اليمن. ومثله السيرافي كان ينسخ الصفحة بدرهم، فلا يخرج حتى يكتب عشر صفحات هي قوت يومه. وكان هناك الناسخ الكبير الذي يجمع النساخين ليعملوا عنده باليوم، ويدفع درهمين للناسخ، وليس بالصفحة ولا بالكتاب. وربما مثلت بعض الأخبار ما يلمح إلى أنه كان للناسخين اتحاد فيما يبدو من أنهم كانوا يسجلون قوائم بأسمائهم عند أحدهم بدرهمين، أو يعملون بهذا المبلغ. وتبقى هذه المهنة التي كان يمارسها الرجال والنساء ـ رغم ربح بعض النساخ الهائل ـ حرفة الشؤم، كما أطلق عليها أبو حيان التوحيدي الذي مارسها وكتب عنها أطول الشكاوى. [الحبشي، ص٤٥ - ٤٦].

وعلاقة الناشرين مع المؤلفين في عصرنا متشعبة تستحق كتابًا سيكون طريفًا، وكذا بين محرري المجلات والكتاب، أو رئيس التحرير وكتابه. وقد قرأت أنه كُتبت رسالة لرئيس تحرير «**مجلة الآداب**» البيروتية، أن رئيس تحريرها لم يكن يدفع مبلغًا مرضيًّا لمحمد مندور، وقد أرسل الناشر مبلغًا رمزيًّا مكافأة على المقالات النقدية التي كان يكتبها مندور، فرد عليه

مندور: إن المدرسة الرمزية في النقد قد جاء بعدها مدرسة نقدية جديدة، اسمها: «المدرسة المادية» ! فكانت شكوى لطيفة من بخل الناشر، لعلها على طريقة المشاكلة.

هذا في حين أن الكاتب في الغرب قد يثري طوال حياته من بيع كتاب واحد، وكان أغلى مبلغ مقدم دفع لكاتب رواية دفع لرئيس الوزراء البريطاني دزرائيلي، عشرة آلاف جنيه، وهذا في زمانه مبلغ هائل في أواخر القرن التاسع عشر. وكان بين يدي ـ وأنا أقرأ هذا النص ـ خبر آخر عن الرئيس الأمريكي ويلسون، الذي كان مثقفًا وأستاذًا جامعيًا ويكتب الروايات، وأتهمه بعضهم بالتأثر بالمثالية الأكاديمية. وكذا كان هتلر صاحب كتاب كفاحي قارئًا نهمًا وكانت مكتبته تزيد عن ستة عشر ألف كتاب، وقد تتبع مؤلف كتاب: مكتبة هتلر الكتب التي أثرت عليه وعلى فكره ولاحظ النصوص والتعليقات والخطوط على النصوص، بحيث عرف موارد فكره، وقد عمّ حكومات الغرب منذ زمن طويل سيطرة للمثقفين والمتعلمين وناسب هذا صعودهم في كل الميادين بخلاف غيرهم، ويكفي سوى من ذكرنا أن نذكر تشرشل ولينين وستالين وبومبيدو وميتران وموسيليني، وكذا كثير من الطبقة الحاكمة في ألمانيا إلى زماننا وبريطانيا، وأخيرا باني سنغافورة كوان لو، وبناة الصين الحديثة من ماو إلى زياو هيساو بنج وفي الهند أمثال غاندي ونهرو.

في كتاب موسع صدر في عام ٢٠١٣ بعنوان: «غاندي قبل الهند» عن حياة غاندي قبل عودته لبلاده ذكر فيه المؤلف «راماتشاندرا جوها» أن مجموع الكتب والرسائل والملاحظات والنصوص التي جمعت مما كتب غاندي باللغة الإنجليزية تقدر بمائة مجلد، وهذا سوى ما كتب باللغة الكوجراتية والهندية، وذلك جزء مما جمع له ولغيره في مكتبة خاصة عن حركة استقلال الهند تزيد محتوياتها عن ٤٥ ألف مجلد.

الكتب بعض من سر السذاجة

قومي عشاق الكتب فيهم بساطة، تكاد أحيانًا تكون سذاجة، يقول أحدهم يصف أثر الكتب السيء على المثقف، وتحويل عقله واهتمامه من الجانب العملي الحياتي إلى الجانب النظري الفكري: لكنني افتقدت إلى الشجاعة، لقد تنكبت حياتي الدرب الصحيح، لقد انحدرت وانحدرت!» حتى لو أنه خُيّر بين الحب وقراءة كتاب عن الحب لاختار قراءة الكتاب! **[زوربا،** ص١٠٦]. ثم تعجب له ولإغراقه في الصفحات؟! بعضهم يرى العالم من خلال صفحات كتابه، اكتفى من الحياة بسطور باردة ميتة، وأفكار قاحلة، وبيداء الحروف التي لا تنتهي. إنها ترفع عينه عن الجمال، وتكف يده عن اللمس، وتبعد قلبه عن المغامرة، وتجفف بدنه في أروقة المكتبات بين الرفوف والمكاتب والكراسي، يالها من حياة جافة سقيمة، مهما ابتدع لها من تزويقات الحياة، وبرر جفوتها بكل جهد جهيد.

كتب أحدهم يعجب من زميل ساذج في معرفة الحياة العملية، مع أنه واسع الثقافة والاطلاع، ويجيد عددًا من اللغات، قال: «إن فلانًا متعلم، حتى إنه ليسمي الحصان في سبع لغات، ولكنه جاهل إلى درجة أنه يشتري بقرة للركوب!».

وللمعرفة وكثرة الاطلاع أثر في هدوء الإنسان، وبرودته واحتماله، وقد تترسخ لديه الحكمة، وشيء من الطمأنينة، مصدرها وعي أو تجربة أو يأس، ولذا قال أحدهم:

وَمَنْ كَمُلتْ فيهِ النُّهَى لا يَسُرُّهُ نَعيمٌ، و لا يَرْتاعُ للحَدَثَانِ

ولا يذوق لذة المعرفة إلا من كابد الكتب، وأطال السير معها وإن طالت، وكم أفرح بالكتاب الصغير النجيب! ولكن للأسف قد تكون المعرفة الواسعة والوعي الكبير في كتاب كبير، يقول ابن الوزير: «في الإيجاز تأليف النفوس

الأوابـد، وفـي الإطنـاب توسـيع دائـرة الفوائـد.. مـع أن القليل يكفي المنصف، والكثير لا يكفي المتعسف». [العواصم والقواصم، (١ / ٢٢٤)]. فإننا نجد كبار المؤثرين هـم مـن جالد الكتـب الطويلة، ولـم يقف عند صغارهـا أو صفحات منهـا. فمـن الذين نُقل عنهم استيفاء الكتـب قراءة: الجاحظ، فقد كان يستوفي قراءة الكتاب كائنًا ما كان. وبمثل هذا نصح محمود شاكر وخصمه حسن البنا أن يستكمل القـارئ الكتـاب. وقد قـرأت أن أحد مشاهير الأدبـاء الغربيين لم يكمـل كتابًا! وللتنقل بين الكتب لذاذة يعوقها طول الكتب، فمن عود نفسـه أن يكون قارئًا شرودًا، أضر بنفسه، ففكرة المؤلف غالبًا لا تكتمل من فصل واحد، وبعـض المؤلفيـن تكون بدايات فصوله تمهيدًا لمراد متأخر، وبخاصة عند كتاب العـرب فـي العصـر الحديث، بعد فقـد نظام القدماء وغيـاب نظـام المحدثين الغربيين. وكان السـلف يذكرون أبـواب كتبهم في المقدمـة ويوضحون مرادهم وقضية الكتاب، وكذلك الغربي يلتزم بإظهارها، أو الناشـر يضبط السياق وفكرة الكاتـب حتى تسـتوي على نظام. وبعد معاناة طويلـة ومقارنة ونقد، تبين لي أن المشكلة لها علاقة أساسـية بطريقة تعليم الكتابة، فلا يكاد الطالب العربي في عصرنـا يخضـع لأي نظـام فـي الكتابـة، ولا يقوم علـى تدريبه أحـد، ولا ترعى المؤسسـات ذلـك، بينما يخضـع الطالب في مدارس تعليميـة حول العالم لنظام صارم في الكتابة، حتى إذا كبر وأصبح كاتبًا أو موظفًا أو معلمًا أو في أي عمل، كان قادرًا على توضيح فكرته ونقلها من رأسه إلى نمط عرض ـ أصبح من غير المناسـب الالتزام بكلمة على الورق بسـبب تجدد وتنوع الوسـائل ـ بحيث يعبر عنها بما يحب، أو أوضح من ذلك.

تلك فكرة طرأت بالبال وأنا أكتب هذه الفقرة، وليس صحيحًا أن نستسلم للتصنيفـات التي يكتبها الناس عنا، ولا أن نسـتمر في طريقة غير صحيحة ولا عملية، وإن كان سبق أن استخدمها أجدادنا.

يقـول الغربيـون أنه يمكن تصور طرق الكتابة عند مختلف الشـعوب على نحو هذه الأشكال:

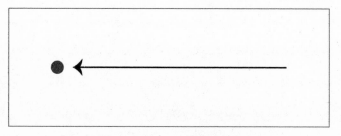

طريقة الغربيين مباشرةً للفكرة

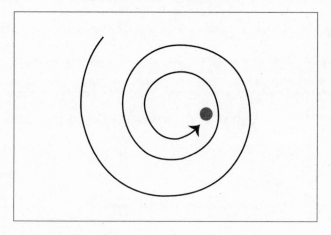

طريقة الشرقيين كالصين واليابان، يدورون حتى يصلوا

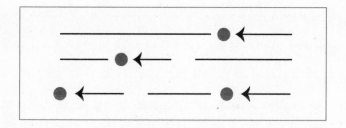

طريقة العرب، بذهب للفكرة ثم يتكرها لغيرها ثم يرجع لها

* * *

وحكمك على كتاب أو مذهب أو شخص من صفحات من كتاب له قد يكون جورًا عليه، وبخاصة عندما تكون عادتك المرور السريع. نعم، بعض الكتب يكفي عنوانه لتركه، أو يكفي عنوانه لقراءته، ولكن لا تجعل التسرع سنة في تعلمك؛ لأن التسرع سيفوت عليك معلومات، أو تجانبك لذات معرفية ولغوية لن تنالها إلا بصبر واستقصاء لذيذ النتائج، فتسرعك قد يضعف قدرتك على الفهم. ومن القراء من أغلقوا عقولهم قبل القراءة وأثناءها، فلا يسمعون ولا يرون، ولا يهمهم ماذا في الكتاب، ولا تستوقفهم فكرته، ولا يأبهون بأسلوبه، قد حددوا قبل البدء موقفهم كخصوم أو مستسلمين للنص دون وعي ذاتي، ثم يسمون أنفسهم قراء ومثقفين ومطلعين، ويرون أنفسهم نقاد الفكرة قبل معرفتها! هؤلاء ذرهم على حالهم، ولا تعكر عليهم شهواتهم واستمتاعهم بثقافة الجهل، فهم لن يصلوا لشيء بأنفسهم، وهم ـ عادة ـ مستهلكون متحمسون لغيرهم، لأجدادهم أو لأعدائهم.

مشكلة النوم

اعلم أن للكثير من المثقفين الجادين مشكلة مع النوم، فبعضهم يتغلب وينظم وقته، وبعضهم يعانى دومًا، ومنهم من يستطيع أن يختصر ساعات النوم إلى حد قليل ويبقى في صحة ونشاط. وقد قرأت أن سارتر يكتفي بأربع ساعات يوميًا فقط! لا أعرف مدى إمكانية ذلك، ولكن التجربة تقول: إن من قلل ساعات نومه عوضها في وقت آخر. وهذا ممكن ومجرب، كيوم في الأسبوع تعوض فيه ما فات وتستعيد النشاط. وقد استفدت كثيرًا من نصيحة أبي حامد عندما نصح بأن لا يطلب طالب المعرفة النوم، بل يعمل ويقرأ ويكتب حتى يسقط متعبًا، فوجدت أن ارتقاب النوم يضيع وقتًا طويلاً جدًّا، وقد أكون مرهقًا تعبًا، ثم أحاول النوم فلا يأتي، فأنفق وقتًا طويلاً في ترقب ما لا يجيء. ولهذا فإنني مستمر على العمل والقراءة والكتابة حتى أجده يصرعني

بـلا مقاومة، وله مني ألا أهيئ نفسـي له إلا باللبـاس والقرب من مكان النوم، ولكني لن أسـتقبله متكاسـلاً متبطلاً أهيئ نفسـي له، بل الكتاب أو الكومبيوتر في اليد إلى أن أجد ألا مفر من النوم. فأنا ممن له مع النوم مشاكسات صعبة، وقـد بـارك الله في مجافاتـه، فغنمت منه سـاعات ادخرت فيها معـارف، ويوم يغلبني أجد بعد الهزيمة متعة وصفاء وراحة ومحبة للعمل، فالحمد لمن وهبنا هذا الخير العميم من هذا الخصم العنيد.

وأكتب هذه الأسـطر بعد إغماضة عين وصحوة شـعرت أن بإمكاني أن أخطفهـا منه، ولكـن وقت مغالبة النوم لا يصح فيـه الكتابة على رأي حمد الجاسر، فالكتابة توقظ وتوقد الذهن، ولهذا فإنه يتجنبها في المساء، وتجربة المجربين الكبار والنابهين كنوز فلا تضيعها. ولكنني لم أر أن سـواد يومي قـد حقق شـيئًا، فإن هـرب النوم واتقد الذهن، وغنمت فكرة أو سـطرًا فهو خيـر نقتطعـه من لحظات زمن يفر ولا يقر، ليثمـر بأيدي الباحثين عن زمن رائع للعمل.

إذا كَانَ يُؤذيـكَ حَرُّ المصِيـفِ ... ويُبْسُ الخَريـفِ وبَـرْدُ الشّـتَا
ويُلهيـكَ حُسْـنُ زَمـانِ الرَّبِيـعِ ... فَأخْـذُكَ للعِلْـمِ قُلْ لـي: مَتَى؟!

وقد وددت أن حكمة حمد الجاسـر سـبقت ووصلت للرافعي، فإنه ربما بـدأ الكتابـة وقتًـا متأخرًا مـن الليل، فيتقد ذهنـه، ويجانبه النوم، وكم اشـتكى الرافعي من هذه العلة! كيف وهو موظف حكومي في المحكمة، وكان يحتاج لحضـور العمل في الصباح، والكتابة تسـهده، ويشـق عليَّ نقـل الأحزان التي سـطرها في «**رسـائل الرافعي لأبي رية**»، فالتمسـها هناك، وشكواه من أمة تراه كاتبها الأول، وهو لا يجد الضروريات لنفسـه وعياله من عمله الثقافي الرائد العظيم، بينما غيرنا من الأمم يعيش فيها الأديب والمفكر والشاعر غالبًا ميسور الحال، أو على الأقل قادرًا على إنجاز مشروعه بلا مذلة.

التودد للكتب

محب الكتـب يزهو بها، ويتولّه تولّه الطفـل بلعبته في لحظات الظفر بها،
يقول أبو عبدالرحمن الظاهري: «كانت تفرّ مني السـاعات الطوال بلا قراءة،
وإنما كنت أقلب كل مجلد وأقبّله، وأمسـح الكتـب وأعيد ترتيبها.. ثم أصعد
إلى مرقدي في السطح.. ثم يبدو لي فأنزل.. لا لأقرأ، بل من أجل الالتذاذ
بتقليب الكتب وتقبيلها». [شيء من التباريح، ص٦١]. ثم مر به الزمان فإذا هو
يشكو فيقـول: «ذهبت تلك اللّذة أو معظمها، ذلك أن الكتب كثرت جدًّا،
وكنت في سنين خلت أرتب كتبي في أيام وأسابيع.. وهذه المرة ما تم ترتيب
كتبي إلا في سنتين، ترتيبًا متسامحًا فيه». [السابق، ص٦٢ - ٦٣].

وقد ورد عن مسكويه قوله: «من خلا بالعلم لم توحشه خلوة، ومن أنس
بالكتب لم تفته سلوة». [الحكمة الخالدة، ص١٤١]. وكان القاضي ابن العربي
يحيط نفسه بكتبه، قال أحد تلاميذه: «وكنا نبيت معه في منزله في قرطبة،
فكانت الكتب عن يمينه وعن شماله، وكان لا يتجرد من ثوبه». [فقه الإصلاح،
ص٧٦ - ٧٧]. وكان العامة الذين ضاقوا بتجديده وإصلاحه قد غضبوا منه،
فأحرقوا مكتبته ونجى بصعوبة. [عصمت دندش، أضواء جديدة على المرابطين،
ص١٤٩، عن العواصم، (٢/ ٤٠٠)].

وهـذا عاشـق للكتـب من الضفـة الأخرى للعالم، وهو القـارئ والكاتب
تشرشـل، يقول: «إذا لم تكن قادرًا على قراءة كل كتبك فلاطفها، وحدق فيها،
وافتحها كمـا اتفق، واقرأ من الجمـل الأولى ما يشد نظرك، ورتب كتبك في
رفوفها بيـدك، رتبها على طريقتك الخاصة لتعرف أماكنها، ولتكـن كتبك
أصدقاءك ومعارفك».

هكـذا يـرى الكتب معارف وأصدقـاء، وقد مر بي زمـن مـن الوحدة بين
الكتب، حتى كانت أصدقائي ومعارفي، وغبت عن الناس إلا لمامًا، حتى إذا

شهدت معهم الصلاة كنت ذاهلاً عنهم، أحب الهرب منهم، ولو تحدثت مع أحد منهم حدثته عن القضايا المهمة التي تدور، في الدين أو الفكر والسياسة والتاريخ أو اللغة والرواية، وعن رفاقي في الليل والنهار: الكتب وكتابها. وهذه جماعة من الأصدقاء لا يعرفهم من أحدثهم عنهم، أشعر بلذتي، غير أنه بعد قليل قد أشعر بسأمهم من أصدقائي، فأغلق الباب على رفاقي وأسمع أخبارهم وأخبار رفاقهم، فلا يطيب لي الحديث، وأعلم أنه لا يطيب لهم حديث أصدقائي، فيعز علي أصدقائي أحياء الموتى، ويصعب الأمر على أصدقائي موتى الأحياء!

وهذا بعض الوحشة التي تحيط بالقارئ، وسر من أسرار غربته عن الناس، وهي أيضًا من بذور أمراضه التي تجلل شخصه مثل الغرور أو تهمة الغرور، وهي عيب، وتبرئة القارئ الجاد منها صعبة، ورضاه عنها داء! وصبر الناس على جهلهم مرض شديد، فحبذا من يستطيع أن ينزل منزلاً وسطًا، ويعتدل في نفسه ومع قومه، ثم يكون منجبًا.

ويبدو لي أن الكتب أرفع شأنًا وأخطر على حياتنا مما نتخيل، وقد لا نقول الكتب بل الأفكار، وهذه الأفكار غالبًا تحملها الكتب، أو تحملها الألسن غارفة لها من مستودعات الأذهان، وبما إننا منذ آلاف السنين بنو الكتب فلنتحدث عنها، وما هي في النهاية إلا غلاف للفكرة وحاملة لها، وليست إلا ورقًا أو جلدًا أو عظمًا أو لوحًا، والآن عادت لوحًا أو نقطة سائلة على سطح نسميه شاشة أو ضوءًا، ولم تعد العين فقط وسيلة القراءة، بل عادت الأذن للقراءة كما كانت الكتب تكتب لها قديمًا، وفي كتاب «**تاريخ القراءة**» فصل طويل عن هذا الموضوع، وقريبًا ربما يصب المعنى أو النص في الدماغ بطريقة جديدة جدًّا على حياة الإنسان، ويوم يصنعون ذاكرة للإنسان ـ يمكن شحنها كما تشحن ذاكرة الكومبيوتر ـ سيكون للعالم وللحياة طعم آخر مختلف، ثم

يتنافسون آنـذاك في القـرص الصلب والمرن والسـائل في رؤس البشـر! هل يمكـن هذا؟! لسـت أدري، ولكن قـرأت بحثًا طريفًا عن مسـتقبل الذاكرة بعد تطوير ذاكرة الإنسان، كتطور ذاكرة الحاسوب!

الكتب توسـع معـارف المثقـف، وهي التي تعطـي وعيًا ومنهجيـة، وتريه موقع علمه من غيره، وتشع بأنوار كاشفة من علوم أخرى على علمه لن يكفي علمه في اكتشافها، قال الخليل بن أحمد: «لا يصل أحد من علم النحو إلى ما يحتاج إليه، حتى يتعلم ما لا يحتاج إليه».

وفي عصر قوة أي أمة يكون الكتاب مفتاح خير وثروة عظيمة لمن يؤلفه، فقد اشـترى تشرشـل بيتًـا كبيرًا (شـارتويل) على النهر في مقاطعـة «كنت» من أربـاح أول كتـاب طبع له عن «الأزمة العالمية». أما في بلاد العرب وفي عصر محاربتها للمعرفة والحرية وضيقها بالرأي فقد كانت تقتل المتعلمين وتحاربهم كأوروبا في العصور الوسطى، وقد أعدم سيد قطب بسبب أهم كتاب شرح فيه بعض آرائه «**معالم في الطريق**». أما في عصر «صعود الغرب» فيعد الكاتب من الناجحين اقتصاديًا، بل ينقله إلى طبقة الأغنياء والمشاهير، حتى وإن كان رديء الشـخصية تافهًـا جدًا؛ لأن الكتابة لن تكـون أمرًا محمودًا عنـد ديكتاتور، ولا ضعيـف المعرفـة، الكاره لمـن يزلزل جهله، وبما أن الناس أعـداء لما جهلوا، ففي مجتمع الجاهلين يصبح الكتاب هو العدو المبين. وكذلك يعاني المجتمع الضعيف الذي لا يثق بنفسـه ولا بمؤلفيه، ولهذا فالكتاب في العالم المتخلف يحتـاج إلـى شـهادة غربية حتى يقبله مجتمعـه الأصلي، ولهذا تـرى الهنود إذا نجحـت أقلامهم فـي بريطانيا نجحت فـي الهند، ولما اعتـرف الغرب بنجيب محفوظ اهتم به العرب.

والمهم أن هذه الكتب تؤثر في الناس تأثيرًا كبيرًا فوق طاقتهم على تقدير تأثيرهـا. يذكـر الريحاني في مقدمة كتابه «**ملـوك العرب**» أنه لم يكن ير العرب

شيئًا إلا بدوًا، وأن ثقافته الفرنسية ثم الأمريكية أيدت ذلك، ولما كان قد قرأ لرالف ولدو إمرسون «**السجايا الإنجليزية**»، فقد آمن بتميزهم على الفرنسيين والأمريكيين، وعرفه إمرسون على كارلايل ـ أو كرليل كما كتبه ـ وهو مؤلف كتاب «**الأبطال**» الذي ترجمه محمد السباعي، ومن هنا تعرّف على سيد العرب الكبير محمد ﷺ كما يقول، ولسببه جاءت عودة الريحاني للعرب ولتاريخهم ولأدبهم ولملوكهم الذين أرخ لهم. ثم جذبه نحو ماضيهم العظيم كتاب عظيم آخر، هو كتاب «**الحمراء**» لواشنطن إيرفنج، وهو عن أمجاد «الحمراء» في الأندلس وعجائب العرب هناك. عاد الريحاني للبلاد العربية وليس معه من اللغة العربية كبير حظ، ولكنه عثر على المعري فأغناه بـ«**لزومياته**» عن كثيرين غيره، وطور لغته العربية. [**ملوك العرب**، ج١، ط١٩٥١م، ص٩ - ١٢].

ونعود لتشرشل، فقد كان من الزعماء المفكرين القراء والكتاب وعمالقة الاستراتيجية، وكان مثله في القراءة ـ وربما أسرع منه ـ إبراهام لينكولن، فقد كان ـ لينكولن ـ من أكثر الناس قراءة، يأخذ معه كتابًا للعمل، ثم يعود للكوخ أو لسكنه المتواضع، يأخذ طعامه بسرعة، ثم يستغرق في كتاب. وكان يحب التاريخ، ولا يحب الروايات كثيرًا، ويحب الشعر ويحفظ مقاطع طويلة جدًّا منه، وقد ذهب بعيدًا عن قريته ليجلب كتابًا في قواعد الإنجليزية ليحفظ منه! [**ديفيد هربرت دونالد**، لينكولن، ص٤٥ - ٤٨].

ونقلوا أن هرتزل ـ الصحفي اليهودي الذي رتب فكرة الصهيونية ـ قرأ بين شهر فبراير ومايو خمسين كتابًا، أي أكثر من عشرة كتب في الشهر! وقد كان لرؤيته وثقافته أثر كبير على الصهاينة.

وذكر إسحق دويتشر صاحب «**النبي المسلح**» أن أكثر ما لفت نظره في إسرائيل آنذاك كثرة المكتبات، يقول: «إن الكتاب ضرورة أولية هنا، ويبدو أن عدد المكتبات ومكتبات الاستعارة في تل أبيب وحيفا أو في القدس، يفوق

عدد الحوانيت ودكاكين الخضار. وهناك مكتبات غنية في المستعمرات الزراعية قلما يوجد لها مثيل في الأرياف الأخرى. ليست كتب الجريمة والجنس، أو المسلسلات الهزلية، أو الكتب الرائجة الرخيصة الثمن هي التي تملأ الرفوف، بل تملؤها الكتب العظيمة والجادة للشعراء والمفكرين وأصحاب الرؤى الاجتماعية في جميع الأمم». [نقلاً عن كتابه «**اليهودي اللا يهودي**»، ص٦٦ - ٦٧].

وذكر أحد الشريكين اليهوديين في المتجر البريطاني الشهير «ماركس أند سبنسر» أن الزعيم اليهودي بن جوريون كان يقوم بزيارات سرية لبريطانيا؛ ليطلع وليشتري الكتب، وخاصة من مكتبة «بلاك ويل» في أكسفورد. وقال سكرتيره إنه ربما ذهب لأكسفورد بحثًا عن كتب قديمة، ويفاخر باقتناء «الطبعات الأقدم». وكانت عنده مكتبة مستوعبة لفنون متعددة من التاريخ اليهودي إلى فلسفة الصين، وكان شرهًا في القراءة وفي شراء الكتب، وبخاصة الجيد والقديم منها، وكان يشرح بحماس، ويفاخر بصفقات الكتب التي حققها أمام وزير المالية. [انظر كتاب «**ماركس أند سبنسر**»، تأليف ماركوس زيف، ترجمة: أ. ع، دار الندى، بيروت، ص٩٠].

وقد رأيت من اهتمام الغربيين بالكتب القديمة عجبًا، فهم يرون من «طريف الكتب» أن تكون عندك «الطبعة الأولى» من كتاب ما، فإن كان عليها توقيع المؤلف فهذا أهم وأرقى، وليست مسألة جمع نادر الكتب وقديمها إلا موضة سائرة في الشعوب، فقد أولاها المسلمون اهتمامًا كبيرًا. فيُذكر أن أحد النساخين في شيراز استطاع أن ينسخ جزءًا من القرآن يكمل به نسخة بخط ابن مقلة بعد نحو من قرنين، وأن يستخدم ورقًا قديمًا ويموه، حتى إنه لم يستطع أحد معرفة الخط القديم من الجديد ولا الورق. [الحبشي، **الكتاب في الحضارة الإسلامية**، ص٥٢].

وتبدو هذه السيرة من الغش قديمة متجددة، فقد رأيت في مكتبة «جامعة ميشجن» عام ٢٠٠٠م أو بعده مخطوطات عديدة، بيعت لمكتبة الجامعة بأسعار خيالية على أنها قديمة، وبقليل من الفحص تبين لي أنها مكتوبة منذ بضع سنوات فقط، وأنه حصل فيها تزييف كبير، وغش مشين بأكثر من طريقة.

والرئيس الفرنسي ميتران كان من البارزين بين مثقفي زمانه، قيل كان يحفظ الإنجيل، وصداقته لبيريز ـ الصهيوني المعروف ـ جزء منها كان بسبب عشقهما للكتب ورابطة الثقافة، فهي بين الغرباء رابط. وقد وجدت سحر هذه الألفة مع من أكاد أخالفهم في كل شيء إلا الكتاب. ونيكسون وكارتر وكلينتون من المثقفين البارعين في عهودهم. وكتب رونالد ريجن نحوًا من ثلاثة آلاف مقال إذاعي ألقى أغلبها بنفسه قبل أن يترشح للرئاسة، وقد نشر منها كمية كبيرة بخط يده وتصحيحه. وقد نشر ابن المفكر المحافظ ويليام بكلي آخر كتاب لوالده بعد وفاته، وكان عن العلاقة بين أهم مؤسسي «الفكر المحافظ» بكلي، و«الرئيس المحافظ» ريجان. والكتاب لا يخلو من طرافة وأثر العلاقة الشخصية في توجيه امبراطوريات. وكذلك عرف العصر الحديث الكثير من الزعماء المثقفين، وخاصة بين الشيوعيين من أمثال: لينين، وتروتسكي، وماو تسي تونج، وبليخانوف.

ويقول الكاتب البريطاني جون روسكن: الكتاب الذي يستحق القراءة يستحق الشراء، وكل الكتب تنقسم إلى قسمين: كتاب للساعة، وكتاب لكل العصور. وهناك كتب جيدة للساعة، وكتب جيدة لكل العصور، وكتب سيئة للساعة، وكتب سيئة لكل العصور. ثم يشير إلى أنه من العيب أن نعيش بين كتب جيدة في بيوتنا، ثم لا نحسن الاستفادة منها. وينصح أن تركز على تفصيلات ما في الكتب، وتتأكد فعلاً من معانيها مقطعًا مقطعًا، بل حرفًا حرفًا. قد تقرأ كتب المتحف البريطاني لو عمّرت، وقد تبقى أميًّا، لكنك ربما لو قرأت عشر صفحات حرفًا حرفًا قراءة دقيقة لكنت متعلمًا. [الأفكار العظيمة، ص٣٦٠].

ولهذا تجد كثيرًا من العلماء والمثقفين ينصحون بالاهتمام بالفهم، وإعادة القراءة للكتاب الجيد. فهذا إدوارد سعيد يتحدث عن كتاب للمفكر الإيطالي فيكو فيقول: «لقد قرأته مرات ومرات منذ ذلك الحين فوجدته دائمًا يغني ويمتع ويزيد في المعرفة». [**إدوارد سعيد ـ مقالات وحوارات**، تقديم وتحرير: محمد شاهين، المؤسسة العربية للدراسات والنشر، ٢٠٠٤م، ص١١٧]. أما العقاد فيشير إلى أن الحالة النفسية التي تعيشها قد تؤثر عليك في الارتياح والانبساط للكتاب ومدحه، والتعلق به أو الضجر منه، «ومن ثم كان الكتاب لا تعرف قيمته البتة من قراءة واحدة». [**الفصول**، ص٣٦٩].

خذ الكتاب بقوة

تستطيع أن تعرف القارئ الجاد من طريقة تعامله مع الكتب، وتستطيع أن تمتحن العقل الثقافي للرجل من تقديره للكتب خارج دائرة اهتمامه. فمن نظر لغير فنه ساخرًا منتقصًا، فما انتقص سوى نفسه، ولا حقر إلا عقله، وأنى له أن يطيق اتساع المعارف من قعدت به همته، ورأى العالم بعين صغيرة يحجبها عن الدنيا ورقة أو فكرة، أو شيخ أو حزب أو طائفة!

لكم أحزن لأيام مرت، وفرص للثقافة والمعرفة لم أحسن استغلالها، رغم أنني كنت بين قرنائي مهتمًا بأنواع من الكتب عديدة، وكانت لي مكتبتان: إحداهما معروفة معروضة مما يتفق معي أي زائر في اقتنائها، وأخرى خاصة فيها كتب الأدب التي لا تريح عامة المتدينين، وكتب لمفكرين وفلاسفة، وكتب لبعض الأديان الأخرى مما لا يحسن عرضه أمام رواد الصفاء، وكنت طلعة إلى حد الريبة، ومهتمًا بالأخبار إلى درجة أن زميلاً لي زاملته سنين ممتدة، بلغت أكثر من اثني عشر عامًا، من السنة الأولى المتوسطة إلى زمن الدراسة في أمريكا، وكان ذكيًا نبهًا، وصاحب خلق رفيع، ولكن بلغ به الشك

من اتساع اهتمامي وتتبع المعلومات في مجالات شتى، أنه في إحدى الليالي من عام ١٤٠٦هـ الموافق ١٩٨٦م، حدثته في الهاتف ـ وكنت في آن آربر ميتشجن وكان في دنفر كلورادو ـ عن أخبار وأشخاص، فلما انتهيت قال بنحو: «لقد كنت أشك وأستحي أن أقول، ولكن بصراحة أنت تستخدم الجن في جلب معلوماتك!»، واحتجت أن أشرح له طويلاً ملابسات بعض المواقف التي شك فيها ومصدر أخبار ي في تلك الليلة. ومن المعروف أن الإنسان قد يفكر في شيء ويكتمه زمنًا طويلاً، ويحب أن يتحدث ولكن الحديث المباشر يصعب، وكان الهاتف أخف، فصرح لي بما كان يشكك به لسنوات. ولذا فإن غربة اهتمام وثقافة وفكر شخص عن آخر تجعله يفسر الحوادث واهتمامات الأشخاص الطبيعية بأنها خوارق وعجائب وجن وأسرار.

كم سمعنا عن الباكين على الزمان ووقت المعرفة! فكم من محزون يتقطع قلبه شوقًا لمعارف لا يتسع لها الزمان، ولا تجود الصحة والقدرة والعقل أن يدركها! وهذا معذور، ومسلاته حال معاصريه وحال سابقيه، وحقيقة معيشتنا على هذه الدنيا، فمحطات العبور القصيرة لا تسمح لنا بما نحب، ولا أن نطيل التسكع في ميادين المعرفة، ولا يأذن الزمان بالكثير.

والإقبال على الكتب يحتاج إلى تهيؤ وصناعة بيئة موائمة، واستعداد ولو كان شكليًا. فكم للمظاهر من أثر على ما سواها! وقد نقل رجال الحديث قَصصًا عجيبًا عن أهمية استعداد العلماء لمجالس التدريس ومهابة الدرس، من النظافة والتهيؤ وحسن اللباس، والتوجه بالعلم للخالق نسكًا مخلصًا له صاحبه، يراه عبادة من بدئها إلى منتهاها. ومنهم من يبالغ ويهتم في ذلك فيضع لمجلس العلم مهابة كبيرة، ثم يلمسها بلمسات من شخصيته فتكون طريفة. وقد قرأت في «**مستفاد الرحلة والاغتراب**» للقاسم بن يوسف التجيبي السبتي، قصة دخوله على العالم الجليل ابن دقيق العيد، فذكر ما كان يعتمده الشيخ من طقوس

وهالة لاستقباله ودرسه وبيته. ثم أشار لطقوس مضحكة، ولربما كان بعضها وسواسًا أو توجسًا مما قد يعتري الذكي. [ص١٧ - ١٨]. ومن ضروب التقدير لمقابلة الأئمة الكبار ما رُوي عن الشافعي عند مقابلته الأولى لشيخه مالك بن أنس، فقد كانت مقابلة مهيبة لشيخ الإسلام في زمانه، مليئة بوجوه التقدير والوقار والإكبار، وأنعم بمالك زعيمًا وإمامًا وعالمًا! وقد كان واسطة الطالب الشافعي حاكم المدينة، وقد وصف للشافعي مهابة مالك وجلال قدره، ومعرفته هو بنفسه ومن هو. وفي زماننا كتب أبو عبدالرحمن بن عقيل الظاهري مقالة طريفة تحدث فيها عن شيخه أبي تراب الظاهري، فملأها بالوصف والمبالغة، وهو يصف شيخه نازلاً من على درجات سلم العمارة، ضخمًا فره اللباس، محدبًا إحداب النواعير.. والتمس ذلك النص الذي كرره في أكثر من مكان، لعلَّ منها «تباريح التباريح»، أو كتابه الطريف الآخر «هكذا علمني وورد زوث».

ومن ضروب المهابة والتقدير للكتب، ما كان يصنعه ميكافيلي مؤلف كتاب «الأمير»، فقد كان إذا أنهى مشاغل يومه وغسق ليله، أعد نفسه واغتسل، ولبس ثيابًا كان يلبسها للدخول على السلاطين، ثم يدخل بخشوع قاعة فسيحة فيها خزانة كتبه، فإذا أغلق بابها شعر أنه انقطع عن العالم الخارجي، وبدأ حياة جديدة بين نفوس العظماء والحكماء. [الأمير، ص. ١٨].

واعلم أنك واجد بين كتبك ما يستحق العزم والحزم والتهيؤ لقراءته، كما أن من بينها ما لا تحس بمروره بك، فبعضها عاصفة، وبعضها كأس قهوة معتاد لذيذ لا تميزه عن غيره، وأنت في عالم الكتب محتاج للكل. ولا تنس أن تمر على «كتب عاصفة»، فإنها تترك من الآثار فوق ما تقدر.

«تمنيت لو أن هناك معارض دائمة للكتب». هكذا يعلق جبرا، ويقول أيضًا: «وأنا أعلم أن المعرض من طبيعته أن يكون مناسبة حولية ومحددة بزمن قصير؛ لكي تبقى الإثارة في أقصاها، والإقبال على أحره». ثم يشير إلى رغبته

في التنقيب والتقليب بين الكتب التي اختلط حديثها بقديمها، تلك الرغبة التي لا يسهل إرضاؤها في أيام. ثم يذكر مكتبات سوق السراي ببغداد، والضفة اليسرى في الحي اللاتيني بباريس، وميدان سوق بلدية كامبردج كل خميس أيام دراسته. [معايشة النمرة وأوراق أخرى، ص٤٧]. وربما لم يشهد سوق «سور الأزبكية» في القاهرة، ولا «سوق الملح» بصنعاء، الذي كان يتهافت عليه عشاق المخطوطات حين كانت تباع بأثمان زهيدة.

ثم ينقل عن ناقد بريطاني قديم متعة تصفح الكتب عند أصحاب المكتبات، وأنهم يسمحون بها، وتلك سرقة للمعرفة حلال يسمح بها العارضون. ولو شهد اليوم هذه المكتبات في أمريكا التي تسمح لك بقراءة لا تنتهي، وتضع بجوار الكتب أرقى أنواع القهوة لتتصفح وتقرأ، فإن أردت اشتريت وإن لم ترد فلن يسألك أحد عما تصنع. فأنت مرحب بك، ومخدوم على أي حال.

ولا أنسى وقد تصفحت كتبًا عديدة في إحداها، وهي مكتبة «بارنز أند نوبل»، وبجانبي شخص لمحت رغبته في الحديث، قال لي إن الكتاب الذي بيده وهو ضخم يزيد عن ٦٠٠ صفحة، يأتي ليقرأ فيه كل ليلة، وهو عن تاريخ محارق النازيين لليهود، يرويها تاجر مقاولات وبناء يهودي عن طفولته وأسرته. ثم عقب بقوله: وأنا أقرأ هذا الكتاب لأن أهلي أحرق منهم عدد، ووالدي سجن في نفس المعتقلات وما كان يهوديًا، ولكن لسبب لن أذكره لك. وأنا أعلم أن الغجر والشواذ سجنهم هتلر مع اليهود. وعلى رغم الثراء العريض لهذا الشخص كما عرفت، لكنه لم يكن ليشتري الكتاب الذي يرجع له كل ليلة حتى أنهاه، ويشتري فقط كوبًا من القهوة. فالمكتبات ومصاطب الكتب ـ كما يقول جبرا ـ محطات استراحة للجسد وانعاش للذهن. وكان الناس يسخون بالحديث عن الكتب ويستمتعون به عنها. [ص٤٨].

واعلم أن من حرم من متعة الكتب يكره هذا النوع من الحديث، خاصة عندما يطول. وما كنت أنتبه لثقل هذا الأمر على قوم ليست لهم فيه مشاركة، أو بحثوا ذات مرة في مسألة أخذوا عليها شهادة ثم تركوها إلى غير رجعة، فكنت أستمتع بالحديث عما أحب ولا أدرك ما هم فيه، حتى لمحت امتعاضًا لم يخف، فحاولت الترك، ولكن هل أطيق؟!

درجت فترة على أن أترك الكتاب بعد القراءة جميلاً نظيفًا، لا يكون للقراءة عليه أي أثر، وإن غلفته ـ نادرًا ـ كان هذا عندي أوثق لبقاء رونقه وجماله، فقد كان بيننا وبين الكتب ود عجيب، ثم مر زمن ورأيت من يعلق ويخطط، فكرهت هذا الأسلوب، حتى إذا حان أن أستفيد مما قرأت لاحظت أهمية وضع علامات على أبرز الأفكار؛ لأنني بعد زمن سوف أرى نفسي واهتماماتي في حقبة ما وأنا أتأمل هذه النصوص. وقد لاحظت أنني وأنا أكتب هذا الكتاب أهتم بالكلام عن الكتب والقراءة، وأضع علامات لذلك، ولكن ليس في فترة سابقة، ويوم أنسى أني جمعت ملاحظات عن الكتب والقراءة، فلا أرى أنني أترك ما يدل على اهتمامي. وكم رأيت على صفحات كتبي من اهتمامات راح أوانها، وقلت أهميتها! ووجدت في كتاب «**الفن والأفكار العظيمة**» أن المؤلف كان يقرأ «الكتب الكلاسيكية»، ويضع علامات على الأفكار والمواقف المهمة، ثم كان أن عهد إليه مرة أخرى أن يخرج هذه الكتب أيام الحرب العالمية الثانية، فوجد أن كلمات حرب وسلام غير موجودة في تعليمه السابق على الموضوعات. [مورتمر أدلر، ص٦٥].

وستجد أن كبار المثقفين في كل العصور ينصحونك بأن تترك السواقي وترد الأنهار والبحار، واستمع لابن العربي يقول: «ومثل من يعلم من نفسه قوة في التبسط على هذه العلوم ويقصر عنها، كمثل من يقف على النهر الأعظم فيترك الاغتراف منه، ويغترف من الجداول والخلجان.. والنهر الأعظم هو الذي لا تكدره الدلاء، ولا يغيضه الاستقاء». [**قانون التأويل**، ص٣٤٨ - ٣٤٩].

وقد جربت في أمريكا أنه عندما كان يسألنا الناس عن معلومات عن الإسلام، فكنا نعطيهم كتبًا تعريفية مختصرة، تبين أنها لا تفيد كثيرًا كما لو أعطيناهم القرآن، فإن إعطاءهم القرآن يكون له أبلغ الأثر في نفوسهم، وأحسم إجابة للأسئلة، فإن كان المرء جادًّا فقد ورد المعين، وإن كان ضعيفًا فقد شعر بأننا قدرناه قدره، وصدقنا معه في طلبه، مهما يكن مقصده.

وقد كان لابن العربي ملاحظات مهمة على مناهج التعليم والتفقه والمعرفة في المغرب والأندلس، فعاب عليهم أنهم يهتمون بأن يتعلم الطفل حفظ القرآن في الصغر دون فهم، ثم إذا كبر أشغلوه بكتب «التفريعات الفقهية» وهي فروع على فروع، تقليد بعد تقليد، ويحرمون من الرجوع إلى الأصول: القرآن والسنة. وكان الأولى أن المتعلم بعد أن تكتمل لديه «الأسس المعرفية» يقبل على الأصول فيفهمها، ويستنبط منها، ثم تلاه ابن خلدون فأكد على طريقته، وحمد أفكار ابن العربي، ولكنه قال بعد ذلك: «وهو لعمري مذهب حسن، إلا أن العوائد لا تساعد عليه، وهي أملك بالأحوال». [المقدمة، عن «**فقه الإصلاح**»، لعبد المجيد النجار، ص٧٥].

وينصح ابن الجوزي في «**صيده**» المثقف أو الدارس: «أن يكون له بيت في بيته»؛ يقرأ فيه ويكتب وينفصل عن ضوضاء البيت وصخب الأسرة. وكان العالم الجليل ابن قتيبة الدينوري، يخلو للكتابة في بيته ويجوّد ما يكتب، فكتبه غاية في القوة والدقة. يقول السيد أحمد صقر محقق «**تأويل مشكل القرآن**»: «ولقد كان ابن قتيبة كريمًا بعلمه، سمحًا في إقراء كتبه؛ لم يؤثر عنه أنه حبسها عن طلابه حتى يقبض أجره، كما أثر عن قرينه أبي العباس المبرد(٢١٠ - ٢٨٥هـ)، الذي كان يساوم طلابه، ويمتنع عن تحديث جماعتهم إذا كان فيهم فرد واحد لم يدفع أجره مقدما؛ ولو كان هذا الفرد غريبًا حربيًّا» [مقدمة تحقيق «**تأويل مشكل القرآن**»، ص٣٨].

وكنت قد قرأت كثيرًا عن مشكلة حقوق المدرسين وما يتقاضونه من طلابهم، في الكتب التي تحدثت عن حياة الأدباء العرب المشاهير، وغيرهم في الجيل الأقدم عن جيل أساتذتنا، بل بعد ذلك سمعت ممن هم أكبر سنًّا مني قليلاً قبل انتشار المدارس الحكومية في جبال السراة، عما كانوا يسمونه «المعلامة» [بكسر الميم الأولى]، أي مكان أو برنامج التعلم، فقد كان الشيخ يتقاضى شهريًّا مُدًّا من «الحَب» (قمح)، أو قبضة من القهوة، وكان في بعض الأوقات الصعبة يخرج بطلابه يمرون على البيوت، ويطلبون القرى أو الضيافة، فيمرون بعدد من الناس في بيوتهم ويضيفونهم، وربما أخذوا الدرس في بيت المضيف، ثم يخرجون للعشاء في بيت غير بعيد وهكذا. والمشايخ الذين كانوا يدرسون في مناطقنا كثيرًا ما يكونون طلاب علم قادمين من اليمن، أو مشايخ من المنطقة سبق لهم أن درسوا في اليمن في بيت الفقيه أو تعز، أو غيرها من حواضر الشافعية.

ونرجع للكلام عن ازدحام البيوت بالكتب، فقد وصف زميل لي دار أبي تراب الظاهري فقال: «بيته كتب من مدخله إلى سقفه». وزار صديق آخر بيت المودودي رحمه الله قبيل وفاته، فقال: «لم يكن بيتًا بل مكتبة، كتب من كل جهة». ويصف «بول لافارقو» مكتب ماركس الذي كان يجلس فيه بأن الكتب تملأ الغرفة من الأرض إلى السقف، وركام من الجرائد والمجلات في كل مكان، وقال إنه كان يعرف مكان كل نص بسهولة ويرجع له بسرعة، فهو يذكر الأمر ثم يمد يده إلى بقية السياق أو النص في الجريدة أو الكتاب أو المجلة، ففي عدم نظامه نظام! ولا ننسى أن هذا طالب متعصب له، وإلا ففوضى غرفته كانت تبعث على الرثاء له ـ كما لامه آخرون ـ وفي هذا المكتب كان يقابل التلاميذ، ويمشي مع إنجلز في الغرفة الكبيرة نفسها، إذا اشتد البرد في الخارج وعسر عليهما المشي، مشيًا في المكتب يمارسان رياضتهما اليومية.

وكانت قائمة مكتبة أمبرتو إيكو تحصي خمسين ألف مجلد، ثم بلغت ربما سبعين ألفًا؛ لأنه أوقف إحصاءها منذ زمن، فكلما تغير اهتمامه زادت كمية كتبه، وبدأ رحلة جمع واهتمام جديد. يقول: إني مغصوب على تذكر كتب الأدب التي تمتد على طول سبعين مترًا أعبرها عدة مرات يوميًا، ويعطيني ذلك شعورًا جيدًا كلما مررت. الثقافة لم تكن موجودة في زمن نابليون، إنها أن تعرف في دقيقتين، والآن بامكاني معرفة ذلك دون زمن. إننا نتغير والزمان يغيرنا ومن لا يتغير فهو الغبي. [قال هذا في مقابلة طريفة معه بعنوان «نحب القوائم لأننا لا نحب أن نموت»، نشرتها «دير شبيجل» في ١١/١١/٢٠٠٩م، وترجمتها جريدة «القدس العربي»].

أما مكتبة بنجامين فرانكلين فقد بلغت أربعة آلاف ومائتين وستة وسبعين كتابًا، وقد جهزها لنفسه في أواخر عمره. وكان يسخر من مشروعه المتأخر، وصمم في مكتبته ـ وهو المشغول بالاختراعات ـ كرسيًا مريحًا، فوقه مروحة تعمل بدواسة عند قدميه، وحاول صناعة ذراع تحمل الكتب وتعيدها للرفوف العليا؛ لأن رفوف مكتبته بلغت السقف، وكان سعيدًا بشراء آلة كاتبة تعمل بحبر مخلوط بالصمغ العربي، وكان يحتاج يومًا ليجف. وسعد بهذا المخترع لجميس وات، واستورد لأمريكا آلة كاتبة ثانية أهداها لصديقه جيفرسون الذي أصبح الرئيس الثالث لأمريكا، وأسس «الحزب الديمقراطي». [**بنجامين فرانكلين**، اسحاقسن، ص٤٢٧ - ٤٢٨].

وقد كان لابن تيمية نظام لكتبه يعرفه المقربون منه، مثل تلميذه المِزّي، وقد تحدث عن هذا في إحدى رسائله وهو في مصر، وطلب أن تحضر له رسالة، وحدد أن يستخرجها المِزّي؛ لأنه يعرف مكتبته. [**رسائل ابن تيمية**، تحقيق محمد العبدة].

الفصل الثالث
معايشة النمرة

قال همنجواي: «إن الكتابة قد تبدو سهلة، غير أنها في الواقع أشق الأعمال في العالم». [كولن ويلسون، فن الرواية، ص١٥].

ربما يكون هـذا الاقتباس مدخـلاً جيـدًا للحديث عـن الكتابة، الكتابة كمغامرة روحية ومعرفية ولغوية، كالجلوس مع المفردات على طاولة شطرنج تقامر، وترغب دائمًا في أن تربح حريتك ومعناك.

لقد نقل عـن والـد كارل ماركس أن الكتابة كانت عند ابنه أشبه بحالة مرضية. فهل يمكن فعلاً أن تكون الكتابة مرضًا؟ إنها ليست كذلك، لكنها قد تصبح مرضية في حالات التطرف الجنوني، لمن يتعلقون بها وكأنها الحبل الأخير الذي سيخرجهم من بئر الوحدة والعزلة.

إن الكتابة تكشـف للإنسان عن نفسه ما لا يكشفه التأمل والسكون؛ فأنت ترى نفسـك هناك على السـطور بكل محاسنك ومعايبك، فلماذا تصعد مسرح الكتابة وتكشف هذه العيوب؟ هل هو مرض الظهور؟ أم هل هو حب المعرفة ونشـرها بين الناس؟ أم هي الرغبة في نصر موقف؟ أم انتصـار على الذات؟ وهـل نفعت الكتب الناس؟! والجواب: نعم، ودليل ذلك الفرق بين الصوت لمـن لا يكتب ومن يبلغ الناس كلامه. وقد رأيت في فيلم «المحارب الثالث عشـر» أن قبائل «الفايكنـج» تعلمت من العرب الكتابـة، وكانت تقول للعربي: سمعنا أنكم معشر العرب «ترسمون الصوت» أي تكتبون! ومرت قرون وعرفنا أنهـم أنطقوا الحديد وطاروا، بل أطارونا معهم في السـماء! ثم تعيب الكتابة؟ نعم بعضها عيب، حتى لرأيتني في بلاد غريبة، أغلق، بل أبعد عني كتابًا جديدًا باللغة العربية، وأستحي أن يراني أحد وأنا أتصفحه!!

والكتابة ـ قبل كل شيء ـ إلحاح على النفس قد لا يعرف الكاتب سببه، وخاصة في البدء، ولا يتصنعه غالبًا، تلك الرغبة التي تنبعث في روحكَ بغموض الأسطورة، ولغز الحكايات القديمة. حين تحاول الكتابة أول مرة، لا تسأل نفسك: «لماذا أكتب؟»، ربما بعد وقتٍ طويل ستجد وقتًا لهذا السؤال: «لماذا نكتب؟».

لقد كتب تشومسكي أول مقال له في العاشرة من عمره عن الحرب الأهلية في أسبانيا. وقد أشار الجابري لهذه الرغبة المبكرة عنده في الكتابة في مذكراته، وأشار إلى هذه الرغبة جبرا، وأنها كانت ظاهرة عنده منذ الثامنة عشرة من عمره. [**معايشة النمرة**، ص٢٣]. وهذا ليس مبكرًا، فابن الجوزي كتب أول مؤلفاته كما قيل وهو في الثالثة عشرة من عمره. [**محمد الشيخ، الحكمة العربية**، ص٤٤٩]. وقال إمبرتو إيكو إنه بدأ كتابة القصص والروايات فيما بين العاشرة والخامسة عشرة، ثم توقف قرابة ثلاثين عامًا، ولم يعد للكتابة إلا بعد أن قارب الخمسين من عمره حيث كتب «**اسم الوردة**» بين السادسة والأربعين والثامنة والأربعين. [نقلاً عن كتابه «**الأدب**»، ص٣٠٢ فما بعد]. وقال ستيفن كنج كاتب روايات الرعب إنه أرسل أول مقالاته للنشر في الثالثة عشرة، وفي سن الرابعة عشرة كان معلاق الظرف الذي يحتوي المقالات التي ردت لا يكاد يحملها، ونشـر وهو في الرابعة عشرة. [نقلاً عن كتابه المسموع «**عن الكتابة**»]. وذكر توماس كون في المحادثة التي أجريت معه أنه درس في المدارس التقدمية التي أشرف عليها وأنشأها جون ديوي، وأنه كتب في بعض المواد وهو في السادسة الابتدائية أوراقًا بعضها كان مكونًا من خمس وعشرين صفحة. [**الطريق منذ بنية الثورات العلمية**، ص٢٥٧].

ونجيب محفوظ طبع له أول كتاب مترجم عام ١٩٣٢م وبقي يكتب إلى مطالع التسعينيات، أما برنارد لويس وهو من مواليد عام ١٩١٦م

فرأيت له كتابًا مطبوعًا منذ عام ١٩٤٠م، ونشــر مذكراته في عام ٢٠١٢م، أي بقي يكتب أكثر من سبعين عامًا، وكتابه عنونه بـ«ملاحظات على قرن».

(Notes on a Century: Reflections of a Middle East Historian).

وقد كنت قبل هذا أرى أني كتبت وأطلت في ورق الإنشاء عندما كنت أكتب ثلاث عشــرة صفحة بسطر مكتوب وآخر فارغ، وكان ثناء الأساتذة كعبد الخالق الحفظي وعلي غاصب مثار اعتـزاز كبير، وهـؤلاء قبلنا بثلاث سـنين قد تلقوا التدريب البحثي في ذلك العمر، مما لم نعرف عنه إلا في الجامعة على وهن.

والكتابة مرة أخرى في محاولة تفسيرها نقول: إنها المتعة، متعة الوقوف على ســطح منزلق من المفردات والمعاني، ومحاولة تشكيل صوتك الداخلي العميق على الورق الأبيض، بحيث تطلق فرسك البرية في سهوبك الواسعة، وتقدم معنـا قول عبدالله العروي: «ما فائدة الكتابة إذا لـم تعط للكاتب حرية أكبر من التي يعرفها في حياته العادية؟!» [أوراق، عبدالله العروي، ص٢٣٦]. غير أن الحقيقـة المرة أن الكتابـة كمحاولة للحرية كثيرًا ما تخيب؛ فكثيرًا ما يجد الكاتب نفسه مقيدًا بقيود جديدة ربما اللغة إحداها، اللغة التي تهرب من بيـن أصابعـك كظبية برية عليك أن تلاحقها بمهارة وأمل، حتى لا تختفي في أدغال موحشة، إلا أن الكاتب الذي يعي كيف يعود راكبًا فرسه دون أن يضل، يعرف ما تعنيه هذه الموهبة تمامًا. يقول جبرا عن هذه المتعةِ الآسرة (الكتابة): «كلمـا حرمـت من القراءة أدركت كم هي عظيمة وملحاحة هذه المتعة، وليس أكبـر مـن متعـة القـراءة إلا متعـة الكتابة، تلـك هـي المتعة الأعظم والأعمق والأندر؛ فالكتابة إذا ما تخلت عن تمنعها وانصاعت للقلم، هي تلك الحورية الرائعـة الذاهبـة بالنفس في طرقـات الجنة، ودركات الجحيـم». [جبرا إبراهيم جبـرا، معايشـة النمـرة وأوراق أخـرى، ص٩، بتصرف]. ويجاوبه على الضفة الأخرى ريجيـس دوبريه: «إن الأفكار تختبئ في الكتب المجلـدة، افتحوها

فتتفلت وكأنها جنيات أو حوريات، فهي تتغذى بأفكار أخرى وتولدها أطفالاً، ونحن نلتهمها لنتقوى بها، إنها إحيائية خامدة، منقوصة ولكنها حيوية». [**محاضرات في علم الإعلام العام**، ص١٠٤].

قلت: لقد قال المؤلف قولاً مهمًّا يشع من وراء غلاف الترجمة الصفيق.

فالأفكار التي تختبئ في الكتب المجلدة هي الجنيات، الحوريات، ما وراء الكتابة. فعلينا حين نبدأ حديثًا عن الكتابة أن نسأل عما وراءها: ليس ثمة ما يسبقها سوى الأفكار؛ إن معدن الأفكار ومغامراتها هي الكتب، فقيمة الكتب إنما تكون بالأفكار التي تحتويها، فإن ضعفت أفكار الكاتب تهاوى كتابه، وحينها لن يضيع قارئ كنوزه من الساعات على صفحات كاتب مردد كليل العقل.

والأفكار يولد بعضها من بعض، فتتناسل وتبني هياكل عظمى للحياة، يستبق لها الناس فتعجبهم ويبنون منها أو من رفاتها قصورًا أجمل، وتصاميم أروع. ولكن الذين يرون الإبداع الرائع فيقولون: «تم، وما ثم مثله، ولن يكون قوم لا يفهمون سر الإنسان، ولا يفهمون طبيعة الأفكار». أولئك أقوام يستجلبون الشفقة، إنهم أولئك الذين لا يولد عندهم عالم أحسن ممن سبق، ولا يولد عندهم مفكر أحسن من السابقين، ولا مبدع ولا زعيم ولا شاعر ولا داع نابغ!

أهل التكرار الممل هم أهل مجازر الإبداع، فلا تقترب منهم؛ لأنهم مصادر الجفاف، فابتعد كي لا يقتلك الظمأ، ومحاولة الانغلاق الفكري بكل ضروبه. وبالرغم من مأساة التحجر عند فكرة، وتقديس عالم أو مرحلة زمنية ما، يبقى لهؤلاء نفع هو نفع الجمود على القديم من فهم الناس، والتذكير به وتقديسه. وقد يسبب غيابهم ضياع الكثير من ملامح الهوية للأمة، وربما غالبًا ما كنت أشعر بهذا النوع من التقديس الغربي فخرًا بالهوية والسبق الحضاري، فهم يقدسون في هذا الباب عددًا من المؤلفين ومن الكتب بشكل عجيب، ومن هنا تعلم أن صناعة الهوية والتماسك في أمة يبدأ من شعور المثقفين وتدبيرهم

لهوية قومهم، ومن صناعة مجد لزعماء الثقافة والفكر فيهم، فيولد الشعور بالمعنى والمجد والثقة والهوية وتماسك الأمة وسيادتها من نفخ «روح المعارف»، والنزعة لبناء أبطال الفكر والثقافة، والمبالغة في تمجيدهم. يوم كنا نقرأ تلك «الكتب الكلاسيكية» كما يسمونها، أو نقف على أسوارها، كنت أشهد ذلك الغرور والمبالغة، يزرعها أمثال مورتمر أدلر، وتشارلز فان دورن، شريكه ونائبه في تحرير «**الموسوعة الأمريكية**» التي تسمى «**الموسوعة البريطانية**».

ولكن التقديس المبالغ فيه قد يؤدي إلى اضمحلال الإبداع وموته، وذلك حين لا يجيزون تجديده، ولا نقده وبيان عيوبه. إن آلتهم قاسية لمن فكر في المواجهة، ولكنهم لا بد أن يواجهوا محطة الأفكار التي لا يريدونها، حين يسطع نجم مجدد للفكر فيعدونه خصمًا.

وهناك أنواع عديدة من الكتابة، فمن يكتب بحثًا يجمع فيه آراء الناس من الكتب أو من ذاكرته، قد يجد صعوبة في التنسيق والترتيب والوصول للنتائج، وقد لا يكون في عمله شيء من الإبداع، غير أن من ينشئ نصًا فكريًا أو أدبيًا على غير مثال سابق في فكرته أو توجهه، قد لا يكون صاحبه قادرًا على كتابة الشيء الكثير في وقت واحد، فلا يخطر ببالي أن نوعية الكتابة الفكرية التي سطرها الشافعي في «**الرسالة**» يمكن أن تكون سهلة ولا سريعة، ففيها من العمق والتأمل والبناء الفقهي والمنطقي اللغوي ما يتجاوز أي زمن يقاس به كمية الكتابة، ولا يعطي دورًا لنوعيتها، فالحُفاظ من أمثال السيوطي أو ابن كثير، يمكنهما تسطير عشرات أو مئآت الصفحات في وقت يسير، غير أن «النوعية» و«العقل الناقد» الباني الحي، والمنظر المقتحم لميدان جديد قد لا نراه في عملهما، وبالتالي يسهل الكم من الكتابة على هؤلاء، ويسهل على من اعتمد مدرسة فقهية أو فكرية معلومة أن يكتب لها ويروج في حدودها. وقد يصعب على سواه ذلك علمًا أن كتاب «**الأم**» منسوج على أمثلة سابقة، أما «**الرسالة**» فإنه جديده وإبداعه.

والكتابة وسيلة للتغيير، وضبط للرؤية والعقل والتصرف، وإرث للمعارف، وطريقة للتنفيذ. لكنها في بعض الأحيان تصبح حرفة، فتتحول من طبيعتها الشرسة إلى إحدى أبجديات الروتين اليومي، وربما من الصعب حينها الحفاظ على ما تمنحه الكتابة لنا من الحرية. «إن الحرفة هي الجهاز الذي ينفذ به الفنان الموضوع الذي يريده، ولكن هذا الجهاز لا يعمل وهو فارغ، فلا بد أن يمتلئ بمادة عميقة وفيرة» يعني من القراءة والمعرفة، ويقول الحكيم: «إن الفنان لا يخلق فنه من الهواء، ولا يستطيع أن ينفصل عن منابع المعرفة، إن المؤلف الذي كتب عليه أن يظل صغيرًا هو الذي لا يقرأ إلا ما يتعلق بمهنته أو بمعرفته فقط.. فإذا حصر نفسه في فرع واحد من فروع المعرفة، فهو يصبح صاحب حرفة وليس أديبًا عظيمًا». [من أقوال توفيق الحكيم كما نقلها أحمد بهاء الدين، **اهتمامات عربية**، ص١٦٤].

والإنسان بطبعه ضيق محدود، يدور في فلك تجربته القاصرة مهما اتسعت، فمن عايش علمًا رآه مدار العلوم، وأكبر من خطره وأهميته، ومن عمل عملاً وصدق فيه استولى عليه ذلك العمل، وانقلب الأمر من شيء يتحكم فيه إلى أن يتحكم العمل في عامله. وهكذا الكتابة حين يسيطر الكتاب على كاتبه، وتلك سنة ماضية!

وأغلب من تعلموا أمسكوا بالدفاتر والأقلام، وحافظوا عليها حاضرة عند كل خاطرة، يسجلون ما يعن لهم، يقول الفيلسوف سنتيانا: «ما تركت الدفتر والقلم، في أغلب المناسبات أرقب لحظة فكرة». [من كتاب «**أشخاص وأماكن**»].

وسنتيانا هذا فيلسوف لا يخلو من طرافة ومن تعصب للاتينية ـ فهو من أصول أسبانية ـ وهو من المناطق المعتدلة التي تنمو فيها قدرات الإنسان بحسب رأيه ورأي ابن خلدون، مثل شواطئ البحر المتوسط، أو المناطق المعتدلة، لأن أصله أسباني. ويزعم رسل أن سنتيانا «لم يكن في إمكانه أن يشعر باحترام

حقيقي نحو أي إنسان يأتي من شمال جبال الألب، وكان رأيه أن شعوب المتوسط وحدها هي القادرة على التأمل، ولذلك فهي وحدها قادرة على أن تخرج فلاسفة حقيقيين، وكان ينظر إلى الفلسفات الألمانية والبريطانية على أنها محاولات عاثرة لأجناس غير ناضجة. ثم يعقب راسل: «ولكن موقفه نحوي ونحو فلاسفة الشمال الآخرين ينم عن الإشفاق الرقيق لمحاولتنا الوصول إلى شيء أعلى وأرفع من أن نرقى إليه». [**في مدح الكسل**، ص٧٦]. وكذا هو رأي ابن خلدون في الربط بين الجغرافيا أو الجو والعقل، فهل قرأ رأيه سنتيانا؟

وقد ساق رسل طرفة من نقاش بينه وبين سنتيانا، فقد وصف سنتيانا نساء قريته الأصلية في أسبانيا بأنهن يجلسن بجوار النوافذ يغازلن معارفهن من الرجال، ويمرون عليهن، ثم يكفرن عن أسلوبهن في تزجية وقت الفراغ هذه بالاعتراف في الكنيسة. فرد عليه رسل بأن هذه حياة مملة فارغة سقيمة، فاعتدل سنتيانا وأجاب بحدة: «إنهن يقضين حياتهن في أعظم شيئين: الحب والدين». [**في مدح الكسل**، ص٧٦]. هكذا تجد نقاشات الفلاسفة، كلا طرفي الأمور مبرر ومفلسف، ويرون وراءه حكمة ما. ولا تنسى أن كل إنسان يرى الإنسان الأكمل في بلده أو من فهره!

* * *

الكتابة معاناة، قال أحد الرهبان النساخ: «إنك لا تعرف ما الكتابة! إنها سخرة حقة؛ إنها تحني ظهرك، وتظلم عينك، وتطوي معدتك وتكسر ضلوعك». [بتصرف عن «**مهنة المؤرخ**» ص٤٧].

وقبل خوض هذه المغامرة الجريئة والبدء في الكتابة، فمن المهم الاستعداد للكتابة بقراءة واسعة، ففي أي موضوع: يجب البدء بالقراءة العامة ثم الخاصة، قال الرافعي في رسالة له إلى محمود أبي رية: «اقرأ كل ما تصل إليه يدك، فهي

طريقة شيخنا الجاحظ، وليكن غرضك من القراءة اكتساب قريحة مستقلة، وفكر واسع، وملكة تقوى على الابتكار، فكل كتاب يرمي إلى إحدى هذه الثلاث فاقرأه». [**رسائل الرافعي لأبي رية، ص٣٤**].

ونصح الرافعي أبا رية في أول علاقته به وتبادل الرسائل بينهما فقال: «إنك تريد امتلاك «ناصية الأدب» كما تقول، فينبغي أن تكون لك مواهب وراثية تؤديك إلى هذه الغاية، وهي ما لا يعرف إلا بعد أن تشتغل بالتحصيل زمنًا، فإن ظهر عليك أثرها وإلا كنت أديبًا كسائر الأدباء، الذين يستعيضون من الموهبة بقوة الكسب والاجتهاد. فإذا رغبت في أقرب الطرق إلى ذلك فاجتهد أن تكون مفكرًا منتقدًا، وعليك بقراءة «كتب المعاني» قبل «كتب الألفاظ»، وادرس ما تصل إليه يدك من كتب الاجتماع والفلسفة الأدبية في لغة أوروبية، أو فيما عُرب منها. واصرف همك من كتب «الأدب العربي» بادئ ذي بدء إلى «**كليلة ودمنة**»، و«**الأغاني**» و«**رسائل الجاحظ**»، وكتاب «**الحيوان**»، و«**البيان والتبيين**» له. وتفقه في «البلاغة» بكتاب «**المثل السائر**»، وهذا الكتاب وحده يكفل لك ملكة حسنة في «الانتقاد الأدبي»، وقد كنت شديد الولوع به. ثم عليك بحفظ الكثير من ألفاظ «**نجعة الرائد**» لليازجي، و«**الألفاظ الكتابية**» للهمذاني، وبالمطالعة في كتاب «**يتيمة الدهر**» للثعالبي، و«**العقد الفريد**» لابن عبد ربه، وكتاب «**زهر الآداب**» الذي بهامشه.. ولا تنس «**شرح ديوان الحماسة**»، وكتاب «**نهج البلاغة**» فاحفظ منهما كثيرًا.. وأشير عليك بمجلتين تعنى بقراءتهما كل العناية: «**المقتطف**» و«**البيان**»، وحسبك «**الجريدة**» من الصحف اليومية، و«**الصاعقة**» من الأسبوعية. ورأس هذا الأمر بل سر النجاح فيه أن تكون صبورًا». [**رسائل الرافعي لأبي رية، ص٢٦ - ٢٧**].

وتأمل كلامه عن قراءة المجلات والصحف تجد القول يكاد يكون نفسه كما نصح به كلود شتراوس.

والنصيحة بالحفظ للنصوص نصح بها كثيرون من أمثال أبي نواس. ورسل يقـول: ونصيحتـي لكـل من يكتـب أن يحفظ كنـوز الأدب وذخائـره عن ظهر قلـب، وأن يتجاهـل ما عدا ذلك بقـدر الإمكان». [سيـرتي الذاتية، ص٢٥٨]. وكان رسل قد حفظ شعر شيلي عن ظهر قلب. [سيرتي الذاتية، ص٥١]. وقد كان ذواقـة للأدب، فإنه لما سمـع قصيـدة رائعة لبليك «قصيـدة النمر»، تلاها عليـه صديـق لـه وهو صاعـد في درج المبنى في الكليـة في كامبريـج، ترنح واستند على جدار حتى لا يخور أو يهوي. [في مدح الكسل، ص٨، من مقدمة المترجم]. وقد قال تشارلز ديكنز: «ليس النبوغ إلا المقدرة على تحمل الجهد المستمر». [هشام شرابي، الجمر والرماد، ص١٣١].

وكنـت سـألت الأسـتاذ عبدالرحمـن العثيميـن عـن سـر معرفتـه الهائلـة بالمخطوطـات، هل عمله مجرد عودة للمخطوطات التي يفهرسها؟ أم إنه يحفظ كل تلك المعلومات؟! قال لي: «أحفظ، المسألة ما هي لعب!!».

فحين يبدأ الكاتب بكتابة السطر الأول، تمتد في عقله خمائل متشابكة عن فكرتـه، تلـك الفكرة التي ربما التقطها عابرًا من كتاب ما، أو نمت بذرتها أثناء قـراءة روتينية. وحيـن يسـأل أي سائل عن طريق الكتابة، يفاجأ بالإجابة الأولى: اقرأ. فقد طلب أحدهم إلى أبي نواس أن يخبره كيف يستطيع أن يكون شاعرًا؟ فقال لـه: «احفظ ثلاثة آلاف بيت ثم انسـها، وبعد ذلك جرّب الشـعر». وهكذا نجـد أن مـن لم يمـلأ عقله بكلمات الناس وأفكارهم فلن يجمـع علمًا، ولن ينضـج فكـرًا، ولـن يمنح الناس شـيئًا، وخيالاتـه التي يخطـر بباله أنها رائعة وجميلة إنما اكتسبت هذه العبقرية في رأيه من شـدة غفلتـه، وغرقه في تركيب جهله. وأقرب الناس وقوعًا في مثل هذه المزالق المتخصصون في علم واحد، فإنه إن التفت يمينًا أو شـمالاً قال عن لفتته إنها مهمة لماحـة عبقرية، وهو لا يعلم أن وراء الأكمـة التي لمحها عالمًا واسـعًا مليئًا بـأروع العلوم وأغنى

النماذج، ولم يكبر في عينه إلا لغربته عن هذا العالم، فلا يملك خرائط معرفية تدله على موقعه الصغير جدًّا حيث لا يرى القارات الزاخرة وراء جزيرة معرفته.

سئل عبد الحميد الكاتب عما مكّنه من البلاغة فقال: «حفظت سبعين خطبة من خطب الأصلع، فغاضت ثم فاضت». يعني بالأصلع: أمير المؤمنين علي بن أبي طالب رضي الله عنه. ثم يكمل الوردي بقوله: «الكتابة فن كسائر الفنون، والإجادة فيها تنتج عن المران والموهبة أكثر مما تنتج عن حفظ القواعد والتزام القيود».[**أسطورة الأدب الرفيع**، علي الوردي، دار كوفان، لندن، ١٩٩٤م، ص٢١٠].

فالكاتب العظيم هو قارئ عظيم، وتجربة فولكنر خير مثال على ذلك، فعاملان شهيران عملا في مكتب البريد هما: جورج برنارد شو، وويليم فولكنر. وقد طرد الأخير من عمله بسبب قراءته في وقت العمل.

وقد وجدت عند أكثر من قرأت لهم ممن اشتهروا وأغنوا ثقافتهم أنهم قرّاء أولاً، ومنهمكون في تحصيل المعرفة. قرأنا كثيرًا هذا في التعريف بالجاحظ الذي يقرأ كل ما يقع تحت يده، وأنه كان يستأجر دكاكين الوراقين ويقضي ليله قارئًا، وفي سيرة ابن تيمية مثله. وقرأنا أن سقراط قال عن نفسه إنه أنفق في زيت السراج أكثر مما أنفق في الشراب، وإسحق عظيموف في مذكراته الجميلة عن القراءة والكتابة أشار في صفحات عديدة إلى ولهه بالكتب والمجلات في شبابه، وكان أقرب للجنون. وستيفن كينج في كتابه «**عن الكتابة**» يقول: «أحدهم يسأل ماذا تقرأ؟ ويرد أنه لم يعط إجابة مقنعة لهذا السؤال، لما يسببه هذا السؤال من الازدحام الذهني، كارتفاع الضغط الكهربائي، وأسهل إجابة هي: أقرأ أي شيء تقع عليه يدي». جواب سهل ولكنه لا يساعد القارئ، ولهذا كتب قائمة في نحو ثلاث صفحات ببعض مقروءاته. [**عن الكتابة**، ص٢٩٣].

فمن لم يقرأ طويلاً ويجدّ في قراءته فلن يكتب نصًّا متميزًا؛ فجود الكتابة بمقدار جودة موارد القراءة. فإن من قرأ كثيرًا أصبحت له القراءة متعة ونعمة، وتصبح عالمًا يكاد يغني عن كثير من العالم، فالذي يستمتع بما جنته يده على الدهر له حق في متاعه، والذي أنفق على متعته وعقله سيستمتع به غالبًا عندما تقل المتع وتتغير، فمتعة البدن للشباب، ومن صرف الشباب للكتاب، وجد شباب ذهنه وفهمه في كهولته وشيخوخته، فيمتعه الدرس الطويل بفهم واسع، وعقل أكبر، وتجربة منيفة على الأقران، وضم بذلك حيوات لحياته، وعقولاً لعقله، وعصورًا لعصره. وإنك واجد في سطور القراء الكبار من جواهر الفهم ما لا تجده عند صغار القراء ومتحذلقي المثقفين والأساتذة.

والجد في الكتابة كالجد في القراءة، ويأتي الخطر على الكتابة من استسهال الكاتب لها، ومن تبسيط مهمته والتعجل في الكتابة، ولهذا كانت الصحافة من خصوم الكتابة الراقية. وقد نصحت كاتبة شهيرة الكاتب المعروف إرنست همنجواي ألا يكتب في الصحف؛ لأن الصحافة سوف تنسيه طريقة الكتابة. [**آخر العمالقة**، سيروس ساليزبرجر]. فالكتابة السريعة تفطر الفكرة قبل نضجها، وتعاجل الأسلوب بالخروج للناس قبل أن يلبس ثوبه، وقبل اكتمال شكله. وتعوّد الكاتب على الكسل عن البحث، فيستسيغ عدم التجويد، فلله هذه الصحافة كم من موهوب قتلته، وكم نفعت أقوامًا لانتهاكهم أدب الكتابة، فحملتهم لكراسي المال والقرار، وأضرت بآخرين لأنهم أدوا حقها المعنوي والشكلي!

ويغلب أن الصحافة والكتابة لا تضر إلا صاحب فكرة، ولا يسعد بالصحافة إلا من أراح رأسه من واجب الفكرة والتزامها ومن أداء حقوقها، وبخاصة لمن يريد أن يكتب للمسيرة العامة أو الرسمية في أي مجتمع، فكيف بالذين يكتبون للعالم المثقل بل المقيّد.

وفي كتاب ستيفن كنج المهم «**عن الكتابة**» on writing الذي لخص فيه تجربته في الكتابة الروائية ـ وهو مهم لمن يحب أن يدخل هذا الميدان أو يطور كتابته ـ قال: إن من أهم عدة الكاتب اللغة، ويعني هنا توفر مفردات واسعة يستعملها في عمله، فالمفردات الغنية أو الواسعة أشبه بآليات أي صاحب مهنة، فهي كالمسمار والمطرقة للنجار، ومثل لأدوات الكاتب بصندوق يكون في الرف الأعلى منه الكلمات، وفي الثاني القواعد (قواعد اللغة)، وسخر كثيرًا ممن يتوقع نفسه كاتبًا قبل أن يلم بأساسيات النحو في اللغة التي يكتب بها، وأكد عدم نجاح من يسخر بهذه الأسس. ولعل من المهم أن نعرف أن «أسس النحو» في كل لغة ليست ما يتعلق بالنحو المتقدم المخلوط بعلوم أخرى كالمنطق، ولكن المراد منه أساسيات النحو التي تدرسها بعض الدول العربية في المرحلة الابتدائية، وإلى نهاية منهج المرحلة الثانوية، وغالبًا هذا يكفي لإدراك أسس الكتابة، وهو يشير في الإنجليزية إلى كتب عن تلك المرحلة الثانوية، وينصح قراءه باستعادة أو قراءة تلك الكتب القديمة في النحو، ثم يضع بعد القواعد نظام بناء الجمل والفقرات، وعلامات الترقيم، ثم الأسلوب، ويكثر القول فيه ويوضح علله وينصح الكاتب بالانفراد أو العزلة وقطع الصلة بالعالم؛ لأنك تصنع عالمك أنت، وبخاصة الروائي. وأوجب العزلة أثناء كتابة المسودة الأولى وتلقي الإيحاء بالفكرة، التي لا يعرف الكاتب كيف ولا من أين جاءت، ولا يدرك تطورها بين يديه، ولا نموها العجيب ـ وهذه نصيحة الكاتب التركي باموك أيضًا ـ ثم يفيض الحديث عن سبب مهم للنجاح وهو القراءة الكثيرة والكتابة الكثيرة، وبدون قراءة كثيرة ولا كتابة كثيرة لا يحقق الكاتب شيئًا، فهي منبع الأفكار ومورد الأساليب، وهي مادة الكاتب الأولى، ويقول كنج إنه يقرأ ما بين ستين إلى سبعين كتابًا في العام غالبًا روايات، يقرأ مستمعًا للكتب الصوتية الكاملة ـ قُلتُ الكاملة هنا لأنه خرجت موضة اختصار الكتب المسموعة ـ ويقرأ في كل لحظة ينتظر فيها، ويقرأ كثيرًا

على العشـاء ـ وإن لم يكن ذلك لائقًا ـ حيث لا يستطيع الكاتب الجاد إلا أن يفقـد الكثيـر مـن اللياقـة أو ما يراه بعض النـاس من الذوق العـام. وكتب عن ترولب الإنجليزي الذي كان يكتب ساعتين ونصف يوميًّا قبل الذهاب للعمل، ولـو انتهـى الوقت عنـد نصف جملة لم يتمها، وقال إنـه كان يكتب حتى يبلغ النص ستمائة صفحة ثم يقف ويبدأ عملاً جديـدًا. وذكر نماذج طريفة لكتاب زادت كتبهم عن خمسمائة كتاب، وآخرون بارعون كتبوا كتابًا واحدًا فقط، ثم يتعجب ما داموا قادرين على نصوص جميلة لم لا يكتبون؟!

فالكتابة قد تكون نقلاً لمعرفة، وقد تكون تأسيسًا لها، وهذا أشرف؛ يقول أبو حيـان التوحيـدي: «سـمعت ذا الكفايتيـن ابـن العميـد ببغداد يقول: إنشـاء المعرفة صعب. فلما ندرنا من مجلسه قال أبو إسحاق الصابي: تربيتها أصعب من إنشـائها. عرضت هذا الكلام على أبي سليمان فقال: أما الإنشاء فإنما لأنه لا أوائل له يُناط بها ويؤسس عليها، وأما التربية فإنما صعبت أيضًا لأنها تستعير مـن الإنسـان زمانًا مديدًا هو يشـح به، وعناءً متصلاً يشـتد صبـره عليه، ومالاً مبـذولاً قلمـا تطيـب النفس بإخراجـه إلا إذا كان الكـرم له طباعًـا، ويجد من ضريبته إليه نزاعًا». [**الصداقة والصديق**، ص١٧١ - ١٧٢].

والكتابة صيد وصناعة، ولن يخلو زمان من الحاجة للفنين، فالصيد جمع صناعة الناس في كتاب أو نحوه، أما الصناعة فهي إبداع، ولن يخلو إبداع من صيد، وكثيرًا ما يخلو الصيد من الإبداع. قال يحيى البرمكي: «اكتبوا أحسن ما تسمعون، واحفظوا أحسن ما تكتبون، وتحدثوا بأحسن ما تحفظون».

إن الكاتب الذي تظهر مهارته في التنسيق بين كلام الناس هو ناقل منظم لقولهـم، يقال له أحسـنت أو أسـأت ترتيـب منقولاتك، ومـن كان له فكرة لم تتضح فإنه يتعب قارئه، ومع ذلك فهو يفيده أكثر من صائد ومرتب كلام غيره، ومـن لـه رأي وفكرة خدمه السـابقون وتبعـه اللاحقون. وإنما اسـتقرت منافع

الكتاب بين صنفين: مرتب جيد نفع الطلاب بترتيب كلام العلماء، وعبقري يختط طريقًا جديدًا، موحشًا في أوله مؤنسًا بحقيقة في غاياته.

ومن هنا يظهر الفرق بين التأليف والإبداع؛ فإن إعادة صياغة المعارف وقولبتها بنسق جديد، والتأسيس من خلالها لرؤى جديدة هو الإبداع، أما التأليف والجمع فهو شيء آخر. ولقد تم الالتفات إلى قضية الأصالة في التأليف منذ زمن، فهذا نفطويه كان يكره ابن دريد وينافسه، وهو القائل فيه:

«أحرقه الله بنصف اسمه وجعل الباقي صراخًا عليه»

فلما نشر ابن دريد كتابه «**الجمهرة**» في الناس، قال عنه نفطويه:

ابنُ دُرَيْدٍ بَقَرَه وفيهِ عَيٌّ وشَرَه
ويَدَّعي مِنْ حُمْقِهِ وَضْعَ كِتابِ الجَمْهَرَه
وَهْوَ كِتابُ العَيْنِ إلا أَنَّهُ قَدْ غَيَّرَه

لقد عابه بانعدام الأصالة في تأليفه، وهو يوحي بالالتفات إلى هذا الفرق الجوهري بين التأليف والإبداع، فليس كل تأليف إبداعًا، فمن جمع أقوال الناس في مسألة من مسائل الحياة أو الدين، ثم رتبها ونسقها فهو جمّاع لكلام الناس. وقل أيضًا إن شئت: ولا كل إبداع تأليف، فالإبداع زائد على التأليف، ومتجاوز لمهنة الباحث والجامع لمادة علمية ومقارنها مع غيرها. أما المبدع فهو غالبًا منشئ لجديد، عمله مغامرة، منها ما يكون على نسق، ومنها ما لا يكون على نسق سابق، فلا تتوقع أن الإبداع مهنة دائمة، فالمبدعون قليل ما هم، وأغلبهم يكتب على نسق الناس الآخرين، وأحدهم يعيد أعمالاً كثيرة مشابهة لغيره ليعرف الناس عمله ومهنته، أو ليساهم في نشر حق، أو علم يهمه طريقته، غير أن عمله الإبداعي الكبير يكون غالبًا على غير نسق سابق، ويكون غافلاً ـ هو أحيانًا ـ عن جودة عمله ذاك، وخافيًا عليه تميزه، ما لم يكن قد راقب أعمال أقرانه في عصره وغيره، وقد أعطى فنه ذوب فؤاده.

فالقراءة ـ على أهميتها للكاتب ـ يجب ألا تحوله إلى شبح يتوارى خلف ما قرأه، أو صدى لكتب أمضى ساعاته غارقًا فيها.

أجواء ما قبل لحظة الكتابة

إن التأهب لحالة كتابة يشبه التأهب لخوض بحر فيه من تجارب النجاة والغرق كل ما يمكن توقعه، فهذا الشيخ محمود شاكر يحدثك عن كتابته، وطريقة معاناته مع ولادة فكرته، فيقول: «من عادتي إذا ما استبهم علي نفاذ الرأي أن أعدل بأفكاري إلى الليل، فهو أحصن لها وأجمع. فإذا كان الليل، وهدأت النائرة، وآوى الناس إلى مضاجعهم، واستكنت عقارب الحياة في أجحارها، تفلّت من مكاني إلى غرفتي، أسدل ستائرها وأغلق أبوابها ونوافذها، وأصنع لنفسي ليلاً مع الليل، وسكونًا مع السكون، ثم أقعد متحفزًا متجمعًا خاشعًا أملأ عيني من ظلام أسود، ثم أدع أفكاري وعواطفي وأحلامي تتعارف بينها ساعة من زمان، حتى إذا ماجت النفس موجها بين المد والجزر، ثم قرت وسكنت، وعاد تيارها المتدفق رهوًا ساجيًا كسعادة الطفولة، دلفت إلى مكتبي أستعين الله على البلاء.. فإن حق القراء علينا أن نتخذ لهم صنيعًا ومائدة تكون أشهى وأمرأ، وأقرب متناولاً، وأرد على شهواتهم فائدة». **[مجموع مقالات محمود شاكر، من مقال: «الإصلاح الاجتماعي»، ص٥٢].**

ويختلف الكتاب في طرق استعدادهم وانتظارهم لموجة الكتابة؛ لأن لحظة الكتابة هي اللحظة المقدسة التي تتمثل فيها الفكرة في قالب اللغة، وتخرج من وجودها الكامن في الوعي إلى وجودها الحقيقي في عالم الوجود. وإليك قول رسل: «وجدت مثلاً أنه إذا كان علي أن أكتب في موضوع صعب، فإن أفضل خطة هو أن أفكر في الموضوع بتركيز شديد جدًّا، وبأقصى تركيز أستطيعه لعدة ساعات أو أيام. وعند نهاية هذه الفترة أعطي الأوامر ـ مجازًا ـ

بأن يتقدم العمل في اللاشعور، وبعد عدة أشهر أعود واعيًا إلى نفس الموضوع وأجد أن العمل قد تم إنجازه فعلا». وذكر أنه قبل أن يصل إلى هذه الفكرة كان يعاني ولا يحقق تقدمًا في مشاريعه؛ لأنه لم يكن يعرف بعد الطريقة». [رسل، انتصار السعادة، ص٨١ - ٨٢].

للقارئ وللكاتب علاقة مودة مع أدواته، الكتب والورق والأقلام، وهي تبدأ مضطربة وغير منسجمة، ولكنها مع الزمن تصنع ثقافة وعادات ومزاجًا وألفة لسليمها وعقيمها، وقد يذوب القارئ والكاتب في صنعته حتى يرى أن الحق في ظهور آثار صنعته عليه، فمثلا يقول إبراهيم النخعي: «من المروءة أن يرى في ثوب الرجل وشفتيه مداد» وقد نقلوا عن سُحنون «أنه ربما كتب الشيء ثم لعقه» ولا يستنكر عاقل على صاحب مهنة بقاء أثرها عليه، وعندما استنكر زميل لي وجود شخط على ثوبي وسألني قلت بعد قليل ستعرف قصته وكتبت مقالا من طريف ما كتبت بعنوان: «شخط على ثوب».

الخوف من الكتابة

إذا كانت الكتابة هي الطريق إلى الشعور بالحرية، فإن أول ما قد يواجهه الكاتب هو الخوف من هذه الحرية، الخوف من مواجهة اللغة؛ لأن أول منازل الكتابة اللغة، لغتك الأم أو الغريبة، وهي تحتاج لملء العيبة منها، ثم الشجاعة على استخدامها، فـ«اللغة جسارة كما أن الكتابة جسارة». [كما قال نجيب المانع في كتابه اللطيف «**ذكريات عمر أكلته الحروف**»]. وقد قيل: «من كتب كتابًا جيدًا فلن يضره أحد، ومن كتب كتابًا رديئًا فلن يعذره أحد». وقالوا: «من ألف فقد استهدف».

وتسبق الكتابة والجسارة إرادة جادة، وعزم لا يكل ولا يمل. قال ابن المعتز: القلم يخدم الإرادة، ولا يمل الاستزادة، يسكت واقفًا، وينطق سائرًا،

على أرض بياضها مظلم، وسوادها مضيء، فتقول بقلمك ما يعجز عنه لسانك. وقد قيل: «القلم أحد اللسانين، وخفة العيال أحد اليسارين، وتعجيل اليأس أحد الظفرين، اليأس حر، والرجاء عبد».

لحظة الكتابة

لحظة الكتابة هي نقطة الصفر التي يبدأ معها الكاتب رحلته بما أعد لها من جهد سابق، والكتابة ـ بشكل عام ـ مران وجهد وعمل شاق مستمر، غير أن الكتابة الأدبية عالم آخر مليء بالمشقة، فمجاراة الخيال واللحاق به، ومحاولة الإمساك به متلبسًا في حالة لغوية مناسبة أمر مرهق من الناحية الروحية قبل كل شيء، وهذا راسكين كالدويل يمثل شاهدًا على هذه المعاناة، إن الكتابة الأدبية تشبه فعليًا مطاردة النمرة!

لقد استمتعت بروايتي كالدويل «**بيت في المرتفعات**» و«**طريق التبغ**»، غير أن قراءة كتابه «**كيف أصبحت روائيًا؟**» كانت متعة مختلفة، فقد كان نصًا من بديع ما مرّ علي في موضوعه، وهو من الكتب الرائعة التي تعلم الرجل الجد والاجتهاد فيما يحب أن يعمل. وقد اشتد على نفسه بالغ الشدة ليجعل من نفسه كاتبًا يعيش للمجد الأدبي فقط، يعيش للكتابة، ويهرب عما سواها، وعانى في سبيل ذلك ما يشبه الخيال. ولولا أن ذوي الهمم يمرون بهذه اللحظات الصارمة لشككت، ولا مجال للشك فيمن أبدع فيما بعد نصوصًا هي غاية في جمال الصنعة الروائية، إنها عقود تلك التي تفصلني عن قراءة كتابيه الروائيين، ولكن بعض الصور ما زالت تلوح في الذاكرة.

يقول: «كنت أكتب في الطابق العلوي في غرفة بلا مدفأة ألبس قميصًا من الجلد فوق سترة، وألف ساقي ببطانية، وأنا أكتب على الآلة الكاتبة، وأتوقف بين حين وآخر لأنفخ في أصابعي المنملة.. كنت أعمل ما بين (١٠) إلى (١٢) ساعة

يوميًّا، أكتب قصة وراء قصة، أراجع وأصحح وأكتب ثانية بتصميم الكلاب، بغض النظر عن الوقت والإرهاق». [**كيف أصبحت روائيًّا؟**، ص٥٥]. وذكر أنه مرة استأجر مكانًا رخيصًا بدولارين ونصف أسبوعيًّا ليكتب فيه ـ إذ لا يملك مالاً كافيًا، ولا يستطيع أن يوفر ثمن التدفئة في البيت الذي استأجره في ريف «ولاية مين» الباردة جدًّا ـ يقول: «وهناك واصلت الكتابة ليلاً ونهارًا لعدة أسابيع، أخرج مرتين في اليوم لأحضر علبة من الفاصوليا ورغيفًا لوجباتي. لم يكن في الغرفة تدفئة، والوقت يناير، وما زال التقرح في يدي وقدمي نتيجة لعضة الصقيع». وقد كادت صاحبة المسكن تخرجه لأنه يزعج السكان بصوت آلته الكاتبة، وتأخره في العمل ليلاً. [ص٧٩]. وكان في بعض أيامه يكتب قصة قصيرة يوميًّا.

وفي فترة لاحقة، وبعد جهد مرير في الكتابة ورفض من الناشرين لأعماله يقول: «كان هناك حوالي ثلاث حقائب مملوءة بالمخطوطات غير المنشورة، وعند قضاء ليلة من النظر فيها، لم أقتنع بأي منها، لدرجة أني في الصباح حملت كل شيء إلى شاطئ البحيرة وأحرقته، وكان الشعر والفكاهات والمقالات أول ما أحرقت، كما أضفت إلى النيران المشتعلة المجموعة الكاملة من قصاصات الرفض (رفض نشر أعماله) التي جمعتها خلال السنين». [ص٨٩].

وفي كتابه «**كيف أصبحت روائيًّا؟**» شواهد على جده وفقره في سبيل أن يكون كاتبًا مرموقًا، وكانت في كثير من معاصريه، مثل مارجريت ميتشل التي كتبت «**ذهب مع الريح**»، وكانت لفترة تعمل في الجريدة التي كان يعمل فيها كالدويل، وأشار إلى أنها تراجع في اليوم صفحة واحدة فقط من روايتها، تدققها وتصقلها حتى تصبح جاهزة، وربما كان قرارها ترك العمل والتفرغ للكتابة مما أثاره ليعمل ذلك أيضًا. ومن معاصريه همنجواي، ولعل المحرر الذي ذكره كالدويل في مذكراته هو نفسه بيركنز الذي كان يحرر ويراجع كتابات همنجواي، وقد تذكرت ذلك من كتاب كتبه بيركنز نفسه عن حياته،

وذكـر فيه قصصه عن الكتّاب وعمل المحرر والتحرير، وكان مثقفًا نبهًا صيادًا للكتاب ومدققًا مشهورًا، وعمله في التحرير هو نفسه تقريبًا الذي كانت تعمله الروائية الشهيرة توني موريسون، مؤلفة «**محبوبة**» و«**جاز**» و«**أكثر العيون زرقة**» وغيرها، وهي الفائزة بـ«جائزة نوبل» في أواخر الثمانينيات.

ويقول الشيخ محمد الخضر حسين: «الإجادة في وضـع الأقاويل أحكم وضع، لا يأخذ بناصيتها إلا من كانت له قوة حافظة، وقوة مايزة، وقوة صانعة». ثم يشـرح هذه القوى فيقول: فـ«القوة الحافظة» يستوعب بها الكاتب من مواد اللغة ما يسعه لكل غرض يأخذ في تفصيله وتفهيمه، عندما يدفع لوصف خيل أونظـام جيـش. و«القـوة المايـزة» يمتاز بها ما يحسـن مـن الـكلام بالنظر إلى ترصيـف كلمـه، وتآلـف حروفه.. فقـد يتفق مقولان لشـخص واحـد، ويكون أحدهما أحسـن في نفسه، والآخر أحسن بالنسبة إلى موقعه. و«القوة الصانعة» هـي التي تتولـى العمل في ترتيب الألفاظ والمعانـي، والتدرج من بعضها إلى بعـض، فتصدرهـا ملتئمة النسـج غيـر متخاذلة النظـم، بريئة مـن التمايز الذي يجعـل كل جملـة كأنهـا منحازة بنفسـها». ثم يعقـب بما هو مجمـع عليه بين الكتـاب مـن العلماء فيؤكـد: «ولا تكتمل «القـوة المايـزة» إلا بالانتصاب على مطالعـة المنشـآت البعيـدة الغور فـي بيانها، المنتميـة إلى الطـرف الأعلى في عذوبـة ألفاظها، ورشـاقة معانيها، وبتوسـم ما أرسـل في طيها مـن الاعتبارات المناسبة بذوق جيد ومهل في النظر. فمعرفة الفنون البلاغية غير كافية لاستواء هذه القوة واستحكامها، فقد نجد في المتضلعين من قوانينها.. من لا يفرق بين الأقاويـل المتفاوتـة، وإن ارتفـع بعضها فوق بعض درجـات.. ولا تبلغ «القوة الصانعة» مبلغ التمكن وسـرعة الترسـل إلا بعد ارتياضهـا بالتمرين.. ولا يقيم صلبها ـ أي القوة الصانعة ـ إلا الإدمان على العمل، وهو القاعدة التي يجري عليه كل تقدم وارتقاء.. ومن الطرق التي تنهض بالكاتب في زمن يسير انحيازه

إلى دريّ (أي خبير) بشعاب هذه الصناعة». ثم يشير الشيخ إلى أن الشعراء الكبار ما منهم إلا من تتلمذ على شاعر قدير قبله، ولازمه مدة طويلة، ويضرب أمثلة لهذا بكُثيِّر عزة الذي أخذ الشعر عن جميل عن هدبة بن خشرم، وهدبة عن بشر بن أبي حازم، والحطيئة أخذ عن زهير وزهير عن أوس بن حجر». [محمد الخضر حسين، **حياة الأمة**، ص٤٥ - ٤٨]. وهذا الكتيب منتزع فيما رأيت من «**السعادة العظمى**»، المجلة التي كان يصدرها الشيخ رَحِمَهُ اللَّهُ.

وقد تسأل فتقول: هل هؤلاء الشعراء والكتاب يمتح بعضهم من بعض؟ والجواب: إن كان معرفة فنعم، وأما الكتابة الراقية فهي شيء أكثر من امتياح هؤلاء، إنها مغامرة أخرى، تختلف عن مهمة التعلم، هي فن لموهوب، وعمل دؤوب، وكم من منجب في التعلم لم ينجب في التعليم، وقارئ رائع المزاج منفتح على العلوم، لم ير الكتابة تستحق الجهد. وللأسف فهناك عمالقة كبار عبر العصور، أبوا الكتابة؛ لأنهم إن كتبوا ورأوا كلامهم مسطورًا قالوا نحسن خيرًا من ذلك، فلا تصل كتابتهم لمستواهم العلمي ولا العقلي فيصدمون بأنفسهم وبكتاباتهم، فيولون مدبرين من الكتابة التي تضع منهم. وليس كل نص بالضرورة يدل على شخصية صاحبه، لا بل ينم عن جانب فقط، ويترك الباقي لنصوص أخر، أو للقريب يعرفه، وللبعيد يهابه، أو يسخر منه.

معايشة النمرة

هل كان يعرف جبرا إبراهيم جبرا عندما وضع هذه الكلمة عنونًا لكتابه عن الكتابة قول أبي حيان، إذ يصف عُسر الإبداع وصعوبة شيق الكلام والكتابة: «إن الكلام صلف تياه، لا يستجيب لكل إنسان ولا يصحب كل لسان، وخطره كثير، ومتعاطيه مغرور، وله أرن (نشاط) كأرن المهر، وإباء كإباء الحرون، وزهو كزهو الملك، وخفق كخفق البرق، وهو يتسهل مرة ويتعسر مرارًا، ويذلّ طورًا

ويعزّ أطوارًا، ومادته من العقل، والعقل سريع الحؤول، خفي الخداع، وطريقه على الوهم، والوهم شديد السيلان». [**الإمتاع والمؤانسة، ص٩**].

وهنا مقطع طريف يجمع ما قبله بما بعده، فيه أكثر من فكرة، ولكن جماله أبقى له عندما نسوقه متماسكًا، يقول أبو حيان التوحيدي: «ليس شيء أنفع للمنشىء من سوء الظن بنفسه، والرجوع إلى غيره، وإن كان دونه في الدرجة، وليس في الدنيا محسوب، إلا وهو محتاج إلى تثقيف، والمستعين أحزم من المستبد، ومن تفرد لم يكمل، ومن شاور لم ينقص. وقد يستعجم المعنى كما يستعجم اللفظ، ويشرد اللفظ كما يَنِدُّ المعنى، وينتثر النظم كما ينتظم النثر، وينحل المعقد كما يعقد المنحل. والمدار على اجتلاب الحلاوة المذوقة بالطبع، واجتناب النَبْوة الممجوجة بالسمع، والقريحة الصافية قد تكدر، والمكدرة قد تصفو، وشر آفات البلاغة الاستكراه، وأنصح نصائحها الرضا بالعفو. ثم أضاف: «كان ابن المقفع يقول: إن الكلام يزدحم في صدري فيقف قلمي لأتخيره».

ويستمر في حكمة الكتابة ويقول: «والكتاب يتصفح أكثر من تصفح الخطاب؛ لأن الكاتب مختار، والمخاطب مضطر، ومن يرد عليه كتابك فليس يعلم أسرعت فيه أم أبطأت، وإنما ينظر أصبت فيه أم أخطأت، وأحسنت أم أسأت، فإبطاؤك غير إصابتك، كما أن إسراعك غير معف على غلطك». [**رسائل أبي حيان**، ص١٧٠].

قال ابن الزيات: «بالقلم تزفّ بنات العقول إلى خدور الكتب» [**رسائل أبي حيان**، ص٢٥٦]. فهذه الروائع من الأفكار يحزنك أن تحتويها خدور الكتب، وهناك للأسف من الأقوال ما تحزن من تسويدها للصفحات. وقد قال النمري: «الأقلام مطايا الفطن». نعم المطايا، ومع إجادة قوله هذا استمع للحديث يقول: «أوَّلُ مَا خَلَقَ اللهُ القَلَمَ» وبدأت حياة آخر رسالة بـ(اقرأ)، ثم عقب غير بعيد بالقسم بـ(القَلَمِ ومَا يَسْطُرُونَ). لله ما أعجب هذا! وما أعجب «ما» في

هذا السياق! إنها تفتح آفاق العالم لكل ما يسطرون، من هؤلاء الساطرون؟ وفي أي مكان أو زمان؟ وأي لغة؟ إنهم فقط يسطرون. ومن عاش هذا الزمان علم شيئًا من مبلغ هذا القسم وعجائب خلق الله لقوم علمهم كيف يسطرون فيخلّدون عجائب المعرفة والصناعة، وقوى العقول التي تتجاوز الزمان والمكان. تعطي للمريض دواء، وتقرب البعيد، وتجمع الأشتات، وتمتع الملول، وتحبس أوابد الأحداث، وتجلو متع العين والبصر، وجواهر القول، تهديها لمستحقها بعد قرون وقرون من موت المورِّث. ثم تسمعه يقول: «الأنبياء ما وَرَّثوا دينارًا ولا درهمًا، ولكن وَرَّثوا العِلمَ، فَمَنْ أَخَذَ بِهِ فَقَدْ أَخَذَ بِحَظٍّ وافرٍ». وكان رسول الله ﷺ يعظم الكتابة، ويقول: «لا تَكْتُبوا عَنّي، ومَنْ كَتَبَ عَنّي غَيْرَ القرآنِ فَلْيَمْحُه». وعندي أنه ربما خاف من كثرة المكتوب أن يكون قيودًا على قيود تعطل حركة العقل والعمل، ودليلي هنا قوله: «إنما أهلك من كان قبلكم كثرة مسائلهم واختلافهم على أنبيائهم». ومما قيل في هذا: لئلا يخلط قوم بين القرآن وبين الحديث. وكان الإمام أحمد لا يُقرئ إلا من كتاب، وكان يمنع الناس أن يكتبوا عنه. وقد أحرق كثيرون كتبهم لعلل كثيرة، غير أن الكتابة عمل خطير، من لم يتهيبه ويقدر مكانته وقع في عقابيله؛ فقد جلد الإمام مالك من تحمل أحاديث عنه قبل سن التحمل، بكل حديث كتبه جلدة، فقال الطالب الحريص: والله لوددت أنها مائة، أو قال: زدني حديثًا وزدني جلدًا! إنه يحملها عن مالك وكفى!

وعدم تقدير الكتابة أوضح العيوب في زماننا، إذ يراها كل من عرف القراءة سهلة، فيحمل قلمه أو حاسوبه ويتقحم الصعاب، فيسخر منه الأصحاب، ويشمت به الخصوم، ويفسد الصنعة والسوق، ويكثر من الرداءة ويوسع عالمها. ومن غرائب ما ترى أن الكاتب الجيد مقل، وذو العلم مبتعد عن الفن، والغريب عن الصنعة يقتحمها، وأنت ترى المتشبع من معرفة علم أو

تجربة قليل الكلام عنها ولا يكتب، وتجد الغريب يقتحم الكتابة عنها. وهذا واضح خاصة في الأعمال السياسية، فإن صناع الحدث لا يكتبون عما صنعوا، وتجد الصحفيين يغرقون الدنيا ضجيجًا.

أذكر أنني في أثناء عملي في مؤسسة ثقافية يعمل بها كتاب للمقالات، عملهم الكتابة والتحرير والإشراف على المطبوعات، وكان معنا موظفون إداريون، فحصل جدل عنيف بين الطرفين، يقول الإداريون: ماذا نقول عن الكتاب الكسالى الذين يأتون متأخرين وينصرفون قبل الموظفين، هذا إن جاءوا؟ إنهم كسالى متعبون مغرورون، بل ما فائدتهم أصلاً للناس والحياة؟ ونسي في دوامة انشغاله بعمله ونفسه وبرنامجه أن الإدارة التي يديرها كانت جزءًا يخدم سواه، بل وجد لغيره.

ولا شك أنني انتصرت آنذاك للكتاب والمحررين ضد خصومهم؛ لأنني أدرك الجهد الذي يكلفنيه مقال جيد من القراءة والكتابة وإعادة الكتابة ثم إعادة الكتابة، ومن شخص قد يكتب بلا موهبة ويعتسف الكتابة اعتسافًا؛ لأنه يحب أن يكتب، حتى وإن تمنّعت عليه الكلمات، وهربت منه الأفكار، أو كثرت فاختلط تبرها بترابها. فالذي يريد أن يكتب عليه أن يجد وقتًا طويلاً طويلاً للقراءة، ثم آخر للكتابة ولإعادة الكتابة، وكلما قلت المشاغل الذهنية وتعود مهارة التركيز أجاد وأفاد، وكلما كثرت متاعبه ومشاغله خرج لنا نصف كاتب أو ربع، أو من يسوّد صفحات تموت عند وصولها ليد القارئ، إن لم تمت قبل أن يرسلها للنشر، وتموت بهذا الفكرة والقضية! فمن لم يعلم الفكرة ثم يصممها ثم يبنيها ويزيّنها فإنها لن تساوي شيئًا كثيرًا، لذا تموت أغلب الكتب المطبوعة وتموت معها الكثير من أفكارها؛ لأن بانيها لم يستجد مواده، ولم يصقل كلماته، ولم يصفّها من درن العمل، ومن النتوء هنا وهناك، أو لم يدقق في التفصيلات، أو لم يزين فكرته لتخلب الألباب.

ومع الزمن والضعف الذي حل بالكتابة العربية بعد القرن الخامس الهجري، هبطت قيمة الكتابة كثيرًا مع فشو الجهل وسقوط الهمم، حتى حق لأحدهم أن يقول:

تَعَلَّمْنا الكِتَابَةَ في زَمَانٍ غَدَتْ فيهِ الكِتَابَةُ كالحِجَامَهْ
فَيَا لَهْفِي عَلَى الأقْلامِ أَضْحَتْ وَمَا قَلَمٌ بَأشْرَفَ مِنْ قُلامَهْ

[**معجم السفر**، للحافظ أبي طاهر أحمد السلفي، ص٢١٧].

في الأسلوب الكتابي

يقول الجاحظ: «وليس الكتاب إلى شيء أحوج منه إلى إفهام معانيه، حتى لا يحتاج السامع لما فيه من الروية، ويحتاج من اللفظ إلى مقدار يرتفع به عن ألفاظ السفلة والحشو، ويحطه من غريب الإعراب، ووحشي الكلام، وليس له أن يهذبه جدًّا وينقحه ويصفيه.. لأن الناس كلهم قد تعودوا المبسوط من الكلام، وصارت أفهامهم لا تزيد عن عاداتهم. [**الحيوان**، (١/ ٨٩)].

ويقول عن الشافعي: «نظرت في كتب هؤلاء النبغة الذين نبغوا في العلم، فلم أر أحسن تأليفًا من المطّلبي، كأن لسانه نثر الدر». وكان محمود شاكر يقرأ كتاب «**الأم**» ويكرره من أجل لغته. ويقول طه حسين عن كتاب «**الأم**»: «إنه من أروع ما يمكن أن يقرأ الإنسان من حيث الأسلوب». [أحمد بهاء الدين، **اهتمامات عربية**، ص١٦٠].

فكل كاتب له شخصيته التي تتميز مع الوقت، وتصبح إحدى معالم حضوره في لغته، وإني لأعاف كل كاتب متكلف مصفّف للكلام، يربط أوله بآخره، ويحسن تنسيقه، ليقال: ما شاء الله ما أجمل تأصيله! ولكنه ميت بلا لذعة شخصية، ولا موقف متفرد. وهذا نمط يكثر في كل طريق، وفي كل علم وفن، ولولا بلادة كثير من المؤلفين، أو بلادة بعض الموضوعات لما

قلنا: هـذا كتاب ممل ولا ذاك كتاب رائـع، ولا تلك قصة جميلة، ولا عالم فـذ. فمـن بين الكثير تجد المتميز مبعدًا أو خاملاً. إنه دخان نار المتنبي كما زعـم ابـن جني. وإني أعذر كتابًـا يكثر دخانهم حول النـار، ولكني لا أعذر مدخنًا مزعجًا للدنيا، مسـتهلكًا للأشـجار مفسدًا للبيئة، بلا نار تدفئ ولا نار تنضج. ومشـكلة هؤلاء أنهم يكتبون كثيرًا، ويفكرون قليلاً، هذا إن لم تكن لهـم عقـدة ضد الفكر لا قـدر الله، فـإن كان ذلك كذلك فواجبنـا أن نناصر المدافعيـن عـن البيئـة والأحزاب الخضـر التي تمنع من الإسـراف في قطع الأشـجار وتمنع الإسـراف في صناعة الورق، وعسى أن يرتفع عليهم السعر أو يمنعهم الناشـر، أو مصلحة البيئة. نرجو الله أن لا يجدوا فاعل خير، ولا حزبًا متعصبًا، يوزع أخشـابهم الغالية مجانًـا على الناس، فتيبس العقول كما يبست الأخشاب.

ويشـير الجاحظ إلى دوافع بعض الكتاب الكبار في تصعيب الأسـلوب أو تسـهيله، ويروي الطرفة التالية: «قلت لأبي الحسـن الأخفش: أنت أعلم الناس بالنحـو، فلـم لا تجعـل كتبـك مفهومة كلها؟ ومـا بالنا نفهم بعضهـا ولا نفهم أكثرهـا؟ ـ لاحـظ أنـه الجاحظ وهو من يعانـي الفهم ولا يفهـم الأكثر! ـ وما بالـك تقـدم بعض العويـص وتؤخر بعض المفهـوم؟! قال: أنـا رجل لم أضع كتبـي هذه لله، وليسـت هي مـن كتب الديـن، ولو وضعتها هـذا الوضع الذي تدعونـي إليـه قلّـت حاجتهم إلي فيهـا. وإنما كانـت غايتي المنالـة، فأنا أضع بعضها هذا الوضع المفهوم، لتدعوهم حلاوة ما فهموا إلى التماس فهم ما لم يفهمـوا، وإنما قد كسـبت هذا التدبير، إذ كنت إلى التكسـب ذهبت. ولكن ما بال إبراهيم النظام، وفلان وفلان، يكتبون الكتب لله بزعمهم، ثم يأخذها مثلي فـي مواقفتـه ـ مجادلتـه ـ وحسـن نظـره، وشـدة عنايتـه، ولا يفهـم أكثرها؟!» [**الحيوان** للجاحظ، (١/ ٩١ ـ ٩٢)].

وقد أعجبني هذا الكلام كثيرًا، ويُعجب من يشاركني هذه الحالة في معاناة بعض كتب القدماء وفلاسفة الغرب المعاصرين، فقد اتهموا مثلاً هيجل بقصد التعمية والتصعيب. وهذا ويليم جيمس الفيلسوف الشهير يعترف أنه لا يفهم هيجل، يقول حرفيًا: «وهيجل يكتب بطريقة لا أستطيع معها فهمه، ولذلك لن أذكر شيئًا عنه هنا». [**بعض شعلات الفلسفة**، ترجمة محمد فتحي الشنيطي، ص٨٣] وهذا القول في صعوبة الفهم قاله كثيرون، وهذه بعض كتبه بالعربية، قد قالوا إنهم لم يفهموها بالألمانية ـ ليس كلها ـ وويل لمن يعاني الترجمة له! وممن ترجم له زكريا إبراهيم، وقد تحدث كثيرًا عن هذه المشكلة وهو يلخص كتابه «**الروح**». وتجد مفتاح فكره في كتابه عنه «**هيجل**»؛ فهو أمتع وأجمع وأخف ما في العربية عنه. ثم إن بعض كتبه مفهومة تمامًا، وبخاصة ما يتعلق بالتأريخ للفلسفة، وليس كتابه عن «**فنومينولوجيا الروح**»؛ لأنه ثقيل على الروح، وهو مصدر لكدرها وغثاها.

والكتابة لا تختلف في هذا عن غيرها من المهارات والمهن، فالسالك يعرف ما وصل له من سبقه، ثم يتقن نوعًا مما أتقن أو أكثر، ثم يأتي زمن تضيف له جهدك، وتتكون من بعد شخصيتك التعبيرية، ولون كتابتك التي قد تتكون لها شخصية خاصة، دون قرار مستقل منك بطبيعتها. فهي مزيج من قرارك ومن شخصيتك، وخبرتك الحياتية وثقافتك وكلام أساتذتك، يهمس جميع هؤلاء في نصوصك حتى الذين تحب أن تطردهم بعيدًا جدًّا، وتتصنع أنهم لم يؤثروا في تكوينك بخير أو بغيره، إني لأجد كلمة رماها امرؤ القيس، وأخرى يشي بها سيد قطب، وثالثة من أبي حيان وهكذا بلا نهاية، فالمهاد الثقافي يتكون من المعارف المكتسبة ومن الطبع الذي يأبى التصنع.

بين الفكرة والأسلوب

ينصح المثقفون والعلماء بالأسلوب، وبجماله وقوته، وهو في الأدب من الغايات، وفي الفكر من المساعدات. والكاتب الذي لا يهتم بأسلوبه يفشل في الإقناع بما عنده، والغالب أن العميق قادر على الإيضاح، مع وجود استثناءات لا نؤيدها، ولكنها موجودة. وأنت تقرأ لأفلاطون وسقراط ورسل فلا تعاني، فالعميق يهتم بأسلوبه. وكنت قرأت للفيلسوف اللغوي الفرنسي دريدا كلامًا مهمًا في التأكيد على الجمال الشعري في الفكر، يقول: «الكاتب العظيم لا بد أن يفكر شعريًا، لا بد أن يكون شاعرًا ويفكر شعرًا». هذا من مقدمته لكتاب لـ«هيلين سيكوس». فهل كان دريدا يقصد التعقيد في بعض ما كتب؟ أم أراد من القول هنا معنى في الشعر غير الأسلوب؟ ربما ولعله يقصد ذاك.

ويحل لك الجرجاني في «**دلائل الإعجاز**» تلك المشكلة القديمة المتجددة مع كل نص فكري أو علمي أو أدبي تقرأه أو تكتبه، ألا وهي مشكلة الصراع بين الفكرة والأسلوب، أو المعنى وطريقة تقديمه. ألم تجد نفسك ذات يوم حائرًا بين جمال العبارة أو وضوح الفكرة، فتجد كلمات جميلة فارغة المعنى، أو ضعيفة الفكرة، ولكنها منسوجة بدقة وجمال؟ وإن حاولت أن تكتب تعبت بين الخيارين الصعبين، هل أكتب بأسلوب جميل أم أكتب الفكرة الصحيحة دون مبالاة بالشكل؟ إنك ترى الخطباء هم أوضح ضحايا هذه المعارك؛ لأنهم مكشوفون دائمًا أمام الناس، ولكن الكتاب أكثر هذه الضحايا. فمنهم من يسقط كتابه من أجل قلة التجميل وضعف الأسلوب مع خطورة الفكرة وجلالها. ومن الكتب ما يبقى بسبب جمال الأسلوب رغم فقر الفكرة فيه. يقول عبدالقاهر: «وجملة الأمر أنا ما رأيناه في الدنيا عاقلاً اطّرح النظم والمحاسن». [**دلائل الإعجاز**، ص٤٢٥].

ويقول الباقلاني وهو يتحدث عن المعجز من الكلام، ويعطي قواعد أيضًا عامة: «وإذا علا الكلام في نفسه، كان له من الوقع في القلوب والتمكن في النفوس، ما يُذهل ويُبهج، ويقلق ويؤنس، ويطمع ويؤيس، ويضحك ويبكي، ويحزن ويفرح، ويسكن ويزعج، ويشجي ويطرب، ويهز الأعطاف، ويستميل نحوه الأسماع، ويورث الأَرْيَحِيَّة والعزة. وقد يبعث على بَذل المُهَجِ والأموال شجاعة وجودًا، ويرمي السامع من وراء رأيه مرمى بعيدًا. وله مسالك في النفوس لطيفة ومداخل إلى القلوب دقيقة. وبحسب ما يترتب في نظمه، ويتنزل في موقعه، ويجري على سمت مطلعه ومقطعه، يكون عجيب تأثيراته، وبديع مقتضياته. وكذلك على حسب مصادره، يتصور وجود موارده. وقد ينبئ الكلام عن محل صاحبه، ويدل على مكان متكلمه، وينبه على عظيم شأن أهله، وعلى علو محله». [**إعجاز القرآن**، ص٤١٨ - ٤٢٠، عن محمود شاكر، **مداخل إعجاز القرآن**، ص١٠٢ - ١٠٣].

فإذا كان ما عندك لؤلؤة (فكرة) تخشى عليها التراب أو المكان الخامل المجهول، فأنصحك أن تقيم لها حفلاً وضوضاء كبيرة، وزيّن مكانها، واجعل الأسماع تصيخ لها، حتى إذا اشرأبت لها الأعين والآذان لم ينسها إلا قليل. ولكن احذر من أن تصنع ضوضاء كبيرة، ثم تقدم فكرة ونصًّا باردًا، كما قيل إن الدجاجة تصرخ وتهيج الجو من حولها، وتصدع الرؤوس والآذان حتى ليقول السامعون إنها ستلد كوكبًا سيارًا، ثم تنظر فإذا كل هذه الضوضاء من أجل بيضة! هكذا تقييم الموقف عندي وعندك، وعند من اخترع هذه المقارنة. وهذا النص الساخر الذي قرأت بقيته ذهب بعيدًا في عطوف الذاكرة، من دفتر مذكرات صديق. ولكن لا تنس أن الموقف يختلف عند الدجاجة، فقد حققت بهذا الموقف أمورًا عدة، منها أنها نفست عن ألم الولادة، وفرحت بتحقيق رسالتها في الوجود، وأعلنت عن صفحة في الكون جديدة، وعالم للحياة

المتجددة فطرها خالقها عليه، ثم تصرخ لتنبه غافلاً إلى رعاية روح قادمة أو احترام ثروة جديدة، وليرعاها راع لا يهمل، فتلفت لسيرتها القادمة الانتباه، أو تتطلب الرعاية.

ولو أنك شهدت الجاحظ يسخر من شيخ كان يقدره وهو يطلب من أحدهم أن يعيد عليه أبياتًا، بل يطلب من يكتبها ومن يحضر له من خارج المسجد قلمًا وقرطاسًا ودواة لكتابة البيتين، قال الجاحظ: «وأنا أزعم أن قائل هذين البيتين لا يقول شعرًا أبدًا، ولولا أن أدخل في الحكومة بعض الغيب لزعمت أن ابنه لا يقول الشعر أيضًا». والبيتان هما:

لا تَحْسَبَنَّ الموتَ مَوْتَ البِلَى ... فإنّما الموتُ سُؤالِ الرِّجَالِ
كلاهُمَا مَوْتٌ ولكنَّ ذا ... أَشَدُّ مِنْ ذَاكَ لِذُلِّ السُّؤالِ

فمن كان قليل المعرفة غائب القريحة لم يخرج بشيء، وكم أشفقت ممن لديهم حوافظ بلا عقول، أو جهد بلا موهبة، أو معرفة بلا عقل. وكنت أقرأ مقدمة لأحد المترجمين لكتاب عظيم، فلما قرأت مقدمته شككت كثيرًا في قدرته العقلية على فهم ما يترجم، وأنى له أن يرى «عروق الذهب» بحسب قولهم:

زَوامِلُ للأَشْعَارِ لا عِلْمَ عِنْدَهم ... بِجَيِّدِهَا إلّا كعِلْمِ الأباعِرِ
لَعَمْرُكَ ما يَدْرِي البَعِيرُ إذَا غَدا ... بأَوسَاقِهِ أو رَاحَ ما في الغَرائرِ

[**دلائل الإعجاز**، ص٢٥٤].

وقد عرفت من يقومون لكتبهم بحفلات أي حفلات، وضجيج يصم الآذان وهي لا تساوي شيئًا من الدعاية الكبيرة لها. وأعجب أحيانًا أن بعض الكتب الرائعة تموت بين الأحياء، ويحيا الرديء. وتلك سنة تهمس في أذن داروين: «تأمل، فليس البقاء دائمًا للأفضل». ثم إن الكتب الجيدة قد تثير همة كاتب جديد، وفكرة وفهمًا جديدين؛ فتنجب الأفضل.

وبعد أن كتبت هذا الكلام تذكرت أن الشيطان فرويد كتب عن فكرة أخرى، وهي حوافز الحياة. ومن حوافز الحياة الموت، وقد يقتل الحي نفسه ليس بطريق القتل المعتاد، ولكن بطريق فرويدي طويل يجعل الموت لذة كأي لذات فرويد المجنونة! وبعض العباقرة يجعلون الجنون عبقرية أيضًا. وهل الذي اخترع للهنود عبادة الجرذان عبقري؟ أم الذي جعل المصريين القدماء يقدسون القطط؟ ولم يشتغل الفراعنة بالقطط والهنود بالفئران إلا بسبب ما آل إليه الدين وعواقب المعاصي ـ كما فسروها وحددوا مصاير المقصرين ـ وخرافات المفكرين والدعاة والعباد.

وصحوت على قارئ يأتي من بعيد فيقول: مه، وهل نسيت ما عندك؟ فما الذي يجعلك «تعبقر» فرويد عابد الجنس، وماركس عابد الصراع المالي؟ قلت: معذرة ضجة العصر والمعاصرين!! فقد ازدحموا علينا فأفقدونا عقولاً كنا نفخر بها، ومعرفة ندل ببعضها، ولم نعلم أن الجهل واحد، فلسفه مجهول أو معروف، سواء كتبه في زماننا أو كتبه في زمن الصيد إن كان صحيحًا بأن الإنسان مر بزمن للصيد سابق، قبل أن يعرف الزراعة والاستقرار، وقبل أن يرى الإقطاعي أو الرأسمالي الذي شتمه جان جاك روسو، وهو «أول مستغل»، فهو أول من قال هذا ملكي أو هذه حدود أرضي، وقد ذكر ذلك في أحد كتبه، ولعله «**أصل التفاوت بين الناس**» وفيه طرائف فكر لا تفتك. أو ربما فلسفه عالم بدروب النجوم، ومرتحل عبر مضائقها، إن كان ما يهرف به العلم ويعد صادقًا، وكيف لا أذهب بعيدًا فأحدثكم عن الأجيال القادمة التي قد يسافر تلاميذها في المراحل الابتدائية في رحلات حول الكواكب والنجوم، يتغدون على كوكب، ويتعشون على آخر، ويشرح لهم الأستاذ تفاعلات نجم مجاور وهم على مقربة منه، وهل سيزدحم الناس هناك، أو يشير القادمون بالتحية للذاهبين؟! ثم تعيد عليّ القول وتقول: مه، الهنود عبدوا كائنًا حيًّا يتحرك ـ

والفراعنة أيضًا ـ ولكن ما الذي يجعلكم تعبدون فكرة خطرت برأس مهووس لم تروها ولم تلمسوها ولم تمتحنوها؟ بل ورد عن ماركس أنه لم يكن يؤمن بماركسيته! عفوًا أيها الوافد البعيد، نقاشك صعب والزمن شافع. قال: هكذا يتملص المثقفون بحجة تغير الزمان. قلت: وأنت هل تملكه بيدك؟

التجويد والإتقان

لا أعرف إن كانت قصة قرأتها أو مقالة تلك التي تتحدث عن أم مع ابنها، وهي تشرح له وتساعده على كيّ قميصه، وتبدأ معه بدرجة الرطوبة التي يجب أن يكون عليها القميص حين يبدأ الكي، ثم المكان الذي يكوي عليه، والأجزاء وكيف يبدأ ومن أين، في عملية شرح وتطبيق طويلة متعبة. قال لها يا أمّه: ولم كل هذا الدرس النظري والتنفيذي الطويل من أجل كي قميص؟ قالت له: «يا بني، افعل شيئًا واحدًا متقنًا ولو مرة واحدة في حياتك».

إن العمل المتقن يجلب محبته، والثقة به، ويحدو لتكراره. وقد شهدت هذا في المقالات التي أدأب على صياغتها ونسجها، كم تتعبني وكم أملّها! غير أنني لا أبالي أن يراها غيري، أما تلك التي نشرت دون إتقان فهي تجلب لي كرهها والضيق بها، والتواري عنها. إن نصًّا قصيرًا متقنًا مفيدًا ينفع النفس والناس خير من كلام كثير، ضعيف المبنى متهاو المعنى، وخير العمل أدومه وإن قل.

وهل قرأتَ كتاب «**فن الحرب**»، للصيني «تسو»؟ سمعت الكتاب مسجلاً على شريط بالإنجليزية فكان غاية المتعة، ونادرة الزمان. ثم رأيته مترجمًا بالعربية، ترجمه فراس السواح. وكذا فعل هادي العلوي، فقد عرّبه أو صاغه بالعربية. ولم أجد متعة في ترجمة السواح وهي عن إحدى الترجمات الإنجليزية فيما أذكر، وقرأت له ترجمة أخرى صدرت في الإمارات لم أرها أحسن حالاً. وكم تمنيت أن يكون عندنا قدرة على الصبر على كتابة جيدة جميلة، ترفع

الذوق وتبقي المعنى وتخلد الكاتب وتنفع الناس؛ فالذكاء والبراعة وسعة المعرفة لا تكفي الكاتب، بل لا بد من التحسين والصياغة الجيدة والعرض على المتمكنين قبل النشر، وبعض هذه الأماني نذكرها وإن لم نطق فعلها، فالحرص على الإجادة والجد في العمل يخرج من الغبي ذكيًا، ومن المتوسط نابغًا، فالدافع الكبير والحرص والمتابعة الدائبة تصنع خير العمل، والتلقين إجادة ومتابعة تخرج حتى الفيل عن طبعه إن كان حقًّا بليدًا ـ وليس كذلك ـ وقد لاحظ الجاحظ قابليته للتعلم منذ زمن بعيد، ونقل قول الشاعر:

والفيلُ أقبَلُ شيءٍ لو تُلقِّنُه — حاجاتِ نفسِكَ مِنْ جِدٍّ ومِنْ لَعِبِ
ولو تَتَوَّجَ فينا واحِدٌ فرأى — زِيَّ الملوكِ لقد أَوفَى على الرُّكَبِ
يُغْضِي ويركَعُ تعظِيمًا لهَيْبَتِهِ — وليسَ يعدِلُه النَّشْوَانُ في الطّربِ
وليسَ يَجْذَل إلا كلُّ ذي فخرٍ — حُرٍّ ومَنبِته مِنْ خَالِصِ الذَّهبِ
مثل الزُّنوج فإنَّ الله فضَّلهم — بالجودِ والتَّطْويلِ في الخُطبِ

[**الحيوان**، (٧/ ٢٠٥)].

وهنا نجد أن المدرب الفطن يلين بيده حتى الفيل، والجاحظ متعصب للسود، ويراهم خيرًا من البيض، وله كتاب أو رسالة في «**فخر السودان على البيضان**»، فيعجبه نقل أبيات تقدمهم على غيرهم. وأما الخطابة الطويلة للزنوج ففي هذا العصر خرج للناس مارتن لوثر كنج ومالكوم إكس، ولم أر ولم أسمع خطيبًا أقدر من لويس فرخان، وقد تعلم الخطابة في الكنيسة قبل إسلامه، ثم إنه أعجب خطيب حي، يخطب أربع ساعات متواليات ولا يمل أو يقف، وعنده المزيد، وعند السامعين شوق لسماعه ويتمنون ألا يقف. وكنت قرأت من قبل عن سحبان وائل فتعجبت من قدرته، وداخلني شك من مبالغة الرواة في أخبار خطابته، حتى رأيت بنفسي خطيبًا يعبث بالملايين، ولا أشك في أثر التدريب.

إن الدقة والإتقان من مراقي التحضر، فالكتب المتقنة والأفكار الموزونة والكلمات المصقولة دليل نضج للكاتب والقارئ، ودليل على توجه قوم لحياة أحسن، فها هم يحترمون عقولهم بحسن الصياغة وجمال العبارة، وصدقها ووضوحها، فهي تخرج لك قاصدة أن ينبني عليها عمل، ما قيلت للسخرية ولا للعبث، بل عبثها جد محض. وما أحسن النصائح التي تؤكد على الجد في كل شيء، فنحن حينما نلعب نكره الهازل في اللعب، فكيف بالهازل في الجد؟ وقد قال الله تعالى: ﴿يَـٰيَحْيَىٰ خُذِ ٱلْكِتَـٰبَ بِقُوَّةٍ﴾ (مريم: ١٢). وقد اهتم موسى بالكلام ومظهره وطريقته فقال: ﴿وَٱحْلُلْ عُقْدَةً مِّن لِّسَانِى ۞ يَفْقَهُوا۟ قَوْلِى﴾ (طه: ٢٧-٢٨). وامتن الله على الإنسان فقال: ﴿ٱلرَّحْمَـٰنُ ۞ عَلَّمَ ٱلْقُرْءَانَ ۞ خَلَقَ ٱلْإِنسَـٰنَ ۞ عَلَّمَهُ ٱلْبَيَانَ﴾ (الرحمن: ١-٤). وافتتح الجاحظ كتابه «**البيان والتبيين**» بقوله: «أعوذ بك اللهم من حصر وعي، ومن نفس أعالجها علاجًا!».

الإيجاز

يقتل النص طوله، وقد قال معاوية بن أبي سفيان لصحار العبدي: ما الإيجاز؟ قال: أن تجيب فلا تبطئ، وتقول فلا تخطئ. فقال معاوية: أو كذلك أقول!! قال صحار: أقلني يا أمير المؤمنين! لا تخطئ ولا تبطئ.. ولو أن قائلاً قال لبعضنا: ما الإيجاز؟ لظننت أنه يقول: الاختصار. والإيجاز ليس يعني قلة عدد الحروف واللفظ، وقد يكون الباب من الكلام من أتى عليه فيما يسع بطن طومار - صحيفة - فقد أوجز، وكذلك الإطالة، وإنما ينبغي له أن يحذف بقدر ما لا يكون سببًا لإغلاقه، ولا لترداده وهو يكتفي في الإفهام بشطره، فما فضل عن المقدار فهو الخطل.. وللإطالة موضع وليس ذلك بخطل، وللإقلال موضع وليس ذلك عن عجز». [الجاحظ، **الحيوان**، (١/ ٩٠-٩٣)]. وقد قيل: «لا تجعلوا اللغة لغوًا، إن الحشو كان للكلام المستقيم عدوًّا مبينًا». [محمد عزيز الحبابي، **تأملات في اللغة واللغو**، الدار العربية، ليبيا وتونس، ١٩٨٠م، ص٩].

ومـن اللطائـف في ذلك أن بعـض المؤلفين يلمح هوية بلـد أو موضوع، فيختصـر لـك ذلـك في كلمـة مراقـب ذكي؛ زار الأديـب الفرنسـي كوكتـو (١٨٨٩ – ١٩٦٣م) مصر، وكان صديقًا لطه حسين وكتب عنه طه في «الأهرام»، وبعـد عودتـه منهـا كتـب كتابًا بعنـوان: «معلش»، وهـي خلاصـة فلسـفة الحياة المصرية، أما طه حسين فقد كتبت عنه سوزان زوجته كتابًا بعنوان: «معك»!

بين الكتاب وكاتبه

يقولون إن الكتاب ينبئ عن كاتبه، وهذا حق إلى حد كبير، ولكن أيضًا كم مـن كتـاب ارتقـى فوق كاتبه، وكاتب أخطر وأبعد غورًا من كتابه، أو من نصه! لـذا يجـدر بـك أن تبارك للأول في مغامرتـه الناجحة، وتعـزي الثاني في حظه العاثر. ولعل من أحسـن الكتب «الكتاب اليتيـم»، الذي يذكر فيعرّف بصاحبه؛ لأن كثـرة الكتـب يضيـر بعضهـا بعضًـا، ويأخذ أحدها من الآخـر، فما لم يكن بينهـا كتاب سيد فإن الباقـي يموت؛ لأنها كتـب ضعيفة تمل القارئ، وتكرر الفكرة، فيضيع تبرها في التراب!

شهدت مرة مقابلة طويلة مع الكاتب الشهير ستيفن كينج، الذي تملأ كتبه الرفـوف، وهو مؤلف لروايات الرعب، وكانـت لـه تجربة هي من أول تجارب بيـع الكتب كنص غير مطبوع على الشبكة، أي ليست على شكل كتاب بل نص ينـزل علـى الجهاز الشخصي، فبيع منه قريبًا من أربعمائة ألف نسخة أو نحوها في بضـع ليال. ولكنـي سبـق أن آليت ألا أهتم بـه ما عشت، ولا أعطـي فنه جهدًا ما حييت؛ لأننـي رأيت في طباعه ما يزعج، وفي شخصيته ما يريب. قد تستغرب موقفـي منه، ولكنـي هنا من مدرسـة «النقد الانطباعي» الذي عاش زكي نجيب محمـود يحاربهـا دهـرًا؛ لأنهـا لا تقـدم دليلاً علميًا على مـدح عمل أو ذمه، بل رأس مالها الانطباع!! قلت: ولا يلزم في الفن علم رغم قناعاتك، ولن يكرهك

أحد على تجرع رواية ثقيلة دم، كاتبها أثقل منها، إلا أن تكون طالبًا ملزمًا بها، أو تكون موظفًا مرغمًا على مراجعتها، أو انفجرت عبقرية رئيسك عن نص تقرؤه مجاملة أو رهبة لا رغبة. ذلك رأي عابر في ستيفن، أخذته من طباعه لا من كتبه، وقد كتب كتابًا كنت ولم أزل أفكر في اقتنائه أو الاطلاع عليه، وهو «**عن الكتابة**»، وقد قرأته فيما بعد واستفدت منه هنا؛ لأنه عن مهنته لا فكرته. ولا أظن أن سأكون جوادًا معه بالوقت ولا بالمال، فإن وجدت الكتاب مجانًا فربما أقرؤه، وأي شيء مجانًا؟! كما يقول فرويد: «لا شيء مجانًا سوى الموت!»، ويبدو أن فرويد وفيّ لأصله، حتى الموت يحسب سعره! وهل حان الوقت لأكتب عن جشع فرويد وجمعه للمال؟! فقد بلغ من جشعه مبلغًا مضحكًا، ربما ليس الآن.

والعاقل الزمّيت قليلاً ما ينتج نصًا أدبيًا مبدعًا؛ لأن العبقرية اللوذعية تنبت في أحضان الغياب، غياب العقل، أو الوعي أو التمرد على قيود القول، ولا أقول «الجنون» وقلة الوقار، ويوم كتبت كتيب الرحلة «**أيام بين شيكاغو وباريس**» عتب علي أصدقاء واستغرب آخرون، كيف وأنا الذي يرونه شخصًا جادًا كيف أكتب رحلة فيها جد وهزل؟! وهنا تجد أن القارئ قد صنع الكاتب، وتوقع منه شخصية موعودة محددة، لا تخلف قارئها ولا تخالف الصورة الذهنية المصنوعة له في رأس قارئه، وعليه ألا يخالفها.

ولا أكتمك القول أنني عشقت فترة نصوص هؤلاء النبغة المغامرين في الحياة والأفكار؛ لأنهم يكتبون على حافة الوعي والحياة، يرون نورها ومتعتها الكبرى، ويرون أعماق الظلام.

إن الكتابة منها ما يحترفه الإنسان احترافًا ويقضي معها وقتًا طويلاً حتى يحبها وتكون غاية حياته، أو تجبره الظروف أن يعمل كاتبًا في مكان ما فلا يجد مناصًا من الكتابة. وأسوأ الأعمال المدمرة لكاتب أن يعيش من قلمه

لغيره، فهذه طريقة تقضي على الفكرة وتمزقها على الأعمال المتناثرة بلا رابط. وأسوأ من حال هذا أن تجد نفسك كاتبًا لأن الناس يتوقعون منك أن تكتب فتكتب ما يريدون، كشيخ أو قسيس يعظ الناس ويكرر عليهم ما يحبون من قول، ولو كان يخالف قناعته؛ لأنه يعيش أو يشتهر بشهواتهم في القول.

وهناك الزعماء والمشاهير في أمريكا يكتبون أو يكتب لهم كتاب لهدف الدعاية الانتخابية والترويج، أو للتعريف بمشروعه يعرض فيه رأيه في القضايا التي يهتم بها الناس في زمنه، حتى أصبحت موضة وانتشرت في العالم، وأكثر هذه الكتب غثاء تموت عند الولادة، ولا يبقى منها ما يستحق الذكر، ولكن أغلبهم يعرف بالذين كتبوا معه الكتاب، وهذا بخلاف بعض المزورين من المسلمين والعرب.

لا أشك أن النص المهم والرائع هو النص الذي تجد نفسك مريضًا متعبًا إن لم تكتبه، إنه حالة نفسية قاهرة وقوية تلم بالمبدع، فينفس عن نفسه بقطرات الدمع أسطرًا، أو يتفجر غضبه كلمات، أو يشع نور لا يملك إخفاءه «يُضِيءُ بمَنْعِهِ البَدْرَ الطُّلُوعَا». وقد يهذب الكاتب الفكرة ويصوغها، ويحسنها حتى تخرج جميلة رائعة، غير أن لحظة الإبداع ليست صناعة، وليست عملاً متكلفًا، إنها لحظة فيض فقط.

وماذا نقول عن الكتب الجميلة العلمية المصنفة في شتى العلوم؟ نقول هذه نتاج حرفة ومهنة وتدريب طويل، أما الكتب المؤسسة الإبداعية فهي كتب متمردة على السياقات المعتادة، وخارجة على التكلفات وعلى الطقوس، وإن اجتمع لكاتبها حرفة وموهبة مبدعة كان عمله في أعالي فنه.

وبمقدار ما يتعب الكاتب في كتابه، أو يهيئ له نفسه ووقته وفكره ويكون ذا موهبة، يكون النتاج. فلماذا يعاني الكتّاب كل هذه المعاناة لمجرد وجود نص في أيدي الناس يسخرون منه ذات يوم أو يحرقونه أو يفسّقون كاتبه؟! هل لأنهم لا يجدون طريقًا في الحياة غيره؟ ربما، وبخاصة في هذا الزمن، ولكن

في عصور سحيقة، بل قريبة، وفي البلدان التي تعاني اليوم من الجهل والفقر أو شبه ذلك لم ترتفع الكتابة إلى أن تكون عملاً مريحًا، ولا مشوقًا ولا مشكورًا.

وقد كان كازانتزاكي من أكثر الناس صبرًا على الكتابة، حتى ويده تتورم وتؤلمه لا يكل ولا يمل، ويعمل في الكتابة بجد وهو يكابد المرض. لقد قرأت مذكرات زوجة كازانتزاكي ومذكرات زوجة دوستويفسكي، ولاحظت أن هناك مسألة واحدة تراها جلية في الكتابين والكاتبين العملاقين بشكل لا يغيب، وهي حرص كل منهما على الكتابة واندماجه فيها ومعاناته منها. وهي عند كازانتزاكي قطعة من العذاب المرغوب والمحبوب! أما زوجة دوستويفسكي فقد اهتمت بمشاعرها وشرح حالها معه، أو هكذا يخيل لي بَعدَ بُعدٍ عن الكتاب. وهاتان امرأتان جئن لحياتهما متأخرتين عن مراحل شبابهما، جاءتا في عهد ما بعد الشهرة والكهولة وبداية المرض لكلا الرجلين، وترى برغم ذلك كله هذا الحرص الغريب والمنقطع النظير على الكتابة والتصحيح والإعداد لنصوص جديدة.

أما الوحيد الأشد مرضًا نيتشه، يخرج يده المرتعشة من شدة البرد والثلج المحيط بغرفته ليكتب كلمات قليلة، ثم يدس يده في اللحاف يدفئها، ثم يخرجها مرة أخرى لكتابة فكرة أو كلمات جديدة.

هل دافع هؤلاء مقاومة الفناء ببقاء الصيت من بعد، على رأي شوقي:

«فالذّكرُ للإنسَانِ عُمْرٌ ثَانِ»

وقوله:

«وكُنْ رجُلاً إنْ أَتَوا بَعْدَه يقولون: مرَّ، وهذا الأثَرْ»

أو على قول ابن دريد:

«إنَّما المرءُ حَدِيثٌ بَعْدَهُ فكُنْ حَديثًا حَسَنًا لمنْ وَعَى»

وعلى أحد تفاسير الآية: ﴿وَٱجۡعَل لِّي لِسَانَ صِدۡقٖ فِي ٱلۡأٓخِرِينَ﴾ (الشعراء: ٨٤). الذكر الحسن بعد الموت؟ أم الدافع إرسال فكرة مهمة للعالم، وحب لإصلاح هذه الدنيا؟ أم هذا دافع فطري غريب، فماذا يحقق هذا الدافع من حكمة إلهية؟ وهل للناس نيات واحدة أو متقاربة تجاه هذه الأعمال؟ فإن كانت النيات تختلف وكلهم يخلّد علمًا أو فكرًا أو تصرفًا بعده فهذا يدل على حكمة أكبر من مجرد تفسير واحد للظاهرة، تقرأه عندي هنا أو تسمعه من كاتب، مخلص لله أو مخلص للشهرة.

الكلمات والأفكار

البلاغة موهبة، قال فرح أنطون عنها: «إنها تولد مع الإنسان كما تولد معه ملامح وجهه». فهو يراها موهبة كموهبة الشعر. قلت: وصقلها من عمل الحريص عليها، فمن جلت موهبته وضعف جهده عن تكوينها تلاشت وماتت، ومن بذل جهده في تحصيلها لم يحرم منها أو من بعضها. وبنحو هذا قال مارون عبود في كتابه «**جدد وقدماء**»: «إن من أعوزته الفكرة لجأ للتفاصح وتكلف العبارات والهذر، ومن أغناه التفكير تخلص من تزويق التعبير». [**جدد وقدماء**، ص٣٠٢].

وإليك ما يقول علي الوردي: «يجب على القارئ أن يعلم بأن «أدباء المعاني» قد يلاقون من الصعوبة في صياغة أدبهم ما يفوق تلك التي يعانيها «أدباء الألفاظ»، إنهم يبحثون وراء المعاني ويكدحون في سبيل الحصول عليها، حتى إذا عثروا عليها جابهتهم صعوبة كبرى هي كيف يصبون تلك المعاني في القالب الواضح المفهوم. إنهم يكدحون مرتين: أولاهما في البحث عن المعاني، والأخرى في تبسيط تلك المعاني، ويأتي القارئ فيجدها جاهزة ميسورة الفهم، فيظن أن كاتبها جرى فيها جريان القلم من غير عنت ولا كفاح،

إنه لا يدري أن وضع المعاني الدقيق بأسلوب واضح هو من أعسـر ما يعانيه أدباء الأفكار». [أسطورة الأدب الرفيع، ص٢٥٢].

وعـن العلاقـة بيـن الكلمات والأفكار، أتذكر روايـة رائعـة قـد تناولت هذه القضيـة فـي سـردها، ولهذه الروايـة لها ذاكرة تخصها: ففي مجلة اسـمها «اليوم السـابع»، لعلها كانت من المجلات التي تصدرها «منظمة التحرير الفلسطينية» في أواخر الثمانينيات الميلادية، وكان يرأس تحريرها بلال الحسـن (شقيق هاني وخالـد)، وقـد كتبـت المجلـة عـن روايـة «بلـدي» لرسـول حمزاتـوف، وأجرت مقابلات معه، ولخصت وترجمت بعض أشعاره. ثم تسللت لي رواية رسول ليلاً في شتاء كلورادو البارد، ولياليه المثلجة، ووحدته الموحشة. وكنت وقتها أعيش وحدي بين هذه الكتب بلا زوج ولا طفل ولا أنيس، ولا راديو ولا تلفاز، صلتي الوحيدة بالعالم الهاتف، وأصدقاء في أصقاع كثيرة. ووجدتني أمام رواية رسـول «بلـدي»، إنها عن داغستان، عـن القرى في أعالي جبال داغستان، عـن الحكمة، وعـن الكتابة. وحينما كنت أكتب هذا التعليق كانت بين يدي النسـخة الثالثة التي أقتنيها منها، وقد أضاع أصدقائي النسخة الأولى التي امتلأت خربشات وفهارس، ثـم أخـذت منـي النسـخة الثالثـة أيضًا، ووجدت نفسـي عاجزًا عن إعـادة كتابة الفهارس والتلخيصات مرة أخرى. وأدركت ولو متأخرًا أن ليس الذي قرأ الرواية عام ١٩٨٩م هو نفسه الذي يقرؤها بعد أكثر من عقدين، ولا أظن رواية قرأتها قد أخـذت طريقهـا للقلـب والعقـل مثلها. وقد قـرأت روايات كثيرة جـدًّا، رغم أن الروايـات ليسـت المفضلة عندي، ولو رأيت النفس تنسـاق لها للجمت الرغبة، وأركبت النفس مشـقة معاناة النصـوص العاليـة، وألزمتها جـادة الكتب المجيدة، الكتب التي تعطيك في السطر أفكارًا لا تحملها رواية في عدة صفحات.

لست أدري هل أنا من قراء الرواية أم لا؛ لأنه سوف يسبقني عدد كبير من المثقفيـن قـرأوا أكثر، وعدد أكبر من المثقفين لم يسـتمتع بهـذا الفن، ولا يراه

مفيدًا. وليس للكم معنى كبير؛ فامرؤ القيس لم تكن له مكتبة شعرية ينهل منها ضروب فنه كمكتبات معاصرينا. فقراءتي للروايات قليلة، رغم اهتمامي بالمشهور جدًّا منها، ومن أسباب قلة الاهتمام تلك أن الرواية كانت عندي مبنية على التسلية والحشو الطويل في الكلام، لتقطع الليل الإنجليزي (أو الأوروبي) الطويل في الشتاء، أو لتعبر عن مشاعر الإنجليزي الكتوم الصموت، فيتحدث على الورق، أو يبحث عن من يحدثه عن نفسه هو، أو يحدث الناس بما يعتلج في صدورهم، أو ينفس عن كروبهم، أو يسرد فضائحهم بطريقة دينية كما يفعلون أمام القسيس في كنائس الكاثوليك. وكانت مهربًا من الناس، وبابًا من أبواب سلوك وفكر عصر الحداثة الهارب من الدين (في القرون الأخيرة خاصة)، في صناعة عزلة للفرد، وجدران سميكة تفصله عن الناس. واستفاد الإنجليزي من هذه العزلة ما لم يستفد منه غيره، فقد كانت هذه العزلة وسيلة للانتشار في الأرض، والتوسع في الفيافي البعيدة. ينشئ الإنجليزي مستعمرة يسكنها وحده، أنيسه فيها دوابّه وكتبه، يأنس بالمواشي والزراعة نهارًا، ثم يأوي في الليل لكتاب يناجيه، يرى فيه سيرته، أو يتعلم منه شيئًا جديدًا.

كتبت عن «بلدي» منفعلاً بها عدة مرات، ليس لأنها رائعة فقط، بل لأنها أعادت لي الجبلي القروي البعيد، الذي غطت عليه السنون، وأثارت الشوق للكتابة بطريقة ما عهدت عملاً يبعث على العمل مثلها. إنها المثل والحكمة، والقصة والرواية والشعر والصورة والإسلام والداغستانيون والروس، وملاحم الشيخ شامل مع القيصر، والمثقف المعاصر المرتوي من منابع العصر الحديث والضارب الجذور في الثقافة الإسلامية الأبعد. لا زلت أذكر كيف اغتاظ مني أحد الذين نصبوا أنفسهم أوصياء على القديم عند ذكرها له، وتشنج من حرفي «وف» في آخر اسم رسول حمزاتوف. فانسحبت من الجدل، فللنصوص لذة خاصة لا يملك ناقد أن يذيقها للآخرين دائمًا. وطربك لنص لا تستطيع

استعادته مرة أخرى في مناسبة تالية، ولكنك تتذوق الذكرى، وهي أحلى من الحاضر الجميل المبذول أمامك أحيانًا.

وبالعودة إلى الحديث عن الأفكار والكلمات، فقد أقلعت روايته الرائعة «**بلدي**» التي لا يعرف ما هي تحديدًا، يختار لها الكلمات بعناية فائقة جدًّا، فالكلمة الجيدة عند سكان الجبال «كالفرس المسرجة». كما إنه يوازن بين الكلمات والأفكار. فمن المهم أن تتناسب الكلمات مع حاجات المعاني، فـ«الكلمات كالمطر في المرة الأولى خير عظيم، وفي الثانية شيء جيد، وفي الثالثة أمر محتمل، وفي الرابعة بلاء وشر مستطير». [**بلدي**، ص٧٢]. ثم تذكرت كتّابًا لا يفقهون التوازن بين الكلمات والأفكار منهم أنيس منصور، فهو ممن زاد الماء عنده على الطحين. ويقولون أيضًا زاد الماء على الطين، فإن كان يعجن فقد أسال العجين بكثرة الماء، وإن كان يبني بالطين فقد أفسد المدماك.

ورسول ينصحك في روايته ألا تتكلف في الكلمات ولا تتصنع، فـ«أروع الجرار تصنع من الطين العادي، وأروع الأشعار من الكلمات البسيطة». [**بلدي**، ص٤٧]. و«الأفكار الرائعة تحتاج لطريقة جميلة في الكتابة، ومن لم يستعدّ للكتابة بلغة غنية وتصرف جميل، يعز عليه أن يبلغ جواهر الأفكار». فـ«اللغة الضعيفة بالنسبة للفكرة كالذئب للحمل». [**بلدي**، ص٤٤]. و«اللغة الضعيفة تقتل الفكرة الجميلة، وصهوة الحصان لا يزينها سرج حمار، والحمار لا يناسبه سرج جواد جموح». [**بلدي**، ص٤٤ بتصرف].

كتب جوزيف كونراد في مقدمة كتابه: **سجل شخصي**، وهو سيرة مختصرة جدًا، يقول: «من أراد أن يقنع فلا يجعل ثقته في الحجة، بل يضع ثقته في الكلمة الصحيحة». ذلك أن صياغة الكلمات مؤثرة جدًا على الناس، وهذا كاتب محترف كان سيدًا للكتابة في زمنه. ويبقى أن للنص المكتوب علوًا على

الخطابـة، فالخطابـة عاطفـة وصـورة وسـرعة وإبهـار، أقرب أن تكـون بهرجا وتظاهـرًا وضجـةً وخدعةً لفظية، أمـا الكلمة المكتوبة فتصـاغ ويعنى بها أكثر، لأن الخطابـة مـن نحـاس والكتابـة من ذهب. ومن اسـتطاع أن تكـون خطابته أعلـى فهذا فضـل وزيادة نجاح، وقلة من يسـتطيعونها. وبعضهم يكتب خطبته وتكـون صياغتها خطابية فيفوز بالحسـنيين ونادرًا ما يتمكن أحد من ذلك، أما مـن كتـب فجعل كتابته خطابة فهـو أقرب للضعف والنقص عـن غاية الكتابة، فالكتابـة للرصيـن مـن القـول وللمتأمل ومن يعيـد التفهم والمقارنة والاسـناد والنقـد، وأعلاهـا ما يتحـدى القارئ. وذلـك لأن للقارئ فسـحة وقت وتفهم وحوار مع النص ـ مع أن بعض الأدب القاصد للفن الماتع السريع قليل العمق وربمـا أفسـده التأمـل لو فحصت نصوصـه ـ ومن هنا كان «الكتـاب أذكى من كاتبه» لأنه يكتبه بأعلى ما يجد من فكرة وأسلوب، وأعلى ما فيه خير من عامة قوله وكتابته، وقل من كان خيرًا من نصوصه المكتوبة، ولكن في الناس من هم كذلـك، وكتبهـم أقل منهم بكثيـر، وخاصة العمالقة الذيـن لا يقصدون الكتابة ولـم يتفرغـوا لهـا، فهم خير من كتبهـم وإنما قولنا هنا على مـن كانت صنعته الكتابة أو تعلق بها وأعطاها زمانًا واهتماما.

وليس ألذ لكاتب من أن يجد الكلمة المناسبة تمامًا للمعنى الذي يقصده، وعندمـا يقـول الكلمة القريبـة فإنه يفقد السـيطرة على المعنـى، وقد تهرب به الكلمـة عن المعنـى المطلوب. يشـتكي كازانتزاكي فيقول: «أصـارع الكلمات طوال النهار، وأجبر الأفكار الواسعة على الانحباس داخل هذه الأجساد الفقيرة الضيقة، وغير المكتملة. أهب دمي إلى تلك الأشباح، وأتألم كثيرًا وبلا انقطاع؛ لأنني لا أحصل غالبًا إلا على صور مشوهة لمشاعري. [**المنشق**، ص٩٨].

فمعاناة اصطياد الألفاظ مشـكلة الكتاب لا يبرحون يكررونها بكل سـبيل، وأعرفهم للفن أعلمهم بمقدار المشـكلة، يقول يحيى حقي مفتخرًا: «فليس فيها

ـ روايته «صح النوم» ـ لفظ واحد لم يكن موضع جس ووزن، وفيها صفحات لا يتكرر فيها لفظ واحد، والمسألة ليست صنعة بقدر ما هي ثراء في المعاني والأحاسيس التي تتطلب ألفاظًا لا تتكرر. [سيرته الذاتية، كناسة الدكان، ص٥٣]. فهل هذا التكلف أضعف بعض أعماله حقًّا حتى خبت كلها عن نور قنديله «قنديل أم هاشم»؟! قد يكون ذلك صحيحًا، وكتابه هذا تتبعته سنين؛ لأن يحيى حقي عرف به، ولعل أول قراءة عنه كانت في كتاب «كتب وشخصيات» لسيد قطب، وقد كان كتابًا ممتعًا عن كتب ورجال ذلك الزمان، وهو الكتاب الذي نقل فيه مقالته التي روج فيها لنجيب محفوظ، وقد ذاكرت الشيخ صالح الحصين عن هذا الكتاب، ومتعة قراءته في زمن مبكر، فأثنى ثم قال: ذلك كان شيئًا من تطبيق نظرية سيد في كتابه «النقد الأدبي أصوله ومناهجه». وكنت نسيت هذا الكتاب، واستغربت العنوان، ولكن كانت ذاكرة الشيخ حية يقظة عن الموضوع والكتاب، وتذكرت فاعتذرت، ولعله صدني عن الكتاب شعوري أنه كتاب نظري ثقيل. أما الشيخ أبو عبدالله فلم يكن هيابًا، يأتي الكتب ومعظم الأفكار من فوقها، وبعضهم يتسلل للكتب وللأفكار العميقة لواذًا.

وقد مر زمن طويل وأنا أبحث عن «قنديل أم هاشم» ليحيى حقي، ثم لم أجده، وكنت أجد كتبه الأخرى مبثوثة إلاه، وفي ليلة مع رفيق قراءة جاد، وهو رياض المسيبلي، وطالما تتبعنا الكتب والأفكار، وفي مكتبة «جامعة ميشجن» قال لي: كيف لم تجده؟ هاتان نسختان منه، ووجدتهم قد حفظوا لنا ولهم الطبعة الأولى والطبعة الأخيرة من الكتاب.

ومثل تتبعي وشوقي لقراءته كانت رحلة أخرى للبحث عن عمل قصير جميل آخر، هو «المعطف» للكاتب الروسي جوجول. وفي معرض أبوظبي عام ١٤٢٨هـ ـ ٢٠٠٧م عثرت على مجلد فيه أعماله ومنها «المعطف» و«الأنف».

وكان الذين يكتبون عن الأدب الروسي يقولون إن الأدب الروسي يدين لـ«**معطف**» جوجول، كان عملاً ذكيًا مؤثرًا، والأدباء يميلون في صنعتهم إلى المبالغة في المدح والقدح، ومن هناك يأتى باب من «ملذات الأدب». فالأدب مدح زائد وقدح جائر، وأحسن منهما نقل الشيء كما هو، وهذا يعسر حتى في الرواية إلا الأساطير.

عن الكتابة وإعادة الكتابة

الكتابة الجيدة عمل شاق جدًا، والكتابة التافهة سهلة جدًا، بل هي عبث، والقارئ حكم ولو تأخر دهرًا فليس كل الكتب الجيدة يعرفها الناس في زمانهم، ولكن صنعة كتابها تكشفها للناس ذات يوم. يقول ماركيز: «إن تأليف الكتب مهنة انتحارية؛ إذ ما من مهنة غيرها تتطلب قدرًا كبيرًا من العمل وقدرًا كبيرًا من التفاني مقارنة بفوائدها الآنية.. إنني رديء جدًّا في الكتابة، وعليّ أن أخضع نفسي لانضباط بشع؛ كي أنجز كتابة صفحة واحدة بعد ثمان ساعات من العمل، إني أناضل نضالاً جسديًا مع كل كلمة، ولكني عنيد جدًّا، فقد تمكنت من كتابة أربعة كتب خلال عشرين سنة». وكان الأديب والشاعر والروائي الشهير قد قال له يومًا: إنه لا أمل لك في كتابة الرواية، واقترح عليه البحث عن مهنة أخرى، وأنقذه أصدقاؤه وتجمهروا حوله وشجعوه قائلين: «يعلم الجميع أن الأسبان أغبياء». وقد عانى ماركيز من الفقر والبؤس ومطاردة الدائنين، واستمر يكتب. ومن أغرب ما حدث له أنه أرسل نصف روايته: «**مائة عام من العزلة**» إلى الناشر الأرجنتيني؛ لأنه لم يكن يملك أجرة البريد لإرسال الرواية كاملة، ولما علمت زوجته رهنت السخانة الكهربائية ومجفف الشعر والمفرمة؛ لإرسال النصف الباقي من الرواية للناشر. وكان والده يتعجب من حبه للكتابة، فيقول: سيأتي يوم تأكل فيه الورق. ثم قال لاحقًا عن ولده: إنه قصاص؟ حسنًا، طالما كان كذابًا منذ طفولته». ولكن هل تهمة الكذب قالها

والـده فعـلاً أم هي كذب على والده، فراوي القصة هو نفسـه في مائة عام من العزلة». [عن سيرة حياة جابريل جارسيا ماركيز، جيرالد مارتن، ترجمة: محمد درويش، الدار العربية للعلوم، ٢٠١٢].

إن كنت لا تحب الكتابة فاكتب واكتب واكتب حتى تحبها، وتصبح لك طريقـة مألوفة، محببـة للعمـل والتعامل مع الكـون المحيط، فليـس هناك من كاتـب مجيد للكتابة إلا وعانى من صعوبة تقويم النص الـذي يكتبه، وتعهده بترقيته وإصلاحه، وملاحقته بالتحسـين وتجميل الصياغة بعد تصحيح الفكرة. وقد تنمو الفكرة بجانب تحسـن الأسلوب، وتهذب وتصاغ الكلمة مع الكلمة تنسـج نسـج الطنافس الفارسـية الثمينة، خيطًا خيطًا، الفكرة بيـد واللغة باليد الأخرى، حتى إذا تمت كانت خيرًا من كل ملبوس ومصنوع.

وعليك أن تراوح بين تصحيح الفكرة مرة، ونسـج الكلمات أخرى، قال لي تاجر سـجّاد فارسي عارف بطرق نسـج الطنافس: إن النساجين يقفون عن العمل بعد ثلاث ساعات أو أقل، ويأتي غيرهم، أو يرتاحون زمنًا، للتخفيف من التركيز البصري ثم يعودون بعد فترة، وليس كل ذلك من التعب أو كلال اليـد، فالعيـن بحاجـة أن تبتعد عـن تكرار نمطية خطوط النسـيج وتشابهها، وحتى لا تزيغ العين بسبب تشابه الخيوط وتقارب الرسوم. وهكذا المؤلف المبدع، يبتعد عن نصه بعد فترة، ويرقبه من بعيد، ثم ينصرف عنه، ثم يرجع ويعيـد التدقيق فيه ويصلحه. إنه كالشـاعر الموهوب الجاد، لا تكفيه موهبته عن تدقيقه وإصلاحه، حتى إذا فرغ من عمله قلده الزمان، فتحلّت به القرون، كمـا تحلّى المذهب الشافعي بكتـاب «المهذب»، فقد كان ناسجه أو مؤلفه الإمام الفقيه الأصولي أبو إسحاق الشـيرازي يكتبه ويعاود كتابته وإصلاحه، وقـد صنف المهذب مرارًا، وكان يرمي بالنسـخ «المسـودات» التي لا توافق مقصـوده في دجلـة. [الإمام الشـيرازي حياته وآثاره الأصولية، محمد حسن

هيتو، ص٥٨]. وقد يكون هذا سبب بقاء كتبه وقوة أثرها في الناس، بالرغم من قلتها مقارنة بغيره. وقد جرى على طريقة إمامه الإمام الشافعي، فبعد أن كتب الشافعي كتابه العظيم «**الرسالة**» قال للمزني ـ تلميذه ـ حينما عرض عليه «**الرسالة**» مرات ومرات، وكان الشافعي يجد في كل مرة ما يصلحه فيها، فقال: «دعها فإن الله أبى أن يصح إلا كتابه». أو ما هذا معناه. [الكوثري، **بلوغ الأماني**، ص٤٠].

والكاتب الشهير ويليام جادس «أمريكي» شارك في علوم عديدة، وكتب روايته: **تقدير** لمدة سبع سنوات عام ١٩٥٥، ثم كتب الرواية التالية في عشرين عامًا ونشرها عام ١٩٧٥، ولكن الروايتين عانتا من عدم قبول القراء لهما، حتى كانت عائداته من نشرها أحيانا أحد عشر دولارا وفي عام آخر ١٢دولارا وسنتات قليلة في العام، وكان يعلم أنه كتب كتبًا عظيمة، وربما كان تجويده تعقيدًا كما أُتّهم، ولم يعترف به القراء إلا في زمن متأخر، ثم نال الجائزة القومية للكتاب مرتين، نالها على كتب قصيرة، وليس على تلك الروايات القديمة التي أهلكته سنين عديدة وهو يكتب ويراجع، كتب في حياته أربع روايات قيل إنها الأفضل في عدة أجيال، وهو ككثير من المبدعين لا ينسجم مع البيئة الرسمية، فقد طرد من جامعة هارفرد عندما كان طالبا بها.

والكاتب لقصيدة أو كتاب أو عمل فني بتؤدة وتحسين دائم يجد نصه بعد ذلك بالغًا مبلغًا لم يتوقعه هو من نفسه، بل ربما بكى لجمال وكمال ما أبدع، كما فعل هايدن عندما سمع أول عزف لمقطوعته، فانفجر باكيًا يقول: «هذا ليس من تأليفي!». [كارل بوبر، **بحثًا عن عالم أفضل**، ص١٣٤]. فالعبقرية هي نتاج عمل وتركيز شاق، ومحبة عميقة للعمل، واستغراق فيه، ينسي عما سواه، وليست مجرد الجري على الهوى، ونزق لحظة معرفية، أو مزاج عابر، إن هذه

اللحظات الجميلة هي لحظات الميلاد للفكرة، ولكنها حتى تبلغ وتشتد أركانها يلزمها رعاية وصقل دائب، وجهد كبير صادق.

يشير كارل بوبر إلى أن ما يجعل الكتاب ثمينًا هو المجهود العلمي الشاق، وهو نتاج النشاط الذهني، نتاج نشاط يكمن في رفض أو تحسين ما قد كتب لتوه. ومتى حدث هذا فسنجد نوعًا من التغذية الاسترجاعية بين العمليات الذهنية الذاتية، والنشاط الذهني والمحتوى الفكري الموضوعي. يصنع المؤلف عمله المكتوب، لكنه في الوقت نفسه يتعلم الكثير من عمله ذاته، ومن محاولاته لصياغة أفكاره، ومن أخطائه بصورة خاصة، وفوق كل شيء فإنه يتعلم من أعمال الآخرين. طبيعي أن نجد مؤلفين يعملون بطريقة مختلفة، لكن العادة أن الأفكار يمكن أن تنتقد وتحسن بشكل فعال حقًّا إذا ما حاول صاحبها أن يكتبها بغرض النشر، بحيث يستطيع غيره أن يقرأها». [**بحثًا عن عالم أفضل**، ص١٣٣]. وهذا قول فيلسوف وهو بجانب هذا مبدع في الكتابة.

وكارل بوبر نفسه يقول إنه كتب أحد كتبه اثنتين وعشرين مرة، كلها محاولات للتوضيح والتبسيط، ويقول: «إن زوجته صفت الكتاب على الآلة الكاتبة خمس مرات» بعد تصحيحه ـ ستتكرر مع القارئ قصة خمس مرات مع مؤلفين آخرين لا أدري لماذا ـ ثم نشر الكتاب عام ١٩٤٥، ولا ينصح كاتبًا باتباع طريقته، يعني بسبب ما لقي من تعب. **الحياة بأسرها حلول لمشكلات**، ١٥٥.

وربما نصاب بالدهشة إذا علمنا أن زوجة تولستوي نسخت روايته «**الحرب والسلام**» بعد التصحيح خمس مرات وراجعها هو سبع مرات، ووجدت الكاتب الأمريكي ويليم فوكنر الذي فاز بنوبل عام ١٩٤٩م يكرر رقم خمس مرات، فيقول إنه كتب روايته «**الصخب والعنف**» خمس مرات منفصلة!». [**مع كُتّاب نوبل**، ص٣٢].

ولما سمع جرير قصيدة عمر بن أبي ربيعة:

أمِنْ آلِ نُعْمٍ أنتَ غادٍ فمُبْكِرُ   غَداةَ غَدٍ أَمْ رائِحٌ فمُهَجِّرُ

حتى إذا سمع:

وَوَالٍ كَفَاها كُلَّ شيءٍ يَهُمُّهَا   فليسَتْ لشَيءٍ آخرَ الليلِ تَسْهَرُ

قال جرير: مازال هذا القرشي يهذي حتى قال الشعر! ثم بعد حين قال عن قصيدة للشاعر نفسه: «إن هذا الذي كنا ندور عليه فأخطأناه!». [**الأغاني**، تحقيق إحسان عباس، (١/ ٧٣و٩٧ تباعًا)].

وقد ذكر أستاذ مختص في مؤلفات الروائي المتفلسف الأمريكي ثورو أنه أعاد كتابة روايته «**والدن**» ما لا يقل عن ثماني مرات في أوقات متباعدة، ولو اكتفى بالمرات الأول، لما كان لروايته هذه القيمة التي جعلتها مما يتصدر أدب ذلك الشعب. ورأيت مسودات لكتابة همنجواي فكانت عجيبة في كثرة كتابته، ثم كثرة تصحيح تلك الكتابة، حتى لتراها عملاً مرهقًا جدًّا. وقيل إنه يعيد كتابة بعض الصفحات أكثر من ثلاثين مرة. وكان يلزم نفسه بالكتابة كل يوم، ويقول إنه يصحو كل يوم في السادسة صباحًا، ويرغم نفسه على الكتابة؛ لأنك لا تستطيع أن تكتب ما لم تلزم نفسك بنظام صارم. [**آخر العمالقة**، ص٢٤٥].

ويقول يحيى حقي في مقدمة «**أعماله الكاملة**» عن مشكلة انتقاء اللفظ وإعادة الكتابة: «ولست أخجل من القول بأني منذ أمسكت بالقلم، وأنا ممتلئ ثورة على الأساليب الزخرفية، متحمس أشد التحمس لاصطناع أسلوب جديد أسميه «الأسلوب العلمي» الذي يهيم بالدقة والعمق والصدق.. والأسلوب الذي أطالب به هو أسلوب علمي يتميز بطلب الحتمية والدقة والوضوح؛ لأن اللفظ عندي هو وعاء الفكر، ولا وضوح لهذا الفكر إلا بهذا الأسلوب العلمي

الدقيـق.. وهـو أن يختار كل لفظ بدقة ليؤدي معنى معينًا، بحيث لا يمكن أن تحذفه أو تضيف إليه لفظًا آخر، أو تكتب لفظًا بدلاً من آخر. ولذلك قد أكتب الجملـة الواحدة ثلاثيـن أو أربعين مرة، حتى أصل إلى اللفظ المناسب الذي يتطلبـه المعنى.. فمثلاً هـذه «الألفاظ العائمة» لا تخل بالمعنى فقط، بل تشـل قـدرة الذهن على التفكيـر الناضج المحدد». ثم يعقب تعقيبًا جميلاً: «ولكني أشـترط مـع ذلك كله ألا يبدو على الكلام أثر من عـرق الكاتب وجهده، بل لا بد أن يختفي هذا كله ليبدو الأسـلوب شـديد البساطة.. عليك إذا كتبت ألا تسمع القارئ صرير القلم». [السيرة الذاتية، ص٤٥ - ٥٦].

ويصف كاميلو خوزيه ثيلا الروائي الأسباني الذي فاز بـ«جائزة نوبل» عام ١٩٨٩م، طريقـة نسـجه لنصوصـه وبنائه لكتبه، فيقول: أنا أعمـل كثيرًا في كل شيء أكتبه، أنا أكتب بصعوبة كبيرة، وأتشاجر مع كل صفحة. في هذا الكتاب كتبت كل صفحة أربع أو خمس مرات، وأقرأ كل صفحة بصوت عال، فأحيانًا يوجد قصور لا يُرى بل يُسـمع، وأحيانًا لا أدرك القصور. تتطلب مني الكتابة عملاً كثيرًا، إنني أعمل طوال اليوم، أعمل كصيني». [مقابلة جريدة الحياة، ٢٧ شوال ١٤٢٠هـ].

وقـد سـئل فولتير عن سـبب وصولـه للمجد الأدبي فما كان منـه إلا أن أجاب: «لقد كنت أكتب كل يوم صفحة واحدة، وهذا كل ما في الأمر». وقد تـرك فولتير سبعين مجلدًا من الأعمال في مختلف المجالات، منها «تاريخ العالم» في سبعة مجلدات. أما لينين فقد ترجمت أعماله إلى الإنجليزية في (٤٥) مجلـدًا، وعـدد صفحات كتبه (٥٤٦٥٠) صفحـة، وكان غالبًا يكتب إلى أواخر أيامه دون مساعدة ولا سكرتارية، ومات في الرابعة والخمسين، وعلل بعضهم موتـه المبكر بجهده العظيم، مع أنه قد قيلت أشياء سـيئة أخرى عن سبب موته.

ثم لنقل بعد التأكيد على المراجعة أن عمرو بن بحر الجاحظ قال قولا يستحق السماع أيضا إذ حذر من شدة التدقيق والتحقيق في الكتابة: «وليس له أن يهذبه جدًا وينقحه ويصفيه... لأن الناس كلهم قد تعودوا المبسوط من الكلام وصارت أفهامهم لا تزيد عن عاداتهم.» **الحيوان**، ج١، ص٨٩.

بعد الكتابة

حين ترتاح روحكَ بعد عناء الركض في فراغات الصدى الذاتي، تجد نفسكَ في مواجهة صداكَ وجهًا لوجه، وحين تحاول القراءة من جديد، فأنت تعاود الكتابة، فبعد الكتابة كتابة أخرى.. ولقد بقي الفارابي يراجع ويصحح كتابه «**آراء أهل المدينة الفاضلة**» أكثر من سبع سنين! [مقدمة محسن مهدي لكتاب «**الملة**»، ص٢٨].

وعانى الجاحظ من الكتابة مر المعاناة، وبخاصة إعادة الكتابة الثانية والثالثة، أي ما بعد المسودة، يقول: «ولربما أراد مؤلف الكتاب أن يصلح تصحيفًا أو حكمة ساقطة، فيكون إنشاء عشر ورقات من حر اللفظ وشريف المعاني، أيسر عليه من إتمام ذلك النقص، حتى يرده إلى موضعه من اتصال الكلام».

أما هيجل فكان ينصح المفكر بالتردد طويلاً قبل أن يدفع إلى المطبعة بأي عمل مكتوب، كتب - قبل أن يعيد طبع كتابه عن المنطق قبل وفاته بعدة أشهر - يقول: «إن ثمة رواية متداولة عن أفلاطون مفادها أنه عدّل من أبواب جمهوريته حوالي سبع مرات، وحين يجد المرء نفسه اليوم بإزاء عمل حديث يقوم على مبدأ أكثر عمقًا، فإنه لا بد من أن يسلم بأنه هنا بإزاء موضوع أشد وعورة، ومواد أكثر ثراء، وبالتالي فإنه مضطر إلى تنقيح بحثه، لا سبع مرات، بل سبعًا وسبعين مرة!». [زكريا إبراهيم، **هيجل**، ص٩].

ويقول مونتسكيو: «ما أكثر ما بدأت هذا الكتاب وتركته، وقد تركت للرياح ألف مرة ما كنت أكتب من الأوراق.. وكنت أسير وراء هدفي من غير مشروع، وكنت لا أعرف القواعد ولا الشواذ، وكنت لا أجد الحقيقة إلا لأفقدها، ولكني عندما اكتشفت مبادئي أتاني كل ما بحثت عنه، فأبصرت في غضون عشرين عامًا بدء كتابي ونموه وتقدمه وتمامه». [**روح الشرائع**، (١/٥)]. ولو أخبرتك كم كلفني كتاب «**روح الشرائع**» لأحصل عليه في طبعته العربية الأولى لعجبت، ولكن عذري هوس الشباب بالمعرفة، ولأني درست مواد مهمة عن «تحولات الفكر في أوروبا»، وهم يعدون هذا الكتاب من أسس فكرهم. وقد ظهر كتاب «**روح الشرائع**» حين بلغ صاحبه عامه التاسع والخمسين، وكان ثمرة خمسين عامًا من التجربة والخبرة، وأربعين عامًا من الدرس والبحث، وعشرين عامًا قضاها في تأليفه». [**قصة الحضارة**، (٣٥/١٤٨)].

وهذا تشيخوف، وبالرغم من كل ما حققه من نجاحات باهرة وشهرة واسعة، يظل متوجسًا من إنتاجه، ويأمل لو يمنح وقتًا أطول ليقول ما يريد، ويشعر بالحرية التي يتحدث عنها العروي. يقول تشيخوف: «الأرستقراطيون وحدهم يعرفون كيف تكتب الروايات، أما المواطنون العاديون مثلي ومثلك فلا يحسنونها، نستطيع أن نصنع صندوقًا لإيواء الطيور، أما الرواية فهي أشبه بقصر، وعلى القارئ أن يجد راحته فيه، ليس كمتحدث حيث تذهل فيه أو تضجر، وينبغي أن يعطي المؤلف القارئ فرصة بين حين وآخر ليتحرر من المؤلف وأبطاله، لقد حدثت غوركي عن ذلك ولكنه لا يصغي، إنه مغرور.. ويقول أيضًا بعد أن حقق شهرة كبيرة: «ورائي جبل من الأخطاء، وأطنان من الأوراق المكتوبة، وكتب وجوائز، وعلى رغم ذلك لا أعتقد بأن هناك سطرًا واحدًا كتبته ينطوي على قيمة أدبية حقيقية. إنني أود لو أختبئ في مكان ما لمدة خمس سنين أو نحوها لأكتب شيئًا جديدًا، يتعين علي أن أدرس وأتعلم

كل شيء من البداية، فأنا أعتبر نفسي جاهلاً ككاتب». [من مقال عن تشيحوف «**الأرستقراطيون وحدهم يعرفون كيف تكتب الروايات**»، علي الشوك، الحياة، ٢٠ جمادى الثانية ١٤٢٦هـ، ٢٢يوليو٢٠٠٥م].

واعلم أن أعسر ما تواجهه بعد الكتابة هو التجويد والمراجعة. وقد قيل إن عليًا رضي الله عنه قال: «لا تطلب سرعة العمل واطلب تجويده؛ فإن الناس لا يسألون في كم فرغ من العمل، وإنما يسألون عن جودة صنعه».

ويبالغ بعضهم في الحديث عن المراجعة للكتابة حتى تكاد تكون مرضًا، ولكن كبار الكتاب كانوا عَمَلة مجيدين لعملهم، ومنهم المؤرخ الشهير جيبون، الذي قضى أكثر من عشرين عامًا في تأليف ثلاثة مجلدات عن «انحطاط الإمبراطورية الرومانية وانهيارها» (وهو معرّب). ولم نر في السرعة والبساطة والكتابة مرة واحدة عبقرية! فالكتب التي تبقى هي تلك التي أعطاها مؤلفها جهدًا كبيرًا. ولو قلت لك كم من الكتب سيعيش بعد مؤلفيه لكانت قليلة، فخذ مثلاً لذلك كتب الشيخ محمد الغزالي رحمه الله، قليل ما سيبقى بعده للزمن. وكتب أنيس منصور التي جاوزت المائة قد يبقى منها «**مئتا يوم حول العالم**»، أو «**في صالون العقاد كانت لنا أيام**».

والكاتب والمبدع ربما استغرب من نفسه أنه استطاع أن يكون قد قام بنفسه بهذا العمل، ولاحظ روعة نتاجه ودقة صناعته التي أبدعها في لحظة وعي مركّز شديد، الذي ربما يبلغ حد الغياب عن الواقع والكون المحيط، وقد كرر هذه المسألة كثيرًا الأستاذ علي الوردي في «**خوارق اللاشعور**». ولا أدري إن كان الوردي قد أنصت أو تتلمذ على كتب كارل جوستاف يونج؛ لأنني قرأت لهما في فترات متباعدة، وكانت كتابات يونج تذكرني بأن المجهود النقدي والنفسي ـ من علم النفس ـ عند علي الوردي كأنه قد ترسم شيئًا من الشواهد والأفكار والملاحظات التي كان يسوقها يونج. وهناك حاجة لتتبع

آراء الوردي وموارده الفكرية في كتبه، وقد أشار لبعضها ولعله لم يشر لكثير. وهناك فرق بين قضاياه وشواهده وبين موارد أفكاره، أما مصادر الأحداث والمراجع لها فكان ـ في الغالب ـ أمينًا في سردها، شفهية كانت أو كتابية أو وثائقية، ولكن ماذا عن آرائه، أو ما ظهر أنها آراء له أو ناصرها؟!

وغاية الوعي أحيانًا أن يتركز حتى يغيب أو تغيب سيطرة المرء عليه، وهذا ما يرجح هنا، والتركيز الذهني مران، يجلب نتائج رائعة وسلوكًا مروعًا أحيانًا، ويستولي على كثير من الأذكياء، حتى ترى عيب التركيز فيه ولا ترى حسنته، حتى يصبح مثل تركيز نيوتن. وهناك تركيز شديد جدًّا لدى كثير من العبّاد، حتى يسهل على أحدهم أن تقطع رجله وهو مستغرق في الصلاة، ويرى أولوية هذا على غيره.

وقد لا يرضى الكاتب عن عمله، فلا يجد طريقًا للتخلص من هذا العبء إلا بحرق الكتاب أو تمزيقه. فأما أبو حيان التوحيدي فقد سبق الشيخ محمود شاكر في تقطيع كتابه «المتنبي» بعد إتمامه، فقد أرسل القاضي أبو سهل للتوحيدي يستنكر عليه إحراق كتبه، فرد التوحيدي برسالة منها: «إن هذه الكتب حوت من أصناف العلم سره وعلانيته، فأما ما كان سرًّا فلم أجد له من يتحلى بحقيقته، وأما ما كان علانية فلم أصب من يحرص عليه طالبًا، على أني جمعت أكثرها للناس، ولطلب المثالة منهم، ولعقد الرياسة بينهم، ولمد الجاه عندهم، فحرمت ذلك كله، ولا شك في حسن ما اختاره الله لي.. فشق علي أن أدعها لقوم يتلاعبون بها، ويدنسون عرضي إذا نظروا فيها، ويشمتون بسهوي وغلطي إذا تصفحوها، ويتراءون نقصي وعيبي من أجلها.. وكيف أتركها لأناس جاورتهم عشرين سنة فما صح لي من أحدهم وداد، ولا ظهر لي من إنسان منهم حفاظ! ولقد اضطررت بينهم بعد الشهرة والمعرفة في أوقات كثيرة إلى أكل الخضر في الصحراء، وإلى التكفف الفاضح عند الخاصة والعامة». ثم يستمر بكلمات

محزنة معتادة منه للأسف في كتاباته من التشكي من حاله، ولا يكاد يخلو منها كتاب مما قرأت له، ثم يقول: «وبعد، فلي في إحراق هذه الكتب أسوة بأئمة يقتدى بهم، ويؤخذ بهديهم، ويعشى إلى نارهم، منهم: أبو عمرو بن العلاء، وكان من كبار العلماء مع زهد ظاهر وورع معروف، دفن كتبه في بطن الأرض فلم يوجد لها أثر (قال المحشيّ (كاتب الحاشية) د. إبراهيم الكيلاني: وكانت دفاتره ملء بيت إلى السقف ثم تنسّك فأحرقها). ثم يواصل أبو حيان فيقول: وهذا داوود الطائي، وكان من خيار عباد الله زهدًا وفقهًا وعبادة، ويقال له «تاج الأمة»، طرح كتبه في البحر وقال يناجيها: نعم الدليل كنت، والوقوف مع الدليل بعد الوصول عناء وذهول، وبلاء وخمول. وهذا يوسف بن أسباط حمل كتبه إلى غار في جبل وطرحه فيه وسد بابه، فلما عوتب على ذلك قال: دلنا العلم في الأول، ثم كاد يضلنا في الثاني، فهجرناه لوجه من وصلناه، وكرهناه من أجل ما أردناه! وهذا أبو سليمان الداراني جمع كتبه في تنور وسجرها بالنار، ثم قال: والله ما أحرقتك حتى كدت أحترق بك! وهذا سفيان الثوري مزق ألف جزء وطيرها في الريح، وقال: ليت يدي قطعت من ها هنا، بل من ها هنا ولم أكتب حرفًا! وهذا شيخنا أبو سعيد السيرافي قال لولده محمد: «قد تركت لك هذه الكتب تكتسب بها خير الأجل، فإذا رأيتها تخونك فاجعلها طعمة للنار».

ثم تحدث أبو حيان عن نفسه وسبب إحراقه لكتبه ومآل أمره: «إن احتجت للعلم في خاصة نفسي فقليل، والله تعالى شاف كاف، وإن احتجت إليه للناس ففي الصدر منه ما يملأ القرطاس بعد القرطاس، إلى أن تفنى الأنفاس بعد الأنفاس، (ذلك فضل الله علينا وعلى الناس، ولكن أكثر الناس لا يعلمون)، فلم تعنى عيني ـ أيدك الله ـ بعد هذا بالحبر والورق والجلد والقراءة والمقابلة والتصحيح؟!». [رسائل أبي حيان التوحيدي، تحقيق إبراهيم الكيلاني، ص٤٠٦ ـ ٤١٢].

المحررون والوراقون

ولأن إعادة المراجعة هي مهمة صعبة، وربما لا يطيقها بعض الكتاب؛ لأنها توقعهم بحالة من التردد قد تدفعهم للتراجع عن النشر، فكانت مهنة التحرير؛ مهمة المؤلف هي الإمتاع والجمال وإقناع القارئ بنصه، فإن لم يكن قادرًا على إغواء قارئه وسلب وقته واهتمامه لإبقائه معه مهتمًّا بكلامه، فلا يستحق الاهتمام والقراءة. ثم التحرير، وهذا قد يتم بصحبة آخرين قبل أن ينتقل النص للقارئ، فهناك دائمًا قارئ أول، اعتاد الكاتب على إطلاعه على عمله، وقد يكون صديقه القريب أو أستاذه، وبعض الكتاب المشاهير كانت لهم زوجات قديرات في التحرير يساعدن في القراءة الأولى وأول عمليات التحرير.

وقد كانت مهنة الوراقين رائجة في عصور الإسلام الأولى، وكان المؤلف الشهير يجد معينين أذكياء متمكنين، ومراجعين ومصححين لنصوصه، وقد كنت أظن آية في العبقرية كالجاحظ لا يحتاج لذلك، ولكن ثبت من ترجمة بعض الكتاب والعلماء أنهم عملوا وراقين له، يكتبون له ويكتبون عنه. منهم أبو زكريا «وراق الجاحظ»، ذكره صاحب «**الأمالي**». وفي «**معجم الأدباء**»، نجد محدثًا آخر من وراقيه، وهو: عبدالوهاب بن عيسى، كان وراقًا للجاحظ، وعاش إلى رأس الثلاثمائة، أو إلى التاسعة عشرة والثلاثمائة، وكان صدوقًا في روايته، ويذهب إلى الوقف في القرآن. [من مقدمة عبدالسلام هارون لكتاب «**الحيوان**»، (١/ ١٢ - ١٣)]. والورّاق هو الكتبي عمومًا، ويطلق أحيانًا على المحرر كما جاء هنا.

أما في الغرب فهي صنعة ووظيفة رائجة رابحة، التحرير عند الكتاب الكبار، وأكثر منهم توظيفًا لمن توفرت لديهم المعرفة والأساليب واللغة الجميلة، وسهولة الوصول إلى المصادر، هي دور النشر، وتدفع لهم مبالغ

هائلة، يكفي أن تعرف منهم توني موريسون مؤلفة كتاب «**محبوبة**»، وقد فازت بـ«جائزة نوبل» للآداب. وألبرتو مانغويل كان فيما أذكر قارئًا ومحررًا لخورخي لويس بورخيس. [كما ذكر في كتابه «**تاريخ القراءة**»].

ومنهم صنف آخر نبغت أعمالهم، وهم من يسمون بـ«الشبح» أو «الكاتب الشبح»، وهو من يصوغ كتابًا لشخص شهير، لديه ما يقوله، ولكنه يفقد الأسلوب أو القدرة على الصياغة أو الوقت، وهم من يكتب غالبًا للمشاهير، وتظهر أسماؤهم بجانب المؤلفين، وتقسم الحقوق بينهما.

وهناك من يساعده أخوه في التحرير، وقد كان محمد قطب يحرر لأخيه سيد ويراجع بعده نصوصه، وكذا ويليم جيمس الفيلسوف وجدت أنه كان يلاحظ أو يراجع لأخيه الروائي هنري جيمس. وأحيانًا كثيرة تكون الزوجة أول قارئ أو مصحح أو مراجع لزوجها، ومن هؤلاء كثير، منهم جون ستيورت مل التي غيرت زوجته هاريت تيلر حياته بعد أن أوشك على الانتحار، وقد عاملها كمثقف مساو له؛ حيث أثرت في فكره وأثر فيها، ونشر كتابه عن المرأة متأثرًا بها وبأفكارها بعد وفاتها؛ رغم هجاء توماس كارلايل لها إذ رآها نزقة عجلة، وربما لأن كل منهما من عالم فكري مختلف. وكذا زوجة توينبي التي كانت سكرتيرته سنين طويلة، وكانت معينًا جبارًا له على عمله الكبير الطويل في السياسة والتاريخ، وكثيرًا ما اختزله الجاهلون به إلى مؤرخ أو فيلسوف للتاريخ في كتابه «**دراسة التاريخ**»، فقد كان من صانعي الاستراتيجية السياسية لبريطانيا. وكذا زوجة كازنتزاكيس، وكتابها «**المنشق**» عنه خير دليل على دورها في حياته، وزوجة دوستويفسكي التي بدأت كاتبة اختزال له. وزوجة ديورانت مؤلف «**قصة الفلسفة**» و«**قصة الحضارة**»، وقد شاركته التأليف فيما بعد كتابه الأول الذي كان فتحًا وهبه نهر الذهب، فتفرغ للقراءة والكتابة غنيًّا مرتاحًا بقية حياته. وزوجة هيتشكوك التي قال لها بعد إتقانه لأحد النصوص بأنه طار أو

حلق بذلك النص. فقالت لـه: إلى الآن لم تخرج من البيضة، ما زال عملك غيـر قـادر على الطيران. وأعادته إليـه، وأعاد التحريـر حتى أصبح المؤلف الشهير! وغيرهم كثيرون جدًّا.

ومن مشاهير العرب الذين عملوا محررين وساعدوا في هذا، ولا أعرف تفاصيل ذلك؛ إحسان عباس وزكي نجيب محمود، ولكن لأن بيئتنا العربية لم تطور هذا الفن، ولـم تحترم قواعده الجديدة المهمة. فقد أسـاء كثيرون منهم للمهنة، أو ادعوا الكتب التي ساعدوا فيها، أو اتهمهم أصحاب الكتب لما شاع الخبر. وبعض مشـاهير العرب اليوم يعتمد الطريقـة الغربية كما هي، وبعضهم يفعلهـا، ثـم يتنكـر للكاتب أحيانًا، والأمر سـهل يسـير. هناك أحـداث حدثت لشـخص، ولا يجيد صياغتها أو ليس لديه الوقت، فليتفق الطرفان، هذا له الفكـرة والحدث والتاريخ، والآخر الكتابة، فيقدم الطرفان خدمة جليلة للثقافة بتعاونهمـا. وهـذا خير من موت قصة جميلـة أو حدث مهم، أو غمط صاحب حق. ولكن التعاون لا ينجح في بيئة «إما وحدي، أو لا أحد!».

غيـر أن كثرة التحرير والمراجعة قد تسـرق بهجـة الكتابة الأولى، وقد رأيت نصوصًا قتلتها كثـرة المراجعة، وأقلام المصححين، وآراء المشـاركين المعدلين للنص، حتى فقد نصوعه، وماتت شخصية كاتبه بكثرة تداول المعدلين والمحرفين.

وقد وفق بعض العلماء والكتاب الكبار بمصححين جهابذة ورصفاء أفذاذ، أعانوهم على التصحيح وعلى تحقيق القول، والبحث في الفهارس والمجاميع عن نصوص تسند آراءهم، وعن مواقف للسابقين تؤيد فكرتهم. فقد مر بنا ذكر بعض العلماء الذين كانـوا يدققون ويعينون الجاحظ في عمله، وذكر الطناحي أن مـن الذيـن راجعوا أو صححوا بعض أعمال الأديب الجهبذ محمود محمد شـاكر كان الأستاذ البارع عبدالحميد البسيوني». [في **اللغة والأدب دراسات وبحوث،** محمـود الطناحـي، ص٨٣٨]. وقد مر بنا أن الجاحظ كان له من

الوراقين من يحرر ويجمع ويراجع مواد كتبه، وهذا أمر طبيعي، فلا يتوقع من كاتب فذ مكثر أن يقوم بكل شيء، وبجميع خدمات نصوصه. وفي زمننا هذا نجد من يقوم بكل شيء من أعمال كتبه حتى النشر والتوزيع، ونجد آخرين يحسن أن نقول إنهم يفاجئون ويسمعون عن كتب في السوق تنشر بأسمائهم، تباع أو تهدى لهم!!

أما العلماء المشاهير الذين نجد معينين لهم، فإن الجهد في بناء كتبهم جهدهم، وذلك فرق مهم بين العون فيما ليس من الكتابة، وبين الكتابة للكاتب، أو أن يسرق المؤلف الكبير أو الشهير جهد الأقل شهرة، فلم يخطر ببال أحمد أمين أن بعض الناشئين في زمانه سوف يكون لهم في ميادين أخرى كالتحقيق مجد لا يطاوله هو، مثل عبد السلام هارون، وزكي نجيب، وعبد الرحمن بدوي، وإحسان عباس. وقد لاحظ كتاب كثيرون على بعض المشاهير كأحمد أمين أنه يضع اسمه على كتب لم يحققها وليس له في ذلك يد وكانت سوأة لا تليق به، أشار لهذا غير واحد، منهم عبد الرحمن بدوي في «**سيرة حياتي**»، فقد حاول انتحال كتاب بدوي «**التراث اليوناني في الحضارة الإسلامية**».[**سيرة حياتي**، (١/ ١٥٣)]. وأذكر أنني قرأت نحوًا من هذا في كتاب لزكي نجيب محمود، وإشارة غير صريحة لهذا الغبن ذكرها زكي في «**بذور وجذور**» [ص٢٧٢]، وهي أن أحمد أمين وضع اسمه على عمل هو لزكي نجيب، لعله كتاب «**قصة الفلسفة اليونانية**»، أو إنه جهده الأساسي، ولعلي قرأت ذلك في «**قصة نفس**» أو «**قصة عقل**» لزكي. وقرأت توثيقًا أشنع من هذا كتبه محمود محمد الطناحي في كتابه «**في اللغة والأدب دراسات وبحوث**»، فقد أشار الكاتب إلى أن أحمد أمين وضع اسمه مع المحقق الكبير عبد السلام هارون على كتب مثل «**شرح ديوان الحماسة**» للمرزوقي، وعلى كتاب «**الهوامل والشوامل**»، والذي حققه فعلاً هو: السيد أحمد صقر. [**في اللغة والأدب**

دراسات وبحوث، ص٨٤٩]. وما كان أغنى أحمد أمين عن هذه المهازل، والتكثر بما لم يفعل، والتشبع بما لم يعط ولم يعمل، إلا أنه كان على باب تسلَّط على المؤلفين والمحققين من خلاله، فلا يعبرون إلى النشر الحكومي الجيد إلا عبر مؤسسة حكومية يشرف عليها. لقد نقصته هذه الحوادث ولم تزده، ولو كان كبعض المتنفذين في زماننا المتعالمين في التحقيق، أصحاب مكاتب التحقيق، وباعة التلفيق على الحكومات والطلاب، وإلصاق أسمائهم على أعمال غيرهم لعذرناه، فهؤلاء صغار صغار يسرقون عمل الصغار الواهن، لقد كانت كبوة من جواد ذهب لغير ميدانه، فانفضح بما لا يليق به!

الإخـراج

وبعد الكتابة والمراجعة الدقيقة ـ وهي أصعب مراحل الكتابة ـ يأتي دور الإخراج، وهو عنصر مهم في جمال الكتاب وكماله ودقته. ومخرجو الكتب قوم أصحاب فن خاص عند أهل الصنعة، فمن المؤلفين من يبالغ ويهتم بدقة إخراج كتابه، وقد كتب: آ. إن. ويلسون في كتابه البديع «**تولستوي**» مقاطع جميلة، وكيف كان تولستوي يهتم ـ بعد الاختصار والتدقيق وحذف نحو مجلد من الرواية ـ بالإخراج والصور التي زين بها رواية «**الحرب والسلام**»، وكان يصف بدقة كل رسمة، ويراجع الرسام في أي خطأ صغير في تصوير المحاربين في الرواية، ويعيد الصور لموسكو ليعاد رسمها بدقة». [آ. إن. ويلسون، **تولستوي**، ص٢٤٥].

رأيت هذا الإبداع وتذكرت تلك الأغلفة الممسوخة لكتب تخرج لنا من قبل قوم لا يتذوقون الأغلفة ولا الإخراج، وكانوا يطبعون في أواخر القرن الرابع عشر الهجري (العشرين الميلادي) كتبًا يصورون فيها بكل بلادة وقلة ذوق، حتى صور الجن في جهنم والنيران تعصف بهم، ووجوههم فاغرة

هاربـون؛ لأن في الكتاب نصوصًا عن عذاب جهنم! ومن أسوأ ما أذكر أنني رأيت غـلاف كتـاب صـور فيـه المخرج دماغ إنسان وهو يمسك بيديه ويفلق دماغه نصفين؛ لأن الكتاب سوف يتحدث عن العقلانية! لم أطق رؤية الغلاف، ومزقت الغـلاف ورميته وأخذت الكتاب، إنه موقـف غريب مني وأنا أحرص تمـام الحـرص على جمال الكتاب وحسـن الغـلاف، حتى إنني أقلب النسـخ الموجودة في المكتبة لأتأكد أن الكتاب الذي اشتريته أجمل الموجود وأكمله، ثم ها أنا لسـوء ذوق المؤلف أو الناشـر أقطع غلافه الذي لا يطاق، ولم تكن مشاعر صديقي الذي لمح الغلاف بأقل من مشاعري تجاهه، وقرر أن الكتاب لا بد أن يكون غير معقول كغلافه، ولم يكن قوله غريبًا عن الحق، ولكن كان في الكتاب أبحاث عن قوم كتبت عنهم فأحببت أن أعرف ما يقول هذا.

لماذا يكتبون؟

يرى نيتشـه في الكتابة معاناة وألمًا وغيظًا مكنونًا يفرج عنه، بل ربما يجد الكتابـة مهينة لنفسـه الكبيرة، فيقول: «أشـمئز مـن الكلام عنهـا (الكتابة) حتى بالرمز، ولكن لماذا نكتب إذن للأسـف يا عزيزي؟ بيني وبينك، لأنني لم أجد وسـيلة أخرى أتخلص بها من أفكاري». [نيتشه، **العلم الجذل**، ص٩٢ - ٩٣].

ويشـرح جورج أورويل في مقال له بعنوان «**لماذا نكتب**» أسباب الكتابة عنده، فيبـدأ القـول بأنه في سـني عمره الأولى في الخامسـة أو السـادسة كان يقول: عندمـا أكبر سـأكون كاتبًا. وفي نحو السـابعة عشـرة إلى العشرين حاول أن يسـتبعد هذه الفكرة، ولكن وعيه بطبيعته الحقيقية كان ينبئه أنه عاجلاً أو آجلاً سـوف يسـتقر ويكتب. ويرى أن الطفل المنفرد يعتاد صناعة الأقاصيص، ويقيم الحـوارات مع أشـخاص متخيلين لا وجود لهم. وقد شـعر ـ مبكرًا ـ أن لديه الكلمات التي تؤهله للكتابة، والكلمات التي يحيا من خلالها عندما يفشل في عالم الواقع. وقال إنه كتب أشعاره الأولى في نحو الرابعة أو الخامسة (أشك

ولكن هذا قوله!). وقال إنه بعد زمن بدأ يفكر في قصة مستمرة في خياله لم يكتبها وهي سيرة حياته، ويتوقع أن هذه عادة للأطفال والكبار، ربما كما يتخيل أورويل فقط. فكل صاحب مهنة يرى غيره كلفًا بها، وهذا مجرد وهم، فغالبًا لا يشاركه الاهتمام إلا أهل ميدانه الأقربون، ومن بدأوا على سلم المهنة يشدون. وقال إنه كان يهتم بالبحث عن الكلمات المناسبة للمعاني التي يريدها، وهذا أحد أسرار نجاحه، فالكاتب الذي لا يشبع ثقافته بالكلمات الكثيرة المعبرة عن كل حال ومعنى لا يستطيع الإقناع ولا الانتصار، فـ«الكلمات جنود الكاتب»، وكلما استكثر من الجنود انتصر. فالمجد للكاتب الذي يغوص في بحر من الكلمات والأساليب والتعابير المبتكرة، لا الكلمات الغريبة ولا الوحشية ولا الأساليب المتكلفة.

ويرى أسبابًا أربعة للكتابة: غرور الذات وزهوها كالفخر، والتظاهر بالذكاء، وذكر الناس له بعد الموت. وكان نيتشه مغرورًا بنفسه، يؤمن بعظمة رسالته وحقارة معاصريه، ويفتخر بمقدار ما لديه من الحكمة. كتب مرة يقول: «لن أمنح القيصر الألماني الجديد شرف أن يكون حوذيًّا لي!». [**هذا هو الإنسان**، ص٢١]. فهل يشعر الكاتب وهو يقرأ نصّ نيتشه أنه يستحق أن يقف ويضيق لغرور هذا الكاتب؟! أم إن هذا شعور نادر لأحدهم؟ ونجد لهذا الغرور مظاهر كثيرة في حياته، فيعنون فصلاً من كتابه بقوله: «لم أنا على هذا القدر من الحكمة؟» وفصلاً آخر بعنوان: «لم أنا على هذا القدر من الذكاء؟» وثالثا: «لماذا كتبت كتبًا جيدة؟» وأخيرًا يرى أنه بكتابه «**هكذا تكلم زرادشت**» قد «شرخ تاريخ الإنسانية شطرين: يعيش إنسان قبله ويعيش بعده!». [نيتشه، السابق، ص١٦٢]. ثم يقول: «أعرف قدري، ذات يوم سيقترن اسمي بذكرى شيء هائل رهيب، بأزمة لم يعرف لها مثيل على وجه الأرض، أعمق رجة في الوعي.. فأنا لست إنسانًا بل عبوة ديناميت!». [نيتشه، السابق، ص١٥٣].

لعلك أيها القارئ ستتوقع النازية، ولكنه فيما يبدو بعد هذا القول لا يقصدها، وقد كان هذا الكتاب في مرحلة الهلوسة عنده، وذلك حين بلغ السابعة والأربعين. وجميل أن تقرأ للكاتب وهو في حال الهلوسة، وهذا الكتاب شقيق لمذكرات روسو الأخيرة وهو يكتب ويتمشى ويملي جنونه، وشيئًا من بقايا عبقريته. وهذا الجنون لا يقارن بجنون زكي نجيب وهو يقول: «ولو كان الفن الأدبي رجلاً يعيش بيننا، لأعلن في الناس بأعلى صوته أن قلمي قد جرى عندئذ ببدائع لا أظن الأدب العربي يشتمل على كثير مما ينافسها إبداعًا!». [**بذور وجذور**، دار الشروق، ١٤١٠هـ ١٩٩٠م، ص٢٧٣].

كذلك الحماسة للجمال الخارجي في الكون، فكم من شاعر أو راوٍ أو مؤرخ شغل الناس بمكان في وصفه له، وقد خلد المتنبي «شعب بوان»، عندما تغنى عن مغانيه، مع أنه قد لا يكون بجمال غيره من الأماكن.

والترويج السياسي والتجاري، وهي صنعة قديمة متجددة، فمن أمثلة الترويج التجاري ما فعل الشاعر مسكين الدارمي، بأبيات بسيطة أنقذ بضاعة صديقه من الكساد، عندما تغزل فقال:

قُل للمَلِيحَةِ في الخِمَارِ الأَسْوَدِ ... مَاذَا صَنَعْتِ بزَاهِدٍ مُتَعبِّدِ
قَد كَان شَمَّرَ للصَّلاةِ ثِيَابَهُ ... حَتَّى وَقَفْتِ له بِبَابِ المسْجِدِ
رُدّي عَلَيْهِ صَلاتَهُ وصِيَامَهُ ... لا تَقْتُليهِ بِحَقّ دِينِ مُحمَّدِ

والدافع التاريخي، والرغبة في رؤية الأشياء وتسجيلها كما هي وحفظها لمعرفتها أو لتستخدمها الأجيال القادمة. والهدف السياسي، باستخدام كلمة سياسي في أوسع إيحاءتها، أي الرغبة في دفع العالم إلى توجه محدد. «مرة أخرى ليس هناك من كتاب يخلو حقًّا من ميول سياسي».

والحياة مع الناس رافد عظيم للفكر والكتابة، فلا ينبغ من الكتّاب إلا من كانت له قضية يهتم بها خارج الكتابة، فله نشاط سياسي أو إنساني أو ديني أو فني أو تعليمي خارج الكتابة، ثم تكون الكتابة منفذًا للعمل الآخر.

أزمة الكاتب

ينقل محمود شاكر هذا النص عن قصة ابن سلام صاحب «**طبقات فحول الشعراء**» مع الطبيب ابن ماسويه طبيب المعتصم: «فلما جسه ونظر إليه قال: ما أرى من العلة كما أرى من الجزع!! فقال ابن سلام: والله ما ذاك لحرص على الدنيا مع اثنين وثمانين سنة، ولكن الإنسان في غفلة حتى يوقظ بعلّة. ولو وقفت بعرفات وقفة، وزرت قبر رسول الله ﷺ زورة، وقضيت أشياء في نفسي، لرأيت ما اشتد علي من هذا قد سهل. فقال ابن ماسويه: فلا تجزع، فقد رأيت في عرقك من الحرارة الغريزية وقوتها ما إن سلمك الله من العوارض، بلغك عشر سنين أخرى. قال الحسين بن فهم: فوافق كلامه قَدَرًا فعاش عشر سنين بعد ذلك». ثم يعقب شاكر بأن هذه الأشياء التي كان يتمنى قضاءها هي تأليف كتب جامعة، كان يحب أن يتعجل كتابتها، بعد أن قضى اثنتين وثمانين سنة لم يؤلف كتابًا، ثم ألف في هذه العشر سنين عددًا مهمًّا من الكتب منها «**طبقات فحول الشعراء**»، وكتاب «**شعراء الفرسان**»، وكتاب «**سادات العرب وأشرافها وما قالوا من شعر**» ثم كتاب «**أيام العرب**» وغير ذلك». [**قضية الشعر الجاهلي**، ص٤٨ - ٤٩]. ولما وصلت قول محمود شاكر: بأن هذه الأشياء التي يتمنى كتابتها.. إلى آخر قوله، قلت: أهذا من حديث النفس يا أبا فهر؟ لكأني بك تتحدث عن نفسك، فقد والله عبرت سنين لهذا العبقري، ولم يقل مما يضطرب في نيران همته وهمه شيئًا، ثم ودعنا وفقدنا به علمًا جمًّا.

ثم إن هِمةَ الماجد للمجد هم مقيم، يأكله ويقتات على جسمه وقلبه، إن لم يسر في دروبه، ولم يحقق منه شيئًا، أو نال دون مرامه. وأبو الطيب يقول:

والهَمُّ يَخْتَرِمُ الجَسِيمَ نَحَافَةً ويُشيبُ نَاصِيَةَ الصَّبِيّ ويُهْرِمُ

إنها الطاقة المشتعلة الكامنة الجبارة، إن لم تجد مساربها دمرت مكامنها، وأشعلت نيرانها جدرانها، وأبقت الدخان وبقايا الحرائق على هياكلها الخارجية، بقايا نار وحزن وكآبة تقول كانت هنا نار لاهبة. ألم يقل أبو تمام:

طلبُ المجْدِ يُورِثُ المرْءَ خَبَلاً وهُمومًا تُقَضْقِضُ الحَيْزُومَا

فَتَراهُ، وَهْوَ الخَلِيُّ، شَجِيًّا وتَرَاهُ وَهْوَ الصَّحِيحُ سَقِيمًا

نعم يا أبا تمام إنها الهمة المقلوبة، تصبح خبلاً وهمًّا وفراغًا وشجًّا وسقمًا مقيمًا، ولعل هذا ما غزا المتنبي في فراشه ثم أخرجه للفيافي:

ذَرَانِي والفَلاةَ بلا دَلِيلٍ وَوَجْهِي والهَجِيرَ بِلا لِثَامِ

وهو خبير بهذه النار يراها، في صنوه فيقول:

أُشْفِقُ عِنْدَ اتّقَادِ فِكْرَتِهِ عَلَيْهِ مِنْهَا أَخَافُ يَشْتَعِلُ

وقد أحرقت هذه النار هيرمان هيسه فكتب «**ذئب السهوب**»، ثم يهرع للهندوس يسألهم الطمأنينة! وكتب رواية له قصيرة عن هذا الموضوع أسماها «**سدهارتا**» عبرت عن ثقافة الهندوس وعزلتهم وبعض نظراتهم عن الكون، ولكنها بعيدة في مستواها عن المذكورة هنا.

وتعصف الأحزان بمتأذ آخر، هو ديل كارنيجي، يقلق وتضيق نفسه فيحتال بالسلوان، ويبحث عن طرق كسب الأصدقاء والتأثير على الناس. وعائض يأكله الحزن فيكتب «**لا تحزن**».

وقد لاحظ حسين أحمد أمين هذه المشكلة عند الشيخ محمود شاكر فقال بعد لقاء عاصف مع شاكر، أثاره فيه حسين بالحديث عن أمور مهمة، ولكنني

وجدت في كلام حسين كلامًا معقولاً على غير عادته، فهو ممن يلف ويسف، ويسخف أو يتساخف إذا سطر شيئًا عن الإسلاميين، وهو يبدأ الحديث بشتم العلم الشامخ محمود شاكر فقال مما نعرض عنه، ونسوق مما قال شارحًا بعض المواقف الطريفة، وشارحًا لموقفه من أزمة الكاتب: «لقد كان مؤهلاً لأن يعطي الكثير غير أنه لم يفعل، وإحساسه بقدراته مع عجزه عن ممارستها جعلاً منه إنسانًا حقودًا مرًّا فظًّا لا يطيق أن يرى غيره ينتج ويحرز الشهرة، كطه حسين مثلاً الذي لم يحصل جزءًا من المائة من ثقافة محمود شاكر». ثم يهبط هذا فنتركه وعلته، غير أنني منذ رأيت الصفحات الأولى من كتابه البديع «أباطيل وأسمار» وفي زمن بعيد، لا أذكر إلا شعورًا واحدًا هو العجب من هذا الكاتب الفذ، وقررت البحث عن كل سطر له. ثم يضيف حسين: «كلما لمس شاكر من الناس إعجابًا وتقديرًا زاده ذلك التقدير ثورة، إذ يزيد من إحساسه بأنه أضاع حياته هدرًا ولم ينتج ما كان بوسعه إنتاجه من مؤلفات تهز الحياة الفكرية عندنا هزًّا!». [في بيت أحمد أمين، ص٢٨٧]. وقد قرأت لاحقًا كتابًا آخر لحسين عن شخصيات عرفها هو أو والده، فقرأت الانتقام لوالده ولنفسه من خصومه، فالانتقام سيّد نصوصه، حتى لم ينس التكذيب والانتقام من خصيم والده طه حسين في أيامه الأخيرة!

غير أنه من تأمل نصوص شاكر الإبداعية كلها، وجدت أن أجملها هو ما كتبه عن أزمة آزمة، ونتاج حالة مريرة شديدة، كما في «الأباطيل» وخصومته مع لويس عـوض، أو لحظة إشراق بديعة في «المتنبي»، وغضبه في «رسالة في الطريق إلى ثقافتنا»، وقد جعلها تاليًا مقدمة للمتنبي، وغيرها.

وما دام يسير بنا الحديث رخيًا حيث لم نقدر، فلنذكر رأي شاكر في أحمد أمين مع ضعف السـند، لقصة يرويها حسـين أحمد أمين ويكتبها عن نفسه مع محمود شاكر الذي يرتعد كبار علماء اللغة والأدب وحضور مجلسه منه، لما

أعطاه الله من جلد على العلم، وقوة عبارة وشجاعة ومفارقة حاسمة لبنيات الطريق والمجاملات الفارغة، وهذا مختصر ما كتبه حسين أمين عن اللقاء:

ـ هل لي أن أسألك عن والدي؟

ـ فوّت!

ـ لا يا أستاذ شاكر لن أفوّت.

ـ لم أكن أحبه.

ـ ولم؟

ـ ما كل هذه الأسئلة المحرجة؟ تريد أن تعرف لماذا لم أكن أحبه؟ حسنًا، لم أكن أحبه لأنه كان رجلاً خبيثًا داهية... غير أن ما أعيبه حقيقة على أحمد أمين هو أنه وهو الرجل العالم المثقف الذي كان بوسعه أن يقدم فكرًا جديدًا مبتكرًا في ميدان الدراسات الإسلامية، والذي يجبّ علمه علم كافة المستشرقين الخبثاء الحاقدين على الإسلام، تبنى في كتبه «فجر الإسلام» و«ضحاه» و«ظهره» هذه الأحكام دون أن يجرؤ على تفنيدها والتصدي لها. فما هذا الذل وهذه الاستكانة وهذا الضعف، سواء منك أم من أبيك تجاه المستشرقين الغربيين؟! أهم أدرى بتراثنا وأقدر على إصدار الأحكام بصدده من علمائنا نحن الذين نهلوا من هذا التراث مع لبن أمهاتهم؟! كيف يكون من حق خواجه بدأ في تعلم العربية في سن العشرين أو الثلاثين ويضل يتهته بها إلى أن يموت أن يدلي برأي في المعلقات السبع، وأن يصدر حكمًا على المتنبي أو أبي العلاء؟! كيف تسوغ لمسيحي صليبي نفسه أن يتحدث عن الأشاعرة أو المعتزلة حديث الواثق المطمئن لمجرد أنه قرأ كتابين أو ثلاثة في الموضوع؟! كيف يمكن لعالم إسلامي فذ أن يقع في فخاخ هؤلاء الصليبيين؟

ثم استطرد يقـول: كلمني هذا الصباح المدعو مارسدن جونز الأستاذ بالجامعـة الأمريكيـة بالقاهـرة، يريـد أن يجتمـع بـي.. رفضـت، وقلـت له إنني لا أريد أن أجتمع به. أتسمع عن مارسدن جونز هذا؟

ـ محقق كتاب «المغازي» للواقدي.

ـ آه! حتى أنت قد صدقت هذه الأكذوبة كسائر الناس.. مارسدن جونز لم يحقق «المغازي» للواقدي، ولا بذل فيه إلا أضعف الجهد، وهذا هو السبب في أني رفضـت مقابلتـه، فقد حـدث يومًا أن جاءني رجل مصري «غلبان» اسمه عبد الفتاح الحلـو، وأخبرني أنه هو الذي حقق كتاب «المغازي» من أوله إلى آخره بناء على تكليف من مارسدن جونز، ومقابل بضعة جنيهات كان في حاجة ماسـة إليها. ولم يظهر اسمه على الغلاف لا باعتباره محققًا ولا حتى باعتباره مشتركًا في التحقيق، واكتفى جونز بالإشارة إليه في المقدمة باعتباره أحد الذين قدمـوا لـه العون أثناء تحقيقه للكتاب!!». ولعل الشيخ لـم يعرف بقايا قصص هـذا المحقـق، فأقـول: قبـح الله الحاجة، مسكين هـذا «الحلو»، فقـد اضطرته الحاجـة إلى وضـع أسـماء على تحقيقاتـه الكبيـرة لبعض المتنفذيـن من مدراء الجامعـات الإسلامية سابقًا. لقد كانت قصـة واضحة المشاهد، فقد تظاهروا بالتحقيق وتمولوا من ورائها بجشـع البخـلاء الشـديد، فمـرة يذكرونه وكثيـرًا ما فعلوا أسوأ مما فعل جونز، لا يذكرون عمله ولا الفريق الذي دربه لهم.

ثم يعقب شـاكر: «هـذا مجرد مثل لأخلاقيات هؤلاء المستشـرقين الذين تغنى والدك بفضلهم. [ملخص من كتاب لحسين أحمد أمين بعنوان «في بيت أحمد أمين»، ص٢٨٥ ـ ٢٩٥].

ويتفق نقد شـاكر مع الأديب الشـهير مارون عبود في أن عددًا من الكتاب العرب يسقطون تحت آراء المستشرقين، ويبالغ عبود فيرى أن هذه عقدة في

الأدباء المصريين وشعور هم بالنقص تجاه هؤلاء. والحقيقة أنه مرض راسخ في الشعوب المتخلفة وليس في مصر وحدها، بل ظاهرة عامة.

وفي كتاب بل برايسون عن شكسبير تحدث المؤلف عن هاوٍ لشكسبير، عحيب الجد والبحث عن تاريخه، وقد كشف وثائق عن حياته لم يكشفها غيره، وأنفق سنين طويلة في البحث عنه، ثم في لحظة ملل من الأدب والتنقيب الثقافي يبدو أنه قرر أن يقوم بتنقيب من نوع آخر، تنقيب أكثر نتاجًا وفائدة؛ فقرر أن يجرب البحث عن النفط، فاشترى مساحات واسعة في ولاية تكساس، ثم بدأ التنقيب ويا لحسن حظه، فقد انفجرت الأرض نفطًا، فاستغنى بالنفط والمال الوفير، وقضى بقية حياته غنيًّا مترفًا ينفق بعض الوقت مع الكتب والأدب عندما يجد لها مكانًا، وقد أحسن المغامرة في الجانبين! وكثيرًا ما يقولون صاحب العلم يبحث عن المال، وصاحب المال يبحث عن العلم، وكل يبحث عما ينقصه، فتجد الغني يتظاهر بالمعرفة أو حبها، وربما أنفق من ثروته الواسعة على كاتب فقير أو ضعيف النفس ليكتب كتابًا يظهر باسمه، وهذه من أحقر الكتب وأدناها قيمة وأهمية، فكل منهما يكذب على الآخر، وهما يكذبان على الناس. غير أن خير عمل للغني أن يوقف على المعرفة وعلى التعليم من ماله، فقد كان للتجار أثر عظيم على المعرفة في بلاد المسلمين وفي الغرب الحديث، ولم يوجد ما يمكن أن يقارب ذلك في عالم المسلمين المعاصر، فكثير من الجامعات والكشوف العلمية رُعيت من قبل تجار وأوقاف عظيمة مستمرة. أما أن يطلب التاجر من كاتب أن يكتب كتابًا له ويخرج باسم التاجر فهذا نو ع من السخرية بالنفس، ولا بأس أن يكتب الكاتب كتابًا عن التاجر يعلم الناس أنه تقاضى ثمن التأليف فلا عيب في هذا، أو أن يؤلف التاجر مع الكاتب كتابًا يعرف الناس أن الأسلوب للكاتب، فهذا عرف موجود. أما أن يتظاهر التاجر بالتأليف فهذا عيب واحتقار للمعرفة

وللآداب وللقراء، وهي نوع سرقة لا تليق ممارستها، ولكنها منتشرة للأسف، سببها فقر المؤلفين، وسذاجة بعض التجار، وسخافة بعضهم.

متى يكتبون؟

تهطل أفكار الإبداع على الفنان فجأة دون سابق تهيؤ، قال رسول حمزاتوف: «الأفكار والعواطف تأتي كالضيف في الجبال دون دعوة ودون إنذار، لا مجال للاختفاء ولا للتهرب منه». [**بلدي**، ص١٩]. ونفهم من قول الشافعي أنه كان يكتب ليلاً من واقع الأبيات المأثورة، والتي نسبت أيضًا للزمخشري ولآخرين إلى زمن الجويني:

سَهَري لتَنْقِيحِ العُلومِ أَلَذُّ لي مِنْ وَصْلِ غَانِيَةٍ وطِيبِ عِنَاقِ
وألَذُّ مِنْ نَقْرِ الفَتَاةِ لِدُفّها نَقْرِي لأُلْقِي الرَّمْلَ عَنْ أَوْرَاقي

غير أننا نقرأ في برنامج حياته اليومي ما يدل على أنه كان يدرّس في الصباح ولا تناقض، فالليل لا يقضيه صاحب الهمة نومًا، فله فيه مستمتع وعمل ومتروح. وقد كانت النافذة الأولى التي رأيت منها الإمام الشافعي هو الكتاب الذي كتبه الدقر عنه من سلسلة «أعلام المسلمين» التي تخرجها «دار القلم». وقد صحبته في ذلك قبل الجرأة على قراءة كتابه العظيم «**الرسالة**»، وكنت اشتريت الكتاب مبكرًا ولكن مهابته أبعدتني عنه زمنًا، فلما عثرت على نسخة منه في مكتبة صغيرة لباكستاني يبيع كتبًا بالأوردو في مدينة «أطلنطا» من ولاية «جورجيا»، اقتنيت الكتاب، واقتحمت صفحاته، فآنست «**الرسالة**» سفري، ووجدت فيها مهربًا من تجرع «**نقد العقل العربي**» للجابري، والذي خصص صفحات عديدة لمسألة البيان والشافعي، وكنت قرأت له ثم تركته، وعدت له بطريقة متقطعة. وما أحسن أن تقرأ العربية عند الشافعي أو عند محمود شاكر وعند الجاحظ وأبي حيان ومارون عبود، وما أفخمها ـ بلا سهولة ـ عند الرافعي!

ونرجع للقول في زمن الكتابة، وقولهم:

«وَاغْـتَـنِـمْ صَـفْـوَ اللّيَالي إنّـمَـا الـعَـيْـشُ اخْـتِـلاسُ»

يقول تروتسكي إنه كان بعد الثورة يخصص النهار لعمل الثورة، والمساء للنظرية والكتب، وكان له مكان للدرس لا يقابل فيه أحدًا. [**حياتي**، ص٣٥٦].

ووجدت قريبًا من هذه الفكرة عند «القسيس» كارتر رئيس الولايات المتحدة، يذكر عن نفسه أنه ابن فلاح يصحو مبكرًا في الساعة الخامسة فجرًا، ولا يجلس للإفطار عند الثامنة أو الثامنة والنصف إلا وقد عمل نحوًا من ثلاث ساعات. ويقول إن الكتب أصبحت في آخر عمره مصدر معيشته، ودخل أسرته منها، فهو ليس عضوًا في مجالس شركات كبيرة. وقال إنه طبع ثمانية عشر كتابًا، وكان بيعها جيدًا. وكتب رواية عن «الثورة الأمريكية» استغرقت كتابتها سبع سنوات، وقرأ من أجل أن يكتبها أكثر من ثلاثين كتابًا. [عن «**نيوزويك العربية**»، ١٨نوفمبر ٢٠٠٣م]. وقد قرأت له فصولاً من كتابه «**دم إبراهيم**» وهو كتاب قديم، وكلامه فيه عن زيارة مصر والرياض يستحق القراءة. ثم قرأت له عن قريته وشبابه، وهو قادر على أن يجعلك تتصور المكان، فلحظة كتابة هذه الكلمات تقفز لذهني صور مما علق بالذاكرة في كتابه. ولعل سبب إجادته الكتابة أنه كان قارئًا جيدًا للكتب. قال في المقابلة المذكورة إن درجاته كانت متواضعة في الجامعة؛ لأنه كان يقرأ الكتب الأدبية كثيرًا، ثم إنه مهتم بالتعلم، فهو يريد بعد كل هذه الكتب أن يتعلم الرسم، وعمره آنذاك جاوز التاسعة والسبعين، وهو الذي صمم غلاف كتابه عن الثورة «**عش الدبابير**»، ورأى في الثورة عملاً دمويًا، فالقتل فيها من أجل القتل، وكانوا لا يرون أسر الناس بل قتل الخصوم، وكان شعارهم فيها «لا رحمة»، وينفذون الشعار. وقد ذكر في المقابلة كتبه ولم يشر في المقابلة لموضوع الأشرطة الدينية والصلوات التي يكتبها للكنيسة، وذلك ما رأيته بنفسي، فقد كنت أزور المكتبات الدينية التي

تتبع لبعض الكنائس، وقد وجدتها حاشدة بأشرطة سمعية، وبكتب صلوات وحث روحي ديني من إنتاجه، وهو يصلي بطائفة من قومه في يوم الأحد. وقد عمل في مشروع بناء بيوت للفقراء، وهذا جزء من مشروع كنسي تبشيري، ومشروع له مواز سياسي، وقد أدرج فيه أموال كثيرين حتى من العرب والمسلمين. وكان يهتم أن يعمل في النجارة؛ لأن في العهد الجديد أن عيسى عليه السلام كان نجارًا، ولهذا فهو يهتم بتقليد وتأكيد كل ما هو مسيحي.

وقد سقت هذه الفقرة في بيان العمل المبكر في الصباح، على الرغم من أنني لست ممن يجيد الاستفادة كثيرًا من الصباح، ولكنني جربت العمل المبكر فلم أجد له مثيلاً، فما أحسن أن تأتي الساعة التاسعة أو العاشرة وقد أنهيت أهم التزاماتك الثقافية أو التجارية اليومية!

سئل جوته شاعر وكاتب ألمانيا الأكبر عن أوقات عمله فكان جوابه: «لقد كنت أعمل بانتظام ست ساعات يوميًا، وكنت أغلق بابي في وجه الفضوليين الذين لم يكن لهم هم سوى العمل على تعطيلي». [زكريا إبراهيم، **نداء للشباب العربي**، ص٣٢]. وتأخذ من قوله عدم ضياع الوقت، أما أن يكون هم الناس تعطيله، فاجعلها كلمات شاعر.

وحول مقدار ست ساعات يوميًا قرأت مرة في مقابلة مع محمد عابد الجابري أنه كان يعمل ست ساعات يوميًا، وذلك لمدة خمسة وعشرين عامًا، من التاسعة صباحًا إلى الثانية عشرة ظهرًا، ثم من الثالثة إلى السادسة مساء. [لعلني قرأت ذلك في مقابلة له سنة ٢٠٠٠م]. والعمل المستمر لمدة ست ساعات قد يكون غالبًا مجموع العمل في القراءة والجمع والكتابة، وما أشبه هذا من كتابة بحثية لا ترهق الذهن، كإبداع منهاج جديد أو فكرة جديدة أو أسلوب متأنق فكرة ولفظًا، أما النصوص الإبداعية كالرواية والمقالة الأدبية والفكرية فهذه مما يصعب أن يمارسها الشخص لمدة تزيد عن ثلاث ساعات،

وإلا فسيكون فيها قسم كبير لعمل آلي لا إبداع فيه. وقد يكون العمل البدني أسهل بكثير من العمل الذهني طويل الوقت. استمعت مرة للقاء حضره عدد من مشاهير الكتاب الأمريكيين، ممن تندرج كتابتهم تحت مسمى «الكتابة الإبداعية»، فقالوا: إنهم يحتملون مقدار ثلاث ساعات من الكتابة يوميًّا لا أكثر من هذا. وتقول: ماذا يصنع الكاتب في بقية يومه؟ أقول إنه يحتاج للقراءة التي هي زاد الكتابة، ولا أقول تساعده على الكتابة، فليست القراءة للكاتب مساعدة، بل هي شرط عمله، فمن أين له مادة الكتابة لليوم الذي يليه أو للكتاب الآخر أو الفكرة التالية؟

يقول حمد الجاسر مؤرخ الجزيرة العربية الأشهر إنه في آخر عمره يبدأ برنامجه العملي في الصباح الباكر إلى الظهر كل يوم، ثم يرتاح بلا التزام عملي بقية نهاره. وكان لا يحب أن يكتب في الليل؛ لأن الكتابة تهيج الذهن وتمنع من النوم. وأحمد أمين كان يقوم مبكرًا وقت صلاة الصبح ولا ينام صباحًا، فإن كان عنده عمل وإلا فإنه ينصرف للقراءة والكتابة إلى الظهر، وفي المساء يقرأ ولا يكتب، يقول: «فقلما ألّفت في المساء لأني إذا كتبت هاج مخي، فإذا ما نمت بعد الكتابة لم أنم نومًا هادئًا، وظل عقلي يحلم ويحلم، ويبدي ويعيد فيما كنت أكتب، وليس الحال كذلك إذا اقتصرت على القراءة». وينام وقتًا قصيرًا نهارًا، ويشترط هدوءًا شديدًا. وإذا علقت فكرة برأسه أزعجته، وقد يترك نومه ويذهب للمكتبة يتحقق من الكتاب ومن المسألة. [**حياتي**، ص٢٩٠ - ٢٩١].

وقد وجدت أن السهر مع الكتب من أعظم الغنائم، حيث لا تسمع أحدًا، ولا يسمعك أحد، لا ترى صارفًا ولا يراك، وذلك قبل الإنترنت وليس بعد اجتياحه لحياتنا! وقرأت للعقاد وهو يتأمل ليله ويقول: «إننا نكبر بالليل جدًّا.. إن الليل هو عالم النفس، أما النهار فهو عالم العيون والأسماع والأبدان». [من

كتابه «أنا»، ص٢٣٨]. وكان الشافعي يسهر للكتابة كما مرّ بنا، وابن دقيق العيد المجتهد الشافعي الفـذ، كان يقضي ليله قراءة وكتابة وينام في الصباح. [من مقدمة كتاب «إحكام الأحكام»، تحقيق أحمد شاكر، ص٢٢]. وكان ابن الجوزي ينام نهارًا، وأحمد ابن حنبل كان يذاكر المحدثين مساء. وكان المودودي ـ مـن أهـم من تتلمذنا على كتبه المترجمة ـ ينفـق ليله في القراءة والكتابة، وينام سـاعات الصباح إلى الضحى، كما تحدث عنه خليل الحامدي في شريط تسجيل تذكاري.

«فافخـر بزيـت مصباحـك وبالأحبـار، وليفرح الغافلـون بخمر كؤوسهم والأوتار»

وكان كازنتزاكي يقول: أشعر بضيق شـديد ومع ذلك أكتب طيلة النهار؛ لأنـه يجب أن أكتـب. [المنشـق، ص٤٥٧]. وفي مكان آخر تقـول زوجته إنه عندمـا لا يكتـب يقـرأ. [ص٢٣٦]. وقال: تعرفيـن غايتي المثلى: ثمانية أشهر للعمل والعزلة، وأربعة للسفر. [ص٢٦٧]. ولكنه في السفر يبحث عن الكتب ويجمع ويتعلم اللغات ويقرأ ولا يسمي ذلك عملاً، إنه متعة! ثم يشمئز كبقية القراء ويقول: لم نعد ننتظر أشياء مهمة مـن الكتـب. [ص٦٩]. وبعد الثالثة والسبعين ومع شـدة المـرض زاد انكبابه على العمل، وصار يرفض الذهاب للتنـزه، ويقـول: قلبي وفكري لـم يهرمـا، وسـوف أعمـل على ألا يهرمـا أبـدًا، فالهزيمة هزيمة تلحق بالضعفاء والجبناء والعاطلين عن العمل، ونحن لسنا من هؤلاء. [المنشـق، ص٤٩٥]. وهو يعيد لك في هذا المقطع شـخصية «زوربا» الـذي يرفض العجز والاستسـلام للموت، ويمسك به الموت واقفًا فيتمسك بشباك النافذة هاربًا من الموت ومعانـدًا مصرًّا على الحياة. وقد كان كازنتزاكي معجبًا بالعرب، ويقول إن أصله عربي. ويقول: لم أشاهد في حياتي ما هو أكثر جاذبية وإغراء من صحراء بلاد العرب. [المنشق، ص٤٦١].

ومن التجربة يمكنني أن أقول: إن مزاج الكتابة صعب الاستدعاء للعمل، وقد ذكرت مرة لشقيقي أنني في مرحلة كتابة الرسالة أضع الأوراق والمراجع بين يدي، وأجلس ثماني ساعات تقريبًا ولا أستطيع أن أخط كلمة واحدة، فاستغرب وسكت عن ذكر هذه الحالة لأحد؛ خشية أن تكون حالة مرضية يقولها عني من لا يدري بصعوبة مزاج الكتابة. وأحيانًا يأتيني مزاج رائع للكتابة فأكتب من الليل حتى أسقط متعبًا، ثم أستكمل في الصباح بمزاج رائق للنص ومتابعته.

وقد قرأت هذا المقطع لرسل، فأعجبني وجعلني أستطيع التصريح بما سبق؛ يقول: «كنت أجلس كل صباح وأمامي ورقة بيضاء، وأمضي النهار كله باستثناء فترة قصيرة للغداء محملقًا فيها، وعندما يحل المساء تكون الورقة في معظم الأحيان ما زالت بيضاء على حالها.. وكان يبدو محتملاً جدًّا أن تذهب البقية من عمري في الحملقة في تلك الورقة البيضاء». ولكن هذا المزاج لم يستمر مع رسل، فقد انفكت العقدة واكتشف أكثر من نظرية في الرياضيات، وكتب في ثمانية أشهر كمية هائلة جدًّا. كان يكتب يوميًّا ما بين عشر واثنتي عشرة ساعة. وتضخم المخطوط، وعندما ذهب به هو ووايتهد للمطبعة، كان لا بد له أن يستأجر عربة ذات أربع عجلات لحمله. [**مذكراته، ص٢٣٦ - ٢٣٧**].

تقديس المكتوب والكاتب

ليس تقديس المكتوب بدعًا من الأمر، فقد جرت العادة على احترام الكتابة وتكريم الكاتب، وحضارات الدنيا ترفع شأنه وتعليه. فأبو جعفر المنصور بعد سنين من تربعه على عرش الخلافة تمنى لو أنه بقي يحمل محبرته ويكتب حديث رسول الله ﷺ، ولما ذكر ذلك لجلسائه أظهروا استعدادهم أن يكونوا تلاميذه يملي عليهم من الحديث ماجمع، فسخر منهم، فليسوا من طلب العلم

في شيء. ثم اندثرت عندنا قيمة المطبوع، عندما انتشرت الجرائد ووزعت مجانًا في كل مكان. ولا أزال أذكر في درس اللغة الإنجليزية، وقد كنت في الفصل الـذي أغلبه عـرب، وذكرت للمدرس أن عادة العـرب أن يأكلوا على الأرض، فقال المدرس ستيف: نعم أعلم ذلك، تأكلون على الجرائد!

انزعجت من ذلك ولكن لم أنكر عليه، ولعله ذهب لطلاب عرب وصنعوا بـه ذلـك، فالسفرة المعتادة لـم تكن توجد بسهولة. ويذكر لـي صديق حادثة مشابهة، قال: تزوج عربي من أمريكية ووالدها محام غني، فطلبت من زوجها أن يخفف من شرب الخمر قدر الطاقة قبل الموعد، وأن لا يأتي من التصرفات مـا يحرجهـا أمام أهلها، فوافق على كل شـيء ولكنه يبدو غير قادر على ضبط نفسه، فشـرب قبل الزيارة، ثم لما جلسـوا ودعاهم المضيف للذهاب للطعام على المائدة، التفت صاحبنا العربي يبحث عن الجرائد في أركان البيت، حتى إذا شـاهد جريـدة أغار عليها وفرشها على الأرض، فكان مشهدًا ضاحكًا مستغربًا محرجًا! فهكذا أصبحت الجرائد للطعام، والكتب عندنا بضاعة خاسرة غالبًا، كتابة وقراءة وبيعًا ونقاشًا!

* * *

أغلـب مـن يكتبون ليسـوا متواضعين، وكل سـطر يسـطرونه يفتح لهم في الكبـر بابًا، يذكرونك بقول صاحبهم الـذي كان يصلي في المسـجد ويتظاهر بالخشوع، فتحدث حوله صالحون معجبون بعبادته وطول صلاته، فالتفت لهم قاطعًا للصلاة وقال: «وأيضًا فإني صائم!».

ويدرك الكتاب المتميزون إعجاب الناس بهم وتقديسهم، غير أن من الكتاب من ترفعه الحكمة عن استثمار الإعجاب لصالحه كالغزالي وتولستوي. فهذا ابن العربي يحير في شيخه الـذي كان يحضر له في بغداد ما يزيد عن

أربعمائـة عمامـة، يتشـرد ويتصوف ويهرب مـن الناس. وهذا تولسـتوي يفعل نفس الصنيع. ويصف جلسته أمام البحر الروائي البارع غوركي وقد رآه ذات يوم جالسًا أمام البحر:

«كان هنـاك ورأسـه بيـن كفيـه، وكانت الريـح تخلـل بين شـعيرات لحيته الفضيـة، وكان ينظـر إلى الأمـواج من بعيد، والموجـات الزمردية آتية تتدحرج تحت قدميه وكأنها تريد أن تسر للعجوز الساحر بشيء. كان يشبه صخرة دهرية دبت فيها الحياة، وعرفت بداية كل شـيء ونهايتـه بعد البحث والتدقيق، وهي تعلم (الصخرة الحية) متى وكيف تنتهي الصخور وأعشاب الأرض ومياه البحر والكون أجمع، ابتداء من حبة الرمل وانتهاء بالشمس، والبحر جزء من روحه، وكل ما حوله يأتي به ومنه. وفي سكون تأمل الرجل العجوز شعرت بشيء من قدريـة السـحر، وأعجز عن التعبير بكلمات عما أحسسـت بـه في تلك اللحظة ممـا لم يخطر ببالي قط، كان قلبي مغمـورًا بالفرح والخوف، ثم امتزج كل شـيء في شـعور واحد من الهنـاءة: لن أكون يتيمًا على هذه الأرض ما دام هذا الرجـل يعيش عليهـا!». ويبتعد غوركي على أطراف قدميـه لئلا يحدث الرمل حطيط؟ تحت عقبيه وحتى لا يعكر على العجوز صفو تفكيره». [تومـاس مان، غوته وتولستوي، ص١٣٤ - ١٣٥].

وهكذا لم يتحدث معه عن إعجابه به، وأبقى هذا الموقف كالذي شعر به الذهبي أمام شـيخه ابن تيمية، فقال: «لو أقسـمت بين الحِجْر والمقام ما رأيت مثله ولا رأى مثـل نفسـه لبررت!». ثم لم يعدمه في «زغل العلم» من ملاحظة لعلها عادلة صادقة. تلك كانت مهابة تولستوي الذي ينظر بعين شيطان وقديس. وقد ألقت الضخامة واللحية الكثة الطويلة، والفلسفة والأدب، والتعمق الغريب في النفس والوجود، والثقافة الواسعة عليه أركان المهابة والسحر. وهي دائمًا حاجـة يتطلبها الباحثـون عن النفس في القـدوة، أو الباحثون عـن القمم على

الشاطئ عند ذرات الرمال. فعندما تفرغ من هذا لا تظن أنني أجرده من تواضع وحكمة، ففي كتاب تولستوي «**مختاراته**» ما يفتح أمام العين أفقًا من الروح واسعًا لا يحمله متكبر صلف، ولكنها لحظات خاطفة يستجيب لها العظماء، فيسقطون ويضحكون، ويصعدون فيخلدون ويخلدون، وقد لا يدركون أثر هذا في صناعة لحظات الأنس أو الحزن للآخرين. فلحظات تولستوي على الشاطئ ربما تكون لحظات ملله وضيقه الشديد من نفسه وحياته، أو لحظات روعة أنسه وسلوة خاطره، والذي بقي لنا هو روعة انفعال غوركي بالمشهد، وحاجته للاقتداء والشيخ الحكيم يفتح له في الروح بابًا وعلى الدهر دليلاً، فالروح تبحث عن دليل كما تبحث العين في المسير.

والشيوخ الذاهبون كثيرًا ما يكونون أدلاء للتالين، وعلامات بها يهتدون. فما أسعد مقتد بمهتد، وويح للمقتدين بالهائمين التائهين على الدروب! وكم تعلق الناس بالكتب والكتاب وتطرفوا في الولاء لهم أو العداء، وقد كانت جنازة ابن تيمية وأحمد بن حنبل من الجنائز المشهودة، وصف ابن كثير جنازة شيخه فأكثر من الوصف المعبر عن مكانة الشيخ عند المؤلف. وودع أهل لندن جنازة تشارلز ديكنز بدموع غزار قَلَّ أن حظي بها كاتب، وكل هذا يدل على تقدير الشعوب للأفكار والكتاب.

وقد قرأت في كتاب المؤرخ مكلف عن جون آدمز (الرئيس الثاني لأمريكا)، وهو أروع ترجمة لشخص قرأتها بالإنجليزية إلى الآن، فذكر أنه لما ذهب بصحبة جيفرسون (الرئيس الأمريكي الثالث) لزيارة بيت شكسبير في ستراتفود نزل المثقف الكبير جيفرسون وقبل التراب عند قبر شكسبير إجلالاً وتقديرًا.

وجيفرسون من أهم مثقفي أمريكا وأكثر رؤسائها ثقافة وتأثيرًا في بنائها الثقافي، ومكتبته الشخصية هي الأساس لمكتبة الكونجرس المعروفة اليوم، وقد باعها للحكومة بعد إحراق البريطانيين لمكتبة الكونجرس عام ١٨١٢م.

وكان أيام عمله كدبلوماسي في باريس يخرج كل يوم ويقلّب الكتب في المكتبات، وتمر عليه أيام يشتري كل يوم كتابًا، مع ما كان يعاني من وحدة وقلق وإفلاس، واشترى في إقامته تلك نحو ألفي كتاب.

ومن أطرف أحوال الثقافة لدى السياسيين الأمريكيين الثوار أن بنجامين فرانكلين وجون آدمز وجيفرسون (والثلاثة من أهم شخصيات أمريكا السياسية) كانوا يعملون ديبلوماسيين في باريس وقت الثورة وفي أواخرها، وتلك كانت أرفع حالة سفارة. ويكفي أن تعلم أن فرانكلين أهم شخصيات العالم الجديد المعروفة عالميًّا آنذاك، ويليه الآخران، وكلاهما أنتخب رئيسًا. غير أن هذه الواجهة الثقافية للثورات في تلك الدهور كانت بارزة جدًّا، فالثوار الروس كانوا مثقفي روسيا غالبًا، بحسب ما أبقوا لنا اليوم. ومثقفو فرنسا كانوا وجوه الثورة بما فيهم فولتير، وكما قال إدوارد سعيد في «**صور المثقف**»: ما من ثورة إلا والمثقفون آباؤها وأبناؤها وبنو عمها.

نعمة الجرائد والمقالات

متعة الجريدة سبقت متع الإعلام الحديثة كلها، تحدث عنها الطهطاوي وشرح للمصريين أنها من مباهج باريس الكبيرة، غير أن وصف الطهطاوي لها لا يبلغ هوس هيجل ومدحه لها، والطهطاوي كان مستكشفًا، ونال الشهرة لأنه قال للناس ما رأى، وقد ركب القليل من الأفكار التي عجز معاصروه من الراحلين إلى هناك عن تركيبها، ونال الشهرة كما ينال الأعور الريادة في الطريق بين أيدي العميان! قال هيجل: «إن قراءة الصحف لهي بمثابة صلاة الصباح بالنسبة إلى إنسان العصر الحديث». وكم حزنت على سنين في غربتنا لم نستطع فيها قراءة الجرائد الأمريكية القوية مثل: «**الواشنطن بوست**» و«**نيويورك تايمز**»، ولم نهتم بها إلا متأخرين، ومع ذلك فقد كانت قراءتها تثير

سخرية زملائنا ذوي التخصصات العلمية من الإسلاميين وغيرهم، فكلهم تقريبًا كان لديهم إجماع على تجنب الثقافة الغربية ومعرفة ما فيها من خير أو شر، فعاد كثيرون بلا علوم ولا فنون. كان يحجز أكثرهم عن المعرفة ضعف اللغة، وبعضهم صدته الغفلة المتوارثة، والقناعة بعدم أهمية المعرفة، فكل ما يهمه ورقة تيسّر له مهنة يحصل عليها عند عودته، ولقب ومنصب. وهذه تتحقق في المجتمعات العربية دون حاجة لمعرفة ولا ثقافة، بل قرابة أو واسطة وشهادة. وقليلون منعهم وَهْمُ مصادمة الدين للثقافة، فكيف إن كانت غربية!!

وكنت قرأت وأنا هناك كلامًا طريفًا لشمعون بيريز عندما أقام في نيويورك ليطور لغته الإنجليزية، ويتعرف على المجتمع اليهودي الأمريكي والأمريكي، وكيف أن جريدة «**نيويورك تايمز**» كانت متعته، وبخاصة في صباح الأحد. تلك المتعة ـ جريدة «**نيويورك تايمز**» يوم الأحد ـ عرفتها لاحقًا بعد تحسن اللغة كثيرًا، وقلة العقد في القراءة، وكذا «**الصنداي تايمز**» في لندن لا تقل إمتاعًا وملاحق.

***

للمقالات تاريخ عظيم في التأثير على الناس، ربما لا يقل عن الكتب الكبيرة، إن لم يفقها أحيانًا؛ فهي أشبه بالخطب الاختبارية أو المحاضرة العابرة لموقف ما، تقال في مجلس أو مجمع، ثم تتطور إلى موقف أو مقال أو كتاب يصوغ فكرًا. وكثيرًا ما كانت الكتب الشارحة للمقال توسيعًا وتزويقًا لفكرة مركزية مهمة وصغيرة ومؤسسة بأدلتها في سياقها الأول عندما نشرت كمقال، وإن كانت المقالات المؤسسة في الفكر الغربي المعاصر مشهورة، فإنها قد لا تقل أهمية في تاريخنا وتاريخ أمم سابقة، ولكن الناس يحبون الكتب الجامعة في النهاية. وأمثلة ذلك من رسائل علماء المسلمين كثيرة مثل: «**عقيدة**

الطحاوي» وأكبر منه «**الحيدة**» للكناني، وبعض رسائل ابن رشد كـ«**فصل المقال**». ولابن تيمية نصوص كثيرة مهمة أشبه بمقالات مطولة كـ«**العبودية**» و«**الحموية**» وغيرها كثير. ثم انتشرت مقالات في العصور الأخيرة كان لها دور كبير على حياة الناس وأفكارهم لا تخطئها عين، مثل مقالات توماس بين عن الثورة الأمريكية، و«**العصيان المدني**» لثورو، ومقال «**إني أتهم**» عن قصة درفيوس في فرنسا. أو «**أكذوبة التاريخانية**» لبوبر، ومقال كينان في «مجلة الشؤون الخارجية الأمريكية» الذي نشره بغير اسمه الحقيقي، ومثّل المقال بعد نشره مشروعًا سياسيًا للغرب ولأمريكا خاصة في مواجهة روسيا، وكذا معاصره الكاتب المؤثر والتر ليبمان الذي كانت الحكومة الأمريكية أحيانًا تنتظر مقاله قبل أن تتخذ موقفًا. وأقل من ذلك مقال فوكوياما «**نهاية التاريخ**»، ثم مقال هنتنجتون «**صدام الحضارات**»، كانت مقالات موجزة تامة الفكرة ثم شرحت وعلق عليها، وصدرت كتبًا فيما بعد، ومن مقاصد توسيعها الربح والترويج والتوثيق لفكرة ربما قتلها أو أسقطها كونها مقالاً، علمًا بأن بعض التوسيع يضيع رشاقة وقوة الفكرة الموجزة.

وكذا في الأدب، فإن مقالات وأفكارًا قصيرة مصوغة بوضوح وفكرة محددة قد تقلب الموقف من مدرسة أو فكرة أو أديب، مثل مقال «**السؤال الحقيقي**» الذي نشره الروائي النيجيري شينوا أشيب عن الروائي جوزيف كونراد، عالج فيه عنصرية كونراد، في روايته «**قلب الظلام**» وقرأ الرواية الشهيرة قراءة جديدة، اتهم فيها المؤلف بتجريد الإفريقي من إنسانيته، فلم يعد أحد يفصل كونراد عن العنصرية بعد هذا المقال الفاصل. وكذا مقال واثينجو «**تصفية استعمار العقل**» مقال إفريقي كانت له خطورته. وقد درست هذا وما يشبهه في كتاب «**أقنعة الاحتلال**»، الذي أرجو أن يجد طريقه إلى القراء قريبًا.

أما في مجالات العلوم التطبيقية فالحجم غالبًا لا يكاد يذكر بأهمية، من مقالات «عصر النهضة» ثم بداية الطباعة إلى مقالات آينشتاين التي صنعت ثورات علمية وقلبت حياة الإنسان في شتى المجالات. ومن هنا أصبحت المقالات في المجلات العلمية الصارمة والمحكمة تعطي نقلات معرفية كبرى في حياة الإنسان الحديث، وأصبحت المجلات هي قلب الحركة العلمية والاختراعات بشتى أنواعها. أما الكتب اللاحقة فكانت مجرد تفاصيل وشروح لما سبق أن نشر في المجلات العلمية، ومقررات مدرسية.

وكانت تصدر في أمريكا مجلة «ريدر دايجست» وقد عربت فترة من الزمن، ولهذه المجلة دور ثقافي كبير في الولايات المتحدة، ومن كان يقرأ بالإنجليزية؛ لكونها تختار أهم المقالات وأهم الفصول من الكتب، وتطبع وتباع شهريًّا. وبلغت من الشهرة أن أصبحت خلال عشرات السنين مجلة في كل بيت، ومجلداتها زينة غرف المعيشة عبر القارة. ثم تراجعت وتوارت أهميتها منذ حوالي عشرين عامًا. وكذا في القارة يوجد كتب تصدر تجمع أهم المقالات في مختلف التخصصات، وجوائز صحفية للمقالات المهمة، وحتى للتغطيات الإعلامية الأكثر براعة. فتحفظ هذه المجاميع المقالات المنتخبة من الضياع بسبب السرعة في المجلات والجرائد والدوريات. وفي العالم العربي غالبًا ما يكون الكتاب الجامع هو المهرب من الضياع.

شخصية الكاتب

قبل كتابة هذه الفقرة كنت أتصفح كتاب «**كتب وشخصيات**» لسيد قطب، بحثًا عن أبيات لابن خفاجة الأندلسي، أذكر أنه أوردها في وصف جبل، وهنا تجد الأبيات التي تصف الجبل حتى لا يشق عليك البحث عنها، أو

نعلقك بشيء تبحث عنه ثم تقول تعب بلا جدوى، نذكرها وإن لم تكن في سياق ما نحن بصدده:

وأَرْعَنَ طمَّاحِ الذّؤابَةِ شَامِخٍ يُطاوِلُ أَعنَانَ السَّماءِ بغَارِبِ
وقورٍ على ظَهْرِ الفَلاةِ كأنَّه طوالَ الليَالي نَاظِرٌ في العَوَاقِبِ
أَصَخْتُ إليهِ وَهْوَ أَخْرَسُ صَامِتٌ فَحَدَّثَني لَيْلَ السّرَى بالعَجَائِبِ
يَلُوثُ عَليهِ الغَيمُ سودَ عمائمٍ لها من وَميضِ البَرْقِ حُمْرُ ذَوَائِبِ

وكأني قرأت في مكان ما البيت «مُفكر في العواقب» بتسكين الفاء بدلاً من «ناظر في العواقب».

وللكتّاب شخصية ومهابة كما لكتاباتهم، وإني كنت أقدر بعض الكتب احترامًا ومهابة لمؤلفيها، فقد غار في النفس لبعضهم تقدير لا يُفسّر.

وقد مررت أثناء البحث عن قصيدة للعقاد، فأعرضت عنها باحثًا عما بعدها، ولكني في لحظة أن هممت بأن أقلب الصفحة التي فيها القصيدة، غمرتني لحظة من الحياء من العقاد، وتمثلت كرامته وعزته، وكأنه أمامي، فكرهت جرح مشاعره وهو يكاد يراني مدبرًا مجافيًا لنصه الشعري العزيز عليه، بل وكأني غير مقدر لشعره، ومستهينًا بكبريائه ومكانته، وهو من حارب ليثبت أنه شاعر إلى آخر نفس!

لا أستطيع أحياناً الفصل بين النص والشخص، وزعم هذا الانفصال يكاد يكون خيالاً، حاول ـ إن استطعت ـ أن تفصل بينهما فالفصل مفيد في جوانب، ولكنه سيدفن كثيرًا من الحقائق عن عينيك. هؤلاء المؤلفون يطلون علينا بشخصياتهم، وتأثيرهم الكبير من وراء الأسطر، عرفنا ذلك أم لم نعرفه، فبعض الكتاب لهم مهابة، وبعضهم له طرافة، وبعضهم تستعد لجدّه، وآخر لمزاحه، تبتسم قبل فتح كتابه، وثالث للغته، ورابع لفكرته الشرود، تحس عقله جبارًا

وراء الكلمات، وينكشف نادرًا لك تقصيره أو ضعفه أو مبالغته. فاعلم أنك في عالم الكتب تخوض البحور الزاخرة، فيها من عواصف البحر ما يغرق أكبر السفن الماخرة، ومنها موجات معتادة، هينة الموافقة والمخالفة، ولكم خفت من مؤلف، وطربت لآخر، وآنس وحدتي ثالث، وأشقى أيامي رابع، وجعلني أسير وأقود سيارتي وأشفق على نفسي من التفكير بقوله، لأنني قد أنشغل بها فأصطدم، أو أفعل ما لا يليق من مجاملة الناس ورعايتهم في الشارع، وبعضهم تخافه على عقلك، وكثيرون تخافهم على إيمانك، فهل فعلاً نخاف على إيماننا من المؤلفين؟! وبعضهم يقول عنه إدوارد سعيد: «يوفرون للقراء تجارب هي في جوهرها خاصة وباطنية وتأملية، ذات طبيعة روحانية مطهرة لا تسلم أمرها بسهولة للتمحيص العمومي. [الأنسنة والنقد الديموقراطي، ص٦٤].

وإني لأجد نفسي مرتاحًا مع الغزالي، متقلبًا معه في بحور معارفه، ولو عاش في حال آخر لربما كان متوحشًا في فكره مثل نيتشه، فلم يقل مغامرة ومرضًا عنه. وقد تلون مزاجه في بعض كتبه، وليس كلها، فبعض كتبه مرهق للقارئ العابر، ولكن «الإحياء» و«المنقذ» أنموذجان جميلان وممتعان، لغة صافية، وسلاسة في عرض الفكرة، وجلب للمثال وتعريض بالحال. وهذا موجود أيضًا عند تلميذه أبي بكر ابن العربي، على الرغم من شدة التلميذ، ومالكيته القاسية. كلاهما عالم واسع الأفق، ولكنه كان من ذوي المرح العلمي، وأعني بالمرح العلمي هنا مزاج الانفتاح، والدخول والخروج من موضوع قريب إلى آخر بعيد، ومن مسألة علمية إلى مسألة شخصية. أما الكاتب القاسي الذي لا يفتح مجالاً لنفسه ولا لقارئه أن يذهب بعيدًا أو قريبًا من الموضوع، بل يرهقك طوال الطريق بجده وصرامته، فقد تمل منه إن كان يتحدث فيما يسع الخروج، ولا ينفس عن نفسه وقارئه. والنص العلمي الصارم حسنته في أنه لا يضيع وقتك إن كنت باحثًا أو مدرّسًا لكتابه، فالكتاب

المنهجي الذي يدرس يختلف عن الكتاب العام، وبعض هذه الكتب العلمية فيها استطراد من مسألة علمية لمسألة أخرى، وسيئة هذا النوع أنه يستطرد بك حيث لا تريد، ويرهقك بالجد حتى تمل. ثم وجدت تأييدًا لما ارتسم في الذهن عن مهاراة ابن العربي هـذه وأنا أتصفح كتاب «أضـواء جديدة على المرابطين» فصل: «بين ابن العربي في العواصم والشاطبي في القواصم».

أما ابن تيمية فكنت آتيه مستسلمًا سامعًا مطيعًا، وقد بهرني الكثير من قوله، ولكن رحلتي معه تلك انتهت بتساؤلات فغرت أفواهها في وجهي وأنا أقرأ له عام ١٤٢٠هـ ـ ٢٠٠٠م أو بعده بأشهر، قرأت له ما لا يليق بعلوه من مماحكة جدلية ضعيفة الحجة، وشعرت أنني بحاجة للجد في معرفة معارفه قبل الحكم بشيء، وتَوْقِيت كتابة كتبه متى وفي أي عمر وظرف. وهو موقف شـخصي لا يضير الكبار، ولا يهـز مكانتهم العامـة ـ كما قد يتحفز بعض القراء ـ فقد تمضي قرون قبل أن ينزله وقرينه الغزالي أحد من عرشيهما.

ويل للكاتب إن تثاقله القارئ

العلاقة بين المؤلف والقارئ علاقة طريفة، ولنقرأ طرفًا من هذا كما سطره قـارئ ضليع، ولكنـه كان مترجمًا وكاتبًا مقلّاً: «ويل للكاتب إذا تثاقله القارئ، فالقارئ يشبه طاغية يسامره الكاتب بعد عناء يوم أمضاه الطاغية في الصيد أو حكـم الناس، وهو في حالة ارتياحه ليلاً يطالب مسامرة الكاتب، أن يحدثه بالطريف والرائع حتى يحين موعد نومه.. فإذا كان الكاتب المسامر مضجرًا للطاغية القارئ فهو لا ينال منه سوى التثاؤب، الذي يعبّر فيه للطاغية عن نفاد صبره معه». [نجيب المانع، ذكريات عمر أكلته الحروف، ص٢٤٢].

ثم يقول: «ولكنني معني بما ينبغي للكتابة العربية أن تصير: إتقانًا ومفاجأة وجـدة وعمقًا وفكرًا وشعورًا وانتماء للتاريخ، وتخطيطًا للوعي به، واستفاقة

لمـا في اللغة العربية من ثراء وقوة في التعبير، وابتعـادًا عن الترهل والسماجة والبديهيـات، وكرمًا في الروح والعقـل، وأداء منسابًا يخلو مـن التكلف مع العناية بالصياغـة، وتمكنًا مـن الأدوات اللغويـة: بالاختصار أبشر بكتابة تقرأ بشغف لجودتهـا، وتقرأ بشـغف هذا اليـوم وبعد اليوم. نحن لـم نرتو بعد من ينابيعنـا كي نبتعد بحثًا عن ينابيع أخرى، ونحن لم نكتب في عصرنا الحديث نثـرًا كافيًا يجعلنا نهجر النثر المشبع إلى النثر المجوع. وعندمـا يكون عندنا ناثرون بالمئات من أمثال فلوبير وفروست وجيد وفاليري، فربما يجوز لنا أن ننادي قائلين: كفانـا كتابة جيـدة، ولندلـف إلى صحاري الكلام». [المانع، السابق، ص٢٤٨].

ويضيـف: «إن النثر حيـن يكون جيدًا فهو ينظم العلاقات الإنسانية على مستوى حضاري، فالنثر انتهاء الهمجيـة والدخـول في العلاقـات البشريـة الصحيحـة، ولهذا توصلت إلى نتيجة مفادها أن على العرب اليوم أن يحسنوا النثر ويكثروا منه؛ لكي يدخلوا في حضارة القرن الحادي والعشرين». [المانع، السابق، ص٢٥٠ – ٢٥١].

قابلـت أعدادًا كبيرة في مجتمعاتنا العربية، وسـمعت وقرأت لغير العرب، وعايشت الفريقين في بلادهم زمنًا طويلاً، فما شككت وللأسف في أن العربي اليوم يفقد الكثير من مؤهلات التعايش مع الناس، ناسه وقومه، ويفقد الأسلوب المناسب للتعامل مع دينه وثقافتـه، ولا يعرف كيف يتعلم لغته ويطورها، ولا كيف يحذق فن التعبير بها، ويجد في قدوته من المدرسين والصحفيين جهلاً فاحشًا باللغة، وفجاجة في التعامل معها، ولا يطور أحد من هؤلاء طريقته في التعامل مع وسيلة التواصل، وفهمه للتطور أنه أبدًا رسـوم وقوانين، بلا تذوق للغـة، ولأن النصوص الجميلة لا يجدها، والكلمات التي تنقر حبات القلوب، والتراكيب السهلة الممتنعة لا يسمعها، فهذا صحفي لأن أقاربه أعطوه منصبًا،

وهذا مذيع لأن شكله جميل، وتلك تتكلم في الثقافة لأنها جذابة، وكلها أعمال تبدأ بعدم الأهلية، فتولد الجهل والتخلف وضياع معاني الكلمات، فإن جلس المستمعون أمام برنامج ثقافي ليشاهدوا المذيعة فماذا يمكن أن يدركوا ويفهموا؟ وهل هذه ثقافة؟ إنها أكبر وسائل الدعوة للموت والجهل والإلحاق! تأملوا المذيعين المشاهير والمعلقين الثقافيين في العالم الغربي في القنوات التلفازية الأشهر، ماذا ترون؟ سترون كثيرًا منهم كهولاً وشيوخًا طاعنين في السن متهدجين، ينزل من منصة الإذاعة للقبر، تراهم وقد بدت الخبرة على أقوالهم وفهمهم وتصرفاتهم، وسياق لغتهم، ومهارتهم، وتجدهم واثقين من الإمساك بزمام التجربة والثقافة والأدب، لا يكاد يقل عمر أحد منهم عن الستين، يظهر أمامهم المفكر والمثقف والزعيم صغيرًا راجفًا. وممن عاصرنا وأدركنا منهم: وليم بكلي، ولاري كينج، وديفيد فروست، وسنو، وبرنارد شو، وتد كابل، وتشارلي روز، وبيتر جيننز، وبروكو، وغيرهم كثيرون. وتجد المذيعة المسنة مثل بربارا والترز، والسودانية كزينب البداوي، وتجد الحمراء والصفراء والسوداء الهندية في بريطانيا وأمريكا تجد مكانها؛ لأنهم يبحثون عن الذكاء اللماح، والقدرة على إقناع السامع، وليس الأصباغ والأشكال كما هو هم التلفاز في العالم الجاهل، حيث تشهد اللغة الركيكة، وعامية الحارات المغلقة، والتصنع الإقليمي الفج، وتتوقع أي شيء سوى اليقظة والثقافة ومراعاة مشاعر المستمع والرائي.

وللمذيع العالم بعمله لذعة لا تجدها عند غيره؛ شهدت مقابلة أيام معارك البوسنة أجراها المذيع البريطاني سنو مع دجلس هيرد وزير الخارجية البريطانية وقتها، وحاول المذيع البارع أن ينطقه بلفظة مما يريد، أو ما يوحي بحقيقة الموقف الأوروبي من المسلمين، وهو أن الحرب إسلامية نصرانية، أو أن الأوروبيين تقاعسوا عن ذبح المسلمين، وأنهم منعوهم من التسلح، فما

استطاع المذيع أن يستخرج أي كلمة واضحة أو ذات قيمة في شرح الموقف، وما لبث ذاك إلا أن أقنع المستمع أو كاد بأن انحياز بريطانيا ونفاقها إنما هو «حضارة ومدنية ومستقبل مشرق». ولكن المذيع نبه المشاهد للنفاق الكبير الذي يمارسه هيرد البيروقراطي المحافظ العتيق، الذي لا يسقط منه كلمة ولا موقف، كما كتب عنه الوزير اليهودي رفكن بعد أن نشر مذكراته، فقال: هيرد بتلر «الساقي» أو حامل الكؤوس الذي لا يسقط من يده شيء.

ورأيت المذيع سنو نفسه يقابل عرفات، ثم ينظر له في النهاية ساخرًا به، إذ لم يحسن التعبير. وكم أتمنى من الزعماء العرب غير البارعين بلغة أخرى أن يتركوا الحديث بلغة أجنبية؛ لأنهم يعانون في اللغة، ويعانون في فهم غيرهم، ويعاني غيرهم من فهمهم! إن سوء الكلام يسبب سوء الفهم، ويسبب سوء السلوك، وإن الذكاء كما قال المانع يُعدي، والغباء يُعدي. وقد جمعني ظرف بوزراء في حكومات عربية، وحينما يبدأ الحديث أحدهم تعجب من كونه يمثل زعيم دولته في كل شيء، طريقة الكلام والحجج، والمسلمات التي ينطلق منها، والوعود والآمال وترتيب المهمات الحاضرة والمستقبلية، وبالطبع طول الكلام الممل، ليريك طريقة سيده في الكلام الطويل!

فحينما لا يتعب الزعيم نفسه في قول جيد لأنه لن يراقبه أحد، ولن يناقش قوله أحد، فتصيب العدوى إعلام البلاد، فلا معقب لهم. فمتى يسمع الناس الكلمة الراقية والأسلوب الأرقى؟ ومتى وكيف يرتفعون؟ إني ألمح في مجتمع العرب الجاهلي مؤهلات للوعي كانت متقدمة جدًّا عن مستوى العربي المسلم اليوم، إذ يفتقد الكثيرون من ذوي المناصب للّغة العربية الجميلة التي يهذب بها نطقه، ويرتب بها عقله. ولم يعد الذوق والتفكير في المنطوق ورفع مستواه مقصودًا، لذا يصعب أن تخطو أمة لطرق المجد والفهم، وهي هامشية اللغة، وضعيفة التفكير.

وقد جاء ذكر لاري كينج فيما سبق وهو مثقف معروف، قرأت عنه مرة أنه يقرأ بمعدل مائة وعشرين كتابًا في العام، ورأيت أن مثقفًا أمريكيًّا آخر يقرأ بمعدل يزيد عن مائة وخمسة وعشرين كتابًا في العام. وليس الفرق كبيرًا مع هذه الكمية الهائلة سنويًّا، وهذه أمور تظهر آثارها الحقيقية على عمل الشخص وقوله ووعيه وليس مجرد الادعاء.

ومما يعين على الكتابة الجيدة أن تتذكر هذه الكلمات التي تعلمها الصحفي الشاب الذي كان عمره سبعة عشر عامًا عندما عمل في جريدة «**كنساس سيتي ستار**»أو نجم كنساس، إنه إرنست همنجواي كاتب «**الشيخ والبحر**»، يقول: «كانت الجريدة تدعو إلى اتباع الأسلوب التالي: جمل قصيرة، ومقاطع قصيرة، وأفعال مؤثرة، والصدق، والتكثيف أو التركيز، والوضوح والمباشرة». ثم قال: «إنها أحسن القواعد التي تعلمتها في هذه الصنعة، ولم أنسها أبدًا». ورد هذا النص في أماكن عديدة، منها ترجمته في صفحته على الإنترنت: «الفصل الثاني: الحرب العالمية الأولى». وقد كان تطبيقه في نصوصه قريبًا جدًّا من هذه الكتابة التي يصفها.

ومن الأساليب البليدة تلك العبارات المنقولة عن ترجمات غير متقنة، فتجد الكاتب العربي ـ تقليدًا ـ يقول مثلاً: «أعطني القلم. قال سعيد»، وهي ترجمة باردة غير صحيحة. وقد كان اختياره للأفعال المؤثرة أو الفعالة ملاحظة جميلة؛ لأن الكتاب كثيرًا ما يسوقون كلامًا باردًا، لا حركة فيه ولا صوت، ولا حياة، أشبه بأساليب باهتة غافلة، غير دقيقة، ولا فعالة. وقد ذكر بعض علماء اللغات أن مما يميز اللغة العربية عن بعض اللغات المشهورة العالمية تقدم الفعل في اللغة العربية على الاسم في بناء الجملة. ومن التغرب والخلط في اللغة أن تكون أغلب الجمل اسمية، بل الأصل الجملة الفعلية في العربية، وتقديمها على الجمل الاسمية، والإنجليزية عكس ذلك غالبًا، فالفاعل يتقدم على الفعل.

وكم تقتل الترجمة من كتب جميلة! فرداءة الترجمة تحجب الكتاب وتقتله وليدًا في لغة أخرى، وقد تشفع له وتبرزه عملاً رائعًا مؤثرًا. ولقد رأيت في ترجمة «**الطريق إلى الإسلام**» لمحمد أسد لذة وشوقًا لقراءته أكثر من مرتين. ولكأنني أتحسس جفاف فمي من الظمأ وهو يسوق قصة «الظمأ» القصة الأولى. وأبدع في الربط ما بين أدب الرحلة، وإيصال الفكرة، والربط بين عوالم متباعدة، وثقافات متنافرة. وكم أحزنني أن عبث به في الطبعات الأخيرة. وعندما تقارن هذا الكتاب برواية شهيرة جدًّا «**مائة عام من العزلة**»، تجد أن سبب شهرتها لغتها؛ لأنك لا تجد في التراجم العربية معنى لتلك الشهرة، وهكذا قال لي زميل قرأها بالإنجليزية، وأن سبب قراءته لها دعاية كبيرة من قرين قرأها بالأسبانية، قال: فلما اطلعت على ترجمتها الإنجليزية عفتها وانكرت شهرتها. وهكذا كانت قصتها بالعربية، وذكر ذلك كتاب من العرب كبار.

ولعل السبب في سلبية النصوص المعاصرة أو ما قبلها أنه عندما قلت الأفعال عندنا في واقع الحياة، أصابت لغتنا سلبية وبرودة، فأصبحت الحكمة فيها هي الهروب من الحياة والأفعال، وغياب المبادرات هي الأساس، فسادت السلبية، والأفعال المبنية للمجهول، والمبالغة في المدح والتملق، وأصبح واضحًا أن هناك من يرخي عنق الفكر واللغة للخضوع، وهناك من ينزع بها للحياة، والحياة لأي لغة مقدار ما فيها من المعرفة والأدب والحكمة، ومقدار ما أشاع أهلها من الأعمال.

واختيار الكلمات والأفعال عقدة العقد عند الكتاب المجيدين. إنهم يعانون من لغتهم الغنية، مثلما يفرح المعدمون بلغتهم الفقيرة. وهمنجواي من أكثر الذين رأيت لهم نصوصًا معدلة ومصححة، فقد كان دقيقًا حاسمًا منتقيًا، كأنه يختار صيدته الأسرع الأشب من قطيع غزلان في المروج التي قضى ردحًا من عمره يصيد فيها!

وقـد كانت نزعة البحث عن الكلمة المنتقـاة رغبة الأصفياء وكبار العقلاء ومتعتهـم العليا، واسـتمع لقول عمر رضي الله عنه: «ذقت متـع الدنيا ولـم يبق منها إلا مجالسة أقوام ينتقون طيب الكلام كما ينتقون طيب التمر». وكلمة عبد الملك بن مـروان نحـو هذا عندما سـاق متعته وأنهـا «محادثة الإخوان فـي الليالي الزُهر علـى التـلال العُفْر». ولهـذا ننتقي طيب الكتب، كما ننتقـي طيب التمر، وننفي من مكتباتنا شين الكتب كما ننفي شيص الرطب، ونتمنى من الكتاب أن يوقروا سامعيهم، فيتعبوا في البحث عن خير الكلمات، ويقدموها في خير لباس.

وعبقريـة المطلـع في بـدء كتاب قد تصنعه وتغري بـه، وقد ذكرني صديق قارئ، وهو الدكتور سـعيد الغامدي بمدح مطلع كتاب «**الطريق إلى الإسـلام**»، لمحمد أسد بقوله الذي تذكّره: «كنا نسير ونسير: رجلين على هجينين، الشمس تضطرم فوق رأسـينا، وكل شـيء متألق ومترجرج، وضياء سابح رواب وكثبان حمـراء وبرتقاليـة اللون، رواب وراء رواب وكثبـان وراء كثبان وحدة وصمت محرق.. ولا تكاد تميز شيئًا فيما وراء قرقشة الرمال تحت أخفاف المطيئين». [ص٢٦]. ثم يسـير الكتاب الذي تمنيت أن يدًا لم تمسـه بعبث، ولكن حصل ذلك مرتين بل ثلاثًا، وللأسـف لم يشـر لهما أبدًا في الترجمات. ونأسف مرة أخرى لأنه وعدنا بجزء ثان من قصته التي أوصلها عام ١٩٣٢م ولم يكمل ما بعد، وربما غلب عقل العالم والمفسر على الأديب المؤرخ الراوية.

ثـم وقفـت على مطلع روايـة قديمة عن الرواد الذين قتلـوا الهنود الحمر، وأقامـوا أمريـكا الجديدة، إنها «**بيت صغير في المـروج**». كتبته لورا ويلدر عام ١٩٣٥م. تقـول: «منـذ زمـن بعيد، يوم كان أجـداد وجدات اليـوم بنين وبنات صغار جدًّا، أو ربما لم يولدوا بعد». ساقتها بكلمات موزونة وأحيانا مسجوعة علـى لسـان طفلة صغيرة، ثم تنسـج الكاتبـة بطريقة دقيقة وكلمـة كلمة طريقة الحياة، والرحلة والاسـتيطان والمشـكلات مع الهنـود، وصعوبة مواجهة البرد

والبراري، والأنهار والأشجار، وتقص طريقة بناء البيوت، وحياة ذلك الزمن، وكأنك تشهدها بعينيك وترى ما يتم. لقد كانت رواية تصويرية عجيبة، وقد عرفت أنها رواية للأطفال، فلا تنكر علي، فالنصوص الجميلة قد تصلح أحيانًا لكبار الأعمار، فليست كل حلويات الأطفال مما لا يليق بآبائهم، فالمتعة واللذة قد تكون فيما لم يعد لك، وأنت الكبير أحيانًا تحتاج لعين طفل وذوقه ومزاجه، كما قال الشاعر: «نفر فديتك نحو الطفولة لو ساعتين.. فسيارتي تسبق سيارتك». وقد شاركت ابني متعته في القصة، وفررت معه إلى طفولته. وقد لاحظت أن الأب يشعر بسعادة كبيرة من مشاركة ابنه له في القراءة، وهكذا أتوقع غيري في العمل.

ريان يحسو قهوة باردة

النص البارد معطل للوعي وهو شر ما بلي به قارئ، وأكثر ما يعجب به كاتبه؛ لأنه يدل به على قوم مثله فيستشيرهم فيثنون على عمله، فيستمر ويغفل ويجهل وهو يتوقع أنه يعلم ويعلّم. وبارد الكتب لا يصلح له إلا وصف البردوني: «ريان يحسو قهوة باردة». لا تكلف نفسك تفسير سلوك قارئ واع ينفق بعض وقته على رديء الكتب، ولا شرح معاناته، فله رغم تجرعه الكتاب البارد سبب لا يريد أن يقوله لك أو لا يعرفه. وقد تذكرت هنا عند تكلف المعاني عنوان وموضوع كتاب جميل سماه مؤلفه بـ**«لقد كان البيت مشتعلًا عندما تمددت على السرير»**. يسرد فيه مؤلفه قصة رجل وجدوه ممتدًا على سريره، واعيًا وسط بيت يلتهب، فلما سألوه لماذا؟ وهل كان مختنقًا؟ قال: لقد كان البيت يشتعل عندما تمددت على السرير! ثم يسرد مشكلة رواد المعاني، ومختلقي الأسباب عندما لا تكون موجودة أو غائبة، أو أكبر من أن يعبر عنها. فأعظم الآلام تذهل عن الكلام، والفرح الزائد يكبت التعبير.

وكان هـذا الكاتـب روبـرت فولجهـم، وهو قسـيس قد نشـر سلسـلة من الكتيبـات فـي الثمانينيات الميلادية وما بعدها أشـبه بمقـالات وعظية، ولكنها مليئة بالحكمة والتأمل في شتى جوانب الحياة. وأطرف منه أول كتبه: «**كل ما أحتاج حقًّا لمعرفته تعلمته في روضة الأطفال**».

وقـد يكـون الكتاب طريفًا في لغتـه، أو في ظرفه الذي صـدر فيه وزمانه، فـرب رسـالة مرت علـى سـطورها عيناك فمرت علـى نياط قلبك، واسـتهلت الدمع غزيرًا، لو قرأتها اليوم لما أحسسـت فيها شـيئًا مما أشـجاك، ولأنكرت على نفسـك وقلت: ليس هذا مما يسـتحق سيل العواطف تلك. فالقراءة مكان وزمـان وعاطفة، تلك الصخور التي قرأت بجانبها بعض قراءاتي الأولى بقيت ذكراها على القلب والعقل منقوشـة في صخر، ولا أذكر الكتاب إلا والصخرة والعمـر والمكان يمسـكان معـي بـ«**معالم فـي الطريق**»، وذلك يـوم قرأته مرة أخرى في مدينة «دينتون»، وكانت شقة الغريبين حاضرة وغلافه الأحمر وطبعته الصغيـرة، وكان لـه طعم آخر غير طعـم الطبعة الأولـى ذات الغلاف الأزرق، الصـادر عـن «مكتبة وهبة». كان زميلي لا يرى متعتـي بهذا النص، وكنت أرى الكتـاب قادمًا مـن بعيد غريبًا، أغرب مـن قراءتي الأولى له. ويـوم قرأت نقد الشـيخ جعفر للكتاب فرحت بالنقد المهم الذي لم يسـقط النص العميق؛ لأن الكتـاب كان فكـرة وعاطفـة، فيـه مـن القـرآن روح وجمال، وفيه من أسـاطير العربيـة، وقصـة طرفة بن العبد ما يوقظ ويحيي ملامح حيـاة كان معها قطيعة، وفيه كذلك مورد لك إلى عالم وحياة جديدة لم تكن تعرفها من قبل.

إنه نص بلا برود، حياة متساوقة تنبض بالعزة والقوة في كل سطر وكلمة. لا يمكن أن يقول عنه شاعر ولا ناثر إلا أنه المعالم الموقظة وكفى. كم فيه من أخطـاء؟ ربمـا كثيـرة، كـم كشـف منها؟ ربمـا كثير. كـم بقي هاجعًـا في تلك المعاطـف؟ ربمـا كثير. وكما يقول أوسـكار وايلد: «عندمـا أكون على صواب

لا أحد يتذكر، وحينما أكون على خطأ لا أحد ينسى». لكأنني أقف أمامه ـ الكتاب ـ وقفة عاشق قديم أذهله جمال معشوقته ولا يدري لماذا، فيمدح ويجمل القول ويترك التفصيل؛ فتفصيل بعض المحاسن يجعلها المادح مبتذلة، مثل تفسير النص الذي يغمرك بجلاله، ثم يتناوله مفسر ركيك أو مبالغ في التوضيح فيمسخه حتى لا تحب رؤيته ولا سماعه ولا قراءته، مثله مثل مترجم لنص جميل لا يستطيع نقله. وكم كانت صدمتي بترجمة أحسن مترجم للقرآن، يترجم الآية: ﴿وَكَوَاعِبَ أَتْرَابًا﴾ (النبأ: ٣٣) بكلمات أعيد هنا ترجمة الترجمة حرفيًّا: «نساء جميلات». ولك أن تنتقل كما شئت بين النص والترجمة، لتعذر من لم يجد جلال القرآن في اللغات التى ترجم إليها.

ومنذ فترة ناولني مثقف إيراني كتيب **«الحر»** لعلي شريعتي مترجمًا للعربية، وكان معجبًا بصياغة الكاتب. فرحت بالكتاب؛ فعلي شريعتي لم يخلف كثيرًا من الظن فيه كلما قرأت له، حاولت قراءة المحاضرة مرة أخرى وبدأت أتجرع قهوة البردوني الباردة، ولكنها هنا بلا طعم القهوة أيضًا، فأغلقته ثم عدت، فاسم الكاتب مهم، والعنوان أيضًا، لكنني لم أطقه ونبذته، ثم بدا لي في الحقيبة في الطائرة، فقلت آخر جولة معه، ولكني غرزته في جيب الطائرة غير آسف. فلم يكن فيه أبدًا ما يستحق الذكر له، إلا كلمة هيدجر عن الوجود والماهية، وأن «الخلقة للإنسان تحقق وجوده، ولكنه هو يصنع ماهيته».

يبدو أن النص كان جميلاً في لغته، فقد كان المؤلف يستعين بلغة جميلة شاعرية، يغذيها ولع بالفارسية وآدابها وحفظ نصوصها بعمق، وكذلك نصوص المتصوفة الفرس سائغة على لسانه من حافظ إلى الرومي، وحب للعربية عميق، صحب أحمد جودة السحار وترجم للفارسية كتابه الجميل **«أبو ذر الغفاري»**، ثم عرّض عقله لشمس الفكر الغربي في زمن ثماره المنضجة، وآخر عهود قوته. شهد معارك التفسيرات الأخيرة للشيوعية وانتقدها، وشهد شيخ الوجودية

سارتر في مقاهيه حيًّا يرزق، يكتب ويناقش ويخاصم ويروي. وعايش جاك بيرك محاورًا ومناقشًا عن الشرق والغرب والإسلام. وقد كان لشريعتي من سيد قطب قرب كبير، فكلاهما ضليع الأدب، عميق اللغة جميلها، متكرر الأفكار، ذاق لذعات حذقته من فكر اليسار، وتركه عارفًا به، مستنيرًا بنور الحق، شاهدا على العصر. وكانت فكرته تصنع الزمان، وتتعالى على الصغائر.

خلوة الكاتب والمكان

من الناس من له طبيعة جماعية، يبدع بين الجماهير، ومنهم من يبدع معتزلاً الناس، وهذا الغالب على المبدعين، ولكن على المبدع في العزلة أن يأتي للجمهور ويعرض ما عنده، ويناقش الناس رأيهم فيما قرأ وكتب وسمع، وإلا كان غريبًا وربما ضعيفًا وهو يرى نفسه مبدعًا، هذا في مجاله الجسدي، ولكنه في مجاله الثقافي يحتاج إلى عزلة أحيانًا عما يريد إبداعه، ألا ترى كيف تسيطر النصوص على الباحث فينجز ولكن يقل إبداعه؟ وترى كيف يبدع الخلي الذي عرف النصوص ثم فكر في منأى عنها دون تصنع؟!

فالمبدع يحتاج لشيء من الخلو من الكتب المشابهة في الموضوع الذي يعالجه، والنصوص التي سيقلدها أو تؤثر عليه، وقد نصح أبو نواس من يحب أن يقول الشعر أن يحفظ ثلاثة آلاف بيت ثم ينساها، وبعد فترة يكتب الشعر، حتى لا يغلبه شاعر على لسانه ولا على ذوقه، وهكذا من أحب إبداع شيء غير مسبوق من عمل فني أدبي.

وأما الباحث فله طريق آخر، وهو الاكتفاء بأصول الفن في مرحلة بناء الهيكل الأول للبحث، فكثرة الكتب حول الكاتب تشوش ذهنه، يجره كل كتاب إلى عالمه وطريقته، وإلى منهجه وأسلوبه، لذا ينصح أبو عبد الرحمن الظاهري الكاتب لبحث ما أن يكون عنده الكتب القليلة الأساسية في

الموضوع، يستقي منها صلب بحثه، وهيكل موضوعه، ثم له بعد ذلك أن يزين بحثه بما شاء. وينقل أن ابن تيمية وعلماء كبارًا كتبوا أبحاثًا مهمة من مراجع قليلة في الموضوع، فابن تيمية في مسألة قصر الصلاة للمسافر ـ وهي من المعضلات ـ لم تتجاوز مصادره في «**مجموع الفتاوى**»: «**المصنف**» لابن أبي شيبة، و«**المحلى**» لابن حزم، و«**التمهيد**» لابن عبدالبر. [الظاهري، **شيء من التباريح**، ص٦٣]. وأشار إلى أن القارئ أو الكاتب قد يحتاج إن أراد التعمق في بحث، أو دراسة موضوع أن يبتعد عن المكتبة الكبيرة التي تشوش كثرة كتبها عليه مراده، فكان يبتعد عامدًا عن مكتبته لينجز بحثًا، أو يتعمق في موضوع. «والخلوة مع الأمهات والأصول في فنون محصورة أعون على طلب العلم». [السابق، ص٦٤ - ٦٧]. بعيدًا عن إغراء الكتب الأخرى التي تهتف من كل جانب، وتتحبب للقارئ الضعيف فلا يرد رغبة، وتستعرض له فيقبل.

وقد وجدت في الخروج بكتب قليلة في سفر أو مكان ناء، خير وسيلة لدراسة كتاب أو موضوع أهمني، وذلك ما يشير إليه الظاهري.

ويبقى أن مجاورة الكتب نعمة ومتعة، ولكنها صوارف، وزحامها يشغل بعضه عن بعض، فرديئها ينادي عالي الصوت وضاح الغلاف، وعبقريها يستحي، أعمقها مهيب مخيف يقبع في زاوية الوقار، وسهلها يغوي عن مفيدها، ولهذا يحتاج الجاد معها إلى أن يصغي مرة للصارخين ويأنس بالمؤنسين، ولكنه لن يكون حقًّا عالمًا ولا مثقفًا ما لم يصبر على مقارعة الكبار، وليتعلم المثقف حكمة الاقتصاديين: «العملة السيئة تطرد العملة الجيدة».

وقد أشار ابن الجوزي إلى أن المسألة بركة وتوفيق، وليست عن كثرة الكتب توفرًا للباحث، ولا اطلاعًا. وكان معروفًا أن الفيلسوف البريطاني سبنسر بدأ التعلم بعد إدبار الشباب، وكان كسولاً قليل القراءة، ضعيف الاطلاع مقارنة بأقرانه وبشهرته وما حقق، ولكنه كان موهوبًا في الملاحظة. [**قصة الحضارة**،

ص٢٧٨ - ٢٧٩]. وقد رأيت رجالاً بارعين في قراءتهم براعة لا تطال بسهولة، وقد جعلتهم الكتب - أو هي طباعهم - مثل الكتب، تستطيع أن تفتحه على صفحة فينبئك خير نبأ، غير أنه غير قادر على إحياء فكرة من هذه الصفحات والأفكار في رأسه وقلبه ووعيه، ولا يستطيع إحياءها في قلوب الناس وعقولهم فضلاً عن حياتهم. ولا أتوقع الكثير من القراء - خاصة المدمنين المنقطعين - يسلم من هذا الداء، غير أن التنبه لوجوده قد يساعد على التخفيف منه، والله أعلم.

يذكر جبرا أنه حلم بكتابة قصة عن مكان يختلي فيه الكاتب في قنة جبل مشرف على مكان جميل، يجدون بقربهم من الكتب ما لذ وطاب، ثم يذكر «أنه اكتشف ذات يوم في ربيع ١٩٧٦م أن في برية من أجمل ما خلق الله من براري كاليفورنيا، قرب مدينة بالو آلتو هناك على رأس رابية أغدق الله عليها من هبات الجمال مؤسسة تشبه بالضبط ما حلمت به وأنا فتى غرير، يقيم فيها الباحثون، يأكلون ويشربون لوجه الله، منصرفين بكامل حريتهم إلى الكتب الكثيرة التي يقرءونها، وتلك التي يكتبونها، وهناك وجدت صديقي العزيز إدوارد سعيد وهو منكب على تأليف كتابه الفريد الذي اشتهر كثيرًا فيما بعد «**الاستشراق**» ووجدت حوله عددًا من المفكرين، وقد انصرف كل منهم إلى تأليف كتاب لعله لا يقل أهمية عما انتهى صديقي إليه». [**معايشة النمرة**، ص٤٥].

فأما إدوارد سعيد فقد أكرمه قومه بهذا المكان. وأما ابن خلدون فقد اختار «قلعة بني سلامة» لينفرد ويسطر ما ألح عليه، في شبه إلهام عجيب ووارد متتابع في نحو خمسة أشهر لم يدرك سره، ثم ثنّى بالخروج على النيل مع جواريه يتأمل ويكتب ويصحح، ولم يسلم من الجائرين الناقدين. وكان فيتجنشتين يكتب أحيانًا وهو في أيرلندا في كوخ هناك وفي حديقة النخيل، وهي حديقة مغطاة ومدفأة بحيث توفر الحرارة التي تعيش فيها النخيل. [ذكر ذلك ريتشارد وول Richard Wall، في «**فيتجنشتين في أيرلندا**» Wittgenstine in Irland، مطبعة

رياكشن Reaktion Books، «حروف الاسم بخلاف الكتابة المعتادة»، لندن، ٢٠٠٠م]. ويبدو أن الحرارة والدفء تثير الذهن للوثوب على الفكرة والكتابة والانبساط، دون أن يصل الأمر للحدود التي يكرهها ابن خلدون، كما شرح في مقدمته مما لا أحب نقله، ومن قبله ثورو في معتزله لكتابة «**والدن**».

وهؤلاء لم يتبنوا مشروعًا إصلاحيًّا يخالف الأهواء، ولكن ابن تيمية كتب كثيرًا من أجمل ما خطه بنان في سجن القلعة. وكتب السرخسي «**المبسوط**» وغيره في حفرة كان مسجونًا فيها، وكان أكثر عمله إملاء على تلاميذه الواقفين على رأس تلك الحفرة. وسيد قطب كتب «**المعالم**» وأغلب «**الظلال**» في السجن، ولعل كتاب دون كيخوته كان من نتاج تأملات وبؤس السجن في الجزائر.

وأما مارتن هيدجر فقد كان له كوخ انعزل فيه ليكتب أهم ما خطه، في مكان قرب الغابة السوداء في ألمانيا، وكان يخرج من كوخه إلى مطعم قريب لوجبة واحدة يرى خلالها الناس ويتحدث معهم، وهم غالبًا من الفلاحين في قرية مجاورة. أما ماركس فكتب وقرأ في المتحف البريطاني، وعلى مائدة الطعام قرب المطبخ، فبعد رفع آنية العشاء تمسح زوجته طاولته ثم يبقى عليها إلى ساعات الصباح، وقد تكون هي نفسها طاولة المعارك الفكرية مع المؤيدين والمخالفين ومع الفوضويين الهائجين من أمثال باكونين. ولينين كتب مشردًا وفي بعض منتجعات كان يستأجرها الحزب له، والملاحظ أن هذه الشخصيات الحزبية والكتاب المؤثرين رعاهم الحزب رعاية كبيرة، بدءًا من مؤسس الفكرة ومنفذها، وتروتسكي وغيرهم كثير، ولما أقاموا دولة أصبحت هذه المنح والمناصب والهبات أوسع، ثم نالت أعدادًا هائلة من الخاملين هذا العطاء، فكونت جماعات من أدعياء الأدب والفكر تمتص ثروة الدول الشيوعية، وتكرس التقليد والبلادة، وأصبحت هذه الطبقة بجانب السياسيين طبقة محظوظة ومتميزة بالدخل، فقيرة الأفكار تعيد وتكرر بلا إبداع وتحارب

المبدعين، بل وتطردهم خارج البلاد كما حصل مع المبدع السجين سولجينتسين، وقد كتبت عنه مقالاً طويلاً كأنموذج للمثقف. والغرب في حربه الفكرية للشرق الشيوعي كان أكرم وأوسع نفقة وحربًا على المخالفين مما تجد قصته في كتب عديدة منها: «**الحرب الثقافية الباردة**» الذي ترجم إلى العربية ثلاث مرات بعناوين مختلفة، ما سبق كان عن المجلس الأعلى للثقافة في القاهرة، وإحدى الترجمات بعنوان «من دفع الثمن».

أما فيتجنشتين فقد تخلى عن ثروته قصدًا ـ وتشرّد كالغزالي ـ ليتفرغ للعلم وللمعرفة، وكان يقف على حافة الجنون، كما أشار الذين ترجموا حياته أو عايشوه، تمامًا مثل نيتشه وألتوسير. لقد كان يمثل غاية العبقرية في أغرب صورها وأقساها وحشية. يهيم بالكتب ثم يشتمها ويتخلى عنها أحيانًا، ثم يعود ويحمل بعضها ويختلي بها في غرف صغيرة متواضعة بعيدة عن الناس، كان يستأجرها ليهرب للكتابة والتأمل والقراءة، وكان يستأجر أكواخًا على شواطئ أيرلندا، حيث تكون رخيصة ومريحة ونائية، يأنس فيها بكتبه.

ونيتشه ينصح بالمكان الجاف، بل يقول: «إن العبقرية محددة بالهواء الجاف، وبالسماء الصافية». [**هذا هو الإنسان**، ص٤٢]. ولكن نيتشه رجل مريض لا يصلح الانسياق وراء أقواله، وإن كنت أرى في مسائل المزاج أنها شخصية، والأصل الحذر من الانسياق في تصديق الكتاب عبقريهم وغافلهم؛ لأنك لا يمكن أن تتشبه بأحد في طباعك، ومناخ أرض ولدت بها، ونسجت مشاعرك ومزاجك فيها، فليست بالضرورة تناسب أمزجة الآخرين ولا طباعهم ولا ظروفهم. ولو سقت لك بقية كلام نيتشه لعرفت أهمية فرادة الظرف والشخص. ولا شك أن قسوة الجو مانعة، ولكن هذا المريض العبقري، سيقول بعد صفحات أنه كان يملي على كاتب وهو شديد المرض، يعصب رأسه من شدة الألم. [**هذا هو الإنسان**، ص١٠٢]. ومرة يكتب في شدة البرد القارس.

وغيره عانى مثل هذا وأكثر، ولكن هممهم الكبيرة، وأفكارهم القاسرة لهم تخرجهم من الهمود إلى العمل. وكان دماغ نيوتن يلتهب عليه وهو يجتهد في حل المسائل الرياضية فيعصبه، ويشد على رأسه أعواد الخشب. هل لهذا علاقة بالخشب وعلاقته الرمزية بالمسيحية؟ ذلك ما لم أفكر فيه حين قرأت النص.

وقد كان العلماء المسلمون يجلّون الكتابة ورسومها وآداب النسخ، فابن جماعة يقول في «**تذكرة السامع**»: «فينبغي أن يكون على طهارة، مستقبل القبلة، طاهر البدن والثياب، بحبر طاهر، ويبتدئ كل كتاب باسم الله الرحمن الرحيم». [**الكتاب في الحضارة الإسلامية**، ص٣١].

أما توفيق الحكيم فكان يكتب في المقاهي حتى عُرف وأصبح مشهورًا؛ لأنه لو كتب بعد ذاك في المقاهي لأصبح فرجة للناس. [**اهتمامات عربية**، أحمد بهاء الدين، ص١٦٤].

أما كيركجارد فقد كان إنتاجه وسعادته في بطالته ـ كما يزعم ـ نصف وقته يقرأ، ثم يتبطل ويتأمل ويقول: «إن قوته في تبطله!». [**الضاحك**، ص٢١]. حتى إذا كدت تصدقه قال لك مرة أخرى: «ولكنك بوقوفك ثم استمرارك مستقرًّا لا تتحرك تكون أقرب وأقرب لأن تشعر بالمرض، الصحة والنجاة توجد فقط في الحركة». [ص٦٩].

وكتب ابن القيم كتابه الشهير «**زاد المعاد في هدي خير العباد**» وهو مسافر، وكتب ابن الوزير أهم كتبه «**العواصم والقواصم**» وهو ناء بلا مراجع، في بوادٍ خوالٍ وجبالٍ عوالٍ، كما أشار: «فلأن التوسيع يحتاج إلى تمهيل عرائس الأفكار حتى يستكمل الزينة، ومطالعة نفائس الأسفار الحافلة بالأنظار الرصينة، والآثار المتينة. فهذا البحر ـ وهو الزَّخَّار ـ يحتاج من السحب إلى مدد، والبدر ـ وهو النَّوَّار ـ يفتقر من الشمس إلى يد. ومن أين يتأتى ذلك أو يتيهأ لي، وأنا

في بواد خوالي، وجبال عوالي، فَتَمَصَّصْتُ من بلل أفكاري بَرَضا، وما أكفى ذلك وأرضى، إذا كان طيبًا محضًا.

سامحًا بالقَليلِ مِنْ غَيْرِ عُذْرٍ   ربَّما أَقنَعَ القَليلُ وأَرْضَى»

[**العواصم والقواصم**، (١/ ٢٢٤ - ٢٢٥)].

ومهما يكن المكان سفرًا أو حضرًا فهو يحتاج إلى صفاء. وصف أصدقاء وأقارب تولستوي الوقت الذي كتب فيه رائعتيه «**الحرب والسلام**» و«**آنا كارينينا**» بأنه كان دائمًا صافي المزاج، زكي النفس، رضي الحال، موفور العافية مرحًا، وكان عندما يقف عن الكتابة يذهب للصيد يطارد الأرانب». [توماس مان، **غوته وتولستوي**، ص٧٧].

وها هو شاكر يصف لك خلوة الكاتب وانفراده بفكرته ـ كما نجد قريبًا من هذا الوصف في قول أورهان باموك الكاتب التركي ـ فنجد عنده غرفتين أو مكانين في غرفة واحدة: إحداهما للتفكير في الكتابة، والأخرى للكتابة. ومن قبل قال ذلك ابن الجوزي: «فليكن لك بيت في بيتك». فإنك إن عودت نفسك على عمل محدد في مكان محدد جاءت النفس تكرر عملها بيسر وسهولة كلما وجدتك فيه، بعكس ما لو كنت تعودها في كل يوم مكانًا وحالاً جديدًا. هذا التلازم الشرطي يزعج المثقف، كيف ونحن نكاد نقرب المشهد من «كلب بافلوف» في نظرية «التعلم الشرطي»!!

وهناك من ينسجم في القراءة مع الناس، وحوله جمع وضجة لا يشارك فيها، وتجد أخبار هؤلاء القراء الذين يعجبهم أن يقرأوا في الجمع ولا يحسون بمن حولهم، منتشرة في أخبار القراء والكتاب. وقد مر بي زمن رأيت في القراءة في المطاعم والمقاهي التي تمنع التدخين متعة وانفرادًا عن الناس، فإنني أشعر فيها بالعزلة التامة عن العالم وأنا في زحمتهم، ويذكرني هذا بقول الشاعر العامي: «في لمة العربان كنّي خلاوي». أي: في زحمة الناس كأني

منفرد في الفيافي. وقد أشعر بوحشة المكان أحيانًا عندما أكون في البيت منفردًا، ولكن الكتابة العميقة والفكرة المركزة قد لا تأتيك وأنت تعاني جمهورًا من الناس، قد تفكر فيها وتناقشها ولكنك لا تستطيع كتابتها مع الناس.

وفي مقال جميل نشره نجدة فتحي صفوت في «الوسط» [ملحق جريدة «الحياة»، ١ ديسمبر ٢٠٠٣م] سماه: «قامات الأدب كيف كانوا يكتبون؟» ذكر أن أندرو لانج الكاتب البريطاني مترجم «هومير» للإنجليزية كان يكتب مقالاته المهمة أو الطويلة وهو في غمرة نقاش أو جدل عنيف مع أصدقائه. وكان توماس كارلايل يكتب في مكان هادئ وراء باب مغلق. وكانت بعض الكاتبات يحببن الكتابة في السرير، وليست فقط كاتبة «ذهب مع الريح» من كان يفعل هذا، فجيمس جويس كان يكتب بقلم أزرق غليظ في السرير، وكتب معظم كتابه «عوليس» بهذه الطريقة. والعقاد كتب كثيرًا من كتاباته في سريره، وكان يطلب الهدوء، وقال: إنه لم يكتب في الأدب وحوله أحد في الغرفة. والرافعي كان رغم صممه الشديد لا يحتمل حتى النسمة تمر على خده، وكانت توقفه عن الكتابة، وكان يأذن لكاتبه محمد سعيد العريان أن يفتح النافذة لتخفيف الحر، ولكن النسمة من الهواء تقطعه عن الإملاء، فيفضل الكتابة في الحر الشديد مع الهدوء لمدة أربع ساعات أو نحوها، حتى ينتهي الإملاء عليه في جو لا يعكره شيء من نسمة هواء!

والعزلة للكاتب أثناء عمله في الكتابة مهمة جدًّا، سواء كانت شعورية بحيث لا يهتم بمن حوله، ولا يحس بهم أثناء تسجيل أفكاره، أو العزلة التامة كما يراها الكاتب التركي أورهان باموك، ففي خطبة باموك بمناسبة حصوله على «جائزة نوبل» شدد مجددًا على حاجة الأديب إلى العزلة، حتى كاد يجزم باستحالة كتابة أدب حقيقي خارج الانعزال (ويقصد بالضبط: بين أربعة جدران)، بعيدًا عن صخب الجموع وضجيج الحياة في الخارج. وهو يكتب: يحلو لي أن أرى نفسي

منتميًا إلى تراث الكتّاب الذين أينما كانوا في العالم - في الشرق أو في الغرب - ينقطعون عن المجتمع، ويغلقون على أنفسهم في غرفة، ويصطحبون الكتب. إن نقطة الانطلاق للأدب الحقّ هي رجل يغلق على نفسه في غرفة مع كتبه». [صبحي الحديدي، **غرفة أورهان باموك**، القدس العربي، ١٣ديسمبر٢٠٠٦م].

ويقول باموك أيضًا: «وأعظم مصدر للسعادة هو كتابة نصف صفحة جيدة كل يوم لمدة ثلاثين عامًا، كنت أقضي معدل عشر ساعات يوميًّا وحدي في غرفة، أجلس إلى مكتبي». [**ألوان أخرى**، ص١٨].

والعزلة للكاتب المبدع تسجلها إيزابيل الليندي في مقابلة معها ترجمها أحمد العيسى تقول: «أكتب بصورة متواصلة حتى أنتهي من المسودة الأولى، وبعد ذلك أشعر بالحاجة للخروج، ولكن طوال كتابة المسودة الأولى لا أخرج.. أبقى منعزلة، إنه وقت التأمل وحبك القصة، أشعر في هذه الفترة أن هناك حيزًا مظلمًا، وأنني أدخل هذا الحيز حيث توجد القصة». ومن غريب ما قالته في المقابلة أنها تكتب رسالة لأمها كل يوم! وكان مما أخبرت به أن الزعيم الليندي الحاكم المنتخب لتشيلي الذي أسقطته «السي آي آيه» بانقلاب عسكري كان على رأسه بينوشيه في ١١سبتمبر ١٩٧٣م وقد كان عمها. [عن كتاب: «**مالكوم إكس النصوص المحرمة**»، ص٢٢٠ - ٢٢٦]. ولا تتوقع أن جميع الكتاب يكتبون في عزلة، فقد كان سارتر ونجيب محفوظ يكتبان في المقهى، فاكتب حيث يأتيك ملاك الكتابة أو شيطانها.

وللكتّاب أحيانًا أمزجة غريبة في تعاملهم مع الكتابة ومزاجها، قال الكاتب اللبناني سليم سركيس إنه لا يكتب إلا وفي جيبه نقود يتلمسها، وربما طلب من أحدهم أن يعيره نقودًا يتحسسها في جيبه حتى ينتهي من النص ثم يعيدها لصاحبها. وكان الجواهري يعمل في مطبعة، وربما كتب الشعر في الضجيج، وترك بعض الأبيات صدورًا بلا أعجاز، وأعجازًا بلا صدور إلى وقت آخر.

وبمناسبة قصة النقود في الجيب أذكر حادثة طريفة لزميلنا الدكتور الحسين عسيري ـ وأرجو أن لا يزعجه تذكر الحادثة ـ وكنا في «جامعة كلورادو» في مدينة «فورت كولينز» واشتدت العواصف يومًا ـ وهو صغير الحجم نحيلاً، زد على ذلك أنه صاحب همة في البحث والدرس ـ فقال لنا إنه خاف من العاصفة فملأ جيوب سراويله في الجانبين بكمية كبيرة من النقود المعدنية الثقيلة حتى لا ترمي به الريح في مكان بعيد!!

وكان عبدالمحسن الكاظمي يقول الشعر ارتجالاً، وربما ساق قصيدة طويلة مرتجلة، ويرتجل القصيدة الطويلة جدًّا من مئات الأبيات، وذلك ما لم يسبق له مثيل من عهد الجاهلية إلى يومنا هذا (هذا قول نجدت، وقد سمعت أن إبراهيم الحضراني اليمني كان من هؤلاء الذين يرتجلون قصائد من مئات الأبيات). ونعود لمقال نجدت: «وكان إبراهيم المازني يكتب مرة واحدة بلا تصحيح، ولا يعود للنص إلا نادرًا ولا يراجعه ـ على طريقة معاصرنا الشيخ محمد الغزالي ـ وكان المازني لا يكتب في بيته بل يقرأ فقط، والكتابة في مكتب الجريدة، وكان كالعقاد يحب الكتابة بقلم الرصاص، وقد تطور المازني فكتب على الآلة الكاتبة، وكان من أوائل العرب الذين كتبوا مقالاتهم عليها، فكتب عنه زكي مبارك في الرسالة بأن المازني أصبح يكتب بلغة: «طق طق طق»، وأن ذلك أثّر في أسلوبه وأساء إليه، ويعقب الكاتب بقوله: «ولا شك أن الكتابة على الآلة مباشرة أضفت على أسلوب الكتابة سمة عصرية، وعلى موسيقاها إيقاعًا متقطعًا، وأكسبتها نزعة من الصراحة والصرامة، وربما كان من شأنها أيضا أن أساءت إلى رقة الأسلوب وعمقه!». قلت: هذه ملاحظات ذكية وحولها نقاش، فالحاسة التي تعودت أن تسطر بالقلم تحولت إلى أطراف الأصابع، وربما كانت مشكلة السرعة تؤثر على من لم يكن سريعًا في الكتابة، وتسبب له تقطعًا في فكرته، ولكن تحسن سرعة الكتابة كسرعة اليد تنهي

مشكلة التقطع. أما الصرامة فلا أدري من أين جاء بها، هل رؤية الآلة وقسوتها بدلاً من الورق سببت له هذه الفكرة؟ فإن في أجهزة الكومبيوتر ومضرب اليد الجديد في كل فترة أناقة وذوق يغري بالكتابة في كل مرة.

وكان إسحاق عظيموف (أزيموف) أشهر كُتّاب «الخيال العلمي» في العصور الحديثة، كتب قرابة خمسمائة مجلد، يكتب على الآلة الكاتبة بسرعة هائلة، فقد كتب مئات الكتب، وكان يقول: أكتب بأسرع ما تستطيع أصابعي أن تتحرك على الآلة. وقد أدرك زمن الكومبيوتر ولم يحظ بنفعه. وكان ينافسه في كتابة «الخيال العلمي» الكاتب هوبرد، وقد اشتهرا وتنافسا في الكتابة الخيالية العلمية، ومن طريف ما جرى أن تراهن هوبرد وأزيموف أن يستطيع هوبرد أن ينشئ دينًا جديدًا، وأن يدعو له الأتباع، وقد أنشأ ل. رون هوبرد ديانة: «ساينتولجي» وهي عبادة العلم، وشاع هذا الدين، وأصبح له أتباع عبر العالم بعضهم من المشاهير، كالممثل توم كروز وعدد من مشاهير الغناء، ولم يزل أتباعه نشطين في التبشير بدينه. وقد كنت أرى أتباعه في الملتقيات والمعارض الدولية فأجدهم جادّين في نشر مذهبهم بكل طريق، ويقدمون فيلمًا مشهورًا له، يقولون إنه الوحيد الذي سُجّل معه قبل موته يشرح فيه مذهبه، ولهم اهتمام كبير بجذب الصغار لهذه الديانة. وقد كتب في موضوعات أخرى عديدة، مثل النجوم والفلك، والفيزياء وعلوم الأرض، والكيمياء والأحياء، والمقالات العلمية المنوعة، والتاريخ وعلوم الإنجيل، والأدب والنكت، ومتفرقات عديدة، وأربعة كتب عن حياته.

ثم إني رأيت في كتابة كثيري المخالطة، ومحترفي المناقشة والجماهيرية والهزل والعبث ـ وإن كانوا أذكياء جدًّا ـ عَجلةً لا تسمح لهم بالقوة في الفكرة، ورأيت فيهم ميلاً لكراهية النصوص الناضجة، وذلك بسبب البيئة التي يصنعونها لا بسبب الاستعداد، والله أعلم.

ويكاد أن يكون من لوازم بعض الأقوياء في فكرهم وفي ثقافتهم أنهم ممن يصعب مخالطته على كل فذ مستقل التفكير مثله أو قريب منه، وتجد في سيرهم ما يدل على جلافة وجفاء وسوء تقدير للمواقف وللصحبة والمعرفة والعلاقة، ذلك أن هذا الجانب الإنساني عندهم لم يلق عناية وتدبيرا فبقي أقرب للتوحش، أو أنه يحاول حماية نفسه من النقد ومن تجاوز القريب، فيغلفها بأغلفة تجاهل وتعال وتكبر، ولأننا أيضا نتوقع من كل عالي المكان في العلم أن يكون في الخلق كذلك، وكثيرًا ما يخدعنا هذا الوهم. ونجد أنهم يعالجون خلافاتهم وتنافر طباعهم - بسبب قربها - بالقطيعة التي نستغرب وجودها بين أفذاذ متقاربين، وليس كل ذلك حسد، بل أحيانا لنقص التهذيب المدني لسلوكهم، وخداعهم لأنفسهم بتبرير نقصهم. ولذا فنفور أفذاذ واحتقارهم لعدد من المشاهير كثير منه يحمل دليله، وقد تساءل أحد النابهين مستغربًا من رجل نابه إلى درجة العبقرية كسيد قطب كيف كان يقبل مجالسة العقاد المعجب بنفسه إلى حد الغرور؟ قلت لعل إعجاب سيد كان قبل نضوجه، ولتقدم سن شيخه وشهرته. ثم إن العزلة مع الكتاب والكتابة وشعوره بقيمة فهمه يغرر به، ولا تخلو من أثر على فاعلها فربما أنشأت فيه أو أكدت سلوك توحش، وكم لعزلة الإبداع من منافع ومضار!

ثم إن من أحسن عون الكاتب قدرته على الانقطاع عن الصوارف لفكرته، فينقطع لعمله ويذهل عمن حوله، ومن تحققت له هذه الفرصة وكان هادئ المزاج، حقق روائع الكتب. وقد قرأت لكثير ممن نبغوا في علوم هذه النصوص، منهم أحمد أمين، يقول بعد مروره بتجربة المرض وكاد يفقد بصره: «إن خير هبة يهبها الله للإنسان مزاج هادئ مطمئن، لا يعبأ كثيرًا بالكوارث، ويتقبلها في ثبات، ويخلد إلى أن الدنيا ألم وسرور ووجدان وفقدان، وموت

وحيـاة، فهـو يتناولها كما هي على حقيقتها من غير جزع، ثم صبر جميل على الشدائد يستقبل به الأحداث في جأش ثابت، فمن وهب هاتيـن الهبتين فقد منح أكبر أسباب السعادة». [حياتي، ص٣٩].

تخفي الكاتب

الصوت الصادق يحتاج أحيانًا أن يختفي صاحبه ليبلغ صوته للمخاطبين دون أن يتعثر في شـخصه، ذلـك أن العين الملقاة على الشـخص قد تشتغل بشـخصه عن قوله، فلو قال من اشتهر بالمخالفة لمجتمعه حقًّا أنكروه، بسبب صورة الشخص، ولو قال من اشتهر عندهم بالقبول باطلاً لاتبعوه وربما زكّوه!

وتلـك علة قديمة تنبه لها مسوّقو الأفكار مـذ كان للناس أفكار، ثم إن الإنسـان تعود أن يضع على أفكاره وقناعاته أقنعة يختفي وراءها؛ ليقول ما يريد قوله، فهذه مقامة، وهذه رواية، وهذا مثل، وهذه مسرحية وهكذا. يقول أوسكار وايلد: «لـن تظفر مـن المرء بحقيقة نفسـه فعلاً حتى تعطيه قناعًا يختفي وراءه». [مـن مقدمة مسـرحية «الفوضويون»، ترجمـة: عبد المجيد القيسي، ص٣٤].

وهكذا نجد كتابًا كبارًا أثروا في مجتمعاتهم وهم يكتبون بأسماء رمزية، فبعـض كتب العقائد والفلسفة لا نعـرف حقيقة من كتبهـا، وبعض المواقف لا يذكر مؤلفها اسمه، فهذا الآلوسي كتب «غاية الأماني» دون اسمه الحقيقي، وهـذا شـارح «الطحاوية». وكذلك كُتّاب فرنسـا الذين سـاروا بها في دروب التحرير، كتبوا بأسماء ليست حقيقية اختفوا وراءها، مثل فولتير وغيره. وهكذا لينيـن فيمـا بعد، وجورج أورويـل، ومارك توين ليس اسمه الحقيقي، وتجد شيئًا مـن أخبار التخفي وأسبابها في مطلع كتاب «عصر الأفكار»، وهو كتاب مهـم في التاريخ الفكري لأوروبا. وهناك كتاب لعله يكفي عنه وهو كتاب

سترومبرج «**تاريخ الفكر الأوروبي**»، الذي ترجمه أحمد الشيباني، ولعله من أواخر ترجماته.

وهذا كاتب رواية «**الحديقة الجوراسية**» كان طالبًا للطب لما نشر أوائل أعماله المهمة قبلها، وقد كان طالبًا للطب في «هارفارد»، وخشي كما قال أن ينشر رواياته باسمه فيرى فيها الأساتذة أنه منشغل بغير الدراسة، ويكون لهذا أثر على درجاته ونجاحه، فلم ينشرها باسمه، حتى إذا نجح واشتهرت رواياته أصبح يكتبها باسمه الحقيقي.

ومن طرائف تأليف «**أليس في بلاد العجائب**» أن مؤلفه ـ وهو أستاذ في أكسفورد ـ أراد أن يهرب من جد القول إلى عبثه، ومن صرامته إلى زيفه، فابتدع اسم لويس كارول اسمًا كتابيًّا له، واسمه الحقيقي تشارلز لوتنج دودجون (١٨٣٢ ـ ١٨٩٨م). وقد ابتدع خرافات وأسماء وأساطير أصبحت من مفردات اللغة الإنجليزية عاشت من بعده إلى اليوم.

هناك عوامل كثيرة تمنع الكاتب من ذكر اسمه على النص الذي يكتبه، فإن يكن هناك السبب السياسي الذي دفع ابن المقفع لأن يهرب من نصوصه التي كتبها بسبب الخوف، فإن هناك من يهرب من الاسم الحقيقي محافظة على حزب أو قضية لتبقى سرية، أو خوفًا على نفسه أو أسرته أو ولائه، أو رغبة مؤقتة في التنكر وعدم الاشتهار، لما يسببه هذا من وضع الكاتب في دائرة الضوء التي يكرهها بعض الناس.

إن شخصية «صاحبنا» في كتاب «**الأيام**» لطه حسين بدلاً من «أنا» شخصية طريفة ومراقبة وذكية، لم يزدها العمى إلا دقة في التحري، وصدقًا في التعبير، ووحدة في الملامح، ورسم صور الأحداث كما يصورها الأعمى للمبصرين. وكان صاحبنا البعيد قناعًا تخفى وراءه شخص قريب ليتحدث عن بعيد اختفى وراء السنين، فكانت إعادته للحياة رائعة، ولم يكن قادرًا على إعادته إلا كاتب

أحسن التخفي حتى كشف الذي لا تريد الوجوه اليومية كشفه. ثم إن الأعمى من خلال إملائه على غيره يحقق من الروعة والإبداع ما قد يعجز عنه مقتدر مبصر، فنعمة الله كبيرة لم يقصرها على المبصرين فقط. وهذا المعري وطه أبدعا دون بصر، وبتهوفن أبدع في «السماع» دون سمع!

وقد نجح تخفي الكاتب في الأسلوب الروائي والمسرحي والكتابة عن الآخرين، فهو يقدم الآخرين من خلال رأيه ورؤيته، ويصنع هذه المساخر والحقائق والنصائح، ويبدو أن هذا مؤثر وسائد في كل الثقافات، فما من كاتب لها إلا وهو يحمل فكرة يحملها غالبًا الشخص الراوي، أو من يصنعه خياله ليحمل فكرته. وقد غلب استعمال كلمة «الراوي» في النصوص العربية حتى كان في الأدب العربي الوسيط شخصية خيالية قد تعني الكاتب نفسه، أو الذين أخبروه، أو شخصيات يبتدعها، وتعلم منذ الأسطر الأولى في قصصه أن هذا اسم يسهل السياق ويزجي الحديث لا حقيقة له.

يستسهل بعض كتّابنا وقرّائنا صناعة هذه الشخصيات الخيالية، راوية أو مرويًّا عنها، وهذا الاستسهال هو الذي جعل الكتابة الأدبية والنصوص الفكرية أحيانًا ضعيفة، فكاتب النص لا يعطي جهدًا كبيرًا في التعرف على ملامح شخصياته وطرائق حديثهم، وبناء طباعهم وأفكارهم وملامحهم واهتماماتهم، ثم يقصر في طريقة إدارة الحوار بينهم، وإثارة الأفكار بهم وعنهم. وقد كان ويليم فوكنر يُغرب في خلط الفكرة بالشخص في أماثيله، ولكنه يترك القارئ حائرًا غارقًا ومفكرًا، يستزيد من دفق الفكرة الممتعة لزمن.

إن هذا الاستسهال للعمل قد يقتله، ويكون من أسباب ضعف النص الثقافي، أيًّا كان نوعه، فيخطر على بال كل من أمسك قلمًا أنه سوف يكتب الرواية العجيبة والمسرحية الأعجب، ولا نجد فيما بعد أثرًا حقيقيًّا ولا صدى لهذه الأعمال، وبالتالي لا تساهم في بناء جديد.

وليس هذا مما يدان به الكاتب فقط بل عوامل عديدة تجعله محتاجًا للسرعة، منها: عدم كفاية الكتابة للمعيشة، والنجاح في التأليف لا يكسب منه الكاتب العربي عيشًا كافيًا، والمقاييس ضعيفة أو معدومة الوجود. وقد عانى الكتاب على مر العصور من مشكلة الكتب، وطاردت حكومات عديدة مخازن الكتب، وكتب الأشخاص ومكتباتهم. وقد بدأت هذه القصص منذ زمن مبكر، ولعل من أطرف هذه المطاردات للمثقفين وتفتيش كتبهم ومكتباتهم، مطاردة كتب محمد بن الحسن الشيباني، فقد أمر هارون الرشيد أن تفتش كتب الشيباني، فطلب من ابن سماعة وكان ممتحنًا معه: «الله الله في أمري، أحب أن تسبق إلى منزلي فتحفظ كتبي؛ لئلا يُلقى فيها ما ليس منها». [**بلوغ الأماني**، ص٤٢]. ولعل من الطريف أن الآلوسي ألَّفَ كتابًا قريبًا من هذا العنوان: «**غاية الأماني في الرد على النبهاني**»، وقيل: لم يضع اسمه الحقيقي على الكتاب.

ومطاردة الكتب والكتاب في شتى العصور عند المسلمين وغيرهم أكثر من أن تحصى. وما يصادر منها، أو يحرق أو يتلف أكثر من أن يُعد. وكثير من الكتاب والعلماء والأدباء قصّوا من هذه الطرائف ما يمتع. وفي النهاية ينتصر الكتاب، وللأسف ينتصر أحيانًا رغم خطل كاتبه وانحرافه، كما أن الكلمة الطيبة في كتاب أو غيره لا تضيع.

وقد كانت الحرية الفكرية في أوروبا صعبة، وكانت الكنيسة تقتل وتعدم من يخالف آراءها، ليس فقط في أسبانيا وإيطاليا بل في عموم أوروبا، وتمنع الكتب، وبلغ الأمر من شدة منع طباعة الكتب قبل الإذن الرسمي، حتى بلغ الأمر إقرار قانون الإعدام لمن طبع كتابًا بلا إذن رسمي. وكانت ألمانيا قد أدخلت الرقابة على المطابع منذ عام ١٥٢٩م. وفي بريطانيا كانت الكتب لا تطبع إلا باذن في عهد إليزابث، (التي أعدم في عهدها ثلاثة أو

أربعة بسبب أقوال لا تنسجم مع المسيحية) وقد حددت المطابع في ثلاث مدن فقط: لندن وأكسفورد وكامبريج. [قيس، **نظرية العلم عند فرنسيس بيكون**، ص٣٥].

وقد يدرك بعض الناس نتاج أعمالهم، أما المؤلف ـ والمدرس أيضًا ـ فلكلامه أثر أبعد من قدرته على تخيل أثره. قال ثمامة: «ما أثرته الأقلام لم تطمع في دروسه الأيام». وعندما توفي أحمد أمين قال طه حسين: «إن من كتب «**فجر الإسلام**» و«**ضحاه**» و«**ظهره**» لا يدركه الفناء». ونحن نُحدى بعامل لا ندركه تمامًا، ونكتب أو نترك عملاً بعدنا، ولكننا نشعر ونحن في طريقنا لإنجازه أننا نعطي للحياة معنى، وللمستقبل شكلاً آخر. يقول روديارد كيبلنج: «الكاتب غالبًا لا يبدأ حياته إلا بعد موته في بعض الأحيان». ويقول كازنتزاكي: «إننا لا نموت إذا كان لنا هدف نريد بلوغه». [**المنشق**، ص٤١]. ويا له من هدف صغير إن كان مجرد كتاب على رفّ، أو جزء من رفّ كما طمع في هذا سلمان رشدي!

وفي الكتاب الرائع الجميل الذي كتبه فرانكل «**الإنسان يبحث عن معنى**» ـ وهو مترجم ـ يشرح فيه فلسفته النفسية التي تقوم على العلاج بوجود معنى للحياة وغاية وهدف لها، مما يجعل الإنسان قادرًا على أن يتحمل التعاسة التي تعرض لها ويغالب مصاعب الحياة. فأولئك الذين لهم غايات يحبون تحقيقها تكون حياتهم أجمل وأوفى، ويحرصون على تحقيق معنى فيها يجعلها أسعد، أو ذات قيمة يمكن تقديرها أو قياسها بها. والكاتب «يهودي» ويعترف بأثر الإيمان في إلقاء السعادة والأمل والطمأنينة على قلب من يؤمن بخالق. وذكر أنه عالج أحد المرضى بأن علّقه بأمل أن يكمل كتابة كتاب له، وزرع في نفسه خطورة الكتاب الذي بدأه، وما ستجنيه البشرية من ثمرة الكتاب. وهكذا فمن خلّد الكتب العظيمة لا يدركه الفناء السريع، وأخلد منه من خلّد الأفكار الأنفع.

الكشف عن السر والذات بالثقافة

بعض الناس يرى في إخفاء ذكائه وقدراته تواضعًا، أو أنه يرى بهذا أن معلوماته مصونة، ولو أخبر بها لأضر بها، أو لتضرر من عرضها، وينمو عنده هذا الجانب حتى يصاب بغرور مركب، واحتقار لغيره. وما يزال يزيد مرضه هذا وقناعاته، حتى يبني لنفسه أسطورة لا يعرفها إلا هو، ولا يصدقها إلا هو، حتى إذا احتاج أن يضع قدمه مع الناس على الأرض، فربما لا يجد الأرض الصلبة التي كان يتوقعها تحت قدميه، فقد تجاوزه الناس، وتعلموا وتثقفوا وأفادوا، وغادروا منازل ثقافته، وهجروا غروره لحقيقة ما لا يعرفها. ولهذا فمن خير ما سمعت قول أحدهم: لا تخفي ذكاءك أبدًا إلا لظرف طارئ، أو موقف نادر، ثم تسرع في استعادة ما تنكرت له من قدرة، فالأصل ألا تخفي ذكاءك؛ لأنه سيختفي للأبد. ولا تكن كالبخيل الذي خاف على ماله فأخفاه حتى نسي مكانه، فعاش خاسرًا ومات متحسرًا، ولا تتنكر لبراعتك في شيء؛ لأنك إن تنكرت للموهبة غابت تلك الموهبة. ولأن طريقة إخفاء المقدرة تبدأ اختيارًا ثم تنتهي طبيعة، وتبدأ مفيدة ثم تنتهي مضرة، فتقمع ذكاءك وموهبتك باختيارك، ثم تتعود القمع، حتى يكون عادة مقبولة، فيترفّع عليك الغبي، ويهزأ بك الفَدْم، وأنت من فتح له الطريق، فإن لم تكن بارعًا ولا ذكيًّا، فذكاؤك في ظهورك على حقيقتك، وانسجامك مع طبيعتك. ولكم رثيت للمتعالمين والممثلين والمتظاهرين المتشبعين بما لا يملكون! فلانكشافهم المستمر حسرة لا يطيقونها، أو يستغبيهم الناس بطريقة لا يفهمونها، وقد كانوا غرّروا بأنفسهم وبعبقريتهم التي تنقلب غباء.

وكم رأيت من متصنع للفهم والدهاء والعقل الكبير الذى ينتظر زمن ظهوره! فلا تهتم فهو لن يظهر مهما تظاهر بمخزون علم وذكاء مستور في السرداب، قال رسول حمزاتوف: «لا تخبئ أفكارك. إذا خبأتها فستنسى فيما بعد أين وضعتها.

أليست هذه حال البخيل، ينسى أحيانًا المخبأ الذي وضع فيه نقوده فيخسرها؟!» [**بلدي**، ص٢٧]. وكم ترى الفدامة ظاهرة في شعوب مقهورة، وليست فطر الناس كذلك، ولا نصيبهم ذاك، ولكنهم خافوا فأخفوا مواهبهم وقدراتهم فخفتت وغربت وقلت قيمتها، وانحرفت في غير طريقها، وتجد شعوبًا أخرى تقدس الموهبة والذكاء فتزيد وتشحذ وتتعالى، فيتوهم الناس أن شعبًا موهوبًا وآخر مسلوبًا. وأعظم هذا يعود للتربية وللتعود ولثقافة المجتمع المفتوح، هناك شعوب خائفة خافتة يخفي الانسان فيها ذكاءه فيسلم، ويخفي جهده فيغنم، ويتظاهر بالكسل فيرتفع؛ لأن الجهل فيها شعار أو شرط للعلو حتى ليخفي الطالب جهده ودراسته خوفًا من الحسد والعين والمنافسة، وحينئذ تصبح البطالة فضيلة!

والجود بالمعلومة الصحيحة ـ في وقت الحاجة لها ـ كرم ونزاهة، والالتواء على الحقيقة والمعلومة وتغرير الناس بالصمت، إما بخلاً بالمعرفة، أو ترفعًا عن بذلها، أو تعاليًا تافهًا على الناس فهذا طريق للجهل والغش. وأحيانًا تكون المعلومة فوق قدرة الحاضرين أو طاقتهم الاستيعابية، أو سرًّا إذاعته تضر، فلا بأس بإشارة لا تضر، فهذه الاستثناءات وهي قليلة في حياة الناس يحسن فيها التوجيه للموقف الذي ينبني على المعرفة، ولا بأس بإخفاء الحقيقة المزعجة ـ ولو مؤقتًا ـ مع فتح الأذهان لترقب ما تحمله الأيام.

ومن خبث بعض العابثين بالمعرفة أنهم يموهون الحقائق حتى يكون التمويه والتهويل والمغالطة طريقة حياة، ويغررون بهذه الطريقة من يتبعهم، حتى يسلم عقله لهم، يعبثون به كما الجسد الميت في يد من يعده للدفن. وإن يكن أحزنك خبر بعض الصوفية العابثين بعقول الأمة، فافتح عينيك على سواهم، فالذكي يؤتى من مأمنه. وكم رأيت من التوجهات الإسلامية والليبرالية ضحايا طاعة المتقدمين منهم وقادتهم وكتابهم ومفكريهم فمدرسة: «كن عند شيخك كالجسد بيد الغاسل»، تكاد تكون شاملة في بعض المجتمعات لكل التوجهات.

ومن وسائل الأمن المعرفي توسعة حدود المعرفة، فكلما اتسعت دائرة اهتمامك ومعارفك وعلاقاتك فُتحت أبواب للأمن، هي للحصيف مكاسب، كما أنها لضيق الأفق مخاطر تهز كيانه. بل ربما باب خطر وزلل، وفاتحة قلق وضياع لما يملك، سياسيًا كان أو عالمًا أو متعلمًا.

وبعضهم يعرف خطر فكرته، وغباء مستهلك الفكرة، ويصنع لنفسه هالة قبل تقديم فكرته، وقبل تهيئة الناس لها، حتى إذا كانت الشهرة شفيعًا للباطل بث سمه؛ واثقًا من غفلة صيده. قال فرويد لابنته وهما يهبطان من السفينة التي أقلتهما إلى نيويورك عام ١٩٠٩م: «إنهم ـ يعني الأمريكان ـ لا يعرفون أننا نحمل لهم الطاعون». [**محاضرات في علم الإعلام العام**، ريجيس دوبريه، مترجم]. لقد كان يدرك فرويد تمامًا أنه يحمل الطاعون لأمريكا، فحملته ثم نشرته بطريقة لم يسبق لها مثال. وقد كان فرويد يحاصر مخالفيه، وكانت له عصابة تدمر سمعة من يخالفه، وتنشر ذكره في الآفاق، وتبالغ في إنتاجه وتشرحه وتعمّمه. ولم يزل ـ وسيظل ـ مثيرًا للأسئلة، فبعضهم لا يرى فيه إلا أنه كتب مذكرات شخص مريض عاش مستهلكًا للكوكائين، واحتاج علاج سنين ليتخلص منه.

أعود فأقول: تخبرنا القراءة والخبرة أن من أراد أن يحد لسانه فليتحدث، ومن أراد أن يرقى بعقله وبفكره فليبحث له عن قرين يطارحه، وغير القرين يمكنه العون، لكن هذا أوفق وأرجح لمن يبحث عن خير لنفسه وللناس. وأصعب المفكرين ورواد المفاهيم حالاً في الفكر هو من لم يجد فرصة لبحث قوله، فهو عشير ثعابينه وسموم أفكاره، تأكله ليل نهار، ولا يجد لها متنفسًا ومقصدًا، وإن أذاعها صدمت المجتمع فترتد علية عارية جافة مكسرة، تبقي في الوجه شروخًا، وفي النفس آلام فكرة لم تتم، ومفكر لم يعرض نصه على النقاد. وهل يصدق على عشير الفكر وصف عشير السموم؟ أرى أنني أزداد

بهـذه الفكرة قناعة مع الأيام؛ لأنني راقبت تراجم حياة هؤلاء المفكرين وكبار المؤثريـن، فرأيتهم محسودين على غير نعمـة، بل على الأمراض النفسية العويصـة، وعلى نكد التميز أو وهمـه، وغربة الذهاب للغور في الأمور أو لأقـول تخيلهم أنهم أدركوا الكثير. والأولى بهم الخروج إلى السطح وتأمل الحياة السهلة ومعاشرة الناس الطيبين البسطاء. وهذه محاولة في العلاج أكثر من التعريف. ومعاشرة البسطاء يأنف منها الكبار حسب قول بيت الشافعي إن صح له في عسقلان: «أَأَنْثُرُ دُرًّا بَيْنَ سَارِحَةِ البُهْمِ؟» هذا القول على اعتبار أن هناك بسطاء، ولكن كاتبًا مشاغبًا آخر يقول: «إن الناس المعروفين بسلامة الطويّة مراؤون بسطاء يتباهون بحسن نواياهم، ويتظاهرون بقناعتهم أن عملهم يصلح لخاتمة طيبة». [توماس مان، جوته وتولستوي، ص١٣٢]. وهنا ألا ترى كيف يسمم المفكرون الحياة، ويجعلون من النية الطيبة مكانًا لسؤال آخر؟!

وقد تكون قلة العدد أو ضعف القدرة على نشر المعلومة أو صعوبة الكتابة هي التي تجعـل صاحـب الفكرة يبحـث لهـا عـن مكان وطريق للنشـر، أو بالمصطلح الرأسمالي الأمريكي المعاصر: «التسويق». ثم يؤلمه ـ بل يعذبه ـ ألا يجد مـن يهتم ويتفاعل مع فكرته، ويرقب مكانًا أو شخصًا أو ورقًا يدفق فيـه سمه الزعاف. وهكـذا الفكر يكون نـورًا مضيئًا للأمـم أو سمًّا تتجرعه القرون. وهنا نسأل: من أين جاءت كلمة السموم الفكرية؟ لا شك أنها جاءت من الضحايا بعيدًا عن المفكر المسموم المسمم. ولا يدرك مدى أثره وخطره من قاله أبدًا، فهو نوع من التعليم أرقى وأتم، فهل من مدرس رأى نهاية جهده؟ إنـه يمتـد في الزمان والمكان أبعد من قدرة البشـر على الفهم. هذا جانب من الأفكار لا يعلم أسرارها إلا خالق الإنسان الحكيم. وفي كل شيء له آية.

إن الكتابة موت يصنع حياة، بل ممارسـة للحياة في أوج معانيها، الكاتب يبذر الساعات قراءة ثم كتابة ثم مراجعة، وأصعب المراحل المراجعة. ويتحدث

الكتاب عن موت الكاتب وهل عاش الكتاب المقتدرون حياة مريحة كما يحبها الناس؟ سأسكت عن هذا لأنك تجد كل الأنواع، فلا قاعدة.

وتبقى الكتابة وسيلة أيضًا مهمة لحد الذهن وشحذه وترتيب قدراته، وتطوير أهدافه وترقية الناس بترقية النفس. وكلما اتضح النص ودقت العبارة، صفا الذهن واتضح، وفي نصاعته إسعاد النفس والآخرين. إن اللمسات الأخيرة الجيدة لا تكاد تنتهي، وإن وضعتها على رسائلك لأصدقائك أو مذكراتك أعطت جودة وجمالا وثقة. [بعض هذه الأفكار أوردها ستيفن كوفي في «**العادات السبع**»، ص٣١٠].

الكاتب بين الحزن والضحك

يحسد كثيرون الكتاب المشاهير، ويرون فيهم أناسًا سعداء، وهذا خداع كبير. يقص علينا روسو في كتابه «**هواجس المتنزه المنفرد بنفسه**» فيقول: «كم من مرة في أوقات الشدة والتردد، كنت على أهبة الاستسلام لليأس، ولو أن هذه الحال دامت على هذا المنوال مدة شهر كامل، لانصرمت حياتي وقضي عليّ، ولكن هذه الأزمات كانت فيما مضى كثيرة الحدوث، إلا إنها كانت دائمًا قصيرة». [ص٤٤]. وقد قرأت في كتابه المذكور ما يدل على جنونه أو اقترابه منه، فإن كان في ماضيه ـ قبل كتابته هذا ـ أصعب حالاً، فما أعجب الإنسان وتظاهره بالصحة وهو عميق المرض! وإن كان خرفه أنساه فإن كتابه هذا كتاب ذكي عليه مسحة جنون لا مرية في ذلك!

وتجد عند الإمام الغزالي شكوى أمرّ من هذه عندما قال إنه مرض وكره التدريس، ولم يستطع أن يذوق طعامًا ولا شرابًا. وذكر ابن العربي مرض شيخه، وما اعتراه من مرض نفسي. وشيء من هذه الحال عند ابن حزم. ويقول المنشق كازانتزاكي إنه يكاد يقترب من الموت. وكيركجارد يقول إنه

كان يضحك الجالسين حتى تكاد تتقطع قلوبهم من الضحك، ويرونه بهذا أسعد الناس، وينصرف وهو يعاني من الحزن والكرب ما لو وزع على العالم لكفاه حزنًا.

وسورين كيركجارد مثال للفيلسوف الذي رأى شخصه وعرفه وسخر منه، فكان يحاول أن يقوم بعملية تمثيلية على نفسه، يعرف أن معين الحزن عنده فياض، فكان يدرك أنه قد يزيد الوارد عليه ـ معذرة للمتصوفة، فعبارة الوارد لهم ولشيخهم الغزالي المتصوف دين علي في القلب والعقل لا أنساه ـ فيسقطه ويهد كيانه، فيقاومه بالضحك والنكتة. وقد صدر كتابان يتحدثان عنه بعناوين عن ضحكه. ويؤكد الدكتور زكريا إبراهيم في الجزء الأول من كتابه «دراسات في الفلسفة المعاصرة» أنه ـ أي كيركجارد ـ هو المؤسس الفعلي للوجودية، وإن اختطف الشهرة سارتر لكثرة أدبياته، أو ياسبر لكثرة كتابته، وتكاد تجد النقاش والترجيح بينهم في كل كتاب عن أي من الثلاثة تقريبًا. أما قراءتي لسارتر فقليلة جدًّا، وظني أن الزفة والمرحلة والطبقة المحيطة وحركية سارتر واليهود من وراء الضجة الكبيرة وراءه، ولو قرأت «الكلمات» له، والمسرحيات التي نشرت بالعربية وابتليت بقراءتها لعرفت طرفًا من الحديث عن الجنازة حارة. ثم قرأت لنقاده فما زادني قولهم إلا تأكيدًا لمأساة ثقافة رأسها سارتر، ورثاء لأمة تترجم له وتهتم بسكناته وحركاته؛ لأن عاطلين منها شرفوا برؤيته في المقهى، فتنفخ في قربة فارغة. أما ترجمة عبدالرحمن بدوي لكتابه فقد صرح بدوي بالهدف التجاري وراء ترجمته لكتابه، واعتذر للخلل بأنه أرسل فيما بعد للناشر تصحيحات وإكمالات لم تطبع. ثم إن سارتر اتهم بأنه لم يفهم هيدجر، ونقل الناس عن المشهور الأكثر ثرثرة سارتر، ولم يعرفوا أن شيخهم لم يفهم شيخه. [رضا الأردكاني، الفارابي مؤسس الفلسفة الإسلامية، ص١٨٣].

وليس صحيحًا ولا صحيًّا للإنسان صاحب الهمة والنبوغ أن تكدره الهموم وهمّ معاناة الوصول للمقاصد، فليس هذا مما يعين، بل هذا سلوك يدمر صاحب الهمة، ويقلق ويضعف ويشغل عن المطلوب، ولم يصح الوصف الذي وُصِف به الرسول ﷺ أنه كان متواصل الأحزان. وفي بداية كتاب «الأخلاق والسير في مداواة النفوس» لابن حزم يقول: «تطلبت غرضًا يستوى الناس كلهم في استحسانه وفي طلبه، فلم أجده إلا واحدًا: وهو طرد الهم.. لا يتحركون حركة أصلاً إلا فيما يرجون به طرد الهم، ولا ينطقون بكلمة أصلاً إلا فيما يعانون به إزاحته عن أنفسهم.. وكل غرض غيره ففي الناس من لا يستحسنه». [ابن حزم، الأخلاق والسير في مداواة النفوس، تحقيق: الطاهر مكي، دار المنارة، جدة، ٢٠٠٧م، ص١٠٨].

وكان الشيخ السعدي يقول: الحياة قصيرة فلا تملأها بالأحزان والمنغصات. وفي نصوص الشيخ لفتات حكيمة، واطلاع وتفلسف غريب على زمنه ومدرسته، وقد أبقى لبعض تلاميذه ـ كابن عثيمين ـ حسًّا فقهيًّا جيدًا، وكان السعدي أبعد مدى، وأغزر فكرًا، وأكثر انفتاحًا.

إن سورين كيركجارد السابق أقرب لشخص الجاحظ في ثقافتنا الإسلامية العربية، فقد عاش الانفراد والعزلة والحزن والكآبة في أقسى أشكالها ومعانيها، وعانى من شيء من تواضع الخلقة أيضًا كما عاناه صاحبنا الجاحظ، وألهب قلبه الحب الفاشل، وكتب ما لا يوصف من العبقرية والجنون. ولكن الزمان كان مفتوحًا أكثر عند سورين، والحضارة الغربية كانت تمتد وتتسع فحملته للعالم، وقومنا كانوا ينكمشون فلم ير الناس من غيرنا الجاحظ، ولم نجد فلاسفة جاحظيين في الغرب كما رأينا وجوديين. وهو الذي وضع الوجودية على قدميها، فقلبها سارتر على رأسها مجرد عبث بالقول، كما قيل عن ماركس إنه قلب فلسفة هيجل.

فهؤلاء الموهوبون هم مرتع للأمراض النفسية القاسية، وحالتهم أولى أن تكون ميدان اختبار، غير أن المشكلة أنه لا يسبر أغوارهم وعبقرياتهم إلا مرضى مثلهم! وعندي أن الغزالي عانى من مشكلة الصدق مع النفس أقسى من غيره من المشاهير في الإسلام، وكان في نضجه يعاني ما لا قبل له به وندر أن يعانيه غيره، ولعل كُره بعض السلفيين للغزالي هو كونه لا يشبههم، إنه نمط فريد كسر كل القواعد والأعراف، وقد أشار لهذا أكثر من كاتب.

ويبدأ كوفمان كتابه عن «التراجيديا والفلسفة» بقوله: «تعد الثقافة بمثابة مخدر للمثقفين، لكنها لا تؤثر في البشر جميعًا بالطريقة ذاتها. فهي تنقل البعض إلى سبات مترع بالكآبة، وثمة آخرون يحظون برحلات لا تصدق إلى أبعاد أسطورية». [ص١٩]. ولما اشتد الحال والشقاء والمرض النفسي بديل كارنيجي كتب **«دع القلق وابدأ الحياة»** وكتب **«كيف تكسب الأصدقاء وتؤثر في الناس؟»**. وفي كتاب عن العبقرية لمؤلفة بريطانية طبع في سلسلة «عالم المعرفة» بعنوان **«العبقرية تأريخ فكرة»** تحرير بنيلوبي مري، تحدث عدد من المشاركين في التأليف، وأجاد بعض محرريه في شرح بعض أحوال من صنفوا على أنهم «عباقرة». وهكذا إدلر في بحثه عن السعادة. فبعض هؤلاء الموهوبين المتظاهرين بالسعادة وتسلية الناس وترفيه المجالس، ونشر المسرة بين الحضور يعانون من شعور كآبة عميق.

كنت أستمع لواعظ أمريكي على التلفاز فذكر قصة طريفة ـ قال إنها وقعت فعلاً ـ وهي أن شخصًا اشتهر بين الناس بالإضحاك والنكتة الرائعة، وانبساط النفس، وحسن التعامل مع الناس. وكان يقيم حفلات عامة يسلي فيها الناس من كآبتهم وحزنهم لما تيسر له من قدرة على الترفيه، وذاعت شهرته في الآفاق. وذات يوم جاء شخص لعيادة طبيب البلدة، يشعر من آلام كثيرة، ومتاعب متعددة، ففحصه الطبيب، ولم يعرف له علة إلا ما

لاحـظ من كآبتـه العميقة، فقال: ليس عندك من مرض جسـماني، بل علتك فـي حزنـك وكآبتك الشـديدة، فاذهـب إلى الحفلات المسـلية التي يقيمها فلان(...)؛ لعله يخفف عنك ويسـليك من أحزانك، فقال المريض للطبيب: أنـا هـو الذي ذكـرت، والذي يسـلي الناس عـن أحزانهم! فقال لـه: معذرة لا أعرف لك علاجًا.

إن هـؤلاء يبحثون ويلجون في سـلوك طريق تجمعهـم بالناس، فيرون في الضحك الجامع الوحيد اليسير، ولكنهم يخفون شخصياتهم وراء هذه الأقنعة الزائفة، رغم ذكائهم الشديد. ومن أسباب أحزانهم أيضًا أنهم يرون في القضايا التـي تشـغلهم قضايا فوق النـاس، وفوق فهـم العامة، ويميزون أنفسـهم بحق وبباطل، فتزيد الفجوة مع الناس حتى يفقدوا الأرض المشتركة للحياة، فتأكلهم الشكوك والأوهام والأحزان، ومعهم حق كبير في كثير مما يرون، ولكن العالم ليـس للأذكيـاء فقط، ولم يخلق لهم دون سـواهم، بل بنـاؤه للجميع، وفرصه للجميع، مثل شمسه وهوائه.

والموهوب الروائي باولو كوهيللو (كويللو) مؤلف «**الكيميائي**» وغيرها من الروايـات الحكيمـة، وقد طبع إلـى منتصف عام ٢٠٠٧م أكثـر من ٩٥ مليون نسـخة مـن كتبه، وبلغ من انتشـاره في بعـض البلدان مثل بولنـدا أن كل ثلاثة مواطنين عندهم نسـخة من عمل له (وردت هذه الإشـارة في ندوة اسـتقبال له حضرتها في معرض لندن للكتاب، وكان الرجل حكيمًا لطيفًا، شخصية عميقة ومؤثـرة، وحـاول أن يكـون خفيـف الظل بالرغم مـن أنه كان يتكلـم بلغة غير لغته، ولا يبدو مرتاحًا في الإنجليزية). وهو لـم يكتب رواياته إلا بعد الأربعين، وكان والـداه قـد شـكّا في عقلـه، وأدخلاه المصحـة العقلية ثـلاث مرات في عاميـن. ودخل السـجن أيضًا لأسـباب سياسـية ثلاث مرات، [**مجلـة الدوحة**، العدد ١، شوال ١٤٢٨هـ، ١١/٢٠٠٧م، ص٤٧].

وصديقنا الشيخ عائض القرني صاحب مجلس خفيف لطيف يتمناه من سمع عنه، ولكنه حينما ينفرد صاحب مزاج جد وحزن، وإن كان يكافح ذلك بكل وسيلة، حتى الضحك من نفسه، وصناعة النكت عليها وعلى تصرفاته، وقد كتب كتاب «**لا تحزن**» الشهير، وهو نوع مكافحة لحزن مر به هو قبل غيره، وجل الموهوبين والأذكياء لا يخلون من مزاج السخرية بالنفس وبالناس.

وكذلك الشيخ سفر الحوالي موهوب في النكتة رواية وصناعة، ولديه مقدرة على تقليد الأصوات واللهجات نادرة المثال، ولكن مزاجه العلمي يقصي هذه الموهبة. ومن قبله الشيخ أبو زهرة كان باقعة في النكت والإضحاك، وهو الذي نقل عنه القصيبي في «**شقة الحرية**» أنه سأله: أنت «منين» يا غازي؟ قال: أنا من البحرين. قال على الفور: «هما لسا إتنين؟» (أي: أما زالا اثنين؟)، وجمع أحد تلاميذه كتيبًا في نكات الشيخ الطريفة. وبرنارد شو، وتشرشل، وفولتير، وديكنز وغيرهم، وذكر فتحي عثمان أن سيد قطب كان فكهًا خفيف الظل، وهكذا أخوه محمد، ولو كان أقل من الأكبر، وقرأت في نصوص لبرتراند رسل رسالة خفيفة ولطيفة ساقها، ثم قال: ومن تتوقع كاتب هذه الرسالة؟ فكان كاتبها ماركس، ولا يتخيل أحد أن ذلك الجاد الكئيب يكتب رسائل كتلك يمازح بها.

وقد ذكر زكي نجيب بعض هؤلاء ثم قال: وعلى رأس الساخرين في العالم أديب ياباني اسمه «جيبنشا إيكو» كان فقيرًا لا يستطيع شراء أثاث لمنزله، فعلق على جدران بيته صور الأثاث الذي سوف يشتريه لو استطاع أن يملك ثمنه. وفي المواسم الدينية كان يضحي بصور للقرابين التي كان يتمنى أن يضحي بها لو كان عنده ثمنها. ولم يكن لكتبه عائد يذكر، وزاره ناشر كتبه في يوم العيد، وكان الناشر يلبس ملابس جديدة فاخرة، فراوغ الناشر حتى أغراه

بأن يستحم عنده، فلما وقع الناشر في الفخ، وخلع ملابسه لبسها إيكو، وراح يـزور بها معارفه مـن الأهل والأصدقاء. ولما بلغ هذا الأديب السـاخر مرض موته أعطى بكل وقار وجد تلاميذه لفائف يضعونها على قبره ـ من عادتهم أن يحرقوا موتاهم ـ وبعد التهاب النار ووقوفهم للدعوات والصلوات خاشعين، وضعوا هذه اللفائف فإذا هي تتفجر فرقعات من اللهب، والمتفجرات الملونة البهيجـة، والمفرقعـات والرسـوم الملونة فـي الهواء، فلم يسـع الحاضرين إلا الضحـك، وأنسـاهم هـذا السـاخر ما هـم فيه من الحـزن عليـه! [زكي نجيب محمود، **الكوميديا الأرضية**، ص١٨٤ - ١٨٥].

ولأنك مليح

يُعرّف بعض الكتاب نفسه بطريقة لوذعية جميلة لا يتصنعها، فهذا أوسكار وايلد عندما وصل إلى نيويورك سأله أحد موظفي الجمارك الأمريكيين السؤال المعتاد: هل عندك شيء ينبغي أن تطلعنا عليه؟ يعني بين متاعه، قال: «لا شيء سوى عبقريتي». فلا تغيب ملامح النجابة، وإن حاول قوم قسرها على الاختفاء، وكثيرًا مـا تكـون محرجـة لمـن اسـتخف بها، وقـد سـرد القُصّاص لنـا قصة عبدالله بـن الزبير مع عمر بن الخطاب عندما مـر أمير المؤمنين بالغلمان وهم يلعبـون، ففـروا من الطريق مهابة وإجلالاً، أما عبدالله فما تزحزح، واسـتغرب هـذا منـه أميـر المؤمنين عمر رضي الله عنه أنـه لم يفعل كبقيـة الغلمان، فقـال: يا أمير المؤمنيـن، لم أذنب فأخشـاك، وليس الطريق ضيقًا فأوسـع لك! وهذا موقف جليـل مهيـب، يناسـب الزعيمين ويطابق شـخصياتهما. ولكـن الموقف الآخر نشهد فيه الفرزدق مع تبختره وتبججه، يقدم على غلمان في شارع في البصرة ويتراءونـه مـن بعيد، ثم يقترب فيمعنون فيه النظر لما هو عليه من قبح وتعال، وهنا سار على طريقته في الهجاء فقال:

نَظَـروا إليـكَ بأعيـنٍ مُحمـرَّةٍ نَظَـرَ التُّيُوسِ إلى مُدَى القَصَّابِ

ولم يعلم أن في الغلمان طفلاً ذرب اللسان من «زهران»، حاد الذكاء أقدر من كل فرزدق، فما برح الغلام مكانه، وانتقم لصحبه من بذاءة الشاعر وقال: «يا عم نظرنا إليك لأنك مليح، كما ينظر للقرد لأنه مليح». وذهب الخليل يضحك وصحبه يغرقون في ضحك المنتصرين، والفرزدق يتميز غيظًا في إهابه. وهنا نقول: لم تمنع جلافة وتكبر الفرزدق، بل تواضع موهبته الشعرية مقارنة بخصيمه، من أن يكون شيئًا مذكورًا في الشعر والفخر والهجاء، وكانت حربه لجرير موقدة للروعة عنده وقوة المواجهة الشعرية.

ومازلت أسوق لك خبر كتب ومؤلفين مرّوا بنا في هذا العالم، وإني لمن جيل عرفوا محمود شاكر بخصومته مع لويس عوض في كتابه أو جوهرته الفذة «**أباطيل وأسمار**»، والكتاب هجاء للويس، تعالى فيه نجم محمود حتى لم يعد له في الكتابة المعاصرة من قرين، فالحب والحرب والموت بواعث للكوامن أي بواعث! فلا تسكت لأنك لست نجيبًا، فقد تكتشف أنك أنجب، والسكوت ليس دائمًا من ذهب، بل هو أحيانًا ضياع للمواهب وإهدار للحقوق، والساكت عنها شيطان أخرس. ولا أغرينك بخوض في غير ميدانك، فتؤوب بقدحٍ وملامة على من شجّعك على الجري في غير ميدانك. فأرجوك إن لم تكن قد أعددت للطريق عدته من قراءة واسعة ولغة جيدة، أن تدع الكتابة الآن وتصرف عشر سنين، في كل يوم أربع ساعات قراءة، ثم جرب حظك. فأنا أعرف أقوامًا صرفوا في هذا السبيل أضعاف هذا ولم يكتبوا شيئًا جديرًا بالحسبان، وآخرين أقل من ذلك ولكن بمقدار تدريب الضوامر تسبق. وقد مرت بنا أزمان غمرنا أبو فهر بعطاياه، وتلذذنا بنصوصه في الكتاب السابق، وفي «**المتنبي**»، وفي «**القوس العذراء**»، وفي «**نمط صعب، ونمط مخيف**»، وقد أرسله لي فور توفّره قرين الكتب الدكتور محمد النعمي عندما كنت في تكساس، ثم في هوامش تحقيقاته الرائعة على «**طبقات فحول الشعراء**» لابن سلام، وكتب الأدب والتفسير واللغة التي حقّقها وأزرى بسابقيه ولاحقيه في التحقيق.

كتاب النضوج

يقول ابن الجوزي في كتاب «صيد الخاطر» الذي كتبه بعد النضوج إنه من غير المناسب أن يكتب الكاتب قبل الأربعين، فليس قبلها مدركًا ولا عالمًا ولا جاهزًا للكتابة، وإن لمس أنه في سن الأربعين ليس محصلاً لما يحتاج فليؤخر الكتابة إلى الخمسين، ويستكمل تمكنه من العلم. وسمعت الشيخ عبدالرحيم الطحان يذكر أن العلماء كانوا يقولون: «من كتب قبل الأربعين فلتكسر يده!». وقد صدق العلماء هؤلاء في أنه قبل الأربعين لا يكتمل نضج أغلب الرجال ووعيهم، وبلوغ الأشد ينقل الرجل إلى مرحلة من العقل والفهم أخرى، فيكون أكثر تسامحًا وأقل تعصبًا، وأقدر للرؤية من محل أعلى من مدارك الشباب ونيرانه الغالية. وسن الأربعين وما بعدها هي سن التوجيه العام للناس، ومن وجّه العامة أو الخاصة قبلها لم يسلم من الخلل والتغير، والمبالغة في تهوين كبير أو تعظيم هين.

وقد يكتب الكاتب كتبًا كثيرة يعطي لأي منها أهمية يراها، ولكن كتابًا منها واحدًا غالبًا يشق طريقه ويرتقي، ويكون هو «كتاب الكاتب»، ونسميه هنا «كتاب النضوج»، تكتمل فيه فكرة أو أسلوب، ويرتفع فيها الكاتب فوق التكلف، ويعطي في موضوع ما ما لم يسبق إليه، أو يصحح فكرة، أو يسوق قصة أو رواية تكون «عمل العمر». وقد يقصدها أو لا يقصدها، فتجد بعض الكتاب يمتدح كتابًا له، ويبالغ في أهميته مع كتاب متوسط أو أقل، ويترك ذكر الكتاب الجيد.

كان نيوتن يرى عمله الكبير والباقي في حياته وبعد مماته هو ملاحظاته على الانجيل، وليس عمله الرياضي، والجدير بالذكر أنه كان موحداً، ومعترضاً على التثليث، وكتاباته في الدين أكثر من كتاباته في العلوم، ويراها أهم من جهده العلمي، ولأنه يرى نظريته تشرح حركة الكواكب، ولكنها لا تشرح من

حـرك الكواكـب. وقد كان ذلـك الكتاب ضعيفًا ومتواضعًا، ولا يتناسـب مع شـهرة وأثـر نيوتـن وجهوده في تزويد البشـر به ومراقبة ونتائـج علمية عجيبة. وابـن الجوزي لا أشـك أن كتاب النضوج عنده هـو «صيد الخاطر»، وعند ابن تيمية «الاستقامة». وقد كنت حضرت مؤتمرًا للمستشرقين، وقدم فيه مهتم بابن تيميـة ورقـة عـن مفهوم الفناء عنده، ثم خلونـا مـن بعد، فذكرت لـه فيما ذكرت أهميـة كتـاب «الاستقامة» فكان ممـا أفاد بـه أن ابن عبد الهادي قال بنحو هذه الفائـدة، وقال إنه أحسـن مـا كتب. وعند الغزالي عدد مهـم من الكتب الرائدة ولكـن «الإحيـاء» ثـم جوهرتـه الصغيرة «المنقـذ من الظلال» كتـب باقية. وعند ديـكارت «حديـث الطريقة»، وعند نيتشـه «هكذا تكلم زرادشـت». وعند سـيد قطـب «معالم في الطريق». وعند طه حسـين «الأيـام». وعند أنيس منصور «في صالون العقاد كانت لنا أيام». وعند العقاد عدد جيد من أحسـنه «عبقرية عمر» التي تجلت فيها عبقرية العقاد أيضًا. وعند يحيى حقي «قنديل أم هاشم».

الفصل الرابع

عبقري يستعد

السير الذاتية وسير الأفذاذ (المعروفتان بـ«أوتوبيوجرافي» وهي التى يكتبها الشخص نفسـه، و«بيوجرافي» وهي التى يكتبها آخر) مورد مهم جدًّا لنشر القيـم، وتعلق الشباب والرجال بخير المواقف للسابقين، وإعادة تفسـير دائم للماضي، وإحياء للأمجاد يرفع الـذوات ويصفي كاتبها المواقف ويفسر الغايات. وكم أجللنا من ناس بسبب أن كاتبًا أحيا سيرتهم، ورسم للمعاصرين شـيئًا من ماضيهـم، وكم من مواقف عظيمة ذهبت لأن أحدًا لم يحرص على تعليمها للقادمين!

وفـي سـير الأبطـال سـلوة وحيـاة، وتاريـخ ومنافـع، ومواقـع وقرارات لا تحصى. والأمـم القوية تدرك سـر هذا الفن، كما أدركـه أجدادنا بطريقة لم تسـبق عنـد أي أمة سـبقتهم ولا لحقتهـم إلا الغرب المعاصـر. وقد قرأت في بعض هذه الكتب التي تتحدث عن طرائق كتابة السير الذاتية والعامة، وانتشرت كتـب التوجيه لذلك بسـبب كثرة هذا النوع وانتشـاره، وبسـبب أثره على حياة النـاس. وقـد أصبح مشـهورًا إذا تحدثت عن عالم أو مفكـر أو زعيم أن يدور النقاش حول أي السير التي كتبت له أحسن وأدق، ومتعاطف أو مخالف.

ورؤسـاء وزعمـاء العالـم أصبـح لبعضهـم مؤرخـون معتمـدون وآخرون ثانويون. لقد كان لسيرة مالكوم إكس التي كتبها أليكس هيلي أثر بالغ في حياة السـود والمسـلمين في أمريكا، وكانت مثيرة وذات دلالة على مواقف وآراء، حتى إن أحد المشـاهد في أحد الأفلام الشـهيرة يقول: هذا بيت فيه أثر لآراء مالكوم وسيرته! [وقد صدرت عام ٢٠١٢م ترجمة جديدة لحياته مستقصية،

ولم تخل من نضارة]. وكذا من قبله كانت السيرة الذاتية لبنجامين فرانكلين ـ الذي كانت مكتبته تقدر بأربعين ألف مجلد [ادموند مورجان، **بنجامين فرانكلين**، ص٣٠١] ـ موردًا مهمًّا لثقافة ونفوس القراء في العصور التالية. ومن قبله «**اعترافات القديس أوغسطين**». أما في ثقافة المسلمين القديمة فكانت السير الذاتية قليلة، ولم تنضج طرائقها كما حدث في عصرنا. ولعل السيرة الفكرية للغزالي «**المنقذ**» من أجملها، وكذا «**سيرة ابن خلدون**»، و«**سيرة بابر**»، و«**التحدث بنعمة الله**» للسيوطي، وهو قليل الأهمية. ولم أحب كتب هذا الرجل، ولا ألفت عقله الكمي الروائي المتكلف لجمع الغرائب في التفسير وفي بقية ما كتب، مع تغييب العقل، وسيرته الفعلية تثير الكثير.

ليست السيرة الذاتية مصدرًا للحقيقة التاريخية، فهي أقرب لرواية وجهة نظر شخصية، فيها مبالغة ذاتية، وتضخيم لحياة الفرد، ومقارنة ذلك بمصادر أخرى ضرورية. أما السيرة التي تكتب لآخرين في حياتهم أو بعد مماتهم فقد يكتبها محبٌّ أو حاقد متعاطفٌ أو ناقد، وهي أقرب للتاريخ من السير الذاتية لكونها من غير الذات المشاركة.

ماركس قارئًا وكاتبًا

نشأت على كراهة لماركس أول ما سمعت عنه، فهو عدو الله وللناس، ثم اقتربت في سنوات الدراسة الأولى من قوم يعرفونه ولا يجرؤون على ذكره، ربما لأن لهم هوى له ينتسب، فسبَّبَ ذلك ميلاً خفيًا لمعرفته. وعرفت مبكرًا أن القرب من كتبه قد يؤذي اجتماعيًا أو سياسيًا. ومرت الأعوام ووجدتني داخل الصف الإسلامي حاملاً على ماركس، عارفًا بكثير من مسارب فكره أكثر من زملائي الذين يستجيبون للخطابة عنه، فقد قرأت كتابات العقاد عنه وعن الشيوعية، وبخاصة ذلك الفصل الناقد للحياة الشخصية لماركس، ثم

رأيت كتابًا مشتركًا لأحمد عبد الغفور عطار والعقاد عن الموضوع. ولم أقرأ كتاب «**البيان الشيوعي**» (مشترك له مع إنجلز) إلا عام ١٩٨٩م أو عام ١٩٩٠م في مدينة فورت كولينز، كولورادو. وأذكر أنني كنت أقرأ وأمشي في حديقة قريبة من البيت، وتعجبت من عمق الكتاب بالرغم من صغر سنهما حين كتباه. أما «**بؤس الفلسفة**» فتصفحته كما تصفحت «**رأس المال**» بلا قراءة جادة. وذلك لازدحام الذاكرة بالذم له ولأسلوبه. وفي زمن المرحلة الجامعية ساد شيء من الطمأنينة والثقة مع بعض اليساريين، وتحدث بعض زملائي بشيء مما كانوا يكنّون عنّا، من ولائهم وثقتهم بالشيوعيين في اليمن الجنوبي والشمالي، وقال لي أحدهم إنهم كانوا يحضرون مخيمات صيفية في اليمن، يكون الشيوعيون من روادها ومن ينظم لها.

ثم بعد انتهاء الجامعة بعام ونصف ذهبت للسودان عام ١٩٨٥م، ودخلت مكتبة الشيوعيين في الخرطوم، وحملت معي ما وجدت في المكتبة من كتب القوم، فملأت كرتونًا متوسطًا، وحملت آخر، وحقيبة ثالثة من الكتب، ثم مررت بالرقيب وتحايلت، فمررت بسلام ولم تفتح هذه الحقائب البجر بماركس وقومه إلا في «أبها»، أقلبها واحدًا واحدًا بكل اهتمام، فهكذا حصلت أخيرًا على الكتب الحمراء. والغريب أن أغلب تلك الكتب كانت حمر الأغلفة. ثم هكذا كانت حتى التي رأيت في أمريكا، فعقدة اللون كانت كبيرة.

وتجد أن الشيوعيين المعاصرين محمّرة للرايات، وأن القرامطة محمرة أيضًا، وقد قرأت هذه الأقوال العجيبة التي تذهب في التاريخ قديمًا، فقد ذكر السخاوي في «**فتح المغيث**»: «قالوا: الكتابة بالأحمر شعار الفلاسفة والمجوس». [الحبشي، **الكتاب في الحضارة الإسلامية**، ص٢١]. ثم ذكر ناقل النص جواز الكتابة بهذه الألوان، وبخاصة ما احتاج لتمييز. ولعل المقصود الحمرة الكاملة السائدة في الكتابة. وهناك صلة نفسية بين اللون الأحمر والدم

والنقمة والغضب والاحتجاج، وقد كره الرسول ﷺ اللباس الأحمر الخالص، وقد شرح هذا ابن القيم في «زاد المعاد». وسمعت محاضرًا مرة ـ في نهاية التسعينيات الهجرية ـ يذكر أنه خرج في إيطاليا شباب كانوا يلبسون القمصان الحمر، ثم إنه سادت فيهم سمة الوحشية، وفعلوا بالناس ما تفعل الوحوش الكاسرة. وقرأت تقريرًا طريفًا عن ملابس الرياضيين عام ٢٠٠٩م، يزعم أن لابسي الملابس الحمراء غالبًا ما ينتصرون في المباريات عند تعادل الإمكانات، وأجرى صاحب الدراسة إحصاءات كثيرة لإثبات فكرته.

ومن عدم توفيق الشيوعيين وكآبة كتبهم وفقرها أنها تطبع على ورق سيئ وحرف صغير، ومقاس الكتب صغير، وحشد من الأفكار الثقيلة المتراصة عسيرة الولادة، غريبة اللغة، وبعيدة الشواهد. فما كان فيها من الجاذبية شيء.

ولعلي كنت أبحث عن شيء يقول الشيوعيون إنهم أدركوه، وعليه أقاموا عمارتهم الفكرية، وهي أن ماركس قد استطاع تفسير الكون وفلسفة التاريخ وهو هنا يعني «فلسفة الوجود». وكنت مشدودًا للبحث في هذا التفسير، أتمنى الجواب وأكبر من يتحدث عنه، واشتريت من قبل ذلك «فلسفة الحضارة» لإشفيتسر آملاً أن يحل لي هذه الأسئلة العويصة. وغاية الأمر أن ماركس لم يربح هذه الجولة ـ عندي آنذاك ـ فقد وقف له بالمرصاد أحمد سليمان في «مشيناها خطى» الكاتب البليغ الصادق المجهول. ومما علق بالذاكرة من كتابه الأول أو الجزء الثاني للكاتب أنه قال إنه سجن لشيوعيته فلم يجد ما يقرأ في السجن إلا القرآن، فقرأه واستمتع به مما جره بعد سنين لأن يعود للإسلام، ويترك ماركس التعيس، ثم سمعت بعد نحو خمس عشرة سنة أنه مقيم في ولاية كونتكت بعد أن تولى منصب ممثل السودان في هيئة الأمم المتحدة، وأنه يقرأ القرآن ملزمًا نفسه بحزب يومي كبير. فرحت له بما سره وآنسه، كيف وقد أمتعني في رحلة بعيدة، وتذكرت قصتي مع كتابه.

بعد نحو أربع سنوات من رحلة السودان «السلفية»، خرج في أمريكا كتاب عنوانه «**المثقفون**» لبول جونسن، وعكفت على قراءة أصدقاء الكتب وأخبارهم، ولم أبدأ بغير ماركس، وما هي إلا صفحات حتى قال لي جونسن اليميني المتعصب عدو الشيوعيين والعرب والمسلمين: إن ماركس أكذب الناس وأفشلهم، وعاش أسوأ حياة وأتعس سيرة لرجل، وأنتج أفسد فكر! وأذكر أنه زعم أن ماركس كان يزوّر الحقائق، ويعطي أرقامًا غير صحيحة عندما يقدم تقارير عن وضع العمال والمال والمصانع والرأسمالية في بريطانيا وغيرها. وزاد من ذلك أنني كنت أقرأ قراءة مقطعة في رواية «**١٩٨٤**» لجورج أورويل، ترجمة عزيز ضياء. يصور فيها كآبة الاستبداد الشيوعي. ومما أبقاه جونسن في الذاكرة أن ماركس كان يتكلم الإنجليزية بصعوبة، ويكتب بأسلوب أصعب، وفرحت بهذه الحقيقة التي بررت لي عدم صبري على كتابته. ولعلها من أسرار تعاسة النصوص التي يخطها الشيوعيون. زد على ذلك أن هذه الصعوبة كانت دارجة في الكتب الألمانية خاصة. ومع محاولة جونسن التشويهية الكبيرة إلا إنه أبقى له بعض البريق في مخيلتي.

وقد لاحظت أن الحزبيين الأقوياء الذين خامرهم الوله والجد بأحزابهم وقضاياهم لا يقلون براعة في جدهم في التثقف والمعرفة كالمتدينين أو أشد، وتجد نماذج هؤلاء في الشيوعيين، وفي بعض القوميين والبعثيين، من أمثال: منيف الرزاز، وقسطنطين زريق، ومن مثقفي العالم من غير المسلمين نماذج شهيرة يصعب أن نذكر كثيرًا من أسمائهم.

ورُبّ أستاذ في مدرسة «ما» يكون له تأثير كبير على أتباعه، في زيه وكلامه وكتابته، فقد كان لشخصية ماركس وبؤسه وأسلوب حياته الصعب أثر كبير على أتباعه، وقد كان الشيوعيون وبعض اليساريين غلاظ الحياة، سيئي المظهر، يتاجرون بالفقر والفقراء، يتميزون بإهمال اللباس، وكدر اللغة، وتعمد نكد

الأسلوب، وكأن الله لم يخلق للبؤس سواهم. وربما كان سبب هذا الجفاء إيغال شيخهم في جفاء الفلسفة، وحرمانه من جمال اللغة. وعلة أخرى هي تعقيد لغة الفلاسفة الألمان ومفكريهم، وهم أشنع من عامة كتابهم، ولا يخلو هذا من عذر للنصوص الفلسفية أحيانًا، فما بال غيرها يجفّ بلا سبب، وقد كان جوته يقول عن كتابات كانت إن قراءته أشبه بالتجول في غرفة مظلمة. [انظر مقدمة عبدالغفار مكاوي لكتاب «**تأسيس ميتافيزيقا الأخلاق**»، لكانت]. وكان الفيلسوف برتراند رسل يشكو من عدم فهمه لكتابات كانت أيضًا، مع إن غلمانًا قد تجدهم كثيرًا ما يحدثونك عن كانت، وربما «**رأس المال**» وكأنهم قد امتلكوا فهم كتابات كانت، وقد يوجد موهوبون ويعانون مع تلك النصوص. أما أنا معه فقد استفدت كثيرًا من الكتب التي تختصر وتعرف بكتبه ـ وهي طريقة لا أنصح بها ـ منها بالعربية كتاب مهم لزكريا إبراهيم، أنفق كثيرًا من الكلام عن «فلسفة الروح» عند كانت. ثم قرأت كثيرًا في كتابه «**نقد العقل المحض**» ترجمة وهبة، وصحبت الكتاب في عدة أسفار، فهمت بعضه وتعبت معه كثيرًا، مع أني شعرت أن وعي هذا الكتاب كان تحديًا مهمًّا في وقت ما، والطريف أنه هو نفسه المؤلف قيل تضايق من كتابته وأسلوبه، وهذا بعكس من قيل عنهم أنهم يقصدون التعسف والتصعيب لإظهار العمق أو زعمه، وتلك تهمة وزعها كارل بوبر على بعض الكتابات والكتاب المعقّدين من أمثال هابرماس وأدورنو. [**أسطورة الإطار**، ص٩٩ - ١٠٠]. فشكرًا له؛ لأنه عقد مقارنات فاضحة بالمراد أو المفهوم وعسر الأسلوب أو تعسيره الذي نهجوه بلا سبب.

وقد سبق أن سقت لك خبر مؤلفين مسلمين صعبوا كتبهم لينالوا مالاً من شرحها، فكيف لا يصعب آخر ليقال فلاسفة يكتبون بعمق؟ وهكذا لاحظ هذا المرض إدوارد سعيد عن أدورنو ـ رغم إعجابه به ـ وعقدته في تصعيب

الكتابة. قال عن رسالة أدورنو: «أعد خلال وجوده في أوكسفورد كتابًا صعبًا إلى أبعد حد عن هسرل». [**صور المثقف**، ص٦٣]. وهذا جانب يستحق الملاحظة من قبل القراء الجادين عندما يجدون نصوصًا معقدة، فلا يتهموا دائمًا قدرتهم، فقد يكون نقصًا في أسلوب التأليف، أو تعقيدًا تافهًا مقصودًا لا يستحق تقدير فاعله، فضلاً عن الشعور بالضعف تجاهه. فهو من يعاني من نقص أدواته ومهارته أو عُقد نقصه وليس القارئ.

وأنت قادر على تمييز الشيوعيين من غيرهم بلباسهم، وبالقضايا التي يتعاطونها. فمثلاً اليساريون الأمريكان لا يهتمون بملابسهم، وإن صفة الكدح والكادحين والعمال وما شابه ليست كلمات تطير في الهواء عندهم، فإنهم قريبون مما يتكلمون عنه، فأنا أسبر تمامًا مجتمع «اليسار الغربي». ولما دخل القاعة الصغيرة ونحن في مرحلة الماجستير أستاذ في علم الاجتماع، مختص بثورات اليسار في أمريكا اللاتينية، وكان أستاذ مادة الثورات ـ التي أبعدته عن التاريخ العام فعلاً ـ قد استزاره لهذا السبب، لفت انتباهي نوع لباسه وبساطته وشعبيته الكبيرة، رغم عدم تكلف الأساتذة الجامعيين عادة هناك. وقرأت وصفًا طريفًا لمكتب نعوم تشومسكي، يقول الكاتب: «مكتبه غير مرتب، ومضجر، ستائر خضراء ممزقة، مجلدات مغبرة، كرسي في مرحلة تحلله الأخيرة، ولكنه يقود الدفة بلا مبالاة مرحة». [روبرت بارسكي، **نعوم تشومسكي حياة منشق**، ص١٦٤]. ولكن لا يخدعك كل هذا عن إدوارد سعيد، فهو مثقف متكلف في لباسه، وكذلك مكتبه كما قالوا وكتبوا عنه كثيرًا، وذلك ما لم أستغربه عندما لقيته بعد إحدى محاضراته المفيدة الممتعة. وقد كتب رسل عن ملابس الفيلسوف سنتيانا ومبالغته حتى في نوع الأحذية وأناقتها، ثم ربط ذلك بجمال لغته التي يكتب بها. [**في مدح الكسل**، ص٧٧]. وهكذا قيل عن عبد الله القصيمي. وقد عرفت طائفة من الكتاب بهذا، كما عرف منهم طائفة بتطرفهم

في إهمال مظهرهم، كما ذكر الشيخ الطنطاوي عن الشيخ الأثري العراقي الذي صحبه في رحلة لبلدان المشرق الإسلامي. أما عن الذوق الرفيع فيقول فؤاد علام ضابط المخابرات الناصرية الذي كان مشرفًا على ملف الإخوان عندما جاء ليعتقل سيد قطب: «كان سيد يرتدي بدلة شيك جدًّا، وملابسه تنم عن ذوقه الرفيع.. لم يكن ملتحيًا، وكانت ذقنه خفيفة جدًّا». [فؤاد علام، **الإخوان وأنا من المنشية إلى المنصة**، ص١٧٠]. ومن الاهتمامات التي يركز عليها فؤاد علّام الملابس لدى ضحاياه، ومنهم زينب الغزالي، التي أثنى على ملابسها بقوله: «ترتدي زي شيك جدًّا، عبارة عن جلباب أبيض وطرحة بيضاء». [ص١٩٥]. (وكلمة «شيك» في العامية المصرية لعلها تعني: «أنيق جديد»). هذا قد يكون القليل الذي يمكن أن ننقله عن فؤاد علام؛ لأنه يصعب أن ننقل عنه شيئًا سوى هذا، فالثقة بكتابته قصة أخرى، ومن القليل الذي يمكن اعتباره قصة مبالغات زينب الغزالي رحمها الله، فأشهد أنني حين قرأت مذكراتها شككت جدًّا في مبالغاتها، وكان كتابها أول وأصعب كتاب رعب قرأته في زمن مبكر.

والخلاصة في موضوع الملابس: سر على سجيتك، ما دامت لا تضر بك، فكل تكلف يعوق عن خير منه، وقد رأيتني والناس يعيبون تكلفي، ورأيتهم وهم يعيبون إهمالي، ففوق كل تكلف تكلف، ودون كل بساطة أبسط منها، فاحرص على ما يبلغك هدفك بلا عناء.

وهنا كلمة حق يستحقها «اليسار الغربي» خاصة، وهي أنهم كانوا أكثر انفتاحًا على العالم ومعرفة بقضاياه، وبقضايا المضطهدين خارج بلادهم، ولهم تعاطف مع كثير من قضايا المسلمين والفقراء والملونين أكثر من سواهم. ويضعف هذه الخصلة الجيدة أن كل شيء كان يفهم ويعالج ويدار بحسب وجود الحزب وعلاقاته في منطقة ما، فتعلو حزبيتهم على إنسانيتهم. وقد أنتج ندرة منهم نصوصًا جميلة، ولا تنس أن بعض من أشدنا بنصوصهم هنا منهم.

ونعود إلى أثر الشيخ المؤسس للشيوعية، فقد كان أثر كتابته على أتباعه شديدًا. وهي سنة توارثوها من لغة الفلاسفة المترجمة، وكان حظ اللغة العربية من الفلسفة أبأس، فلم يكتب فيها نصوص فلسفية جميلة، وحرمت العربية من كتاب فلاسفة، ذوي أساليب جميلة وطرائق مقنعة بحق أو بباطل. ويعيد الأستاذ حسين مؤنس سبب تعاسة لغة الفلسفة العربية للبداية فيقول: «فلاسفة العرب اجتهدوا في إنشاء لغة عربية فلسفية خاصة بهم، وهي لغة عسيرة لم يبتكروها هم، بل ابتكرها لهم المترجمون السريان أو نصارى الحيرة، الذين تولوا نقل عيون كتب الفلسفة اليونانية إلى العربية مثل: يوحنا بن ماسويه، وحنين بن إسحاق، وقسطا بن لوقا، وإسحاق بن حنين. وهؤلاء كانت لغتهم العربية ركيكة جدًّا، بل هي أحيانًا ليست عربية أصلاً، فهي لغة خاصة تستطيع أن تسميها «جريكو آراب»، أو «جريكو سيراكو آراب». وقد تأثرت كتابات فلاسفة العرب بهذه اللغة فجاءت عربيتهم عسيرة على الفهم، وهذا كان في جملة الأسباب التي زهدت جمهور المسلمين في الفلسفة. [تاريخ موجز للفكر العربي، ص٢٧٨].

وذات يوم في مكتبة «بارنز أند نوبل» كنت أتصفح الكتب، ووجدت كتابًا عن «ماركس الإنسان» لإريك فروم المؤلف الذي أحببت كتبه لعمقها العجيب، منذ قرأت ترجمة كتابه «نتملك أو نكون»، وكتبت عنه مراجعة من أقدم ما كتبت من مراجعات الكتب. ووجدت أنه تحايل علي بأسلوب مؤثر ليدخل علي ماركس من النافذة، وكنت قد أخرجته من الباب. وبعيد ذلك خرجت مجلة أمريكية مهمة بعنوان عن «مفكر القرن القادم» وفيه يرى الكاتب أن العالم سوف يحتاج لرأي ماركس، وسوف يرجع لبعض أقواله مستقبلاً. وفي المقال ذكر أنه ذهب لزيارة قبر ماركس في لندن، وقابل عند قبره رجلين من تركيا جاءا لزيارة القبر، وتحدث معهم عن ماركس وعبر عن أن الناس نسوه،

فاستنكرا أن يكون مغمورًا في بريطانيا! قالا له: إنه شخصية كبيرة ومشهورة جدًّا في تركيا. وربما يقول القارئ لعل الشيوعيين الأتراك لم يعلموا بعد أو تأخر عليهم وصول خبر سقوط الماركسية! وفي مطلع عام ٢٠١٣م قام ماركسيون أتراك بالهجوم على السفارة الأمريكية في اسطنبول، وفجروا وقتلوا اثنين! وسيقول السلفيون عن الأتراك تعليقًا: «أمة تتقرب للقبور.. أي قبور، حتى هذا القبر!». أما كاتب المقالة فكان معجبًا جدًّا وقريبًا من رأيهم. قلت: أما إلحاده فضعف جدًّا في العالم ولا كرامة، وأما بعض فكره فسيبقى له أنصار إذ ليس من السهولة دفن كل ذلك، وقد يبقى بقاء زرادشت.

وكما نعلم ففي عام الفشل الرأسمالي ٢٠٠٨م عاد الناس لقراءة «**رأس المال**» والبحث فيه، وفي «الاقتصاد الإسلامي». ولكنهم وللأسف وجدوا مشايخ المسلمين عاكفين على رسملة «الاقتصاد الإسلامي»، لو نطقوا لقالوا هذا.

وكان والد ماركس يرى في شخصيته انحرافًا وخللاً، فهو ينصرف للكتب أيامًا، ثم يتركها ويرجع مرة أخرى فيكتب ويكتب ساعات طويلة بلا انقطاع، حتى ليظهر لمراقبه أن هذه حالة مريض، وليست حالة عاقل، أو على الأقل هكذا حرص مؤلف كتاب «**المثقفون**» على تصويره، وتصوير شخصه بأنه كان رجلاً مريضًا شاذ الفكر منحرف السلوك. يجدّ بجنون، ويهمل بتبطل، ويكذب ويخادع، ويهمل أسرته، ويبيع مراقب الضرائب أثاث بيته لتخلفه عن سداد الضرائب، ويخون زوجته، ويكره أباه. أما إريك فروم وهو عندي أرسى عقلاً، وأصفى مزاجًا من جونسون مؤلف «**المثقفون**»، مع أنه ـ إريك ـ من علماء النفس اليساريين الكبار. فهو أصدق من المتدين اللدود بول جونسون، فإن فروم كان يرى في ماركس شخصًا آخر أكثر إنسانية وتعاطفًا. وكتب عنه كتابًا خاصًّا، وعن مفهوم الإنسان عنده، وناقشه مؤيدًا ومخالفًا في عدد من كتبه، وناقضًا لبعض المواقف المسبقة ضده، ومتخلصًا من «سلاسله» أو قيوده وقيود فرويد أحيانًا.

أما أم ماركس المسكينة فكانت على عادة عجائز اليهود، توصي ابنها بجمع المال، ولكنه بدلاً من ذلك جمع الفقر والبؤس، واكتفى من المال بكتابه «**رأس المال**».

وفي التبطل والكسل عن الكتابة أيامًا عديدة، ثم العودة لها بشغف ورغبة أخبار كثيرة، وليس في هذا السلوك من غرابة، فالإنسان يحتاج للراحة من وقدة فكره زمنًا، وبحاجة لزمن التأمل؛ حتى تنهمر عليه أفكاره بطريقة لا يستطيع مقاومتها. وقد أرسل البوليس البروسي جاسوسًا استطاع اقتحام حياة ماركس ومعرفتها، وكتب مما كتب في التقرير أنه مثقف بوهيمي، فكان نادرًا ما ينظف نفسه أو يغير ملابسه، وكان يبقى متبطلاً كسولاً لأيام، ثم يعمل ليالي وأيامًا متواصلة دون كلل عندما يكون عنده أعمال كثيرة لينفذها. ولم يكن عنده وقت محدد للنوم ولا للاستيقاظ، كان أحيانًا يبقى سهران طوال الليل، ثم ينام على الأريكة من منتصف النهار إلى الليل بملابس يقظته، وينام لا يشعر بالرائح والغادي. [فرانسيس وين، **حياة كارل ماركس**، ص١٧٠].

وبمثل هذا الإعراض ثم العودة الجادة والرغبة العارمة في الكتابة، يشير ستيفن كنج أوسع الروائيين انتشارًا في أمريكا لهذه المشاعر التي يمر بها بقوله: «أيام من البطالة تعقبها أيام من سكرة العمل في الكتابة». [**في الكتابة**، ص٤٠].

وللكتابة هياج، يكاد يكون حمى، أو أزمة تلم بالكاتب، حتى يلقي فكرته على الورق، أو يفرغ سمه أو حبه أو شكواه أو حزنه. وقد تحدث بن جونسون عن شيخه شكسبير فقال: «عندما كان يجلس للكتابة كان يصل الليل بالنهار، ويضغط على نفسه بلا شفقة، بل لا يبالي أن يغمى عليه. وعندما يترك الكتابة كان ينغمس في الرياضة والفوضى لدرجة تيأس معها من إرجاعه إلى كتابه، ولكن حال الوصول إلى الكتاب كان يبدو أكثر قوة وتيقظًا». [**متعة اكتشاف الأشياء**، فاينمن، الطبعة العربية، ص١٣].

ومـن غرائـب الاندفاع فـي الكتابة مـا عـرف عـن الروائـي الأمريكي هيرمان ملفيـل مؤلـف «مـوبي ديـك» (الرواية الرائدة فـي الأدب الأمريكي، والتـي تهتم بالبحـار والصيـد والحيتان. وقـد ترجمهـا إحسـان عباس)، فقـد كتب فـي نحـو سـبع سـنوات سـبعة كتب ـ منهـا أهـم أعمالـه الرواية السـابقة ـ وملأ عـددًا من المجلات بالقصص.

أما إنجلز فهو مـن أعجب المثقفين فـي القرن التاسـع عشـر الميلادي. فقـد كان يلهـج باثنتـي عشـرة لغة ويشـكو مـن صعوبة قواعـد اللغـة العربية. وكان مـاركس يعده أكبر مثقف فـي أوروبا، بل ربمـا قرأ مـاركس مجلدًا فـي الموضوع ليقنعـه فـي مسـألة. وتقـول البنـت الصغـرى لمـاركس عـن لقائهـا بإنجلز عام ١٨٩٠م وهـو فـي السـبعين: إنه لا شـيء غريب عليـه فـي الثقافة، فهو محيط بالتاريـخ الطبيعـي، والكيميـاء، والفيزيـاء، والاقتصـاد السياسـي، والتكتيـك العسكري. وآخر يصف عقله بكنز أو ذخيرة من العلوم، وآخر يصفه بأنه دائرة معـارف. ويشـيدون بمتعـة الحديـث معـه، لـه عقـل لافت للانتبـاه فـي زمانه، فيلسوف ضاحك. فقـد تضلع إنجلز فـي علوم الطبيعة التـي لـم يكن زميله ضليعًا فيهـا. ورغـم أن شـهادته مطعونة، فقـد كان هو الذي ينفـق علـى مـاركس لمدة طويلـة. غير أن أعـداء مـاركس وإنجلز لا ينكرون موسـوعيته. [انظر كتاب ج. هونلي، حياة وأفكار فريدريك إنجلز، إعادة تفسير، ص٣].

وكنت أبحـث فـي «مذكـرات إنتونـي إيدن» عـن بعض قصص الخلاف الإيرانـي البريطانـي، وعن شـخصية رئيس وزرائهـا الغريـب الأطوار «مصدق»، وقـد كان إيدن وزير خارجية بريطانيا فـي زمن ثورة مصدق، فوجدت إيدن وقد بدأ الفصل الذي تحدث فيـه عن البترول بتاريـخ معرفتـه بالشرق، فكان ممـا ذكر عن تعلمه اللغات مـا يلي: ذكر أنه تعلم الفرنسـية، وكان فـي زمن مبكر من حياته يتحدثها أحسـن من الإنجليزية، وتعلم الألمانيـة واللاتينية واليونانية، (وفهمت

من السياق أنه تعلم على الأقل شيئًا من الإيطالية بحكم بقائه بعض الوقت في البندقية، واهتمامه بحياة الفنانين وتأسيس جمعيات تروج لأعمالهم)، وتعلم التركية، وأجاد الفارسية وقرأ بها الأشعار، وقرأ بها عن «الزرادشتية». وقرأ «**الشاهنامة**»، وأشعار حافظ، ووجد صعوبة في قراءة العقيدة بها. وتعلم العربية على يد مرجليوث، وقرأ بها القرآن، وكتابًا عن «**تاريخ الخلفاء**». [**مذكرات إيدن**، (١/ ٢٧٧ - ٢٧٨)]. ومعرفة اللغات منتشرة في البيئات الدبلوماسية والسياسية، فنجد وزير خارجية تركيا أحمد داود أوغلو يجيد إلى جانب التركية الإنجليزية والفرنسية والألمانية، وقدرًا من الإيطالية والعربية. [إبراهيم البيومي، مقدمة «**العالم الإسلامي**»، ٢٠٠٦م، ص٨].

أما ماركس فكان يجيد اللغات الأوروبية، يكتب بثلاث منها هي: الألمانية والإنجليزية والفرنسية، وتعلم الروسية وقد نيف على الخمسين؛ ليقرأ أخبار أتباعه وأثرهم وأخبار الاقتصاد الروسي. وقرأت إشادة لبورخيس بأستاذه كانسينوس الذي كان يُحيّي النجوم بأربع عشرة لغة، وفي مقام آخر قال بست عشرة لغة، وترجم من لغات كثيرة إلى الأسبانية منها العربية والعبرية والفرنسية واللاتينية. وقال عنه: «كنت إذا ألتقيته أشعر بأنني ألتقي بمكتبات الشرق والغرب». [**صنعة الشعر**، ص٣٦].

أعود إلى الحديث عن ماركس فأقول: من شك في أثر الكتب والأفكار وتداولها فعليه بمعرفة ما حدث لهذه المدرسة ولهذا المدرس، فقد عاشت الإنسانية ظرفًا من أسوأ ما مر بها من عصور نتيجة لما رأى رجل كهذا. وقد قرأت أنه بعد أن حضر ماكس فيبر وأزوالد شبنجلر محاضرة معًا قال فيبر لشبنجلر: إن مدى إخلاص المثقف وخاصة الفيلسوف إنما يقاس في أيامنا بموقعه بالنسبة إلى ماركس ونيتشه. إن الذي لا يعترف بأنه لولا عمل هذين المؤلفين لما استطاع أن يقوم بجزء كبير من العمل الذي يقوم به، لهو إنسان

يخدع نفسه ويخدع الآخرين. إن العالم الثقافي الذي تحيا وسطه لهو عالم تشكل وفي جزء كبير منه بفضل إسهام كل من ماركس ونيتشه». [كاترين كوليو، **ماكس فيبر والتاريخ**، ص٣٣].

وقد مر زمن ليس بالطويل ليرى العالم أثر فكر ماركس يخطف مغانم كبيرة أثناء وبعد الحرب العالمية الأولى، ويدخل لينين للكرملين، ويرى نيتشه «كما زعموا» يخوض بهتلر الحرب الثانية ويقلق العالم. لقد كانا مضرين بالبشرية أيما ضرر. وسفحت دماء البشرية أنهارًا بسبب الفكرة المنتقمة الملتهبة التي أوقدت الطبقات مرة بيد ماركس، وأشعلت العنصرية مرة أخرى بيد نيتشه.

إن الشعوب عندما تلهبها الأفكار تبحث عن مكان تقوم بأعنف وأروع ما يقوم به الإنسان، فالرجال في اكتمال عنفهم وقوتهم يتركون من الآثار ويلهبون العالم بأكثر مما تتسع له مخيلاتهم، إنهم يقولون ثم يذهبون، ولا يعرفون مقدار ما ثار من عواصف بعدهم، وما أشعلوا من أفهام، وما قدحوا من همم، وما نشروا من رعب. لله ما أعظم ما أعطى خالق الإنسان له من دور، وما أجهل الإنسان بنفسه وبإمكاناته! لم يكن يعلم رعاة ألمانيا وشعوبها المتوحشة أنهم سوف يضعون بذور «البروتستانتية»، و«الفلسفة الحديثة» في أوروبا، وسوف يكتشفون فلسفة للتاريخ والاجتماع، وسوف يتطرفون في تفلسفهم القومي ويحرقون الدنيا، ويقدمون أيضًا للناس متعًا علمية رائعة، وأشياء جميلة وثمينة مثل سيارات: مرسيدس وبي إم دبليو وأودي وأشباهها من إنتاجهم. وكل ذاك بعد يقظة الوحشية الواعية، وخروج الألماني من عقدة الدونية والبداوة في أوروبا، وقد كان الفرنسيون يحتقرون الألمان، لجلافتهم وجهلهم، وقلة ذوقهم؛ اقرأ قول نابليون وقد أعجبه جوته عندما قابله: «هذا رجل حقًّا، وكنت أتوقعه مجرد ألماني!». [نيتشه، **ما وراء الخير والشر**، ترجمة حجار، ص١٧٥].

توينبي

كثير من الألقاب والمعاني والأوصاف تفقد معناها عندما تنقلها للغة أخرى، فمؤرخ مثل توينبي قد لا ينصفه الوصف هذا في ذهن القارئ العربي، إذا كنت تصفه فقط بـ«المؤرخ»، ثم تجعل بجواره ـ وبالوصف نفسه ـ عددًا آخر من الذين كتبوا في التاريخ. وهذا الوصف أيضًا ظلم لابن خلدون إذا قارنته بابن كثير المؤرخ. نعم، قد تقول إن عمل ابن خلدون في بقية الكتاب عدا المقدمة أو كتبه الإخرى تعطيه وصف مؤرخ وقاض وفقيه. ولكن الوصف الذي تلقيه عليه بعد دراسة المقدمة ووعيها لن يكون فقط مؤرخًا؛ فقد تجاوز بعقله وإبداعه كل الذي تعود الناس على تسميته «تاريخ»، وصنعت تجربته وعلمه وعيه، أو ربما صنعت بعض فساده وجرأته وسرقاته، كما يرى محمود إسماعيل في كتابه «**نهاية أسطورة: نظريات ابن خلدون مقتبسة من رسائل إخوان الصفا**». [ولعل محمود إسماعيل بالغ في بعض قوله كما تجد من بعض التتبع لنقوله].

ولكن ماذا نصنع؟ فقد جرى الناس على وصف المتنبي ومن يتسلق الشعر اليوم شاديًا له بوصف «شاعر»، فما كل من حاز لقبًا استحقه، وهكذا توينبي. إنه في دراساته وتأملاته وإدراكه وممارسته الحياتية يتجاوز وصف «مؤرخ» إلى «فيلسوف» ومراقب ومخطط وديبلوماسي فذ، خدم بلاده على حساب التاريخ والمبدأ والفلسفة، وأديب ملم بأدب اليونان، وعالم آثار عميق المعرفة. لقد اجتمع له ما لم يجتمع لغيره، وكان قادرًا على أن يحتلب قوة بريطانيا، وينعم بتحويل أكثر ما عرف من معلومات وعلاقات وفرص للتفرغ للقراءة والكتابة والتوجيه إلى فكر وسياسة، كما فعل قرينه تشرشل.

توينبي هذا المؤرخ الذي يظهر شارد العقل، متجولاً في قرى اليونان القديمة، يقطع المسافات مشيًا على قدميه بين المدن يقيس المسافات ويستذكر الأحداث، ويغوص في ماض بعيد غائب، من عرف هذا الاهتمام عجب لتوينبي

المخطط المستقبلي وصانع فكرة الموقف السياسي البريطاني في أكثر من مكان. وقد استوعب ويليم مكنيل المؤرخ الأمريكي تجربة توينبي، فكتب عنها كتابًا ممتعًا مليئًا بالإعجاب، وقد تعلق المؤرخ بقدوة له. وعلى الرغم من كتب مكنيل الجديرة بالاهتمام مثل «**صعود الغرب**»، و«**الطاعون**»، و«**السلاح**»، إلا أنها بقيت بعيدة عن شموخ وقوة صبر توينبي وحدة ذهنه. فقد كان ملمًّا بالآثار والشعر اليوناني وكأنه دارس للأدب، إلى ما بعد ذلك. وجعل من علمه سياسة وهيمنة، مليئة بالوعي والخداع، وحاول أن يعيد للغرب روح الدين، يبعثها من التاريخ، ثم ينفخ فيها بقوة الجيش البريطاني، وحيله العميقة نحو صناعة «المسخ» في تركيا وتقديمه للناس، ولتوينبي كتاب عن تركيا عميق ومحزن.

توفيق الحكيم والقراءة

توفيق الحكيم، ذلك الذي كان من أقوى أدباء مصر فكرًا إلى جانب الأدب، وقد تحدث المتحدثون عن بخله، وبعد أن سمعت قرأت له وعنه، فوجدت بخله مرعبًا حقًّا. وقد بعد عهدي بكتبه، وقرأت أن الشعراوي زاره في المستشفى في آخر أيامه، وأهدى له مصحفًا وسجادة، فصلى وقال لبعض زواره إنه لم يترك الصلاة منذ زيارة الشعراوي. وكنت بعدت عنه سنين أمريكا وبريطانيا كاملة تقريبًا، حتى استقدمت مكتبتي القديمة التي كانت في «أبها»، والتي رعاها والدي رَحِمَهُ الله أحسن رعاية، فقد كان يذهب لها على أبعد مدى مرة كل شهر، يرشّ عليها مبيدات الحشرات والقوارض حتى لا تدمرها، ويتأكد من عوازل الماء. وقد كانت تملأ غرفة وملحقًا جانبيًّا، مركوم بعضها فوق بعض، وعلى رفوف إلى السقف، وفي صناديق وكراتين. وقد عجبت في إحدى زياراتي المبكرة لما رأيت من العلب الفارغة للمبيدات التي كان يضعها، وقد سلمت جميع الكتب التي كانت في هذه الغرفة، إلا من(...)، وفي غرفة أخرى كان غالبها أغراضًا أخرى لم يتوقع أن بها كتبًا، فتلفت أغلب تلك الكتب بسبب الفئران.

وجدت كتب توفيق الحكيم، وكان منها «عصفور من الشرق» وقد بقي الكتاب في الذاكرة، ورأيت على صفحاته وأوله خطوطًا وملاحظات تلك الأيام، ولكني فوجئت بأن له كتابًا اسمه «حياتي»، فذهبت له مستغربًا أنني لم أقرأ له كتابًا بهذا العنوان، غير أني وجدت الكتاب وقد كتبت على صفحاته إشارات ومراجعات. ووجدت من طريف ما قرأت عنده أن حافظ إبراهيم كان يجالس أحيانًا شبلي شميل الذي كان يقال إنه كان ملحدًا، يرى أن الطبيعة هي التي تخلق، وكان أيضًا داروينيًا، قال توفيق (ولم يكن أحد يأخذ ملحدًا مأخذ الجد، ربما لأن الشعب كان واثقًا من إيمانه، لا يبالي بهذه النبوءات، ومصر بلد الإيمان على الدهور) قال: «ومرة كان حافظ وشبلي يستمعان لمطربة في ملهى من الملاهي، فلما أجادت المطربة صاح حافظ مع الصائحين: الله الله! ثم التفت إلى شبلي وقال له: وأنت كيف تصيح عند الطرب والله عندك غير موجود؟ هل ستصيح «طبيعة طبيعة؟». [توفيق الحكيم، حياتي، ص١٤٤ – ١٤٥].

وكان توفيق الحكيم يصحب معه في سفره لباريس «العقد الفريد» لابن عبد ربه، وقال: «طالعت «العقد الفريد» بشغف شديد أكثر من مرة، وفي مراحل كثيرة من حياتي، ولم أزل محتفظًا بمجلداته تلك في الطبعة القديمة، ذات الورق الأصفر والغلاف الجلدي السميك حتى يومنا هذا». وقال توفيق الحكيم إن والده كان يضربه ليقرأ «المعلقات». [حياتي، ص١٤٧]. وأيضًا فإن عبدالقادر المازني الذي كان بارعًا في الترجمة من الإنجليزية حفظ في صباه كتاب «الكامل» للمبرد، قال الزركلي: وكان هذا السبب في غناه في لغته. وكنت قد حصلت على نسختي الأولى من كتاب الكامل في السنة الثانية المتوسطة، في طبعة رائعة، إثر رهان عروضي على تفعيلات معلقة امرئ القيس، وكنت ما زلت أحفظها، فراهنت صديقًا كنت ألقاه في مكتبة أبها العامة [أحمد ثابت] والكتاب ليس عندي وأنا طامع فيه، فقال: اقترح كتابًا، قلت:

الكامل، وقلت له يقترح كتابًا مقاربًا في القيمة فقال نفس الكتاب لأنه ليس عنده أيضا، قلت: اكتب، وكتبنا أقوالنا، وذهب بها ثم عاد لي بالكتاب معترفًا بهزيمته، وقد رجوته أن يأخذه فأبى، وأحزنني كثيرًا أنه غير بعيد من الحادثة احترقت مكتبته، وكان قلبه بين تلك الكتب، وقد جدد ذكراها أن أخاه عبدالله كتب رواية وتحدث فيها عن حادثة احتراق البيت ومكتبة أخيه.

ولعل كتبًا مثل كتب سيد قطب **معالم في الطريق**، و**الإسلام ومشكلات الحضارة**، وكتاب **طبائع الاستبداد** للكواكبي، وكتب المودودي، وكتاب علي شريعتي **العودة إلى الذات**، والشخصيات التي قدمها العقاد، واعتزازات محمود شاكر بالعربية وأدبها، وشاكر مصطفى بالحضارة العربية، من التطعيمات الثقافية التي تقي المسلم والعربي من الوقوع في تهوين الذات وسلبها. وفي نهاية المرحلة الثانوية ومطلع دراستي الجامعية أغرقت السوق كتب رجال من مثل: أنور الجندي ومحمد الراشد ومارون عبود ونجيب الكيلاني وسعيد حوى وعبدالقادر عودة وعماد الدين خليل وكانت متعة الطبعات الجديدة لكتب العقاد وزكي نجيب محمود وعبدالرحمن الباشا وخالد محمد خالد والندوي، هؤلاء الكتاب بعضهم لم أترك له كتابا منشورًا لم أقرأه، وكذا تحقيقات لكتب سلفية وأدبية تراثية كانت ماتعة اهتم بها الأخوان آل شاكر وعبدالسلام هارون وأحمد صقر الألباني وزهير الشاويش وأبو غدة وأكرم العمري، وصالح أحمد العلي، وأحمد سوسة، ثم أعمال قسطنطين زريق ومنيف الرزاز ـ وهو من أقدر إن لم يكن أقدر البعثيين بحسب قراءة قليلة لإنتاجهم الفكري أما الرواية فيتقدمهم عبدالرحمن المنيف بلا منافس وكان عضوًا في القيادة القومية ـ وكان هناك شعور تحد وتقص للنصوص الفكرية الإسلامية على الخصوص والنصوص الأدبية الممتعة في ذلك الزمان، أو التي كان ينصحنا بها زملاؤنا ومن كان أكبر منا سنا وتجربة.

ذكر محمود محمد شاكر أنه قرأ «**لسان العرب**» و«**الأغاني**» وهو طالب في المرحلة الثانوية. [**مقالات الطناحي**، (١/ ٢٦٠)]. ونقل هو أيضًا عن «**العمدة**» لابن رشيق قول أحد العلماء عن أهمية معرفة العربية وأشعارها وآدابها في معرفة القرآن: «ومن ظن أن القرآن يفهم كما ينبغي من غير تحقيق كلام العرب وتتبع أشعارهم وتدبرها كما يجب فهو مخطئ». [**مقالات الطناحي**، (١/ ٢٨٩)]. وأذكر أنه كان يدرسنا اللغة التركية (الجديدة والقديمة) أستاذ مسلم من رومانيا، قال لنا إنه عندما اهتم بتعلم اللغة الفرنسية ألزم نفسه بحفظ قاموس في اللغة الفرنسية، وحفظه. وكان يحمل الدكتوراه في النحو العربي من إحدى جامعات القاهرة. وكنت حاولت تعلم التركية، ولما زرت تركيا بعد زمن ما كان معي منها إلا بضع كلمات لا تنقذ في مطعم، ولا تجلب لي الماء!

وعن حفظ ودراسة كتب التراث قال الحكيم بعد أن ذكر كمية هائلة قرأها من كتب التراث وأعاد بعضها كثيرًا، وتحدث عن البحث عن الكتب المشهورة عالميًّا وأهمية ترجمتها: «أدركت فيما بعد ما هو المعنى الحقيقي للحضارة والبلد المتحضر: هو أن توضع كل آثار الذهن وتراث الفكر في متناول الأيدي بلغة البلد لكل مراحل السن». [**حياتي**، ص١٤٩].

هذه وصية رائعة من توفيق الحكيم لو وعاها المربون ومشرفو التعليم، وهي وصية حية في الغرب وميتة عندنا. فكم نصيب طلابهم من شكسبير ومارك توين، وكم نصيب طلابنا من الجاحظ والمتنبي؟!

ومن طريف وصف القراء لأنفسهم أن القارئ قد يصاب بالحلول في كتبه أو هي تحل فيه قول حسين مؤنس: «فأنا رجل أقرأ كثيرًا جدًّا، والكتب تملأ حياتي، وأنا أحس أحيانًا أنني كتاب، وأنني واحد من كتب مكتبتي.. وما تكتبه اليوم تبيضه في الغد، وتظل تكتب وتبيض، ولا شيء مما تكتبه يعجبك حتى تطلع روحك». [حسين مؤنس، **تاريخ موجز للفكر العربي**، ص٥].

ولا يصف لك الكتاب الجيد مثل القارئ أو الكاتب الجيد، خذ مثلاً هذا التعريف لقارئ منفعل بنص: «الكتاب الذي لا يجعلك تعيد النظر في معارفك، ولا يحرك شعر رأسك، ولا يتحدى عقلك أو عاطفتك، فسلة المهملات أولى به». [أبو القاسم سعد الله، مقدمة كتاب «**الجزائر وأوروبا**»، لجون وولف، طبع الموسسة الوطنية الجزائر، ص٨].

وقد يصف الشخص الكتاب والمعرفة بطريقة كمية لطيفة، فمن طريف ما وصف به علم العلماء وقورن به، قول المتنبي يمدح أبا الفرج المالكي:

أَدِيبٌ رَسَتْ للعِلْمِ في أَرْضِ صَدْرِهِ جِبَالٌ، جِبَالُ الأرْضِ في جَنبِها قُفُّ

إنه لطريف وجميل تحويل العلم إلى كمية محسوسة، فهل كان يسخر بالعلم الذي يكال بالقفوف؟ مثل قول المثل: «يا صاحبي حبك ملى ـ ملئ ـ الجونة إن زان لك وإلا نكتناه». فهنا قرّب له الصورة وحددها واختصرها في كمية من الحب قليلة يمكن أن تنكت خارج الإناء، وكأنها ماء يراق، والجونة (إناء من الخوص) للخبز وللحب.

تروتسكي

تروتسكي أحد القراء والكتاب الكبار، وإن اتهمه بعضهم بالسرقة من كتب وآراء بليخانوف، ولم أستغرب أن يقع مثله في فظائع من هذا النوع، ففي كتابه عن حياته ذكر أكثر من مرة مسئوليته الفكرية تجاه الثورة، وأنه كان يحتاج للترويج والبناء والإقناع، فكان وحده تيارًا متدفقًا من الكتابة والحشد. وممن اتهمه بالنقل أشعيا برلين [في فصل طريف جدًّا من كتاب «**قوة الأفكار**»، عن «والد الماركسية الروسية» ويعني به بليخانوف، ص١٢٦ - ١٣٣]. وبمناسبة هذه السرقات اليهودية فقد كنت أقرأ كتاب «**الاستغراب**»، لأحد الكتاب اليهود الإسرائيليين، فأشار قليلاً إلى نقله عن برلين فيما كتب عن «الثقافة الروسية»،

ولكن الحقيقة المزعجة أن المؤلف في «الاستغراب» قد سطى بلا تحفظ على الكثير من الأفكار والمعلومات أكثر مما أشار له عن برلين، وبرلين له علم وفهم كبير بالثقافة الروسية في العصر الرومانتيكي والثوري وما بعده، فكتاباته عن تلك المرحلة تكاد تكون حجة.

ونعود للقول عن تروتسكي، فقد كتب فصلاً جميلاً عن الكتب وصراعاته الأولى في كتابه «حياتي»، وتحدث عن طفولته وشبابه، وأن الأشياء والأشخاص كان لها مكان أقل أهمية من الكتب. [حياتي، ص٥٩]. وكان وهو صغير يطالب بإلحاح أن يؤذن له في القراءة ولو ربع ساعة قبل النوم، ومرات يطلب ولو خمس دقائق. وكان سعيدًا بالذين وفدوا لقريته ومعهم كوم من الكتب فيها كتب تولستوي، مما ذكرني قصة بياع الكتب الذي ذكره سيد قطب في «طفل من القرية» وأنه كان أتى قراءة على مكتبة بياع الكتب الجوال آنذاك. ولا أنسى كم كان فرحي شديدًا بأختي الكبرى التي كانت تزورنا في القرية قادمة من «أبها»؛ لأنها كانت تحمل لي أعدادًا من «مجلة العربي»، وكان هذا في السنة الرابعة الابتدائية وما قبلها. ولعلها كانت آنذاك تخفي طموحًا مدفونًا للمعرفة، ورغبة في أن تتعلم القراءة؛ لأن تعليم البنات في القرى لم يكن موجودًا آنذاك، وقد حققت أمنيتها بعد زمن طويل، فتعلمت القراءة والكتابة، ودخلت حلقات تحفيظ القرآن الكريم وحفظت أجزاء كثيرة منه.

حمار الثوري وكازنتزاكي

يقول كازنتزاكي الذي كان يلتهم الكتب التهامًا إلى آخر لحظات حياته [المنشق، ص٥١٨]: «اعتن بجسدك، فليس لروحنا حمار آخر على هذه الأرض، عالجه ولا ترهقه كثيرًا، غذه جيدًا ـ كان كازنتزاكي يستطيع غالبًا تغذيته جيدًا ـ ولا تقدم له خمرة، ولا تجعله يدخن كثيرًا (منذ متى صارت

الحمير تدخن؟) لا تفكر، افتح عينيك، انظر ببساطة، تنفس بهدوء». [**المنشق**، ص٢٥٧].

أما سفيان الثوري ـ الذي أرسلته أمه ليدرس قائلة: يا بني، اطلب العلم وأنا أعولك بمغزلي، وإذا كتبت عشرة أحرف فانظر هل ترى في نفسك زيادة في الخير، فإن لم تر ذلك فلا تتعن [**سير أعلام النبلاء**، الذهبي، (٧/ ٢٤٢)] ـ فقد كان يدرك أهمية إكرام هذا الحمار كما يرى، فيسافر ومعه التيوس المشوية، ويكرم حماره ليحمله على العبادة، والصبر على جلد مكابدة التهجد، والصبر على العلم، والبقاء على الطاعة. تعشى مرة وشبع فقام للصلاة قائلاً: «إن الحمار إذا زيد في طعامه زيد في عمله». وكان يدعو لأن تكرم الأبدان بما يساعدها على الجلد والاستمرار، ولعله كان يواجه نزق الصوفية السلبية التي تحارب البدن وملذاته ومقوماته. إن وقود الروح والبدن في غاية الأهمية دون حرمان ولا شره.

وقد كنت استغربت اهتمام كثير من كتاب العرب في بداية القرن العشرين بالحديث عن الحمير موضوعات لعناوين كتبهم ولكتاباتهم، وبخاصة توفيق الحكيم، حتى وجدت أنه في الوقت نفسه وقُبيله كثر الحديث والكتابة وعناوين الكتب في اللغة الفرنسية عن الحمير!!

وفي أحد كتب ميخائيل نعيمة قال: إن قرويًّا جاء للعاصمة (دمشق أو بيروت) وسمع المنادي في الشارع ينادي على الطعام في المطعم، فدخل وتضلع من أنواع المحاشي ومن كل ما عرض عليه، ولما هم بالخروج طلبوه لدفع الثمن، فقال إنه لا يملك شيئًا. فحول للمحكمة، والمحكمة أمرت بتعزيره، وأن يمرر في الشارع على جحش متجهًا إلى خلف الحمار، وأن يعرف بذنبه في الشوارع، فأخرج على الجحش والطبول من حوله تدق فقال:

«أكل محاشي، وركوب جحاشي، ودق ياطبال دق!»

ومن المنطقة نفسها صديق كاتب الرقة عبدالسلام العجيلي، الذي أبدع في الكلام والطرف في كتابه «جيل الدربكة» الذي كان يجلس في المقهى ويتفلسف قائلاً: «إنما الدنيا طناجر، فاترك الدنيا وهاجر، كل ما فيها طبيخ».

سارتر في كلماته

سارتر كان جده قارئًا نهمًا، فنشأ بين كتب جَدّه، كما كانت نشأة أبي الحسن الأشعري في بيت الجبائي، فقرأ وقرأ. وكان سارتر يهرب للقراءة من العزلة والوحدة، فلم يكن له أخ أو أقران في البيت. وفي المدرسة التقى بصديقه بركو الـذي جمعـه به أنهمـا يتيمـان وأنهما قارئان، قال عن هـذه الصحبة: «كان كلانا فخورًا على الخصوص بأنه قرأ كل شـيء». [الكلمات ص١١٠]. ولما كان في ألمانيا كان برنامجه أن يدرس الفلسفة من الصباح إلى الثانية، وفي الخامسة يبدأ كتابة «الغثيان». [محمد جابر الأنصاري، انتحار المثقفين العرب، ص١٤٢].

لـن أكثر عليك من خبره، فقد عاصرنا في شبابنا أواخر نفوذه والإعجاب به. وألزمنا زبانيته بالقراءة له ذات يوم. ولا تتوقع من أتباع مفكر ما أن يكونوا بعيديـن في التأثر بشيخهم، وأفكاره وطريقة حياته. وكلما رأيـت عربيًا يعاني اضطرابًا أدركت أن هناك تعكيرًا شديدًا في منبعه الثقافي، أو قدوة مشينة سقط في تبعيتهـا فلم ينفك منها. ودعك مـن الذين يزعمون أن الإنسان يملك أن يكون ابن عقله وفكره. إنهم يتنكرون لسنة الله في كونه وعباده، فإنك لا تقرأ ـ خاصـة في شبابك ـ نصًا إلا انطبع منه في الذاكرة أو النفس أو الخلق، في زاوية هناك، ربما لم ترها أو تبصر بها، ولكنّ هؤلاء المؤلفين تركوا بضاعتهم في قلبك وعقلك ورحلوا.

ولهذا فإن الأمم المعاصرة والقديمة تحرص على غرس ثقافتها في شبابها في مطلع أعمارهم، ثم تتركهم فيما بعد أن يرشدوا وعيهم بما شاءوا.

يذكر سارتر في كتابه «**الكلمات**» أنه عاش في كنف أمه (في بيت جده لأمه)، وهو من أسـرة أشفيتشر الموسـيقي الفيلسوف القسيس الحكيم الشهير، صاحب كتاب «**فلسـفة الحضارة**»، وهو ألماني وسـارتر فرنسـي، ولكنهم أصلاً من إقليم على حدود عليه خلاف مستمر (الإلزاس واللورين). ولم يعط سارتر قيمة مهمة للفيلسـوف الشـهير، ولـم يتحدث عنـه بما تسـتحق القرابة. غير أنـك واجد في كتابات أشفيتشـر مثل «**فلسـفة الحضارة**»، و«**مذكراته**» المختصرة ما يروي بعض طموحك المعرفي في رحلة الرجل النفسية والعقلية الغريبة (وقد نعرض لمذكراته وبعض أعماله هنا)، فهو تكرار لتولستوي في اهتماماته التربوية والتبشرية.

كان سـارتر يشـعر بالحرمان من الأب، فانتقم من والده بقوله: «لو كان لي أب لأثقلنـي بعنـاده الدائم، وجعل من أمزجته مبادئي، ومن جهله علمي، ومن ضغائنـه كبريائي، ومن عاداته المسـتهجنة قانوني، ولسـكن فيّ». ثم يقول: «لو كان ترك لي مالاً لتغيرت طفولتي، لما كنت كتبت؛ لأني كنت سـأصبح إنسـانًا آخر». [سارتر، **الكلمات**، ص٤٦، ترجمة: خليل صابات، دار شرقيات، القاهرة ١٩٩٣م]. وكانت أمه تقول له: انتبه.. إننا لسنا في منزلنا. [**الكلمات** ص٤٧].

فهـل لـلأب دائمًا أثر سـيئ على ابنه كما يصور سـارتر؟ ليسـت هناك فيما يبـدو لـي قاعدة واضحة مرعية، فما كل من وجد نفسـه بـلا أب كان نابغًا، ولا كل أب سـد الأفق في وجه ابنه. فكم من الأفذاذ من كل طائفة وكل أنموذج! وخير للناس وللقراء أن يحذروا من بعض قواعد السلوك التي يطورها منحرفون.

ذكر لي أحد الأصدقاء العارفين بالجزائر، قال: ضاقت فرنسـا بالشـيخ ابن باديـس، فاسـتدعى الحاكم والده، وكان والده يخاف على ابنه من الفرنسـيين، وألح عليه الحاكم أن يغير من سـلوك الابن الشـيخ ابن باديس، فتحدث الأب مع ابنه طويلاً، ولما خرج الشيخ محرجًا من موقف والده الذي يلزمه أن يبره، ولا يرضـى الابـن مواقف والـده المحابية أو الخائفة من الفرنسـيين، ولا يقبل

ذلك شرعًا ولا عقلاً، فخرج بنفثة مصدور يقول: الآن أدركت حكمة الله من أن يكون الرسول ﷺ يتيمًا!

ليست هنا قاعدة مطردة كما يخيل للبعض، فقد يكون الأب عونًا للابن، وشواهد التاريخ والواقع لا تحصى، وقد يكون أحيانًا خلاف ذلك، ولكن مع بقاء الأدب والاحترام. وقوم سارتر يحقرون الميت ولم يعرفوه، فأنى للحي من جميل أو بر عندهم!

ويقول نقلاً عن أحد أصدقائه: «وقال أحد المحللين النفسيين من أصدقائي إني مصاب باضطراب في طبعي». ثم يستمر في شرح هوسه ومرضه واستغراقه في عمله «**الكلمات**». [ص١١٢].

ويصف اهتمامه بالكتابة فيقول: «كان وجودي في الكتابة، وكنت أهرب بها من الكبار، لم أكن أوجد إلا لأكتب.» وكان يكتب منذ طفولته المبكرة، نحو الثامنة من عمره. [**الكلمات**، ص٧٢]. وكان سارتر يكتب فيما بعد كل يوم، كما يقول: إني مازلت أكتب. وما الذي يمكن عمله غير ذلك؟ لا ينقضي يوم دون أن أخط سطرًا، هذه عادتي، ثم إنها مهنتي. لقد حسبت قلمي سيفًا زمنًا طويلاً، وإني أعرف الآن عجزنا، وهذا لايهم. إني أؤلف وسوف أؤلف كتبًا، لا بد من ذلك، وإنه مفيد كذلك.. إن المرء يتخلص من مرض عصبي ولكنه لا يبرأ من نفسه. [**الكلمات**، ص١٢٢].

وكان سارتر فخورًا بنفسه مغاليًا فيها، قال: «لم أقابل أبدًا الرجل الذي يساويني». [نقل ذلك محمد جابر الأنصاري في كتاب «**انتحار المثقفين العرب**»، ص١٤٣]. وقال كلامًا في غروره بنفسه أشبه بكلام المتنبي، فما الفرق بين قول المتنبي:

«وَمَا الدَّهْرُ إِلَّا مِنْ رُوَاةِ قَصَائِدِي ... إِذَا قُلْتُ شِعْرًا أَصْبَحَ الدَّهْرُ مُنْشِدَا»

وقول سارتر: «ولا يستطيع أحد أن ينساني أو ألا يتحدث عني؛ فأنا تعويذة كبيرة سهلة التداول ومرعبة.. وأنا على كل الألسنة لغة عالمية وفريدة، وأجعل من نفسي بالنسبة لملايين الأنظار تحفة جديرة بالدراسة.. لقد غيرت موهبتي كل شيء: إن ضربات السيف تزول ولكن الكتابات تبقى، وأكتشفت أن المعطي في الآداب يمكن أن يتحول إلى عطائه نفسه. لقد جعلتني الصدفة إنسانًا ـ كما يرى هو ـ وسوف يجعلني الكرم كتابًا، سوف أتمكن من صب رسالتي وضميري في حروف من برونز، وأن أحل محل ضوضاء حياتي كتابات لا تمحى.. وأن أصبح فكرة ملحة على الجنس البشري، وأخيرًا أن أكون مختلفًا عن نفسي وعن الآخرين وعن كل شيء. سوف أبدأ بإعطاء نفسي جسمًا لا يبلى، ثم أسلم نفسي للمستهلكين. لن أكتب من أجل السرور الذي تجلبه الكتابة، ولكن كي أنحت جسم المجد هذا في الكلمات، لم أعد أفكر إلا في هذا المجد لا في هذا الموت أبدًا». [**الكلمات**، ص٩٦].

ثم يقول: «فأنا أذهب وئيدًا إلى نهايتي، وليس لي من آمال ورغبات إلا ما يلزم لأملأ كتبي، واثقًا من أن آخر نبضة من قلبي سوف تسجل على آخر صفحة من مجلد من مؤلفاتي، ومن أن الموت لا يأخذ إلا ميتًا». [**الكلمات**، ص٩٧].

جبرا إبراهيم جبرا

توقعت أن جبرا لم يسلم، وإنما جاء به الزواج كما أشار في سيرته «**شارع الأميرات**»، ولما قرأت «**معايشة النمرة**» ـ وهو من خير ما جمع من أفكار في القراءة والكتابة، كما أن «**شارع الأميرات**» أجمل إبداعاته ـ رأيته يذكر ويقول: «قال الله:﴿ ٱقْرَأْ ﴾، ثم وجدته يتحدث عن عمر بن الخطاب بإعجاب شديد، ونفحات هنا وهناك قليلة جدًا غير مسألة الإعجاب بعمر جعلتني أتوقع أنه ربما كان مسلمًا صادقًا ولو في الفترة الأخيرة. ولا أتوقعه رغم مصائب جيله مات

وهو يحقد على المسلمين ولا على دينهم، فإن لم يسلم فقد ترك عمقًا من المحبة للعربيـة وثقافتهـا وكتب بها. وكم تمنيت أن إدوارد سـعيد كتب بلسـاننا، وأنه قد سلم من العجمة التي قتلته وغربت به عن أهله! فاللغة الوافدة يراها أحرار العالم استعمارًا عقليًا، ويراها واثينجو مماثلة تمامًا للاستعمار الحقيقي. يقول: «السؤال هو: نحن الكتاب الأفارقة شكونا دومًا من الارتباط الاقتصادي والسياسي النيو ـ كولونيالي مع أورو ـ أمريكا. حسنًا.. لكن باسـتمرارنا في الكتابة بلغات أجنبية، ومبايعتها، ألسـنا في المستوى الثقافي نديم تلك الروح النيو ـ كولونيالية الخانعة الراضية بالاسترقاق؟ مالفرق بين سياسي يقول إن إفريقيا لا بد لها من الاستعمار، وكاتب يقول إن إفريقيا لا بد لها من اللغات الأوروبية؟». ثم يشير الى الاستعمار والتبشـير وكيـف وفـر الكتب ـ وخاصـة الإنجيل ـ بـكل اللغـات وبكميات غير محدودة حتى في أصغر لغة إفريقية. [**تصفية استعمار العقل**، ص٥٠].

ولعـل السـوق الأوروبيـة للكتب أحسـن من الأسـواق العربيـة، ولكن لم لا يترجـم المؤلف كتابه ويكتبه بالعربية؟ ورغـم صعوبة ذلك فقد كانت رواية «**الحزام**» لأحمد أبو دهمان أحسن رواية فرنسية وقت صدورها، ونالت الجائزة الأولـى، ولكنه ترجمها ترجمة رائعـة، بل إعادة كتابة في اللغة العربية، وكانت في غاية الجمال والتعبير عن مجتمعه.

عبقري يستعد

مـاو تسـي تونج فلاح صغيـر هرب من بيت أبيه، تحـدوه رغبة غالبة على قلبـه ومشـاعره أن يغامـر ويتعلم، تلقى دروسًـا غير منظمة، ثـم دخل الجامعة فانطلـق ذكاؤه المتعطـش للمعرفـة، كل المعرفة، السياسـة والتاريخ والاقتصاد والفلسفة، والشعر والاستراتيجية. لم يتبع أيضًا نظامًا في هذه المرحلة إلا قرار الالتزام بالمعرفة والتعلم، كان يعب العلوم عبًّا، ولا يرفع نظره عن الكتب إلا

بضع دقائق ليشتري قطعتين من حلوى الأرز، وهما طعامه اليومي. واستطاع أن يقرأ مصنفات كبار الأدباء والفلاسفة في بلاده وفي بلاد الغرب (ولولا خوفي من أن أشغلك بقائمة غريبة من كتاب الصين القدماء وفلاسفتها الكبار، لذكرت لك أسماء لهم منقولة عنه، دون دراية بأعمالهم؛ لأنني لا أكاد أعرف منهم إلا «سن تسو»، ولو ذهبت لأكتب لك قائمة بأسمائهم لكانت قائمة من الأسماء ومن المصادر دون خبرة). ومن قائمة الفلاسفة الغربيين الذين قيل إنه قرأ تراثهم: آدم سميث، وداروين، وسبنسر، ومل، وروسو، ومونتسكيو، وقرأ تواريخ مشاهير الرجال من بلاده ومن العالم، وأثرت عليه ثقافة إنجلز ولينين فقرأ كتاب كلاوفيتز في الاستراتيجية الحربية الشهير «في الحرب» أو «عن الحرب». [وهذا الكتاب ترجم إلى اللغة العربية مرتين]. كان جهده في بناء نفسه جبارًا، وكأن حدسًا مبهمًا في غياهب عقله يشعره بعظمة المصير الذي ينتظره. وأخذ يتأهب للصراع الطويل ولتحمل الحرمان، حتى إنه راح يمارس الرياضة البدنية باستمرار، وابتكر أساليب للرياضة والمشي، والتعرض للبرد والمطر والهواء وتعود احتمال المشقات. وكان يجري مسافات طويلة مع زمرة من زملائه، وتلك فكرة نادرة وغريبة في زمانه لم يكن يفكر بها الناس. وأنشأ مبكرًا مكتبة، وأصبح رئيس تحرير لمجلة، ثم مستقبله الغريب النابغ، وتلك الرحلة الطويلة مشيًا على الأقدام ١٢ ألف كيلومتر، وسكن في الكهوف، وقد ألف كتبه المهمة في الكهوف القاسية، مثل كتاب «الحرب المطولة»، و«الديموقراطية الجديدة». [حروب العصيان والثورة، غبريال بونة، ص٢٣٨ - ٢٤٤، بتصرف].

وكما رأيت في رياضة ماو تسي تونج ومشيه الطويل ورياضة بدنه تجد ذلك عند مثقفين كثيرين، عرفوا أهمية الرياضة لصحة البدن والعقل، وكما مشى ماو كثيرًا مشى توينبي ورسل وفلاسفة اليونان، ومن آخرهم وأقلهم

فلسفة نيكوس كزنتزاكي الأدريب البارع، مشى كثيرًا في أرض أجداده من جهة أمه، وكان يرى أن الحضارة تبدأ من اللحظة التي تبدأ فيها الرياضة. [تقرير إلى غريكو، ص١٤١]. وله ملاحظات مهمة حول الرياضة في اليونان؛ حيث كان الرجل اليوناني الحر يستعد لخدمة مجتمعه بجسد كامل معتدل، يقظ الروح، موازنًا بين العقل والجسد، بعيدًا عن الترف. أما جسم العبد في حضارتهم وبدايتها فيصورونه نحيل الجسم أو بدينًا، مستبعدًا من الحياة، وتخلو حضارتهم في بدئها من الوحشية ومن الخلاعة، ولكن في عصر الانحطاط تحول الرياضي إلى وحش فارغ الروح والعقل، وأصبحت الروح على خطر من الرياضة، كما حذر أحدهم، أصبح الرياضي يعيش بجسد ضخم وثقافة ضحلة آكل ثيران ومدمن خمرة، وظهرت المرأة الخليعة، وراح الفنانون يصورون الأجساد بمزيد من الواقعية. [تقرير إلى غريكو، ص١٤٣]. وكأن «فن الواقع» هو فن الحضارة في احتضارها عند أمة ما. يقابل ذلك ما قاله من قبل توينبي من أن فجر الحضارة قدحة روحية، واشتعال ضمير ويقظته، وهو ما ردده كازنتزاكي في فجر اليونان، ولكن توينبي درس اليونان كما لم يدرسها ابنها الذي يقول: «بكفاحهم طهر اليونان كل منطقة وأخضعوها للمعنى السامي الذي يشكل جوهرها المحدد، وبالجمال والعواطف المنظمة حولوا الطبيعة المادية لكل منطقة إلى ميتافيزيقا، أزالوا العشب والتراب والحجارة، واكتشفوا الروح الباردة في أعماق المنطقة وتحت أرضها، كانوا يجسدون هذه الروح أحيانًا في هيئة معبد فخم، وأحيانًا أسطورة، وأحيانًا أخرى في إله طبيعي». [تقرير إلى غريكو، ص١٤٠].

ولست متأكدًا من حديث بعض الفلاسفة عن أرواح العصور، وأن لكل عصر روحًا سارية، فهل نقول روحًا ثورية مرة، وعقلانية أخرى، وروحانية، وقومية، وروحًا عامة وأخرى خاصة، عصر للعامة وعصر للخاصة، عصر للنساء

وآخر للشـاذين، عصر التجار وعصر للفقراء، عصر للشـعراء وعصر للروائيين، عصر المثقفين وعصر الخبراء، عصر للديموقراطية وآخر للديكتاتورية؟ وهكذا يسبحون في تقسيمات مريحة، وكأن طبيعة الانسان تتغير !

وهكـذا.. فللأفكار عندهم والمواقف موجات ومفاهيم تمر بالعالم أشـبه بالموضات العارضة، ومن ذاك موجة «الغرب العقلاني» و«الشـرق الروحاني»، وقـد نقلهـا بعض العرب إلى البلاد العربية، فقالوا: المشـرق روحاني صوفي، والمغرب عقلاني فلسـفي. وفكرة يحيى حقي في «قنديل أم هاشـم» هي نفس الفكرة التي سادت في النصف الأول من القرن العشرين في بلاد العالم الثالث وفي بلاد المسـلمين خاصة. وهي فكرة الشـرق الروحاني والغرب المادي، وهي التي سادت لزمن غير قصير بعد ذلك، وكان من أشخاص هذه المدرسة ومروجي بعـض أفكارهـا: محمد إقبال، وميخائيـل نعيمة، وتوفيـق الحكيم، وجبران خليل جبران، وهي نفس الفكرة التي سيطرت على توفيق الحكيم في «عصفور من الشرق». وتلك الخرافات الفكرية التي يسوقها عن أناتول فرانس ملخصًا بها الشرق والغرب، وليست خلاصات منصفة ولا صحيحة، وبخاصة عندما يقرر أن الشرق أفلس في الدنيا فهو يأمل في الآخرة، ويهرب من فشـله وإفلاسه في الدنيا إلى الآخرة !

وهذا التقسيم الطريف السـابق ينقل أحيانًا للإقليم والدولة الواحدة، وقد يسهل نقله للأحياء في المدن والقرى لتكتمل روح التصنيف الكسول المريح.

نيتشه

نيتشه أعدى من عرفت البشرية للتكلف في الكتابة أو تغليف الفكرة. بلغ مـن الصراحة أجرأها، ولا أعلم أن في البشـر مـن كتب بهذا العنف والوضوح والقوة. وكم في كتابته مما أحب أن أسـتره عن نفسي، فكيف بالناس ! وقد كان

لي صديق يقول: إذا أردت تعذيب نفسي قرأت للمتنبي، فهو كفيل بصفع الكبار، ومن لا والد له يوجهه.

يقول نيتشه: «يتسلل زرادشت إلى خوافي النفس فيكشفها، ويحرج الرجال الصالحين أو المتظاهرين بالصلاح فيقول: إن من يستمر على بذل الهبات مهدد بفقد الحياء، ولا بد أن تتصلب راحته وينقلب قلبه». [**هكذا تكلم زرادشت،** ص١٣٤]. ويقول عن الرجال الذين كانت لهم مواهب فازدروها: «لقد عرفت من الناس كرامًا دلت طلائعهم على أنهم سيبلغون أسمى الأماني فما لبثوا حتى هزئوا بكل أمنية سامية، فعاشوا تسير الوقاحة أمامهم وتموت رغباتهم قبل أن تظهر، فما أعلنوا في صبيحتهم عن خطة إلا شهدوا فشلها في المساء». [السابق، ص٦٨ - ٦٩]. ونقل العروي تلخيصًا لسلوك البطل مما فهمه دارس فرنسي لنيتشه بقوله: «يختار البطل طريقًا في الحياة، ويبقى وفيًّا لها مهما كانت الظروف، لا يتساهل، لا يراوغ، لا يتهاون، لا يهادن، البطل بالتعريف عنيف متشدد صفي نقي، لا تعترضه المأساة بل تنفجر منه». [**أوراق،** ص٣٢]. وتحت عنوان البطل الكامن يقول: «أستحلفك بحبي لك وأملي فيك ألا تدفع عنك البطل الكامن في نفسك، إذ عليك أن تحقق أسمى أمانيك». [**هكذا تكلم زرادشت،** ص٦٩].

وعن الحكمة يقول: «تريدنا الحكمة شجعانًا لانبالي بشيء، تريدنا أشداء مستهزئين، لأن الحكمة أنثى، ولا يحب الأنثى إلا الرجل المكافح الصلب. [السابق، ص٦٥]

وعن القراءة يقول: «إنني أبغض كل قارئ كسول؛ لأن من يقرأ لا يخدم القراءة بشيء، وإذا مر قرن آخر على طغمة القارئين فلا بد من أن تتصاعد روائح النتن من التفكير». [السابق، ص٦٤]. وعن الكتابة يقول: «إني أستعرض جميع ما كتب، فلا تميل نفسي إلا إلى ما كتبه الإنسان بقطرات دمه، اكتب بدمك وستعلم حينئذ أن الدم روح، وليس بالسهل أن يفهم الإنسان دمًا غريبًا. [السابق، ص٦٤].

شوبنهور

شـوبنهور هـو البؤس مجموعًا ومكتملاً، وأكثر شـكًا فـي الحياة، وكراهية المرأة، وعشـقًا للعدم، وكان لفسـاد أمه أثر كبير على نفسـيته الكارهة للنسـاء، وزاد الطبيعـة الجافيـة أن كان هيجل قرينه في الجامعة ودروس الفلسـفة حيث كانت قاعة هيجل مليئة بالطلاب وقاعة شوبنهور شبه فارغة، وكان هيجل على شـيء مـن إيمان روحاني، وشـوبنهور يعيـش مركب إلحاد قاتـل، غير أن كتبه انتصرت في أواخر القرن التاسـع عشـر في موعد مع انتشار بؤس الثقافي قاده هو وماركس، وعدمية يشـاركه فيها نيتشـة، والملحـدون يجمعهم بؤس الحياة الشـخصية، بسبب يقين العبثية المسيطر، وتقودهم قناعة بنشر الإلحاد والبؤس في العالم، ولعل البؤس الشـخصي مرتبط باليأس من مسـتقبل لحياة أو بجزاء آخر، وهذه رؤية أكدها فيما بعد فرانكل عالم النفس من تجربته في معسكرات اليهود التي أقامها هتلر، ولو تمتع اليائس من المستقبل فتمتع المقبل على عدم مظلـم أسـود، بـلا خير يذكره للنـاس ولا يحب يتركـه لهم، ولو عشـق المرأة فلضرورة جنسـية عارضـة يرمي بها للعدم بعد وقت كيـف وهي مصنع الحياة واستمرارها وهو يكره ذلك أشد الكراهية.

وهو بؤس نشـره هـؤلاء وأغرقوا به مثل صموئيـل بيكيت ومن لحق ومن عاصـر. وقد نشـرت نانسـي هيوسـتن هذه الملاحظـات باسـتقصاء طريف في كتابها: أسـاتذة اليأس، وقد كادت تنساق وراء هؤلاء الملحدين المنعزلين زمنا ثم فارقتهم وبنت لنفسـها حياة إجتماعية أخرى وأنجبت وعاشـت كالبشـر أما أؤلئـك فتقـول عنهـم» يراودنـي الشـعور أكثر فأكثر بـأن الفلاسـفة والمفكرين الذكـور [هـل يؤمن بوجـود إنـاث فيلسـوفات أو مفكرات؟ هذا خـروج على مذهبه] يشـكلون جنسًا على حدة جنسًـا أكثر إحباطا وقلقا من الآخرين وعلى وجـه الخصـوص أكثر خوفا من المـوت، هنا أيضا يميلـون للتفكير من خلال

مصطلحات متطرفة قافزين من الميتافيزيقي إلى الحيواني دون المرور بالحقيقة التي هي دائما مزيج من إنساني خاص من كليهما إما أننا كل شيء أو لا شيء»

وهو يرى أن على المثقف أن يوفر ثروة تكفيه للعيش براحة وحيدًا بلا عائلة ـ تذكر نيتشه وعبدالرحمن بدوي تلميذ مدرسته ـ فهذا ما يمثل الحصانة التي تعفيه من البؤس والعذابات المرتبطة بالحياة الإنسانية إذ يرى الناس من طبيعة واحدة منذ يولدون إلى الموت لا تتغير أفكارهم إلا بقشرة خارجية مخادعة، ويبدو أن هذا بسبب وحدته وعزلته عن البشر، وهو يرى الضجر هو المسيطر على الإنسان، قارنه مع تمجيده للوحدة، وقارنه مع رؤية بن حزم أن من غايات الإنسان التخلص من الضجر. ويرى شوبنهور أن من الأجدر اعتبار الناس جمادات، وعليه أن يتعود الصبر على الجمادات.

شوبنهور كان في فرنسا نهاية القرن التاسع عشر كما قال أحدهم عام ١٨٨٠: «بات الناس يتعاطون شوبنهاور كما يتعاطون المورفين» شوبنهور عاش وحيدًا وتخلى عن البشر وصحبتهم صداقة أو معاشرة أو زواج «إنه صنع أساتذة اليأس الذين يحددون القيم الأدبية الأوروبية ويجسدونها في الزمن المعاصر برنامجهم المشترك هو تعلم الموت وتعليمنا إياه، التقليل من قيمة الجسد ونشواته، انتزاع النفس من كل شكل من أشكال الصلات وخصوصا صلة الحب، إنكار المؤنث المفكر، والأمومي الذكي والزمني المتحرك والمفاجئ والحي والحساس والهش والعابر وتشويهه بكلمة واحدة: القضاء على الحياة الإنسانية». [أساتذة اليأس] نانسي هيوستن، كلمة، ترجمة وليد السويركي، أبوظبي، ١٤٣٣هـ ٢٠١٢م، ص٦١ ـ ٦٥.

إنه الإنسان فوق الإنسان كما وقف عليه كثيرًا يصفه ويبشر به، «ما الإنسان إلا حبل منصوب بين الحيوان والإنسان المتفوق، فهو الحبل المشدود بين الهاوية» [هكذا تحدث زرادشت] ت فلكس فارس، دار القلم، بيروت، ص٣٥.

الفصل الخامس

بيت في مدينة الأدب

سـمعت مـن عطاء الله مهاجراني أن أحدهم قـال لـلطيب صالح: لماذا لم
تكتب كتبًا أخرى جيدة في مستوى «موسم الهجرة إلى الشمال»؟ قال: ما كان
لي ولا يمكنني كتابة كتاب آخر مثله، فقد كنت حريصًا على أن يكون لي بيت
في مدينة الأدب، وهذا بيتي في هذه المدينة، وقد يكون بيتك في مدينة الأدب
بيتًا صغيرًا جدًّا، ولكنه من الألماس! فلا عيب أن يكون لك في عمرك عمل
واحد فقط، ولكنه عمل متميز.

ويـرى بعـض الكتاب مـن شـقائهم ـ وهم ربما مـن كبـار المفكرين في
العالم ـ أنهـم يكتبون كثيرًا جدًّا، ثم لا يذكرهم أحـد إلا بكتاب واحد ربما
صغير، وليس فقط هذا، بل إن الناس لا يقرءون تلك الكتب الأخرى الكثيرة،
فابـن خلـدون تعب في تاريخ لم يهتم به إلا ندرة مـن القراء، ولكن المقدمة
كانـت كل شيء، وفي الإنجليزيـة تقـف أمـام بعـض رفـوف الكتـب لتـرى
المجلدات التي كتبها مل في المنطق وغيره، ثم تجد أن الناس لم يهتموا بها،
ليـس بسـبب تخصصها، ولكن ربما لقلة أهميتها. وتجدهـم يكلفون بكتيب
صغير ولكنه جوهرة، مثل كتابه «عن الحرية»، فهل كان على هؤلاء أن يبذلوا
كل هذا الجهد ليستعدوا لكتاب لم يفكروا كثيرًا في كتابته؟ أو يكتبوا كتابًا أو
كتبًا في أواخر أعمارهم تنسيهم وتنسي الناس ماضيهم، كما فعل سيد قطب
مـع كتبـه القديمة، فقد طلب عدم إعادة طبعها، وكـذا فعل ماركس؟! أم إنها
الخلاصة، خلاصة العمر والجهد والفكرة والخيال لفرد يعبر ويترك معلمًا في
مدينة الأدب؟!

غربة

اغتراب الشعراء أوقد قلوبهم، فكتبوا أرق الشعر وأعبقه منذ أوفيد إلى عصرنا، مرورًا بدانتي الذي قال عنه توينبي: «دانتي وإن خسر موطنه إلا إنه فاز بالعالم كله وطنًا له؛ لأن العبقري الذي امتحن في مبادئه السياسية بعدما امتحن في حبه أنجز في منفاه عمل العمر «**الكوميديا الإلهية**»». [**دراسة التاريخ**، (١/ ٣٨٥)].

ترى ما الذي جعل ماركس يكتب كتابًا عن الاغتراب وإن كان يعني اغتراب العمل، ولكن هناك غربة شديدة في حياته، حتى عدّ من الكتب المهمة والمؤثرة في رصد هذه النوازع النفسية والعلمية، ومفسرًا لجزء كبير من عمل الإنسان. وما الذي جعل سيد قطب يكتب في «**معالم في الطريق**» و«**هذا الدين**» عن «العزلة الشعورية»، ويؤسس لأفكار شاعت بين عدد من أتباع المدارس الإسلامية، ويؤسس للتفريق بين «العزلة الشعورية»، و«العزلة التامة»، ورسم الطريق بين العزلتين، وحبذا أن توصل إحداهما للأخرى! وما الذي جعل ابن تيمية يكتب عن «**اقتضاء الصراط المستقيم مخالفة أصحاب الجحيم**»، ولتصبح فيما بعد «**الولاء والبراء**» كما في كتاب بهذا العنوان للقحطاني؟ وما الذي كان يفكر فيه (ابن تيمية) وهو يخرج من بين البيوت، رافعًا صوته ببيت المجنون:

وَأَخْرُجُ مِنْ بَينِ البُيُوتِ لَعَلَّني أُحَدِّثُ عنكِ النَّفْسَ بالسِّرِّ خَالِيَا

وهل كان فهم ابن القيم للحادثة أو تكرارها صحيحًا؟ وسلمان العودة كتب عن «**العزلة والخلطة**»، وعن «مكافحة الاغتراب»، وأيضًا كتب علي شريعتي كلامًا جميلاً في «الغربة والهجرة»، وكم بين هذه المفاهيم من تآلف وخلاف وبين الاغتراب والعزلة؟ وما الذي جعل الغزالي يهرب من الناس، ويمارس العزلة عمليًا؟ واعتزل نيكوس كازنتزاكي مع أوراقه وأقلامه ثم ليكتب بعد ذلك عن خطأ العزلة، ويقول: «لا تأمل في صناعة شيء وحدك، لن

تسمو إلا إذا كافحت مع الناس، تعال بكل عجزك وضعفك وأوهامك، سوف تتخلص منها بالكفاح». [هكذا أوردت زوجته في كتابها المديد المسلي عنه، وسمته بـ«**المنشق**»، ص٦٦]. ما الذي جعله يرتد عن فكرته السابقة عن العزلة، التي امتدحها قبل ثلاث صفحات من النص السابق حيث يقول: «إن أفلت من شراك المجتمع استمتع بالصمت العميق والنعمة».

وكيف استطاع ابن الجوزي مكافحة نوازع الاغتراب والعزلة، كما وصف في لمحات رائعة وناقدة، رماها على طريق المثقفين في مذكراته الثقافية الجميلة التي أسماها «**صيد الخاطر**»؟ لقد لمح سمات الوحشية والتكبر على وجوه أولئك المعتزلين المنقطعين للعبادة كما قالوا. فقد سأل ابن الجوزي أحدهم عن عزلته وطولها، وكان سؤال من يدفعه حنين وحافز كبير لأن يهجر العالم لبعض الوقت ويعتزل، فرد عليه ذلك المنقطع العابد بما أوحى له بأن شهوات أخر كانت وراء العزلة. ثم وجد الجواب بخلاف ما تمناه، وكان حال المسئول لا يدل على خير، بل على فخر وتكبر بعزلته، لأن دوافع الروح قد تدفع للانحراف!!

وكلام كازنتزاكي في موضوع المخالطة والعزلة صحيح، وأيضًا عزلة الفارابي، فقد كانت بعد خلطة ومعاناة طويلة للمجتمع، يقول الفارابي:

لَمَّا رَأَيْتُ الزَّمَانَ نِكْسًا وَلَيْسَ بِالْحِكْمَةِ انْتِفَاعْ
كُلُّ رَئِيسٍ لَهُ مِلالٌ وَكُلُّ رَأْسٍ لَهُ صُدَاعْ
لَزِمْتُ بَيْتِي وَصُنْتُ عِرْضًا بِهِ عَنِ الذِّلَّةِ امْتِنَاعْ
وَأَجْتَنِي مِنْ عُقُولِ قَوْمٍ قَدْ أَقْفَرَتْ مِنْهُمُ الْبِقَاعْ

وعزلة ابن تيمية صحيحة، وهروب الغزالي علاج، وعزلته في الغرفة والصحراء متعة، ورحلات لينين وفيتجنشتين راحة وعمل، ومعالجة العودة للغربة معاناة، ودفع ابن الجوزي لشهوته رقي ولذاذة، وخلط القصص والدوافع والأنواع أجمل، لنحصل على الإنسان الذي يحاول أن يكمل فينقص.

وقيمة ذكر شهوات المثقفين للقراء في صراحتهم في شرح معاناتهم لمن لا يعرف كيف يصف العزلة، ولا يعرف كيف يمارسها. فضرر العزلة على الضعاف كبير وممزق ومضل. وقد يمارسونها فتهوي بهم في قاع سحيق، وتكون مدعاة لليأس والانتحار.

ومن النفوس الكبيرة وذوي الهمم العالية من تؤذيه همته، وتصيبه بقلق الطموح وعدم الرضا فيتشرد، وقد عجب العلماء لتشرد الإمام سفيان الثوري وقلقه، ومن قبل ذلك كانت همة أبي ذر وتفرده، ورغبته في قيام المجتمع الأمثل، والذي لا يتمايز فيه الناس، ولا تتعالى فيه طبقة على غيرها. وقد أشار الرسول ﷺ لتميز أبي ذر وتميز عقله. أما سفيان فكان وحيد عصره من العلماء المُتحلين بهذه السمات، سمات المثقف المعترض القلق في كل مكان، فليس الأمر مطاردة الخليفة له وهي صحيحة ومزعجة، ولكنه ألف بنفسه هذا التشرد. ومثله في العصر الحديث كثيرون من المسلمين وغيرهم. ولعل من الأمثلة القريبة عبدالرحمن بدوي، الذى كان شعوره بنفسه وتقييمه لها فوق إمكاناتها.

كم نتمنى لو كان الإنسان يستطيع أن يكوّن انسجامًا بين الأفكار الجميلة التي يؤمن بها أو يقولها، والسلوك الذي يمارسه! ولكن للأسف لا يحدث هذا في أحيان كثيرة، فمن قرأ سيرة أبي الفرج وقذارته استغرب أن يكتب هذا الكتاب الجميل رغم سواقطه، ومن قرأ كتب أبي حيان وحكمه عجب لحاله، وابن خلدون أشنع حالاً ووقع فيه كُتّاب بالمعابة الشديدة مثل الوردي في «**منطق ابن خلدون**». [من ص٢١٠ إلى ٢١٣]. ومن الغربيين ما لا يحصى عددًا، ممن تخالف أقوالهم أفعالهم، ولكن تلك الطباع قارة في ثقافة بعض الشعوب.

وهذه قطيعة شنيعة بين السلوك والفكرة، وقد تودي بسلامتها والثقة بها وبقائلها!

عامة الناس وعامة الكتب

قال إبراهام لينكولن: «إن الله يحب عامة الناس؛ لذا يخلق منهم الكثير». فعامة الناس هم الذين يبنون المساجد ويملؤونها، ويعمرون الأسواق، وينجبون العباقرة، هم وقود الحروب ورعاة السلام، صانعو السلاح ووقوده، مقيمو الأعراس والمآتم، محترمو القراءة والكتابة، جمهور الخطباء والوعاظ، زهرة الدنيا وفكاهتها. أما القراء فمن هم في المجتمع؟ إنهم ملحه كما في «**الإنجيل**»، في «**الإنجيل**» يتساءل: «وإذا فسد الملح ماذا نصنع؟». وقد كان ماو شديدًا في ذلك فيقول بأن الجماهير هي العاقلة، في حين أن المثقفين صبية وأغبياء. [**اليوم الأول في العالم**، هان سوين، مترجم، ص٥٧].

فهونوا على عامة الناس النقد، وقربوهم لقولكم وتأكدوا أن سيكون منهم نقاد لقولكم وموجهون لكم، ومعدلون لنظرياتكم، مصححون للمسيرة، ومحبون مقدرون لأعمالكم. وكم نغمط ذوي القدرات؛ لأنهم لا ينسجمون مع مقاييسنا! فدعوا مقاييس القراء جانبًا ولو قليلاً لتروا عالمًا آخر لما بين أيديكم. واحذروا تلك الكلمات التي تردّد عن بعض السلف، والتي ملأ بها الشيخ محمد إسماعيل المقدم كتابه «**علو الهمة**»، من التحذير من العامة، وأنهم الذين يضيقون الدروب، ويغلون الأسعار، وهرفًا من نحو هذا. ولو سألت المقدم من أين جاء هو، لوجد نفسه جاء من أم عامية أو أب عامي أو من كليهما! فدعوا رحمكم الله القول الذي لا يعقل. فمن عامة الناس جاء الخاصة، ولولا أن هناك عامة لما علم أحد أبدًا بوجود خاصة، وهكذا ألح ابن حجر في «**الفتح**»، والشوكاني أغرق في «**أدب الطلب**» في ذكر المسألة. قال أحد تلاميذ مدرسته إن بعض العامة لقيه فضربه وأهانه؛ فأكسبه الموقف سخطًا وحسرة لم يكن أمامه من طريق للانتقام إلا هذه الكتابة، وقد انتقم حقًّا. وهي نفسها نظرية هتلر، ونيتشه، وأفلاطون، وفلاسفة اليونان، ونظرية كونفشيوس، ولم يسلم منها المجتمع

البشــري، ولها شواهد وضدها. فالعامي: «شرط وجود لوجود، ويلزم من عدمه العدم لذاته». على طريقة من تعجبهم هذه الطريقة. والأصل أن ندرك أن العامي والــد المتميــز أو ابنـه أو أخـوه أو أختـه، وأن العامي ينجب الفذ والفذ ينجب العامي، وبـدلاً مـن الإدانات المكرورة يحسـن العمـل على تهذيب الجميع، فيرتفـع المعيار العام، ويسـود العدل وعذر غير الموهـوب، وتهذيب العبقري، ورحمة البسيط والضعيف الذي قد ينجب خيرًا من العباقرة ومن المشاهير.

وعامـة الكتـب مع ما فيها من غث هـي التي تحيي العلـم والقراءة، وهي عامة «تتناسب مع إمكانات المجتمع» فعامة الكتب العربية المعاصرة لا تصلح للنشر لو كانت معروضة للطبع في مجتمع آخر، فغالب الكتاب الغربي الشهير المعاصـر مفيـد، وغالـب الكتب الإسلاميـة القديمـة المبكرة ذات فائـدة وأثر وفكـرة واضحـة، ومـا بعدها تكرار شـديد. واليوم بسـبب سـهولة الطبع غلبت كتب ضعيفة لا تصلح للقراء في مجتمعات صحيحة العقل، ومميزة في النقل.

البدايات الدينية

تتبعت الكثير من النبغة في بلاد المسلمين وبلاد الغرب، فوجدت معظمهم قد بدأوا تعليمهم بدايات دينية في المسـاجد أو الكنائس أو معابد اليهود، وأن الدين سطّر الأسطر الأولى في حياتهـم، تعلموا اللغة القوية من معدن كتب «الأديان الكبرى»، وتعلموا أصول البحـث والمناظرة والجدل مـن هناك. أما عندنا في الثقافة الإسلامية القديمة أو الحديثة فتجد القرآن والمساجد ودروس العقيـدة والنحو والشـعر والبلاغة رسـمت خطوط المعرفة في نفس الطالب، فمفكرو العربيـة وأدباؤهـا من أمثال: سـيد قطب، وأحمد أمين، وطه حسـين، وعبدالله الطيـب، والعقـاد، وتوفيق الحكيـم، ونجيب محفوظ، والشـعراوي، وسيد قطب، ومحمود شاكر، وعلي الوردي، وفلاسفة العالم الكبار والملحدون

منهم أيضًا تجد دراساتهم الأولى دينية. وانظر إلى تراجم هؤلاء في بعض الكتب المنتشرة مثل كتاب «**قصة الفلسفة**» لديورانت. فأغلب مؤثري الغرب بدأوا دراسات دينية؛ على أمل أن يكونوا رجال دين، بدءًا برجال الإصلاح المشاهير، والفلاسفة كهيجل وليبنز وسبينوزا الذي بدأ في سلك الحاخامية، ثم الأدباء الكبار مثل تولستوي. وقد لا يخيل لك أن كاتب «**الحرب والسلام**» عنده هذه المعرفة وقوة الروح الدينية، ولكنه كتب كتابًا للصلوات المسيحية والدعاء والحكمة وهو كتاب من أجمل المختارات!

ويذكر أندريه جرميكو وزير خارجية روسيا الشهير في مذكراته أن ستالين نصحه بأن يذهب للكنيسة ويحضر المواعظ في أمريكا ليطوّر لغته الإنجليزية. فستالين رغم إنه من صناع أكبر مؤسسة ملحدة كافرة بالمسيحية يدرك أثر لغة الإنجيل والخطابة في الكنيسة. ويذكر إقبال أحمد في كتاب المقابلات التي نشرها له بارسميان أنه سأل غاندي أثناء سفره معه ستة أسابيع: كيف يمكن أن يكتب بشكل جيد بالإنجليزية؟ فقال له: عليك بدراسة «**الإنجيل**» طبعة الملك جامز «الملك جيمس». ثم يعقب بأن كتابة غاندي كانت متأثرة بالإنجيل. وكل هذه شهادات للإنجيل رغم ما اعتوره من تبديل وهجرة بين اللغات.

ويذكر مارون عبود اهتمامه بالقرآن، وأنه كان كتاب الوسادة عنده (ألا سقى الله تلك الليالي التي قضيتها مبتسمًا وضاحكًا مع جاحظ القرن العشرين مارون عبود، وقد اقتنيت ما وجدت له في «مكتبة تهامة» في «أبها» آنذاك وكانت كثيرة، وقد كان ساخرًا، جمّاعة للمعلومات والطُرف، له لغة ناصعة قل من امتلك إشراقها). وهكذا يكتب كوثراني عن أستاذ مؤرخ مسيحي لبناني درسه، كان ينصحهم بقراءة القرآن لتستقيم لغتهم. فكتاب الله يجلي اللسان، ويفتق الفهم.

وفي زمن الحشد الفكري الذي أثر في أجيال قبلنا كان لكتاب «**الغارة على العالم الإسلامي**»، لشاتليه الذي قدم له محب الدين الخطيب دور

مهم، وكتيب صغير اسمه «قادة الغرب يقولون: دمروا الإسلام أبيدوا أهله» لجلال العالم، وكتاب «التبشير والاستعمار»، فلكل تلك الكتب أثر في تكوين رؤيتنا عن الآخرين، وصناعة هوية إسلامية مفتخرة بالذات ومخالفة وناقمة من المستعمرين وثقافتهم، وكذلك «ماذا خسر العالم بانحطاط المسلمين؟» للندوي، وقد قدم له أولاً: أحمد أمين، ثم قدم لطبعته التالية: سيد قطب. وقد وجدت كتابه «الصراع بين الفكرة الإسلامية والفكرة الغربية» أحسن من الكتاب الشهير. لا أدري، فقد يعود الأمر للمرحلة العمرية. وكذلك كتاب «حصوننا مهددة من داخلها» لمحمد محمد حسين، وله أيضًا «الإسلام والحضارة الغربية»، والكثير من الكتب التي صنعت موقفًا صارمًا.

وأشير هنا إلى قصة كاتب فطن موسوعي القراءة والمعرفة، وهو المخرج جون ميلوس، ولم يكن ذا دين وقد حضر الغداء، فقال: هل لديك نوع خاص من الأكل؟ فقلت: فقط ألا يكون من خنزير. قال لي: إنه لا يأكل الخنزير، ولا زوجته؛ والسبب قول زوجته: إن لحمًا أجمعت الأديان على كراهته لا بد أن يكون فيه ما يستحق الترك!

قلت: وهذه من حكمة العقلاء، فإن قومًا يتطفلون ويتطرّفون، ويسخرون من مسلمات الأديان، ومن التجربة ومن حصافة الأمم، ويبدأون الدنيا جذعة فيما يختارون، فلا يعون ولا يصلون. وكان من سخف زميل لنا في زمن دراسة اللغة الإنجليزية من بيئة الجزيرة العربية أن يتبجح في الفصل بأنه يأكل الخنزير، فسكت الطلاب المسلمون لسماجته، ولم يعبأ النصارى بالمجد الذي حققه. والتوسط والتقدير الواعي من ضرورات السير في هذه الحياة. وليس لنا من العمر ولا من العلم ما يجعلنا قادرين على سبر الكثير من الأشياء؛ فلا سبيل إلا القبول بالكثير، ونقاش القليل.

تبتل العلماء وكرمهم

واجه العلماء كثيرًا من شهواتهم بالتنكر لها، والاحتيال والتهرب منها، كما قال إسحاق نيوتن: «الطريق إلى العفة ليس في الصراع المباشر مع الأفكار الجامحة، بل في ردعها بعمل ما، أو القراءة، أو التأمل في أشياء أخرى».

ذلك أن التفرد بعلم أو عمل يحتاج لمزيد من التفرغ له، والشهوات تقصي الإنسان عن مراده، وهناك من يستطيع وضع موازنة بين الأمرين، ولكنه جهد كبير، وعائده مقسم بين شهوات الإنسان، ولكن هل مواقف هؤلاء العلماء صحيحة؟ أم إن الاستقامة في الاعتدال والتنوع، والنقص علامة الكمال؟!

قد ينجح الإنسان ويفيد العالم كلما ابتعد عن درك شيء ما، غير أن دور المشاهدين أو القراء ليس تكرار ما حدث، وما نقل لنا قد لا يكون دقيقًا. ومعضلة الفهم هي ما يقف في طريق المثقف، فغروره كبير، وكلما زادت معرفته خف الغرور بمقدار ما يشعل معه نصيبًا من الوعي، وهو لهذا يهرب من المعرفة المباشرة؛ لينسب السبب في العمل والنجاح والنبوغ لعوامل بعيدة مثل المناخ، وقد تحدث عن ذلك ابن خلدون. ومثله النسب والميراث العائلي. قال برتراند رسل: «فكل من ظن نفسه عالمًا كان يميل إلى تضخيم دور الوراثة بشكل خرافي». [**السيرة الذاتية**، ص١١٩]. وقد أشار لهذا وهو يذكر أنه مر بمرحلة خوف من أن يصاب بالجنون أو الاضطرابات العقلية، كما أصيب به بعض آبائه، وكما رأى ذلك في عائلته. وهذه مسألة كثر الكلام عنها والكتابة فيها، ولسنا بصدد هذا هنا. وقد تكون هذه الاضطرابات العقلية لها علاقة بالنبوغ وبنائه الفردي، وليس بالوراثة فحسب، فقد أصيب عدد من النابغين بهذا الداء، من أمثال: روسو، ونيتشه، ويونج، وغيرهم كثير.

وقد كتب أبو عبدالرحمن الظاهري نصًا طريفًا في هذا، وزعم أن علماء المسلمين قد قلّ فيهم ذاك بسبب يقينهم ودينهم وإيمانهم كما يرى الظاهري.

وذكر لي الشيخ جعفر شيخ إدريس أن المعارف الفلسفية تضر بالعقل وقسوتها مؤلمة مرهقة، وأن عددًا من فلاسفة الغرب وأطبائه ينصحون بالتأمل، وما يشبه التفكر بديلاً، وهكذا فلم يبق أن يصفوا لأنفسهم إلا الصلاة والتسبيح منقذًا!

ورأيت في «**مذكرات يونج**» أن والده كان قسيسًا درس العربية واهتم بترجمة «نشيد الإنشاد» إليها. واستعرض معاناة والده وشكوكه في دينه ومأساته الروحية. [**مذكرات يونج**، ص٣٩ و١٠٨]. وذكر يونج أن والد نيتشه كان قسيسًا، ولعل كثيرًا من هؤلاء يعانون من روح متطلعة وحياة متمردة عليها، وخرافة محروسة مفروضة عليهم، فيعانون نكدًا لا ينتهي. وقد قص خالد محمد خالد بعض معاناة الروح ذات القيم والتصوف والطموح في مذكراته «**قصتي مع الحياة**» أطرفها معاناته مع المال وشراء موقفه وبكائه عند النقراشي، وتنتهي قصته هذه نهاية مخففة بامتداح الشيخ محمد دراز له ثم قوله: «شوف يا خالد: يظهر أنك ذكي، وذكاؤك السياسي يبشر بالكثير، ولكن أنصحك أن تقرأ كثيرًا وكثيرًا.. ثم قال وهو ضحوك: ومين يعرف يمكن تطلع منك حاجة كويسة». [**قصتي مع الحياة**، ص١٦٩]. وكان لخالد كثير من الجيد والرديء، ويكفيه «**رجال حول الرسول**»، و«**خلفاء الرسول**». وكان زميلاً في تصوفه وتعلمه للشيخ سيد سابق في الحلقة.

وقد كتب خالد فصلاً عن تصوفه وزملائه ومشايخه الصوفية فقال: «في تلكم الأيام كان قلبي يطير شوقًا إلى شيخ يربيني على منهج القوم، ويرعى مسلكي ورحلتي إلى الله العلي الكبير المتعال». [وكتب كلامًا طويلاً نابعًا من القلب عن تصوفه في مذكراته، ص٢٣٨ - ٢٦٨]. وهذا يذكرك بالمبالغة التي يكررها الصوفية عن أهمية الشيخ للناسك، وأمثال هذه النصوص الصوفية والغرق فيها، مما جعل فيلسوفًا مهتزًّا كعبد الكريم سروش الدبّاغ، يتمنى أن يقبله شيخ من قُم سالكًا في طريقته، ولكنهم يأبون أن يسلكوه في طرقهم!

وهـذا مـن طريف من نراهم مـن ذوي العقول الكبيرة في تاريخ البشـرية، ولعل إدمانه الرومي والصوفية مسح كل الرياضيات والفلسفة والعقلانية الجافة عنده، أو هذا رد متوازن على جفاف العقل الفلسفي.

* * *

كان الليث بن سـعد يتعهد أصحابه من طلاب العلم ويصلهم، وأبو حنيفة كان يدفع المال لأم محمد بن الحسن؛ لتسمح له بحضور الدرس، ولا يذهب للعمل ليقوتها، لما رأى فيه من الجد والنجابة. وقد رفعه العلم وتغذى وسمن، حتى قال الشـافعي: «ما رأيت فطينًا سمينًا قط إلا محمد بن الحسن الشيباني». والنجبـاء قلة بين السـمان والنحفـاء، وكان ديفيد هيوم سـمينًا ضخمًا، وكانت سـمنته تتلف المقاعـد فـي بيـوت مضيفيـه، وقد عـاش عزبًـا مرغوبـا. [**قصة الحضـارة**، (٢٢٨/٣٥)]. وتجار ومثقفون أغنياء أنفقوا على جان جاك روسـو ومنحـوه بيتًا ومولـوه زمنًا، رغم رداءة أخلاقه معهم ومـع عموم الناس؛ حيث كان يتشـاجر مـع أي أحـد فـي أي وقت. [**المثقفـون**، بول جونسـون، الفصل الأول]. وجون ستيورت مل الفيلسوف الشهير أنقذ سبنسر من إفلاسه واتجاهه لترك الفلسـفة والعلم بسـبب الإفلاس، وحشـد معارفه لإنقاذ مشـروع سبنسر. وفولتير وجوته كانا مثالين للكرم على زملائهم في الأدب والفلسفة.

وقـد سـاعدت الجمعيـات العلميـة والمتبرعـون للتطوير العلمـي في نمو ونهضـة الغـرب، فسـاعدوا العلمـاء علـى التفـرغ للمعرفـة، وسـاعدوهم على الرحـلات الاستكشـافية، مثل رحلة داروين لبحث تطـور الأنواع. والجمعيات الفلكية والفلسفية أغلبها قام على تبرعات الأغنياء، أو اشتراكات الأعضاء.

وهنـاك كـرم عظيـم بذلتـه الإنسـانية للعلمـاء فـي المسـاجد وللمثقفيـن وللمكتشـفين وللجمعيـات العلميـة عبـر التاريـخ، ولـولا تلك الأوقـاف على

الأديرة والكنائس والمساجد والجامعات ومراكز البحوث والصلات الاستكشافية، لبقي العالم رازحًا في ظلمات فلسفات تقف عند القول الحجاج، والمناظرات والجدل، ولم يرتق إلى علوم التطبيق والتجريب. إن نفقات التبرعات الوقفية من أهم أسرار التطور العلمي في العصور الحديثة إلى يومنا.

تفقهوا قبل أن تسودوا

فرح آينشتاين بما حققه، فلجّ في غرور وتباه بما لمح، فتعالى وقال: «أريد أن أعرف أفكار الإله، أما الباقي فإنه تفصيلات». هذا العبقري المنتصر شغله ما حقق عن أنه إنسان ضعيف، حصلت لعقله منحة فوق ما توقع، ففقد قدرته على التماسك، ولكنه ـ ويا للدنيا ! ـ عاش بعد ذلك سنين يشكك العلماء في قدرته على استيعاب أشياء أخرى جدّت كثيرة، وبقي بقية عمره لم ينجب شيئًا يذكر في العلم، وكتابه الفكري الوحيد متواضع المحتوى، وشهرته فقط لأنه له. فالذي يحقق شيئًا من نجاح في فكرة أو كتابة، قد يعدو مكانه، ومن الرجال من غرها حديث الناس عنها بما صنعت، أو ما لم تصنع مما عزاه الجاهلون لها؛ فسبب لهم تعاليًا على غيرهم، وأصبحوا وهم لا يرون ما يراه الناس فيهم من ضعف وجهل وتنفج وادعاء بما لم يعملوا، فكيف لو صنعوا شيئًا مذكورًا؟!

وقد كان العقاد أنموذجًا للغرور، ولكنه قام بما يعجز عنه جماعة من الناس، وبقي غروره سبة له، يتنقصه به من أراد تنقصًا، بيد أن عذره كبير، وعمله أكبر، وعقله كان نبهًا.

ومن حكم ماو تسي تونج: «تعلموا قبل أن تأمروا». وكأنه يكرر كلمة عمر رضي الله عنه : «تفقّهوا قبل أن تسودوا». لكن كلمة عمر أعمق وأبعد مدى، وقد فسرها قوم أيضًا بأنه قبل أن تتزوجوا، ومعنى هذا: قبل قيادة أسرة وتربية

أطفال، أنتم بحاجة للمعرفة البانية في كل جوانب المجتمع، وليس في الإمارة فقط. والجديد عند ماو في شرح هذه المسألة هو أهمية المعرفة من المعايشة للمجتمع والاختلاط به، وكونه مصدرًا مهمًّا للمعرفة. وهذه الفكرة منسجمة مع الفلسفة الشيوعية أكثر، والتي تأخذ من المادة وحركة المجتمع فهمها، وتغفل المقدمات والمعنويات حتى لما تكون صحيحة.

عادة تعرف النهايات من البدايات الجادة، ونادرًا ما نبغ من تأخر جدًّا في الطلب والجد، قالوا: «من لم تكن له بداية محرقة لم تكن له نهاية مشرقة». ومن جد ولو متأخرًا فلن يعدم فائدة ولا نبوغًا إن كان لديه الاستعداد والوقت. وقد قالوا إن أبا بكر الرازي عاش في صراع مع الوقت لتدارك ما فاته، فقرأ حتى عمي، وكتب حتى انخلع كتفه. واشتد فكره بعد الأربعين، وكان في صباه مغنيًا بالعود. [نقل هذا الذهبي في «العبر»]. وقد ورد أنه قال: «كل غناء يخرج من بين شارب ولحية لا يستملح». [هادي العلوي، **شخصيات غير قلقة**، ص١٨٤].

قلت: تمرد على شهوات جسمك في شبابك، وراعه في مشيبك، فما عندك سوى هذه السيارة أو المركبة ينكسر فيها مسمار هنا، ويضيع آخر هناك، ويقدم هذا ويمحل ذاك حتى تقف نهائيًا، واحرص على ما تيسر من وقت متعة أو صحبة أو معرفة. وقد صحب الرازي السلطان وقال عن ذلك: «إني لم أصحب السلطان صحبة حامل السلاح ولا متولي أعماله، بل صحبته صحبة كطبيب، ومنادم يتصرف بين أمرين: أما في وقت مرضه فعلاجه وإصلاح أمر بدنه، وأما في وقت صحة بدنه فإيناسه والمشورة عليه. يعلم الله ذلك مني بجميع ما رجوت به عائدة صلاح عليه وعلى رعيته، ولا ظهر مني على شره في جمع مال وسرف فيه... بل المعلوم مني ضد ذلك كله، والتجافي عن كثير من حقوقي». [العلوي، **شخصيات غير قلقة**، ص١٩٩].

وكان أحدهم يقول إن أراد أحد أن يستوقفه ليحدثه: «أمسك الشمس». وقرأت عن شكيب أرسلان أنه كتب حتى عطبت يده. وذكر كازانتزاكي عن نفسه شيئًا من هذا الجهد الضخم في الكتابة والتعلم. وكان أول عهدي كما أذكر بشكيب عندما قرأت له «**لماذا تأخر المسلمون وتقدم غيرهم؟**» ثم قرأت كتابه في «**الشعر الجاهلي**»، ثم مذكراته الصادرة عن «دار الطليعة»، وكانت هوامشه على «**حاضر العالم الإسلامي**» من أروع التعليقات، وبخاصة المراحل التي شهدها، وما أرخ فيه للسنوسية، ثم تابعت رحلاته فقرأت بعضها دون بعض. وقد حصد شهرة كبيرة وسمعة حسنة في حياته وبعد مماته.

وقد كان جميلاً حقًّا، ومحزنًا في نفس الوقت، أن أحسست بلوعة مرور الزمن بسرعة قبل أن أقضي شؤونًا كثيرة، وقبل أن أتعلم ما أريد تعلمه. وكانت مشكلة الزمن عندي تلك الحِكم والأبيات التي قرأت كثيرًا منها وأنا بعد في المرحلة الابتدائية، ثم بداية المرحلة المتوسطة، وأزعجني قول المتنبي:

وَلَقَدْ بَكَيْتُ على الشَّبابِ وَلِمّتي ... مُسْوَدّةٌ، وَلِمَاءِ وَجْهي رَوْنَقُ
حَذَرًا عَلَيْهِ قَبلَ يَوْمِ فِراقِهِ ... حتى لَكِدْتُ بمَاءِ جَفني أشرَقُ

ويجاوبه التهامي الذي لا نكاد نذكره إلا بحزنه العميق، وبكائه على ابنه الذي قال عن جواره:

جَاوَرتُ أَعْدَائي وجَاورَ رَبَّه ... شَتَّان بَيْنَ جِوَارِهِ وجِوَاري

وقال عن الشباب:

فاقْضُوا مآرِبَكمْ عجَالاً إنَّما ... أَعمَارُكمْ سفرٌ من الأَسفارِ
وتراكضُوا خيلَ الشَّباب وبادروا ... أن تُستردَّ فإنَّهنَّ عوارِ

لقيت أحد القراء الجادين من الأمريكان الذين شكوا كثيرًا في النصرانية، وتجلت لهم جاذبية الإسلام، قال لي: لقد قرأت القرآن مرتين في زمن قصير، وقال

إني مستعجل على قراءته، فعمري الآن ثلاثة وخمسون عامًا، وأخشى ألا يمكنني بصري من القراءة كثيرًا، فأغتنم بصري! فهناك حاجة عميقة لنور القرآن في القلوب، يراها مراقب محايد، فكيف بنا عندما نسمع القرآن بصوت قارئ بارع صادق مجيد خاشع؟ وللكتب جاذبية مزعجة لمن ضعف بصره عن درك متعة الكتب. لقد أحزنني كثيرًا وأنا أقرا قصص أحمد أمين مع طبيب العيون، وقصص حمد الجاسر، ومكبر زكي نجيب محمود، ورأيت الشيخ الحصين يحاول بمنظاره القراءة ثم يعرض عن الكتب حزينًا، وربما تمثل بمثل ساخر بحال الراغب العاجز.

وما أوتيتم من العلم إلا قليلاً

تلوح لي أغلفة الكتب الجديدة براقة جاذبة، وأنظر في فهارسها فيشتد شوقي لها، ولا أستطيع مقاومة هذه الجاذبية، فأحمل الكتاب معي وكأنني سأشتريه، حتى إذا تراكمت بيدي كتب كثيرة، وضعتها في زاوية عسى أن أنسى مكانها وأخرج وقد ضيعتها، فإن لم تنجح هذه المحاولة، فقد أعددت حيلة أخرى على النفس، وهي أن أقبل بالاختيار الأول، ثم قبل توجهي للبائع أجري عملية فرز أخرى، أتخلص من عدد جديد منها، عسى أن أخفف على نفسي من أثمان هذه الكتب وأثقالها.

وشهية المعرفة ليست شهية امتلاك للكتاب؛ لأنني لاحظت أنني أقف مع بعض الكتب المهمة لأعرف بعض مواده، ولا أفكر في شرائه، ولربما قبضت على فكرته وتركته، ولكن المشكلة مع الكتاب الذي يوحي لك بالمرجعية في موضوع مهم، أو يغمز لك في كل جانب ويوحي بأنه يفيد في كل شيء، فمقاومة هذا صعبة.

وسوف تترك الكتاب بعدك وشهواتك منه لا تحصى، ورغبتك في المعرفة أشهى من ذي قبل، ولم يقض السابقون نهمهم يوم كان العلم في أوله، فكيف

وقد امتدت غصونه وغطت الآفاق، وتعالت على طاقة كل فرد! واستمع للجاحظ يفسر آية، ويشرح تجربة، ويوحي بعبقريته التي تجاوز الخيال، ساق الآية: ﴿وَلَوْ أَنَّمَا فِي ٱلْأَرْضِ مِن شَجَرَةٍ أَقْلَٰمٌ وَٱلْبَحْرُ يَمُدُّهُۥ مِنۢ بَعْدِهِۦ سَبْعَةُ أَبْحُرٍ مَّا نَفِدَتْ كَلِمَٰتُ ٱللَّهِ﴾ (لقمان: ٢٧) ثم ذكر أن الكلمات في هذا الموضع لا يراد بها القول والكلام، بل الأعاجيب والصفات؛ لأن هذه الفنون لو وقف عليها رجل صافي الذهن صحيح الفكر لغمرته الحكم، وأعيت ذهنه؛ لأن الإنسان وإن أضيف إلى الكمال وعرف بالبراعة وغمر العلماء، فإنه لا يكمل أن يحيط علمه بكل ما في جناح بعوضة أيام الدنيا، ولو استمد بقوة كل نظار حكيم، واستعار حفظ كل بحاث واع، وكل نقاب في البلاد، ودراسة للكتب. فهل يعرف الجاحظ آخر أنباء الكيمياء والتشريح، وأخيرًا الـ«الحمض النووي»، أو «دي إن آي»؟! ثم أعجوبة فهمه للعلم وإبعاده عن الذين اشتغلوا بالكلام واتجه بالآية إلى العلم التطبيقي، أرعه النظر: «الكلمات في هذا الموضع لا يراد بها القول والكلام، بل الأعاجيب والصفات».

ولكل علم لغته ومصطلحاته، فعليك بإتقان لغة العلم الذي تدخله، وإلا كنت غريبًا على الدار وأهلها، وظهرت عليك علائم الأجنبي عن ذلك العلم، وتطاول عليك من لا يعرفك. وهذه اللغة لا تثبت إلا بالتثبيت والتكرار. وللأسف ليس من السهولة الحفاظ عليها عند من يقرأ كتب المعاصرين. ولكتب السلف لغة ليست كلغة المعاصرين، ولا يليق بك أن تكون قديم اللغة نائيًا عن زمانك، فسدد وقارب واعرف مصطلحات العلم الذي أنت بصدده، فمرة قرأت تعقيبًا على بعض الأصدقاء، قال أحد المحدثين عنه: «يعتبر»، ففهمتها بالمعنى الدارج في زماننا، أي يقبل، قال أحد الجالسين: إن معنى الكلمة عكس ما أوردت، أي يتتبع عن غير طريقه، أو كما قال البخاري: يروي المناكير عن المشاهير.. ولا يكتب إلا للاعتبار».

وفي بداية صحبتي للدراسات القرآنية قرأت مبكرًا كتاب الرافعي «**تحت راية القرآن**»، وقد بدأت قراءته بسبب شهرة الرافعي، ثم إني وجدت فيه خبر خصومته الشديدة مع طه حسين، فشدني الكتاب رغم صعوبته إلى النهاية. وقد قرأته في القرية في الصيف يوم كنا نعود لها صيفًا، وكنت آوي إليه ليلاً، وأذكر أنني قرأت معه في تلك الإجازة كتاب «**العقيدة الإسلامية**» لسيد سابق، وكأني أنظر لأغلفة الكتابين الآن! وقد فتح كتاب الرافعي الباب واسعًا للاهتمام بالموضوع، فبعد نحو من أربع سنين قرأت كتاب «**التصوير الفني في القرآن**» ثم «**مشاهد القيامة في القرآن**» لسيد قطب. ومر عامان أو أكثر حتى بدأت في تصفح كتاب السيوطي «**الإتقان في علوم القرآن**»، وكنت قبل ذلك وبعده أبحث أحيانًا في معاني الآيات وفي دروس كنت أقدمها أحيانًا، فأحتاج لمعرفة معنى آية ونحوها، فأقرأ في «**الدر المنثور في التفسير بالمأثور**» للسيوطي كذلك، وعدت بعد زمن للإتقان. وكان قد وقع في النفس الكثير من عدم الراحة لعقل هذا الرجل، فمع ما أعطاه الله من القدرة على الجمع والتنقيب والفهرسة، غير أن عقله كان يخلف الظن أحيانًا كثيرة. ثم قرأت قصة السيوطي في مسألة «التجديد في الدين»، وأنه يقول عن نفسه إنه مجدد زمانه، وسوف يأتي بعده المهدي وعيسى عليه السلام !! فلم تزد معرفتي به إلا يقينًا في هذا الجانب، مع أن في كثير من كتبه إلماعات طريفة سوى عمل الجمع كما في اللغة والأصول، وفي كتابه «**التحدث بنعمة الله**» فوائد للمثقف، وتأريخ للثقافة في زمنه، وتراجم المؤلفين لأنفسهم وتقاريظ بعضهم لبعض، وغير ذلك. وقد سبق أن اعتنيت بموضوع «إعجاز القرآن»؛ لما أجده من سحر لغته. ولأنني بدأت قراءتي لسيد قطب وللرافعي، فاستمتعت مبكرًا بمعاركه. وقرأت «**الظاهرة القرآنية**» لمالك بن نبي، ثم واصلت إلى كتاب الباقلاني؛ لأن المداخل الأدبية لا تتركك بعيدًا عن هذا الموضوع، وقد كان لي شوق ورغبة للّغة العربية رافقت حياتي، وجعلتني أحفظ الكثير من المفردات وغرائب اللغة، فجمعت القواميس وتصفحتها كثيرًا، ثم

جاء الاهتمام أيضًا مع الولع بالشعر الجاهلي، ومن كتاب «**جواهر الأدب**» الذي قرأته مبكرًا جدًّا في حياتي. ولما قرأت كتاب مالك بن نبي في زمن الوله بكتاباته، وجدت مقدمة الأستاذ محمود محمد شاكر له مهمة، وفي «**دلائل الإعجاز**» اتجاهات أولية عن إشكالات هذا الفن، ثم بعدت عنها حتى وجدت هذه المقدمة مجموعة مع بحثين آخرين للشيخ في كتيب بعنوان «**مداخل إعجاز القرآن**» فطرت به فرحًا، وفي هذا الكتاب استمتعت أيما متعة بكلامه عن موضوع طالما سمعت به مبكرًا يدرسونه في مناهج قسم اللغة العربية في العام الأول أو الثاني، ويدرسونه في البلاغة أو الأدب والنقد عمومًا، وهو موضوع «الصّرفة» (والشيخ يكتب الصاد مشددة مفتوحة). وفي الكتاب أبدع الشيخ كعادته في المجايلة والمحادة لمن يخالف مدرسته، وهو صاحب علم كبير وعقل ولغة غلابة. وكان جميلاً منه ومبدعًا نقده للبلاغة، وفي نفس الكتاب [ص٤٩] ذكر أن أبا الهذيل العلاف وواصل بن عطاء كانا قد تزوجا ابنتي عمرو بن عبيد، وهو الشيخ الشهير الزاهد المعتزلي الذي قال عنه أبو جعفر المنصور مقارنًا له بالمتزلفة في عصره: «كلكم يمشي رويد، كلكم يطلب صيد، غير عمرو بن عبيد». فأي بيئة علمية صعد فيها هؤلاء العمالقة! ولا تعجب من هذا فإنما ترتفع الأشجار كلما تزاحمت، فتتطاول كلها تريد الحصول على قدر أكبر من الغذاء غذاء النور، أما غذاؤها من التراب فيتعزز كلما ارتفعت وزادت رغبتها في الحصول على كمية أكبر من النور، فتنهب بغزارة من جانبين، ولهذا تجد أن الشخصية تتعزز، ويظهر غنى الروح ورجاحة العقل كلما ارتوى وتغذى العالم من مصادر عديدة!!

ومما هو جدير بالذكر أن المثقف يحتاج أن يحقق ما نصح به ابن العربي من التكوين الشامل للعقل، وذلك بإشباعه بجملة من العلوم المتنوعة: نقلية وعقلية وعملية؛ نقلية كعلوم اللغة والشريعة، وعقلية كالحساب وما في حكمه

مما نعرفه في زماننا بالرياضيات، وعملية كالطب وما في معناه. ويشير إلى أن الإنسان يستحيل عليه التمكن من كل ذلك، ولكنه طالب بالاطلاع على جمل العلوم، وانتقد المختص المستهلك في فرع واحد، فهو لا يعرف من الحقيقة إلا وجهًا واحدًا، يقول: «ولا يفرد نفسه ببعض العلوم فيكون إنسانًا في الذي يعلم، بهيمة فيما لا يعلم، ولا سيما من أقام نفسه حاسبًا أو نحويًّا فقد هلك، فإنه بمنزلة من أراد صنعة شيء فحشد الآلة طول عمره، ثم مات قبل عمل صنعته». [**العواصم من القواصم، عن فقه الإصلاح**، ص٥٢].

المشي

قرأت في ترجمة الشاعر الإنجليزي كولردج أنه كان يقضي الساعات الطويلة ماشيًا ومتحدثًا مع صديقه الشاعر الكبير وردزورث، ويحرص أن يسكن حيث يسكن وردزورث، ويسافر معه ويلحق به ليكون قريبًا منه؛ ليمشيان معًا ويتحاوران. وكانت الفاقة والعوز تطارد كولردج فتبعده، وقد عطف عليه أحد المعجبين به فأوقف عليه مبلغ مائة وخمسين جنيه سنويًّا يدفع له طوال حياته، بشرط أن يتفرغ للحياة الأدبية والشعر والفلسفة، ونعم ما فعل! [**كولردج**، ص١٣ - ١٧]. وهكذا تجد الوقفيات العلمية والأدبية والفلسفية من أسباب صعود الغرب، وقد تتبعت هذا في أكثر من كتاب، وخاصة في تاريخ العلم عندهم، وأذكر من هذا إشارت في كتاب [**مرثية بريطانيا**].

أما الشاعر أحمد شوقي والشاعر جوزيف أديسون فكانا يكتبان حتى وهما يمشيان، ربما في الغرفة أو في الممر جيئة وذهابًا، وربما كتب على ورق الدخان أو علبته، حتى إذا افتتح شوقي قصيدته، جلس وأكمل الأبيات. وإبراهيم اليازجي كان ينظم وينثر واقفًا، على منضدة مثل منضدة الخطيب مائلة نحوه.

ومـن المشائين المسرفين نيتشـه، فكان من أسباب حبـه لمدينـة تورينو الإيطاليـة دروبهـا المناسبة ليمشي فيها، بالرغم مـن أنه كان ضعيف البصر. وبنجامين فرانكلين، وجان جاك روسو، وكثيرون آخرون كان المشي متعة من متعهم، ومن المشائين شيخنا صالح الحصين.

وقرأت أن زوجة ماركس ساعدت صديقه إنجلز أن يجد بيتًا قريبًا من بيتهم في لندن عـام ١٨٧٠م، وكان يبعد عنه نحو عشـر دقائق مشيًا، وكانـا يلتقيان ويمشيان ثلاث أو أربع مرات في الأسبوع إن كان جو لندن يسمح، وإلا فإنهما يصرفان الوقـت في مكتب ماركس، يقضيان نحو سـاعتين يوميًّا في المناقشة، وربما يمشيان في غرفة دراسـة ماركس الكبيرة التـي وفرها له حزبه. وكانا يستمران في نقاش بعض الموضوعات عدة أيام. وقد كانت غرفة الاستقبال في بيت إنجلز تليق بأرستقراطي، كتبه مرتبة منظمة فـي رفوفها، أما كتب ماركس فتملأ الأرض ونواحي البيت دون نظام، ولكنه كان قادرًا على الوصول لما يريد منها. [حياة وأفكار فريدريك إنجلز: إعادة تفسير، هونلي، ص٢٦].

وهكـذا بعض العلمـاء والكتاب لا يحبون ترتيب الكتب، بل تجدها مرمية فـي كل زاويـة، ولكنه غالبًـا قادر على البحث فيها، ولـه ذاكـرة تصورية لموقع الكتب والموضوعات التي تهمه، وهذه سمة رائعة لمن كان قادرًا على الوصول السـريع السهل للكتب أو الموضوعات التي يريدها من مكتبته. وجدت العقاد يتحدث عن نضوج هذه الميزة عنده مع السنين. تقدمت ويذكر الأستاذ المحقق عبد الفتاح الحلو (وقد حضرت لـه محاضرة واحدة في الرياض) هذه القصص، وأنه ممـن لا يحب أن يتعرض أحـد لغرفتـه، ويرفـض تنظيفها. وفي كتاب «الملابس» لكارلايل يصف وصفًا جميلاً مدهشًا صراعه مع خادمته التي تعتني بغرفته، وكيـف يخاف مـن زياراتها. ورغـم هدوئها واهتمامها ورهافة حسها بكتبه وأوراقه، لكنه يرى في دخولها بين أوراقه عاصفة. فيبدو أن حالاً مشابهًا

من بعثرة الكتب والقصاصات كان يعانيه كارلايل. ومهما مر من زمن فلا أنسى مشهد صديقي النبه المزاجي (الطائفي) من الطائف، وقد جلسنا في مطعم في هيوستن نراجع مسودات كتاب طريف، وجاءت العجوز النادل، وبكل عناية أبعدت القهوة عن الأوراق، ثم وزعت مزيدًا من المناديل لتقي الأوراق من اندلاق القهوة عليها، وأبدت اهتمامًا أكثر منا، فأثار الحنان زميلي وتذكر عطف أمه، وانفعل بالموقف الحنون اللافت، وبصعوبة قاوم الدمع منسكبًا، وصمت صمتًا كان أصعب صمت مر به، وتمنيت أنه وجد حريته وحده، وأنه في فلاة لا يلومه جليس على دمعة حارة وفية لأم مشفق حنون، وصورة تذكرها للأم البعيدة، منذ أيام الطفولة في الطائف. ذقت من قبل وعرفت من بعد أن ليس كل الحنين من جهة واحدة. فالأبوان يحنان، وللأبناء أيضًا شعور.

ونعود للمشي وقصصه فنعلم أن التفلسف رافق المشي قبل شهرة «مدرسة المشائين». وكان الكثيرون من العلماء والفلاسفة والمفكرين يقضون وقتًا طويلاً في النقاش والمشي، وكان من جميل ما قرأت رواية «شارع الأميرات»، وهو الشارع الذي كان يمشي فيه جبرا إبراهيم جبرا وأصدقاؤه. وكان الرئيس أنور السادات يحب المشي والكلام الثقافي الخفيف، فكان بينه وبين أنيس منصور صحبة مشي وتأمل أنتجت مواقف وصحافة وكتبًا وغيرها.

وكان نيتشه يمشي في بعض أيام كتابته وتأمله أميالاً عديدة، وحيدًا برفقة عقله اللاهب الجبار، وهل انفصل عنه حتى يرافقه؟ قلت هذا وأنا أشير إلى أن معاناة الإنسان من ذكائه أو عقله أو شهوته الزائدة، تضعف انسجامه مع جسده أو نفسه أو مجتمعه، حتى لأكاد أقول إن هذه النوازع المتطرفة تكاد في نزوعها أن تكون خارج الفرد، وعلى طريقة أبي العلاء من حرب الوجود بين النفس والجسد الخبيث! ثم يعود نيتشه ليفرغ تأملاته لهيبًا ونارًا حارقة عجيبة، وكان يحذر من أفكار الجالسين، ويطالب بأقل ما يمكن من الجلوس، يقول: «لا

تثقوا في فكرة لم تلد في الفضاء المفتوح، وفي التحرك الحر حيث عضلات الجسم أيضًا تشارك في الاحتفال». [**هذا هو الإنسان**، ص٤١]. ويبقى نيتشه أشجع في اختيار الكلمات اللاذعة والشتم العنيف للجالسين ولأفكارهم، وكان قوله جافيًا. وكان كيركجارد يمشي كثيرًا في الحقول، وقد ترجم أحدهم بعض نصوصه، وإليك قوله بالإنجليزية لجمال عبارته:

But by sitting still، and the more one sits still، the closer one comes to feeling ill Health and salvation can be found only in motion. «the laughter is on my side. P69»

وكتب جان جاك روسو كتابًا من ألطف ما كتب وأسهله عن مذكراته وهو يمشي وحيدًا، وفي هذا الكتاب ترى العبقري وهو يعاني من انحدار قواه العقلية، وسيطرة الأوهام والخيالات عليه، إنه كان حقًّا مريضًا في ذلك الكتاب، وكان يكتب صفحاته كلما رجع من مشيه اليومي، يجمع النباتات والحشائش ويتحدث عنها بمعرفة جيدة إذا قورن بالأدباء والسياسيين. وقد قرأته وقرأت رواية «**شارع الأميرات**» في مرحلة متقاربة، وكأنهما يعالجان موضوعًا واحدًا عن المشي والقراءة. والكتابان قراءتهما متعة عالية، وإذا عبرت بنصوص روسو المجنونة فلا تأسره فيها، فهو عبقري أذكى مما ترى، وأخبث مما يخطر ببالك، فلا تحاصره في كتاب عن المرض والمشي.

وقد عجبت مما ذكر رسل في أكثر من موضع في مذكراته عن مشيه، ففي الصيف أحيانًا كان يمشي يوميًّا لمدة ساعتين. [**سيرتي الذاتية**، ص٢٣٦]. وتحدث عن مشي أحد زملائه، وكان مشاءً، فطلب رسل منه ألا يمشيا ذلك اليوم إلا خمسة عشر ميلاً فقط، وبعد نهاية هذه المسيرة تركه قائلاً: إنه يحتاج إلى جولة قصيرة على الأقدام!!

وكان له صديق آخر مسرفٌ في عادة المشي، وهو المؤرخ تريفيليان، وقد قص رسل عنه هذه الحادثة: «عندما كنت أسير وحدي، وصلت ذات مساء إلى

فندق «السحلية»، وسألتهم إن كان يمكنهم أن يجدوا لي سريرًا، فأجابوني: هل اسمك مستر تريفيليان؟ قلت: لا، هل تتوقعون وصوله؟ قالوا: نعم، وزوجته هنا فعلاً. وأدهشني هذا؛ إذ كنت أعلم أن ذلك اليوم كان يوم زفافه، ووجدتها وقد أضنتها الوحدة، فقد تركها في ترورو قائلاً: إنه ليس في استطاعته أن يواجه اليوم كله دون جولة صغيرة على الأقدام، ووصل حوالي الساعة العاشرة مساءً، وفي حالة إعياء تام، وقد قطع أربعين ميلاً وفي وقت قياسي، ولكنني رأيت هذا بداية غريبة لشهر العسل.. وكان تريفليان ـ فيما أظن ـ أكثر من عرفت إقبالاً على القراءة، كان يرى ما تحويه الكتب مثيرًا، بينما يرى واقع الحياة شيئًا يمكن إغفاله». [رسل، **سيرتي الذاتية**، ص٩٠]. وكان الشيخ سلمان العودة عندما يزور الدوحة يمشي على الشاطئ، وقد لقيته هناك مرة دون تنسيق، ثم اعتدنا المشي معًا مرات. وفي ليلة طلب أن نمشي معًا فاعتذرت وتأخرت إلى ما بعد العشاء، ولقيته ومشينا ثمانية كيلومترات، ثم لاحظت أنه على غير عادته قد تعب من المشي، فقال: لقد مشيت منذ كلمتك بعد المغرب، وأكملت الآن حوالي ثلاثة عشر كيلومترًا مشيًا الليلة!

وكتب يسبرز وصفًا جميلاً للخروج إلى البراري ودورها في بعث النشاط الذهني، وكذا كان يهتم كثيرون آخرون مثل إمرسون وكارلايل وتولستوي.

وقد وجدت في كتاب إدموند مورجان عن «**بنيامين فرانكلين**» ـ حكيم أمريكا وفيلسوفها و«مخترعها» بمعنيين لا يفوتانك إن كان لها من فيلسوف ـ أنه كان مولعًا بالبرية، كثير المشي. وكان يحب الخلاء، وكان دقيق الملاحظة، حتى أعطى المؤلف قسمًا من الفصل الأول في الكتاب للحديث عن هذه الأمور، وحبه للمغامرة في البحار والبراري. وذكر أنه مرة نام في غرفة واحدة في السفينة مع جيفرسون ـ الذي تولى الرئاسة فيما بعد، وأسس «الحزب الديموقراطي» ـ فكان يصر بنيامين على فتح النافذة ليلاً

برغم البرد، حتى نام جيفرسون، وبنيامين بقي يشرح له فوائد الهواء النقي. وقد تحدث عن هذا في نصوص مختصرة نقلها له العقاد أيضًا في كتاب عن حياته، استلها وترجمها. وكان يلوم نفسه على أنه لا يمشي، ولم يمش كما كان يجب. وكتاب بنيامين فرانكلين ومذكراته عن حياته يعد أهم كتاب في التراجم الشخصية الأمريكية، وقد تجنبته زمنًا لكبره، ولخوفي من أن لا أستمتع به قبل أن يشتد عودي في اللغة، ثم وجدتني أقرأ كتاب مورجان، وهو من أحسن الكتب مبيعًا، ومن أحسنها لمن يبحث عن كتاب في أكثر - قليلاً - من ثلاثمائة صفحة، ويقدم الشخص بدقة كبيرة. وقد وجدت فرقًا شاسعًا بين الذي كتبه العقاد وبين ما ساقه المؤرخون من قومه، ولربما كان خيرًا لو قرأت مذكراته بقلمه ثم عرجت على غيره. ولكن للأسف ليس لدي غالبًا برنامج قراءة ثابت كما يصنع الكثير من الناجحين في كتاباتهم وعملهم، وسبب ذلك أني لا أحب نظامًا للقراءة، ولا ألتزم موضوعًا محددًا، ورب كتاب عثرت عليه في لحظة أبعدني بعيدًا جدًّا عن اهتمامي آنذاك، وجرني شهورًا حيث لا أعلم إلى موضوعات أخر. ثم إن بعض الكتاب وبعض الكتب لا أرى أن تنتظر أي جدول زمني، ولا أن تقف في صف الكتب الموعودة بالقراءة، فهي تفرض نفسها دون وسيط، ولا يقف دونها حاجب، ولا أكتم القارئ العزيز أنني مولع بهذا النوع، ولكن أنى لي به أحيانًا!!

وهذا لا يعني أن ليس لدي موضوعات مفضلة للقراءة، لا، بل منها ما جمعت فيه خير الممكن وأندر الكتب. وتضلعت منه حتى رويت، أو كدت أو بقي أن أقول حتى نسيت. وكان جون ستيورت مل يتعلم من والده الذي كتب «**تاريخ شركة الهند**»، وأعطى للابن الكثير من المعارف والتمرينات على اللغات أثناء المشي. راجع كتابه الجميل عن نفسه وكيف تعلم، ذلك الكتاب

الـذي وصفـه برتراند رسـل بأنه: «كتاب مـن أمتع ما كتب» [**الحريـة والتنظيم**، ص١٢٨]. وقـد حرر مورتيمر ادلـر طبعته الأمريكية، وقدم له بمقدمة تليق به. وكان مـل قد تعلم عددًا من اللغات مبكرًا، منها: اللاتينية واليونانية والفرنسـية والألمانية. ومن قراءة كتابه تجد الوله المبكر بقراءة الكتب المهمة في التاريخ، فما يكاد يغيب عنه ذكر قراءة كتاب مهم في تاريخ أوروبا إلا ويذكر لك ذلك، هذا بجانب القانون والفلسفة والمنطق والآداب.

ومـن الذيـن تعلمـوا فـي منازلهم ودرسـهم آباؤهـم الفيلسـوف البريطاني كولينجـوود، المولـود عام ١٨٨٩م، صاحـب كتاب «فكرة التاريـخ». فقد بقي والده يدرسـه في البيت حتى بلغ الثالثة عشـرة. وقرأ عن العلم الحديث وهو في السادسة، وعن نظرية كانت في الأخلاق وهو في الثامنة، فجاء قوي الفكر والفهم، محسودًا.

وكثيـرًا مـا كنت أتوقع أن القـارئ متى ألم بموضوع وتضلـع فيه قد يفقد تفصيلاتـه، ولكنـه يلم بفلسـفته ويعرف غاياتـه. وربما رأى في مـن يقف عند الشواهد والتفصيلات مضيعًا للمقاصد. ومرت سنين قبل أن أقرأ كلام الشاطبي وأسـتمتع برأيه في هذه المسـائل، ولكم كانت فرحتي بكلام الشـاطبي كبيرة، ذلـك أنني ممن يفتقـد النصوص ولا يذكرها، لكنها تترك في مكانها فحواها، فمصدر الإعجاب ضعف لا قوة.

وخيـر قراءاتـك تلك التي تنسـاها وتنسـى نصوصهـا، وأحيانـًا مواضعها! لمـاذا؟ لأنـك تتخلص من سـلطة كتاب أو مفكر عليك، فأنت تتخلص نفسـيًّا وتخلص لتجربتك ومعرفتك، وتتحسـس ذوقك ويقينك ومزاجك. وركام هذه القـراءات يطل من كل زاوية، وأنفعه أبعـده، وأكثره ضغطًا عليك أقربه. وربما تنتصر الفكرة القريبة لمجرد القرب والذكر، وليس بسبب صحتها أو صوابها.

طقوس وعادات

يقـول كيركجارد: «إننـي أجلس وأدخن حتى أندمج فـي الفكر». ومن بين الأفكار التي يحدث بها نفسه قال: «أنت تعبر العمر لتكون رجلاً عجوزًا، دون أن تكون شـيئًا، وحقيقة من دون أن تقرر أن تفعل شـيئًا». ولكنه يسـتمر حتى يقـرر مـا يريد ويسـير فيه! إن الفكرة التـي انتقل إليها مخيفـة متعبة، عن مرور الزمـن دون تحقيق شـيء يذكر، تنسـيك ما قبلها، وجعـل مدخلها عن صحبته للدخان معبرًا له إلى تأمله، وكأن الدخان ساعده في ذلك! وليس الأمر كذلك، بل القهوة والدخان وبقية المنبهات تساعد على إيقاظ الذهن، ولكنها لا تصنع فكـرة لخال منهـا، ولا ذكاء لضعيف المقدرة. وتتقاطر علينا الأدلة العلمية كل يوم لصنع فجوة، ولتبعد الإنسان من هذه المنبهات، فيما يبدو أن حالة التشاغل واللهـو بها لها دور في التعلـق بالمنبهات أكثر مما يتخيل المرء أنها تصنع له. فكم فكر الناس في تفلت الأيام وذهاب العمر، ولكنهم لم يصنعوا شيئًا ذا بال كما فعل صاحبنا هذا! وكان فرويد يعالج ويسـتعمل الكوكايين، ويختبره على مرضاه، ولكن قيل فيما بعد إنه كان ضحية له، وإنه استعمله، ولا تستغرب بعد قراءة بعض نصوصه أن كاتب تلك الفقرات يهلوس حقًّا.

وممـا تلهـى به المثقفـون كغيرهم الموسـيقى، وما قال كبـار الكتاب عنها وعن علاقاتها بعملهم إلا إعادة لكلام قديم، يفهم منه الناس عندنا أن المثقف والعامي إن كان متدينًا حظر الموسيقى ومنع الإنصات لها، وإن كان غير ذلك أيدها واسـتمع! باستثناء بعض ممن لهم قناعات أخرى. وكان ولم يزل جدل كبيـر حـول هـذا الموضـوع، ولكـن هنـاك آراء يحتاجهـا فعلاً مـن يضع هذه المقاييـس دون وعي لأطراف بعيدة، أو تخالفه في قواعد مذهبه الذي احتواه، وربما مستقلة عن حديث المسلمين عن الموضوع، فلنستمع إلى قوم من غير المسـلمين يشـرحون لنـا رأيهـم؛ فهذا تولستوي يقـول عن الموسـيقى: «متعة

تافهة»، و«خطوة تدعو إلى الفجور». فهل تأثر تولستوي بالشافعي الذي قال: «إنما يفعله الفسّاق عندنا»؟! وتولستوي يكره الموسيقى ويخشاها للأسباب الأخلاقية، يقال إن وجهه كان يربدّ حين يسمع أحدهم يعزف على آلة ويعبس، مع أنه في شبابه أسس جمعية موسيقية. [توماس مان، ص٨٨ - ٨٩]. وفي كتاب له لملم فيه حكمه ونصائحه على شكل صلوات ونصائح مسيحية، وهو مجموع جميل بعدد أيام السنة وجدته مترجمًا للإنجليزية، أشار فيه لرأيه في الموسيقى ونصح بالبعد عنها، هذا مع أن الموسيقى الغربية كان من أسباب تطورها الدين وجلب الناس للكنيسة، وهي عريقة في أصول التعليم والتفلسف اليوناني، أعطاها أرسطو حظًّا مهمًّا في الثقافة عندما تساءل: «هل للموسيقى من محل في الثقافة؟» ثم تساءل عن مبدأ إقحامها من عدمه في التربية، وعلاقتها بالأخلاق، وعلاقة الغناء بها؛ إذ يرى أن قسمًا منها يهيج في النفس حركات سافلة، وقسمًا آخر يهيج حركات شريفة سامية، وبلغ من ربط النفس عند بعضهم بالموسيقى أن زعم بعضهم بأن النفس نغم! كما يصف في كتابه «**في السياسة**». [ص٤٣٢ - ٤٣٧].

بل إن لينين كتب رسالة لصديقه الروائي غوركي يحذره فيها من الاستماع الكثير للموسيقى؛ لأنها عناصر لطيفة ناعمة تدعو للرقة والجمال، وتفقد الرجل عنفوانه وقوته وعناصر رجولته. ذلك ما أذكره مما قرأت عن رسالته التي ذكرها المؤرخ فيشر أيضًا في كتابه الذي ترجم فيه للينين، وهو كتاب ممتع حقًّا، عن عبقري فاجر أثيم. ولفيشر كتب أخرى أثنى عليها كثيرون ممن قرأوها، منها كتابه عن غاندي. وقد ذكر قصة الرسالة المرسلة لغوركي أيضًا مؤلف كتاب «**لماذا لينين؟ ولماذا ستالين؟**» وهذا كتاب يهم من يدرس قصة العلاقة بين الدول المتقدمة والدول المتخلفة، ويهتم بتحليل نوازع الثورات. وللكاتب طريقة في الكتاب عالج بها موضوع الشخصيتين تستحق الدراسة. وقد كتبت

عن ذلك في كتاب «**الفن**»، وهو مسودة عن الموضوع لا أدري متى يحين نشره. وذلك بعد نشر كتاب «**الحرية والفن عند علي عزت بيجوفتش**»، فقد طلب مني محاضرة عن الفن، وكنت قد كتبت تأملات وجدتها تصلح أن تُخصّ بكتاب.

وهذا محمود السعدني صحفي عربي معاصر من كتّاب الدرجة الضعيفة، حاولت أن أقرأ له يومًا فما طقت السبع صفحات الأولى، وودعته إلى غير لقاء، ولا نية لقراءة ما كتب ولا ما سوف يسمح له باقي عمره بالكتابة أن ينتج حينذاك، جاءه كاتب ناشئ بمشروع رواية وأعجبته، فظن السبب هو نوع المخدر، فقال: رائعة، قل لي بالله أي نوع تستخدم؟ فأنكر الكاتب هذا السؤال، فهو لا يتعاطى شيئًا من المخدرات، ولم يكتب تحت تأثيرها. وهذا المسكين غارق في المخدرات ويراها سر عبقريته التي ليس يعرفها سواه.

وكان الشاعر كولردج ممن وقعوا في المخدرات، بدأها لتخفف عنه آلام الروماتزم والدوزنتاريا ولكنه علق بالمخدر، وكلما زاد من استهلاكه قل أثره عليه في تخفيف الآلام، وكاد ألا يشفى منها، وعاونه أصدقاؤه وعدد من الأطباء للخلاص وما كانوا ينجحون دائمًا، ولكنه يستعيد قدرته على الكتابة كلما ابتعد عن المخدر. [**كولردج**، ص٢١].

فالمخدرات ومثل هذه الطقوس من الشكل والقهوة والشاي لا تصنع كاتبًا ولا تطوره، والمشاهير الذي وقعوا في المخدرات كثيرًا ما سيطرت عليهم فدمرتهم، وكتبوا تهاويم وكلام حشاشين، يعرفها من وقف عليها، وبعض المشاهير كتب جنونًا خالصًا مثل بودلير، وفرويد، وصادق هدايت، ومولبير، وكذا فلوبير بعد زيارة مصر وبعد كتاباته المهمة، وجان جينيه. وقد كتب الشوكاني رَحِمَهُ ٱللَّهُ وغفر له رسالة يجيز فيها أكل القات، وكان للشوكاني في طلب العلم وتعليمه جلد عجيب لا يصنعه قات، ولو رأى آثاره لما تردد في تحريمه. ثم إن هؤلاء المشاهير ربما سقطوا فيها في هذه العلل في ظروف صعبة من حياتهم.

قلت: والذين يتحدثون عن علاقة المخدرات بالفكر واهمون، فهي تصنع هوسًا وقلقًا وفشلاً واضطرابًا، ولم تصنع المخدرات عبقريًا، ولو كان لها أن تفعل لرأينا في مساجين المخدرات عباقرة الدنيا. وقد وجدت عباقرة من كتاب الغرب يحذرون من المخدرات، وأثرها السيئ على العقل، واقرأ هذا القول لنيتشه: «لا أراني إلا مقصرًا مهما فعلت في نصح كل ذي موهبة عقلية على الإمساك كليًا عن تناول الكحوليات». [هذا هو الإنسان، ص٤٠ - ٤١]. ثم ينصح نيتشه الكاتب بالماء، وينصحه كذلك بقوله: «لا أكل بين الوجبات ولا قهوة، القهوة تعكر المزاج، أما الشاي فنافع في الصباح فقط، ومن الأفضل تناوله بكميات قليلة وقوية. إن الشاي يصبح مضرًا ومجلبًا للكدر على طول اليوم إذا ما كان خفيفًا أكثر من اللزوم، ولكل معياره الخاص.. على المرء أن يتناول قدحًا من الكاكاو الثخين الخالي من الدهون ساعة قبل الشاي». وكان يخشى أن الخمر ستكون سببًا في الهلوسة التي ربما رأى بوادرها! مع إنه لم يكن مدمنًا من قبل، ومع ذلك كانت حملته شديدة على المخدرات، يراها شرًا للعاقل وللمفكر. هذا من سبق العقلاء والمجانين في تطرفه، ومصدر عبقرية هؤلاء هو عملهم المستمر الدائب، وليس مجرد أثر للمخدرات التي قد تقضي على مواهبهم.

وممن اشتهر لاحقًا عنه استخدام المخدرات فرويد، وبعضهم يربط استخدام الكوكايين لديه والمخدرات بأنه كان للتخفيف من آلام السرطان الذي عانى منه حتى قتله، ولكننا ذكرنا في موقع آخر جلده الكبير على العمل. وكذلك هتشكوك ذكر أنه بعد نجاحه وتوفر المال، تورط في المخدرات حتى كان يكتب ولا يكاد يدرك ما يكتب ولا يذكره،، وأنه أصبح مدمنًا للكوكايين، ولكن زوجته عالجته وانتزعته بقسوة من مرضه هذا بعد أن كاد لا يشفى، وشرح أنه لا علاقة بين الإبداع والمخدر كما زعم آخرون.

ولكن بعض المغالطين ينسبون النجاح أحيانًا لما هو خيالي وغير واقعي، فيفسرون عبقريتهم بقبائلهم، أو ألوان أجسامهم، أو بالماء أو الطعام أو نحو ذلك. وبعضهم يفسر بطريقة مرضية أو شاذة، أو بعادة سيئة! ولما صعد نجم الشاذين جنسيًّا في أمريكا ـ وهم حثالة طبقة من المجتمع المتحلل ـ ظهرت طرائف وغرائب في الكتابة والتفكير المريض، والتفسير الأغرب، وبدأ بعضهم يكتب تاريخ الأفكار بطريقة تذكرك بإعادة كتابة التاريخ في رواية جورج أورويل ووزارة التاريخ، ويصطنعون الكذب الفاحش والأساطير ليعيدوا كتابة تاريخ البشرية وفق شذوذهم، وهذا قول التطويل فيه قد لا ينفع ولا يمتع.

روائيون مفلسون

وقد أشفقت وأنا أكتب الآن على الذين يفلس بهم الخيال، ويضعف بأيديهم النص فيلتمسون في الجنس ملجأ للإثارة، وما أثقله وأسمجه بأيديهم أحيانًا، فلا يزيد الكتابة إلا ضعفًا. ولو تأملت عددًا من الأعمال العظمى في الأدب لما وجدت الجنس سائقًا لها، بل ولا محطة فيها، والأعمال الأدبية الكبرى في تأريخ البشرية لا تدين للجنس بالبقاء ولا التفوق، كـ«**المعطف**»، أو «**الشيخ والبحر**»، وبعض أعمال شيكسبير، وأعمال المتنبي، والروايات الخالدة التي تخلو من الجنس أو تكاد. وهل ألتمس بعض العذر للذين يكتبون للربح، وللمراهقين، أو من أجل البحث عن إثبات أنهم فجار، حتى يروج لهم الفجرة والغزاة؟! سيعذرهم القراء، ويرونها حالات ضعف وكفاح لنيل شهرة أو مال عبر الطريق القديم جدًّا والأرخص، ولكنه يهبط بسالكيه للدون، ويذيقهم لذة البقاء في المستنقعات. قال أحدهم نحو هذا: «نعود للكلام عن الجنس، لأننا نكتب رواية!».

وكان آنذاك في مقطع شعر بانفلات السياق، وتهاوي الفكرة، ونضوب الخيال، فكان صريحًا لقارئه، يا سيدي القاري أستنجد بالجنس لعلك تبقى

معـي ولا ترمي كتابي، ولا تتهمني بالبـلادة والبرود في الكلام! غير أنه عندما لجأ للجنس لينقذ السـياق، سـقط من ذهن القارئ سياقه، وبهتت فكرته. وبعد مرور زمن على قراءة النص، أشكر له جرأته في كشف حاله.

اللغة الثانية

تعلم لغة أخرى نافذة جديدة للحياة، ومشغلة صارفة، ويحسن تعلمها في عصـر دون عصـر، وزماننا هذا ذهـب فيه العلـم والثقافة كثيـرًا لغيرنا، وذقنا مـرارة فقـر ثقافي مريع، فكان التعرف على ثقافة أخـرى مطلبًا مهمًّا، غير أن أغلـب مـن يتعلمون لغـة أخرى، يقفون عنـد البربرة بكلمات، وسـماع بربرة أخرى، ولا ينفذون لروح الثقافة الأخرى من خلال كتبها، وعميق تراثها، فلا يصبح للغة التي تعلموها إلا أثر سـلبي تراه في تظاهر بلا عمق، وشـكل بلا حقيقـة. ثـم إن اللغة الأخرى لو تجذرت لجذبت صاحبهـا بعيدًا، وقد تتركه في منزلة بين المنزلتين. قال الجاحظ: «واللغتان إذا التقتا في اللسـان الواحد أدخلت كل واحدة منهما الضيم على صاحبتها، إلا ما ذكر من لسان موسى بن سـيار ولـم يكن بعد أبي موسـى الأشـعري أقرأ منـه في هذه الأمـة». [**البيان والتبيين**، (١/ ١٩٦)].

قال أحدهم - لعله تروتسكي - عن لينين إنه إذا أراد الراحة تناول قاموسًا ليتعلم لغة أخرى! وتعلم اللغات أو الصبر على بعض العلوم، وتكرار التعلم للعلـوم الصعبـة يدل على قدرة أو تعويد جيد للذهـن، وذلك حين يغامر في صعب العلوم ووحشيها. واعلم أن وجود قاموس أو قواميس بجانب فراشك أو على مكتبتك مهم جدًّا، فإن احترت في كلمة أنقذتك، وإن قلبت صفحاتها كانـت مفيـدة، وموردًا معرفيًّـا غنيًّا لا يقـف. فالقواميس وكتـب اللغة عمومًا متعتها كمتعة السـفر في بلاد غريبة، الجو والحيوان والنبات. وبين يدي وأنا

أكتب هذه الفقرة قاموسان: أحدهما «**المغني الفريد**» من الإنجليزية للعربية لحسن الكرمي، وآخر رائع هو كتاب «**تهذيب الألفاظ**» لابن السكيت. وهو ممتع منوّع. وهذه ليست من الصعبة وأشباهها وأحسن منها لا عد له. وقد تعجب من قوة علماء التفسير في اللغة والفقهاء القدماء، وأخص منهم الشافعية. وكم من عملاق لاح بذاكرتك الآن وأنت تقرأ هذا القول بدءًا بإمام العربية الشافعي، ثم من لحق به من عرب وغيرهم كالزمخشري صاحب «**الكشاف**» و«**أساس البلاغة**»!

يندمج المتعلم للغة أخرى مع النص الذي يقرؤه ويترجمه، وتتغلب عليه براعة كاتب النص، ويجد صعوبة في نقل فكرة الكاتب كما قالها، وهنا يلوم اللغة المنقول لها، فإن وجدنا عربيًا يضيق بالعربية التي ليس فيها كلمات كافية للتعبير عن الفكرة، فليعلم هذا المترجم أن اللغات الأخرى أيضًا تضيق بعبقرية لغته. يقول لويس ماسنيون وهو يترجم نصوص الحلاج إلى لغته الفرنسية التي يصفها بقوله عنها: «سوقية استهلكتها أغراض البيع والشراء». [**معايشة النمرة**، ص٦٠]. ولكنك واجد من يشتم العربية، والسبب ليس اللغة ولكن لأنه ليست لها أسلحة نووية؛ فاللغات التي تحمي سمعتها الأسلحة النووية هي أجدر اللغات بالحياة عندهم، وللضعيف الحجر. ولعلي أقول هنا إن لكل لغة روحًا وغلبة في جانب، ومع الزمن يفقد أبناؤها جوانب أخرى، حتى إذا حاول مترجم أن ينقل إليها وجد لغته الأصلية فقيرة من روح اللغة الأخرى، فماذا يقول مترجم التقنية إلى العربية؟! سيصدم بما صدم به ماسينون عندما وجد لغته الفرنسية فقيرة في لغة الإنسان والروح والتسامي.

وفي زماننا لغات وشعوب ضعيفة الأهمية ثقافيًا بسبب ضعف إنتاجها الثقافي، وندرة المتميزين فيها، فمثلاً اللغات الهولندية والدنمركية لا قيمة معاصرة لها؛ لأن الهولندية تكاد تكون فقيرة من المثقفين النابهين، إلا من

مؤرخ أو مفكر واحد، هو: هويزنجا، وكتاباته موجودة حتى بالعربية. فلا يفكر أحد أن يتجشم تعلم لغة حية أشبه بميتة، بخلاف اللغات القديمة الغنية برغم توفر الترجمة كاليونانية واللاتينية.

أما اليونان المعاصرة لنا فهي دويلة ضعيفة، وفي ذيل قائمة الدول الأوروبية، ولكن أجدادهم سطروا للبشرية نصوصًا راقية رسمت للعقل البشري أعلى معارجه في العالم القديم الذى وصل خبره. وقد بقي الناس في كل العصور ينكصون رؤوسهم على تراث اليونان دراسة وفهمًا، واستفادت لغة اليونان القديمة والمعاصرة من هذه الجهود ما لم يستفد غيرها.

وهكذا في مطلع العصور الحديثة حدث للعرب، فإن النمو والتقدم الأوروبي جعلهم ينقبون في تراث العرب ويعكفون عليه، قراءة وتحقيقًا وبحثًا، فاستفدنا في زماننا فوائد كثيرة؛ من قصة بعث وطباعة وتحقيق الكثير من نصوص العربية على أيدي المستشرقين. ولحق بطريقة المستشرقين في التحقيق عدد من علماء الإسلام ومحققيه، سلكوا نهجهم وانتقدوهم كثيرًا، ولكن للمستشرقين فضل السبق في تحقيق وإخراج ورسم الكثير من طرائق التحقيق. وقد أخرجوا وحفظوا وحفظت دولهم الكثير من النصوص المهمة في تراثنا.

وكم أعطى الميت للحي من أسباب الحياة ومن غنائمها، حتى ذلك الذي مات منذ قرون سحيقة في غياهب التاريخ! فنجد المعاصرين يذهبون لبلدان بعيدة يدرسون لغاتها ويحيونها بسبب شاعر أو ناثر عبقري مر في تلك اللغة، فمثلاً قرأ رسل لأوجست كونت بالفرنسية، وتعلم الإيطالية ليقرأ أشعار دانتي، وليقرأ نصوص العبقري السياسي ميكيافيلي. [سيرتي الذاتية، ص٥٣]. وكنت أتوقع بعض الغربيين الحكماء أخلاقيين في رؤيتهم لميكيافيلي، ولكن ليس الأمر كذلك، فهذا توينبي في «**دراسة التاريخ**» يذكر كتبه التي يصفها بالرائعة: «**الأمير**»، و«**محادثات عن ليفي**»، و«**فن الحرب**»، و«**تاريخ فلورنسا**»، ثم يقول:

«وكانت تلك الأعمال بذور فلسفتنا السياسية الغربية». [**دراسة التاريخ**، (١/ ٣٨٤)]. والغربيون إلى اليوم يرون كتابه «**الأمير**» من أساسيات فكرهم، وكانوا يطالبون بقراءته حتى في تخصصات أخرى، فقد طلب منا في أكثر من مادة قراءة الكتاب، وفي موضوعات بعيدة، ولكنهم يدورون وينشئون أجيالهم على أسس فكرهم، كما أشار توينبي.

وعندما كنت أراجع هذا النص مراجعاتي التى أرجو أن تكون الأخيرة، وجدت أمامي في «**جريدة الهيرالد تريبون**» عدد يومي ٩ - ١٠/ ٢/ ٢٠١٣م خبر برنامج دراسي يدرسه ويتحدث عنه الصحف المحافظ ديفيد بروكس، أساسه ميكيافيلي وكينان وتشرشل وغيرهم.

فكرة الغرب

لا يملك إنسان إلا أن يتطلع لسواه في بيئته أو خارجها، والمثقف المفترض فيه أن يكون طلعة محبًا للمعرفة المستمرة، مهما كلفه ذلك. وهناك أمر مهم كثيرًا ما غاب، وغيابه ليس عن حيلة ولا كذب من الكثيرين، وهو سؤال المرحلة الطفولية في التاريخ الفكري للشعوب، وهو: هل يملك المفكر المتسكع على موائد الثقافات أن يفرض على مجتمعه ما سمع عنه من ثقافات الشعوب الأخرى؟ فهو يريد للأمة كلها أن تمارس تسكعًا فكريًا كالذي مارسه هو، ويرى هذا عملاً صحيًا لهوية أمة. والذي غاب عن هذا ومثله أن لكل أمة هوية وشخصية بنتها على مدار قرون، وأن أي إجراء معتسف تجاه أمة إنما هو تشويه ومدعاة للأزمة والاضطراب الثقافي الذي يسبب المزيد من عدم الثقة، وضياع التوجه، وتمزق الآراء، إلا لمن استوعبوا دروبًا جديدة، وصمموا قطيعة واضحة بفكر وبزمن حاضر أو ماض، وخططوا لصلة أوضح بصورة مرغوبة، فليست كل قطيعة شؤمًا، وليس كل تواصل ممدوحًا.

وقد بقيت في هذا الغرب سنين طويلة، كانت القراءة والمعرفة همي من قبل ومن بعد، وكنت ولم أزل غير مقتنع بما عرفت وبما فهمت عنه معايشة ودراسة، ولم أشعر أن هذه المعرفة أوصلتني لمعرفة تكفي للحكم على سبب قوة ونماء واستمرار هذه الشعوب في نفوذها وهيمنتها منذ نحو خمسة قرون على العالم، بل كانت قناعاتي تحت تأثير تنويع المعرفة والمعايشة متحولة، مع أنني بقيت مراقبًا خارجيًّا في الغالب، ولكن الفهم الذي يكاد يسيطر على نظرتي له أن الغرب تسيطر عليه الأفكار، ويحيا بها وبتطبيقها، وأنه عالم يقدس التفكير والمعرفة، ويبني عليها ممارسته اليومية في أغلب الجوانب إذا ما قيس بالعالم الضعيف أو المتخلف الذي يكره الأفكار، فيذهب ضحيتها؛ هاربة منه فيخسرها أو مغتصبة له، بل أحيانًا يبذل ماله وجهده لحصار الأفكار وقتلها. فللعالم المتجمد أو المتخلف وسائله في الحفاظ على جهله وموته، فهو ينفق المال ويبني الجامعات أو المؤسسات التي تضمن له بقاء جهله، وسيطرة غفلته، وبقاء هزيمته، وأرجو ألا تكون هذه المجتمعات تنفق ثم تكون أعمالهم حسرة عليهم ثم يغلبون! ولا أظن أن هذه الأفكار بالغة التعقيد، ولا نادرة في حياة البشرية، بل جدوى الأفكار النافعة أن تتسرب لتصبح ثقافة عامة، وسلوكًا عمليًّا غير معقد، ويتواضع المجتمع لقبولها والتعامل وفقها، حتى تصل إلى قلوب الناس، ولا تكون منطقة تساؤل، ويبقى تعديلها وتنقيتها وإصلاحها لتكون موائمة للمجتمع همّ الناس، وليست غايتهم نقض الأسس الناجحة.

لم تكن الأفكار ذات قيمة في الأيام الأولى من صلتي بالغرب، بل كانت الأفكار تعني عندي صراعًا من نوع خلافات علم الكلام. صراع تاريخي، وترف ثقافي، واستعراض مذهبي، وكلام ومذاهب وعقائد سابحة في الهواء، ومدح وتجريح، بناء على هذه الفكرة وتلك، وبعد سنين من المعاشرة والفهم، أدركت

المزيد من خطورة الأفكار ومكانتها في ذلك المجتمع، كما لم يكن سائدًا في مجتمعاتنا. وأدركت متأخرًا ـ ربما لعامل السن والنضج، أو لأن الفكر ضعيف في مجتمعنا، فلم تتوفر النباهة المبكرة بدور الفكرة في مجتمعات أخرى، فقد كان الفكر ضعيفًا عندنا كضعف التقنية ـ سبب وَلَه جمع من المثقفين الإسلاميين الذين تماسّوا مع الغرب بقضية الفكر، وبمسألة «أسلمة الفكر»، كما حدث لرواد «المعهد العالمي للفكر الإسلامي»؛ فقد كان الفكر بحسب رؤيتهم خلاصة الحل عندهم. وهذه فيما يبدو رؤية الرجل الأول: إسماعيل الفاروقي، والثاني: عبدالحميد أبو سليمان في المعهد، والفريق المؤسس والموجه من أمثال: طه جابر، وبرزنجي، وتوتنجي، وهشام الطالب، ومن لحق بهم وعمل معهم من شخصيات قد يكون لبعضها دور أكبر ممن ذكر هنا.

وهناك نظريات ونظريات لا يصلح أن نردها بلا سبب إلا جهلنا بجدواها، فغيرنا نجحت معه، أو هكذا يقول، فالقول قوله عندما نعدم غيره. وهذا قول الشافعي رَحِمَهُ ٱللَّهُ في هذه المسألة بناء على قبول الرسول ﷺ لقول الصحابي حاطب بن أبي بلتعة في سورة الممتحنة، فقد أرسل لقريش خبر خطة الرسول ﷺ لغزو مكة، ثم قبل قوله في تعليل فعله. فكيف لا نقبل أحيانًا بعض ما لا تدركه عقولنا؟ ومن علّم عقله التواضع والشك الحصيف، أفاده وارتقى به في معارج الفهم. ومن جعل نفسه ديكارتيًا أكثر من ديكارت؛ أي: شكيًّا أكثر من الشك، ولى به الزمن ولم يقتنع بأن للعقل وجودًا، ونفى بشكه قيمة الشك والتعقل والفهم، مهما زعم عمر الشارني في مقدمته لـ«**حديث الطريقة**» أن ديكارت وضع طريقة أو منهجًا يقي العقل من الخطأ. [**حديث الطريقة**، ص٥].

فدعك ممن يوغل في أمر ثم لا يهتدى لهداه. وقد أعجبني كاتب رد على طه حسين في الشعر الجاهلي، فكان أن نقل عباراته في نقد قصيدة الأعرابي الرائعة يخاطب ناقته:

إِذَا مَا قُمْتُ أَرْحَلُها بِلَيْلٍ تَـأَوَّهُ آهـةَ الرَّجُلِ الْحزيـنِ
تقُـولُ إِذَا دَرَأْتُ لها وَضِينِي أَهــذا ديـنُـهُ أَبَـدًا وديـنِـي
أَكُـلَّ الـدَّهـرِ حِـلٌّ وارْتِـحـالٌ أَمَا يُبْقِي عَلَيَّ وما يَقِينِي

ثم عقب بأن ناقل أقوال المشككين وتعريب أقوالهم في الشعر الجاهلي، وقف عند هذه القصيدة معجبًا مادحًا، سابرًا لغور الشاعر، قلت: وما أقسى أن ينحل شاعر غيره مثل هذه الدرة في الجمال والحكمة، بل هي قصيدة أجدر بأن ينتحلها كل شاعر ويتمنى أن تكون قصيدته! فهي غنية بالتصوير والاستبطان لمشاعر النفس، ولتألم الناقة، وتقييم الرجال والعلاقات، من مسافر لا يمل مغرمًا بفضاء الله يذرعه. وما يدريك أيها الناقة لعله لم يرحلك تلك الليلة إلا ليغني مقطعًا جديدًا من قصيدته، يحسن صياغته، ويلطف كلماته، وينسج زرابيته تلك التي بقيت مع الزمان معلقة على جميع الجدران، لم يدسها الدائسون، وادعى كثيرون أنهم شاركوا في نسجها، فنشكرهم جميعًا، من صدق ومن ادعى، فإن الضجة مجلبة الانتباه، ولو لم يختصموا عليها لربما لم نسمع عنها بسهولة، ولاحتاجت لغواص، وقليل ماهم. ولو كنت ممن استقصوا الشعر لزعمت أنني أنا غواص لآليها أنا، غير أنني رغم إشادتي بقولهم في كتاب «**الأغاني**» فإنني إلى الساعة لم أكمل ربعه، وهو مشروع مؤجل دائمًا، ولمهابة حجمه، وسمعته أنه قرين الأدباء والعلماء الكبار، تركت إتمامه يوم كان الدهر شابًّا، والغصن نديًّا، والزمان مواتيًا.

الترجمة واختلاط الينابيع

من الذين حملوا رايات المعارضة للترجمة أهل الحديث؛ بسبب ما جاءت به الفلسفة اليونانية من المشكلات التي هزت العقلية الإسلامية هزًّا، وسببت للمسلمين الكثير من الفوائد والمشكلات، فإنها وإن ساعدت بمقدماتها

المنطقيـة على يقظـة العقـل وبعث الجـدل وترتيب الحجـاج، إلا إنها أوقعت رجـالاً من خيرة العقول المسـلمة في حيص بيص. وقـد تضافر لنصرة الجدل اليونـاني والفلسفة أمور أهمهـا: أهل الحديث أنفسهم. وهـذا القول قد يزعج قومًا، فـلا تستعجلوا القـول قبـل نهايتـه، وقـد حـذر ابن الوزير مـن هؤلاء المستعجلين الذين ينهون الكتاب ويحكمون عليه قبل أن يبدأوه، فاتبع معهم حيلة تقديم الخلاصة قبل السير في الكتاب ثم غمز منهم في بداية «العواصم والقواصم» ومضى لكتابه حتى أوفى المجلد التاسع يرحمه الله. ما أكبر عقله وأغنى لغتـه وأجملهـا، فقـد كان يبـاري ابن إدريس! ونعـود لقول قريب لم يطل فيه الاستطراد كما كان يفعل الطبري وابن تيمية، وعنـد الأخير استطراد في نحو مجلد كما تجده مرقومًا في «منهاج السنة»، ومـا عاب ذلك منهاج الكتابة. وعند الطبري يأتي جواب الشرط بعد صفحات. يقول الأستاذ محمود شاكر: «والذي يوجب ذلك أن القدماء من علمائنـا، كانوا لا يجدون في الاستطراد حرجًا على أنفسهم ولا على سامعيهم أو قارئيهم. وكانوا لا يرون في ذلك بأسًا؛ لأنه يعين على بذل علم أو معرفة نافعة في جانب من جوانب الموضوع الذي يتحدثون فيـه، حتى يبلغوا من ذلك أن تجد أداة الشـرط في أول الحديث، ثم تنقضي عدة صفحات طوال جدًّا حتى تقف على جواب الشرط. تجد هذا عند الشافعي والطبري وغيرهما من أهل العلم». [قضية الشعر الجاهلي في كتاب ابن سلام، ص٢٤]. ثم سـاق نماذج من ابن سـلام. والشيخ نص علـى الجملة الواحدة التي يأتي جوابها بعد حين، ولكنك واجد عند الطبري موضوعات يستطرد فيها حتى تزيد على الأربعين من التفسير أو التاريخ، أذكر ذلك مع تنائي العهد به. ثـم إن فـن الاستطراد في كتب الفـن المعاصر الغربيـة معقد جمال وسياق نصوص يفتعلها الكتاب افتعالاً فتحافظ على جذب القارئ، وترسل له رسائل عديـدة مفتعلـة تنقذه من ملل، وتطـوف به عالمًا وتخفف عليه جفاف سياق. وسبب هجران كتب العلم ـ إسـلامية أو غيرها ـ لهذا الأسـلوب أن منهجية

التدريس لعلم من العلوم تقتضي الاستمرار وعدم الانقطاع، والسهولة والاستطراد في العلوم والأمثال قد يقوم بهما الأستاذ لتلامذته حين يكون لها مكان. ولأنها تكبر من حجم الكتب، وتطرد الكتاب أن يكون كتاب مجلس تدريس، وقد تاق العلماء أن تكون كتبهم متونًا للتدريس، وكل ذلك لا يكون مجالاً للتبسيط والسهولة والعرض الممتع بل هو السياق العلمي الخالص. ومجال ذلك كتب الفوائد والطرف والنكت والتراجم، فكأن ترتيب العلوم بقدر ما أراح التقسيم، ولكنه كبت الكاتب والقارئ على جدد الطريق، ولم يعد يريحه في واحات للمتعة والتفرج على حنايا الدروب.

وإني أذكر المتعة المريحة على جنبات الطريق، وسياق الفوائد المنثورة بجود وكرم للطالب ـ منها ما يعلو وما يتزيد به الكاتب أحيانًا ـ فلا أنسى منثورات عبد الفتاح أبي غدة عندما قرأت له أول كتاب رأيته من تحقيقه، وهو «**رسالة المسترشدين**»، الذي نبهني له الشيخ عوض القرني، وكنا نتجارى ونتبارى في زمن القراءة، وعرفت منه أسماء كتب عديدة، وكان متقدمًا علي بعام دراسي واحد، وكان ملمًّا بالتاريخ، وكنت ملمًّا بالشريعة، ولعله استغنى بسرعة قراءته وقوة ذاكرته ومنهجيته عن مزيد منها. ولشقيقه منّاع مشاركات في كل من الموضوعين. ثم مرت عقود ولم تزل ذكرى الكتاب عالقة، ثم نسج أبو غدة على نفس المنوال وإن تخاصم معه كثيرًا الشيخ بكر أبو زيد في «**التعالم**» و«**حلية طالب العلم**». ولكنك لن تتعلق بهذين إن رأيت تعليقات محمود شاكر على تحقيقاته؛ فَمَنْ قَصَدَ البحْرَ استَقَلَّ السَّوَاقِيَا!

وقد جاء بنا الحديث للشيخ بكر ولأبي غدة، وهما متخاصمان جلدان، وقد لقيت ثانيهما ولم أقصد لقاء أحد منهما. وقد قَرّ في قلبي أن لقاء المشهور يصغره، وللأسف لا أجد في نفسي كلفًا برؤية المشاهير في شرخ الشباب ولا من بعد، وقد رأيت قليلين منهم، وأعجبني بعضهم، وأحيانًا وددت أن كان

لـدي الرغبـة فـي مقابلة النابهين مجاراة لا قناعة. وليس كل نابه مشهورًا، ولا كل مشهور نبيه. غير أن عنده في شخصه أو عقله أو حيله ما يجعله مشهورًا. وفي زماننا أصبحت الشهرة أرخص من أي زمن مرّ على الإنسان، ولما قابلت أبـا غـدة وجدتـه قـد أصر على موقف فقهي بطريقة غريبة، وقد عايش خلافه عشـرات السـنين، ولم ينكـر على مخالفيه. فقد أبى أن تقام الصـلاة إلا على طريقة الأحناف، وبعد أن سمع الإقامة قال: «ما هكذا الإقامة!» وأعادها بنفسه على طريقة الأحناف، وقد عايش الحنابلة وصلى بهم وخلفهم نحوًا من ثلاثين عامًا لم ينكر ذلك. وفي أمريكا ألزمنا بهذه الطريقة ورفض الصلاة بغير إقامته الحنفيـة، ورغم هذا فقـد يكون أقل انغلاقًا من خصيمه أبي زيد، فقد قرأت له عجبًا! فأمـا علم الرجلين فلا يقلل عارف من علمهما وسـعة اطلاعهما، وأبو زيـد تلمح من كتبه تبحرًا عجيبًا، وكلاهما مشـرق اللغة، مجيد السـبك، مغلق الفكـرة، وربما يكون أبو غدة أسـمح علمًا من الآخر، أما بكر فيوحشـني رأيه الذي يغلق العقل والرأي على قول واحد وينكر ـ بطريقة لا تستطيع أن تسميها علمية ـ للقول المخالف، فقد قرأت له عن خصيمه شدة ومبالغة في غير طريق العلـم، ونفرت نفسـي من أسـلوبه قبل معرفته، ثم قرأت له رسـالة بعنوان «لا جديد في أحكام الصلاة»، فسكت بطريق غريبة عن كل قول لا يحبه، ثم قرأت قبل الرسالة الأخيرة وبعدها في كتابه المهم الذي يكشف سعة اطلاعه «معجم المناهي اللفظية» فهالني إلمامه وسعة قراءته، ولكن في نفس الوقت أكدت لي كتابته أن من العلماء من يحسن بك أن تجد المعلومة عنده، وعليك أن تحترز من اختياراته ومن رأيه. فهو يختار سياقًا مغلقًا، ويرى العالم من زاوية ضيقة، وأحيانًا تجد كثرة علم العالم تغلق في وجهه الأبواب، وهذا يحدث. ثم قرأت لـه كتابا عـن «الجزيرة العربية»، ففي الطبعة الأولى نقل نصوصًا مهمة أخفى كاتبها، ولما أعاد الطباعة صحح تلك الفكرة، وقد يكون له عذر، ولكن ظروفًا اعترت النص أخافتني، وهي من كتاب شـهير لكاتب مشـهور وهو الكواكبي،

ولكن قلت لعل موقف الكواكبي برر له ما فعل. ثم أخرج كتاب «حراسة الفضيلة»، وفيه اتبع الأسلوب نفسه ذلك المغلق الذي لا يصلح لعالم، والله أعلم وهو غفار كريم. فتلك المشكلة هي مما عيب على الكوثري شيخ خصيمه أبي غدة، ثم عصفت بالخصوم كلهم، وكأنها الخلة الجامعة لأهل تلك الحلبة. وهنا أحب القول إن الموقف في نقاش هذه المسألة في هذا الموضع ليس مما له علاقة بالحق أو الباطل في أقوالهم جميعًا، وإنما الحديث هنا عن القراءة والكتابة وتفصيل ذلك أمر لا علاقة له بالسياق هنا، وقد كنت ولم أزل استمتع بتحقيقات أبي غدة الرائعة.

وهكذا طاردنا الاستطراد دون قصد، وكنت قد قلت إن أهل الحديث هم من أسباب نشر الفلسفة، والله المستعان على ما نصف، فلا نقطع بيقين، ولكن قف على ما نقول وتأمل، فإن وجدت حقًّا فذلك ما توقعناه، وإن لم يكن حقًّا وكان قولاً مهملاً بلا زمام ولا خطام، فربما كنت أسعد منك لك بيقينك الذي ينقض ظني.

والقول هنا إن الناس تعلقوا بالرواية ونقلوا كمًّا هائلاً من القول صحيحه ومعلوله، وأقاصيص قصاصه ووعاظه، يطربون للمبالغة ويسقطون العقل من عرشه، ويحقرون مكانه. وصناع الحكايات من متعصبي المذاهب العقدية والإقليمية والشعوبية، يسطرون أساطير فضائل البلدان والقبائل والشعوب والأعمال والرجال والطعام والآي والسور، وأهل الحديث الصالحون الصادقون محسوبون على جمع الرواة، وفي جيش النقلة. وقد رأى العقلاء أنفسهم في حصار، فليست معرفتهم بالأثر كافية لرد غائلة عدوهم من العابثين بالرواية، من الصالحين الغافلين القصاصين والكذبة والحزبيين، ولم تترسخ بعد مدارس العلة في نقد النصوص مما طوره أهل الحديث لاحقًا. فبدأ هؤلاء يتلمسون وسيلة لرد غير المعقول، وبحثوا عن العقل في الكلام، ومر زمن

طويل حتى اكتشفوا سلاح المنطق اليوناني فصرخوا: «وجدنا الحل!» صرخة مكتشف السلاح النووي في وطيس الحرب الثانية، فاستخدمه وأفاده زمنًا، ولكنه بات أذى له لا يطيقه من بعد. ثم أصبحت الفلسفة بأيدي مقلدة كمقلدي الغرب اليوم، مجرد نوع من الرواية غير الواعية، فكانت أيضًا لدى كثيرين أشبه بأقاصيص القصاص كما ترى في علمائنا اليوم. وانقسم المجتمع بين قصاص الوعاظ وقصاص اليونان، والخاتمة هي اللاوعي أو الصوفية أو الحدس أو المروق، وكلا الطرفين لسان راوٍ بلا وعي.

وهكذا هي الأسلحة الإنسانية فكرية أو عسكرية تعود على حاملها ذات يوم تنتقم منه، وكأنما صرف أيامه ولياليه العزيزة والتي أعزته زمنًا لتصنع له بعد أمد ضد قصده. فالله المستعان على دائرة الأفكار هذه والسلوك، ينجب كل منها خصمه عاجلاً أم آجلاً. فما كان واصل ولا عمرو بن عبيد وأمثالهم يريدون بالدين شرًّا، وهذه العلل بدأت في مجلس ناصر الكتاب والسنة وبقية السلف الصالح الحسن البصري يرحمه الله. ومر الزمن وطفًا الصاع، واللاحقون ـ غالبًا ـ متعصبون يأخذون طرف الكلام ويبنون جبالاً من النقد والمفاصلة والحجج الحقيقية والزائفة. فالتابع يخالف عقله عقل المؤسس كما ستراه في بحث قريب بإذن الله.

وقد كانت النتيجة المتوقعة لتلك الأزمة بين الفلسفة والتراث الاسلامي لوم العقل ولوم الفلسفة ولوم الترجمة. وفي هذا حق كثير وباطل أيضًا. فالحق أنه ما من نص يقرأه إنسان ـ وليكن من يكن ـ إلا وله على عقله أثر، وعلى سلوكه وتفكيره ورؤيته للعالم، وذلك من لوازم معرفة فلسفة اليونان وترجمتها. فقد بذرت ـ ويا للأسف! ـ في الأرض الإسلامية بذور «السلبية العقلية»، والتمتع بالجدل اللفظي الشكلي أو لمجرد المماحكة بين المتناظرين، وجعله منهجًا احتاج مثل الغزالي أن يعلن توبته منه عند قبر الخليل عليه السلام إن صح

الموقع. أما التوبة فصحت بنص أبي حامد عليها. وهذا الفساد الشنيع للفلسفة قوبل برفض للعقل من المتعصبة المقابلة لهذه المدرسة، فيفاخرون بدوس عقولهم تحت أرجلهم وطردها، ومن فكر بهذا فقد أبعد النجعة.

تبادل المواقع

أما وقد وقفت على قولنا هنا فلا تنس أن تصحب معك الشيطان الكبير هيجل، فقد يساعدك في هذه التلابيس، ولو كنت من قوم الملبسين لقلت لك هذه الأفكار من بنات فكري، فالفكرة تحمل في جوفها نقيضها وستلدها ذات يوم، رأيت ذلك أم لم تره. فما مر زمان طويل حتى رأينا الحنابلة يحملون بابن عقيل، ويلدون ابن تيمية، رجل صحب العقل في منازله البعيدة والقريبة، اليونانية والإسلامية، يمتدح عقول الفلاسفة، ويمجد ذكاءهم وخبرتهم ومعرفتهم المنصرفة للبحث عن الحق، فقد كانوا كما قال، وهذا معنى قوله (ومن المهم نقل نصه): «إنهم خير من بحث من العقلاء عن الحقيقة، ولكنهم لم يكونوا أنبياء فيصلون للحق أو نحو هذا القول».

وقد ولدت مدارس الكلام والفلسفة مقلدة، حقروا عقولهم تمجيدًا للعقل اليوناني، وتتبعًا لمسالكه، حتى تمثل فيهم عين مطاردة العقل باسم العقل وتمجيده، فكأن العقل ولد ذات يوم في مجالس سقراط وإفلاطون ثم مات من بعدهم، ولن يبعث إلى قيام الساعة.

وتخلص أهل الحديث ـ وبخاصة كثير من الحنابلة والزيدية ـ من ضغط التقليد؛ تمجيدًا للأثر، أو استجابة للعقل أكثر مما حصل عند غيرهم. وتيقن من ذلك في كتابات الشيخ أبي زهرة، وفي سير علماء الزيدية الذين هجروا التقليد واجتهدوا، من أمثال: ابن الوزير، والشوكاني، والمقبلي، والصنعاني. وقد أنشأوا مدرسة من الحرية في التفكير والتوجه المعتدل مع المخالفين

والمتعصبين للمذاهب، وعدم الخضوع للمذهب، ولكن هذه الالتماعات النادرة كانت سرعان ما تخبو تحت رماد التقليد.

كدت أن أذكر قول مارون عبود على قسوته في البدء والعود للكلام هنا ولكن نتركه، وأقول: وقد قرأ هذه المترجمات عن اليونانية رجال من أمثال: الباقلاني، والغزالي، وابن تيمية، وابن خلدون. وتربى على مناهجها جلة من رجال العلم، وإن قال ابن تيمية: علم لا يحتاجه الذكي ولا ينتفع به الغبي، ولكنه غامر في بحاره. وأقول هنا لو لم يعانيه ابن تيمية لما أعطيناه كل هذا التقدير، ولما سمى في نجم العلم كل هذا السمو، «ولهذه الأفكار عودة». وعلى الرغم من حملة الرجل عليها ولكنها مرضعته لزمن.

ثم نجد من المعاصرين من أهل الحديث حملة شاملة حاسمة، ويتكئون على شاهدين كبيرين جدًّا، هما: الماضي بكل أثقاله ونصوصه، زمن الفلاسفة والمعتزلة المسلمين، ثم شاهد ثان من عصرنا وهم أسعد في الجدل به؛ لأن الشاهد الجديد يقوي حجتهم بما يعسر الجدل معهم، فحملة الترجمة المعاصرة عن الغرب الذي يرونه الملحد الشانئ القاتل المحتل تجعل الحجة لهم أحياناً عند من سارع القول.

ودعني أرسم لك معالم للقول تعيننا في الموقف من ملمة الترجمة:

١ ـ دعوى عدم الحاجة، دعوى لم يعد لها مكان، فالترجمة تعني المعرفة والمشاركة مع العالم تقنيًّا، والحفاظ على الذات في وجه الاستتباع وسلب كل شيء: الثقافة والعلم والثروة والعقول. فالترجمة تعني معرفة ما عند الآخرين وصناعة الذات في تحاور واستقلال.

٢ ـ دعوى ترجمة العلوم فقط، تلك أمنية جميلة لقوم ولا أراها ممكنة؛ لأن المعارف الأخرى الإنسانية لا تقل فوائد وفتوحات في التنظير والفهم،

ولأن ترجمة العلوم سوف تغري بغيرها بطبيعة الحال، ولكن للأسف نجد بعض مشاريع الترجمة العربية الوقفية اتجهت لترجمة رواسب تافهة، وكتب إدارية شعبية غير ذات قيمة.

٣ ـ تناقض مـن يحذر مـن الترجمة، مثال سيد قطب. كتب سيد قطب في فصل: «جيل قرآني فريد» من «معالم في الطريق» كلامًا جميلاً هو خلاصة من فكره في هذا، وقد كان مما ميز به صحابة الرسول ﷺ ورضي عنهم أنهـم أخـذوا مـن نبـع واحـد، وتجنبوا ـ بـل بأمر الرسول ﷺ ـ تركوا الاختلاط والمزج الثقافي، فلم يسمح لعمر أن يخلط الإسلام والتوراة. ولكن سيد رغـم تحذيره مـن اختلاط الينابيع استعمل كثيـرًا الكتب المترجمـة في عـرض ما يراه حقًّا في الدين، أو ما يراه نقدًا للانحراف الذي يسـود الغرب أو الذي يمتد فساده في بلادنا. وهكذا محمد قطب وأغـلب مـن قرأت لهم من المفكرين الإسلاميين في زماننا. ورحم الله سيدًا وهو الذي يقول في نفس الكتاب إنه «قضى أربعين عامًا من القراءة والقراءة وحدها»، والتي ابتعد بقراءته فيها عن كتاب الله، يرجع بعد ذلك للقـرآن فيجدهـا لا شـيء بجانبـه، وذلك حـق لا جـدل فيـه، ولكن هذه الأربعيـن عامًا لا أشـك أنها أهلتـه للمقارنة والمعرفة والاطلاع ليتذوق الفـرق ويسـتنبط عظمة القرآن لنفسـه، فهـذه الرحلة أغنـت قولـه، وقوت حجته عندمـا أنارهـا بكتاب الله. وتصلـح نصيحته هذه لمن لا يريد أن يواجه الفساد المعاش في زماننا، ولا يعرفه ولا ينقده، ومنهج محمد ﷺ كان إعمال الوحي في واقع يعرفه. فلا مهرب من معرفة الباطل المعاصر والحق والجدل معه، وبهذا جرت سنة الله، وتفوق المتفوقون من سادة الأمة على المبطلين بعد معرفة أمثال الصوفية الغالية والفلاسفة الملاحدة، وفـرق الضلال الأخـر. ولكم أن تتصوروا ابن تيميـة بلا معرفـة للتصوف

والفلسفة والشيعة والنصارى، ماذا سيقول؟ أو سيد قطب بدون معرفة للعلمانية والشيوعية والإلحاد والقومية، ماذا كان سيقول؟ بل تصوروا أحمد بدون معرفة المعتزلة والشيعة والخوارج وكذبة الرواة والقصاصين، ماذا سيقول؟!

٤ ـ النتيجة أن الترجمة أمر لا بد منها في مجالاتها العلمية والاجتماعية والأدبية والسياسية، بناء على الواقع، واقع المحذرين لا المتخيلين، فالدراسات الأدبية والسياسية والاجتماعية والفنية ضرورية، ثم لدينا إمكانية القبول أو التحاور معها. ومع أن هناك كتابات إسلامية بلغات أخرى، ولكن إلى الآن ضعيفة، ربما فيما عدا بعض المترجمات من الأوردية والفارسية مثل كتب شريعتي، والمودودي، وسروش. أما في الإنجليزية فالتي كتب بها إلى الآن لم يزل دون مستوى ما يكتب بالعربية، وستبقى في المنظور القريب ـ وغالبًا البعيد ـ لغة الإسلام وفكره هي اللغة العربية.

الفلسفة والشعر والأدب

قال أبو عمران موسى بن عمران القيسي:

شَرُّ العُلومِ إذا اعْتَبَرْتَ أُخَيّ عِلْمُ الفَلْسَفَهْ

لا تُعْمِلَنَّ بِهِ لِسَانًا ما حَيِيتَ و لا شَفَهْ

لا خَيْرَ فِيمَا الفَلُّ أَوَّلُهُ وآخِرُهُ سَفَهْ

ألا تلاحظ معي سفه الحجة في ترك الفلسفة، وكيف أغواه اللفظ، وطار به عن المعنى؟ وتلك عقدة نعرفها مرة، وتجوز علينا مرات، وعالم النكتة والسخرية والتلاعب بالألفاظ شيء، وقيمة المسميات وحقيقتها شيء آخر

يختلف. ولا تأخذ من قولي هذا قولاً في الفلسفة، فالنقد للأسلوب والطريقة. ولم يكن موضوع الفلسفة مما يشوق الطلاب في المراحل التعليمية الأولى ولا التالية؛ إذ كان للموقف السلفي من الفلسفة أثر في قلة قربنا من الموضوع. وكان أول كتاب قرأت فيه عن الفلسفة وأنا في المرحلة الثانوية «مبادئ الفلسفة» مـن ترجمـة أحمد أمين، وقد لقي زميل مرّ بعدي اسمي واسم الكتاب الذي قرأته في المكتبة العامة في «أبها»، وذكر لي ذلك، وكانت المكتبة العامة تطلب من زوارها أن يكتبوا اسم الكتاب الذي قرأوه.

وكان من أوائل الكتب التي أكملتها باهتمام في الفلسفة كتاب «هكذا تكلم زرادشـت» و«قصة الفلسفة» لديورانت، وكتاب «الفلسفة المعاصرة في أوروبا» مـن نشـر «عالم المعرفة» الكويتية لبوشنسكي، ثم بعض الترجمات لرسل، ولأريك فروم «الإنسان بين الجوهر»، ولعبد الرحمن بدوي، ومقالات وكتب عديـدة كانت ممتعة ومعلمة لزكي نجيب محمود، فقد كان لنا حقًّا ـ كما قيل عـن أبي حيان ثم عنه لاحقًا ـ أديب الفلاسفة وفيلسوف الأدباء. ولم أبدأ القدرة على قراءة الفلسفة في اللغة الإنجليزية إلا بعد نحو أربع سـنوات من تعلمها، وكانت تمنعني المهابة مرة وصعوبة النصوص الفلسفية مرة أخرى. أما كتب تاريـخ الفكر فكانت أسـهل مأخـذًا أو هكذا توقعت، ولأن بعضها كان مقـررًا علينـا في تاريخ الفكر الأوروبي، فـلا محيص آنذاك من قراءتها، وتعب في قراءتها مرير. وكانت قراءة سير الفلاسفة وتلخيص أفكارهم من أحسن المداخل التي ساعدت على الخوض في كتبهم.

ومن طريف ما في الغرب نوادي قراءة الكتب، والنوادي الفلسفية، ونوادي كثيرة متخصصة في أبواب معرفية كثيرة. ففي الجامعات كتب عنها كثيرون منذ القرن التاسع عشر، وتجد هذا في قصة النهضة العلمية في أوروبا، وفي كتاب «مرثيـة بريطانيا»، وفي بداية كتاب «إرادة الإيمان» لويليم جيمس، وفي الكتاب

الشهير (وهو من خير الكتب التي تؤرخ للثقافة الأمريكية، ونال جائزة الكتاب السنوي عـن جدارة) كتـاب ميناند «**نادي ما وراء الطبيعة**»، وفيه قص جوانب أساسية من قصة التكوين العلمي والثقافي في أمريكا.

* * *

قلت مرة للشيخ عبدالرحمن عبدالخالق: ما هـو أكثر ما لفت انتباهك في ثقافة شيخك الشيخ محمد الأمين الشنقيطي، الذي قيل عنه: آخر مجتهد مطلق عُـرف في العصور الحديثة؟ فتوقعـت أن يذكر المنطق أو الفقه أو علوم القرآن، فقال لي: «معرفته بالشعر الجاهلي، فما يكاد يغرب عنه بيت ولا شـاعر». وقد قرأت أو سمعت أن سبب تعرفه بعلماء الجزيرة واستقراره أنه كان في خيمته في «منى» في «موسم الحج»، وحدث أن تذاكر شعراء وأدباء بعض الأبيات واختلفوا فيها، فقـال أحدهـم: لقـد سـمعت في خيمة غيـر مجاورة رجلاً يلهج بالشـعر فلنسأله، فسألوه فتدفق كالبحر، ومن هناك بدأت علاقة ومسار جديد له ولهم.

وكيف لا يهتم العربي بالشعر وهو فاتق الألسنة ومجمل العبارات؟! يروي الشـريد بن سويد الثقفي فيقـول: ردفت رسول الله ﷺ يومًا فقال لي: هل معك من شعر أمية بن أبي الصلت شيئًا؟ قلت: نعم، قال: هِيهِ! (أي: زدني) فأنشدته بيتًا، فقال: هِيهِ! ثم أنشدته بيتًا، فقال: هِيهِ! حتى أنشدته مائة بيت». هذه رواية مسلم في «صحيحه»، ورواية البخاري في «**الأدب المفرد**»: «حتى أنشدته مائة قافية». وهكذا تفهم من كلمة «بيت» السـابقة أنه أسمعه مائة قصيدة تبدأ ببيت كـذا. ولعـل المقصـود بمائة بيت كثرة ما ألقـى عليه وليس بالضرورة الرقم المرقوم وأخرج البخاري في «**الأدب المفرد**» عن أبي سـلمة بن عبدالرحمن قال: «لم يكن أصحاب رسول الله ﷺ متحزِّقين ولا متماوتين، وكانوا يتناشدون الشعر في مجالسهم، ويذكرون أمر جاهليتهم، فإذا أُريد أحد منهم على شيء

من أمر الله (أو على شيء من دينه) دارت حماليق عينيه كأنه مجنون». وأخرج أحمد وابن سعد والترمذي وصححه، عن جابر بن سَمُرة أنه قال: «كان أصحاب رسول الله ﷺ يتذاكرون الشعر وحديث الجاهلية عند رسول الله ﷺ، وربما تبسّم معهم». وعن عبدالرحمن بن أبي بكرة قال: «كنت أجالس أصحاب رسول الله ﷺ مع أبي في المسجد، فيتناشدون الأشعار ويذكرون حديث الجاهلية». ولم تكن تعرضت المساجد لإبادة ثقافية وتجهيل كما في زماننا، وقد وجدت المراكز الإسلامية في الغرب منابر للحياة الثقافية والاجتماعية لا مثل لها في عالم المسلمين اليوم. وقد صنعت حياة ثقافية وسياسية واجتماعية للملايين. وأخرج ابن سعد من طريق قتادة، قال: «سمعت مطرِّفًا بن عبدالله بن الشِّخِّير يقول: خرجت مع عمران بن حصين من الكوفة إلى البصرة، فما أتى علينا يوم إلا ينشدنا فيه شعرًا». ولفظ غيره: «فقلَّ منزلٌ ننزله إلا وهو ينشدني شعرًا». ومعرفة أبي بكر وعمر بالشعر وأخبار الجاهلية أمر مشهور، وكذلك علم عائشة بأشعار العرب مما تميزت به عن كثير من الأصحاب وعن نساء عصرها. [بتصرف عن: «**قضية الشعر الجاهلي**»، محمود شاكر، ص٨٩ - ٩٠]. وقد أشار العقاد في «**عبقرية عمر**» إلى معرفة عمر رضي الله عنه الكبيرة بالشعر، وأشاد به وبمعرفته الأدبية، وعده ناقدًا حصيفًا للشعر والكلام، وأورد أنه قيل إن هذا البيت المشهور التالي له:

وَمَا حَمَلَتْ مِنْ نَاقَةٍ فَوْقَ كُورِهَا   أَبَـرَّ وَأَوْفَـى ذِمَّـةً مِـنْ مُحَمَّـدِ

وكان يقول: «الشعر ديوان العرب». و«كان الشعر علم قوم لم يكن لهم علم أصح منه». قلت: ولولا هذا النضوج اللغوي للصحابة، والدراية الفنية الرائعة بأسرار جمال الكلام، لما كان لهم أن يدركوا روعة القرآن وتأثيره. فمن أسباب ضعف المسلمين وعدم تأثير القرآن فيهم ضعف لغتهم. وما كان لهؤلاء أن يؤثر فيهم قول لا يفهمونه. «وفي الحكم المفوض إليهم في التمييز بين

القرآن، وما عسى أن يعارضه به المعارضون، دليل على أن المخاطبين بالقرآن كانوا يملكون قدرًا لا يمكن تحديده من القدرة على تذوق البيان والنظم، مما يتيح لهم التفريق بين كلام الله وكلام البشر، وهذا نتيجة قرون متطاولة من تذوق البيان المذهل». [بتصرف عن: «**قضية الشعر الجاهلي**»، محمود شاكر، ص٩٥]. ثم يشدد شاكر على أهمية المعرفة بالشعر، وأن التذوق الفاخر كان عامًّا في العرب المخاطبين بالقرآن، وكان شاملاً لمن عاشرهم من غيرهم «إنهم كانوا حريصين في جاهليتهم وفي إسلامهم على لغتهم وأدبها، يقولون:

قَصَائِدَ تَسْتَحْلِي الرُّوَاةُ نَشِيدَهَا ويلهو بها مِنْ لاعِبِ الحيّ سامِرُ
يَعَضُّ عليها الشَّيخُ إبهامَ كَفِّهِ وتَخْزى بها أَحْيَاؤكم والمقَابِرُ

وقال آخر:

فإنْ أَهْلِكْ فقَدْ أَبْقَيْتُ بَعْدِي قَوَافِيَ تُعجِبُ المُتَمَثِّلينَا
لَذِيذَاتِ المقَاطِعِ مُحْكَمَاتٍ لَوَ انَّ الشِّعْرَ يُلبَسُ لارْتُدِينَا

قلت بقول السابقين: هذا شعر لو نقر لطَنَّ. وكانوا يستقبلونه استقبال الحفاوة والشغف واللذة والبهاء والخيلاء، وتطرب له النفس العربية، وتهتز وتنشط وتبتهج وتجد وتهزل وتجد فيه لذة الحياة». [**قضية الشعر الجاهلي**، ص١٠٢، بتصرف]. ومن غرائب الأمور أن تجد متدينين مخلصين لدينهم ومظهرين للاهتمام به، وهم لا يولّون اللغة العربية وآدابها اهتمامًا، حتى لتجد من القوميين العرب من كان أحرص على العربية من الإسلاميين المتدينين!

وفي عمر مبكر كان همنا الشعر الجاهلي خاصة، وشعر العصور الإسلامية الأولى فيما تلا، وكنا نجتمع أحيانًا لذلك، وكان لحفظ وتدارس الشعر والشعراء نصيب من نقاشاتنا المبكرة، وكنت ـ لاحقًا ـ والشيخ عائض القرني نصرف زمنًا في الحفظ واستعادة الأبيات وأخبار الشعراء، ثم اتجه كل منا إلى

طريـق، فاتجه لحفظ الحديث والقرآن، واتجهـت لكتب الفكر والثقافة العامة، ومنـذ المرحلـة الثانويـة كان كل منا يسير في طريق يناسبه، وكان يطيب له أن يسخر من قراءاتي الفكرية. وفي الجامعة وفد علينا من قسم اللغة العربية طرف من مناقشاتهم في أصول «الشعر الجاهلي» وفي موضوع «الإعجاز»، وكنت قد تشبعت بهذه النقاشات وحيدًا؛ لأنه وقع في يدي كتاب الرافعي «**تحت راية القـرآن**»، فكانـت كل قصـة وكتاب يدفـع إلى أخيه في الموضوع نفسـه، فكان بعض زملائنا من قسم اللغة العربية يستغربون اهتمامي بتلك المعركة الأدبية الرائعة في أوائل القرن العشرين.

وإني لأذكر إلى الآن أبياتًا سـمعتها مشـافهة وطلبت ترديدها مـرة ثانية، فعلقـت بالذهـن منذ ذاك. وأبيات حكمة وشـواهد بلاغيـة ونحويـة حفظتها من قـراءة واحـدة، وقصائد جاهلية قرأتها وحفظتها ولا أعـرف معانيها، علقت وما غادر كثير منها. ويكفي أن تقرأ هذا النقل عن الشـافعي لتدرك مدى فائدة وأثر الأدب في النفس المتعلقة به: «قيل للشافعي: كيف شهوتك للأدب؟ قال: أسمع بالحرف منه مما لم أسمعه، فتوَدُّ أعضائي أن لها أسماعًا تتنعم به مثل ما تنعمت الأذنان». [مناقب الشافعي للبيهقي (٢/ ١٤٣)، عن مقالات الطناحي (١/ ٢٥٩)].

بين الصمت والكلام

قـارن الجاحظ بين الصمت والكـلام، وكان مما نقل وحلـل وأجاد قوله: «قال النبي ﷺ: إن الله يبغض البليغ الذي يتخلل بلسانه تخلل الباقرة بلسانها». قال أصحاب البلاغة والخطابة وأهل البيان وحب التبيين: إنما عاب النبي ﷺ المتشادقين والثرثارين والذي يتخلل بلسانه تخلل الباقرة (لفظ في جمع بقر) بلسانها والأعرابي المتشادق، وهو الذي يصنع بفكيه وبشدقيه ما لا يستجيزه أهل الأدب مـن خطباء أهل المدر، فمن تكلف ذلك منكم فهو أعيب، والذم

له ألزم. وقد كان الرجل من العرب يقف الموقف، فيرسل عدة أمثال سائرة، ولم يكن الناس جميعًا ليتمثلوا بها إلا لما فيها من المرفق والانتفاع، ومدار العلم على الشاهد والمثل؛ وإنما حثوا على الصمت لأن العامة إلى معرفة خطأ القول أسرع منهم إلى معرفة خطأ الصمت، ومعنى الصامت في صمته أخفى من معنى القائل في قوله؛ وإلا فإن السكوت عن قول الحق في معنى النطق بالباطل. ولعمري إن الناس إلى الكلام لأسرع؛ لأن في أصل التركيب أن الحاجة إلى القول والعمل أكثر من الحاجة إلى ترك العمل..

بل قد علمنا أن عامة الكلام أفضل من عامة السكوت، وقد قال ﷻ: ﴿سَمَّٰعُونَ لِلۡكَذِبِ أَكَّٰلُونَ لِلسُّحۡتِۚ﴾ فجعل سمعه وكذبه سواء.. وكيف يكون الصمت أنفع والإيثار له أفضل، ونفعه لا يكاد يجاوز رأس صاحبه، ونفع الكلام يعم ويخص، والرواة لم ترو سكوت الصامتين، كما روت كلام الناطقين. وبالكلام أرسل الله أنبياءه، لا بالصمت، ومواضع الصمت المحمودة قليلة، ومواضع الكلام المحمودة كثيرة، وطول الصمت يفسد اللسان، ونقل عن بكر بن عبد الله المزني: «طول الصمت حبسة»، كما قال عمر بن الخطاب رَحِمَهُ ٱللَّهُ: «ترك الحركة عقلة» وإذا ترك الإنسان القول ماتت خواطره، وتبلدت نفسه، وفسد حسه، وكانوا يروون صبيانهم الأرجاز، ويعلمونهم المناقلات، ويأمرونهم برفع الصوت، وتحقيق الإعراب، لأن ذلك يفتق اللهاة، ويفتح الجرم. واللسان إذا كثر تقليبه رق ولان، وإذا أقللت تقليبه وأطلت إسكاته جسأ وغلظ، وقال عباية الجعفي «لولا الدربة وسوء العادة لأمرت فتياننا أن يماري بعضهم بعضا.» وقد «نهى الرسول ﷺ عن المراء وعن التزيد والتكلف، وعن كل ما ضارع الرياء والسمعة، والنفج والبذخ، وعن التهاتر والتشاغب، وعن المماتنة والمغالبة، فأما نفس البيان فكيف ينهى عنه.» [البيان والتبيين، (١/ ٢٧٣)]

وقد جاء السائب بن صيفي إلى رسول الله ﷺ فقال أتعرفني يا رسول الله؟ قال: «كيف لا أعرف شريكي الذي كان لا يشاريني ولا يماريني» قال أحدهم لزيد بن علي: الصمت خير من الكلام؟ قال أخزى الله المساكتة فما أفسدها للبيان، وأجلبها للحصر، والله لا المماراة أسرع في هدم العيّ من النار في يبس العرفج، ومن السيل في الحدور» فالمماراة على ما ففيها أقل ضررًا من المساكتة، التي تورث البلدة.. وتولد أدواء أيسرها العي. [البيان والتبيين، (١/ ٣١٣ - ٣١٤)].

وأي جارحة منعتها الحركة، ولم تمرنها على الاعتمال، أصابها من التعقد على حسب ذلك المنع. ولم قال رسول الله ﷺ للنابغة الجعدي: «لا يفضض الله فاك»، ولم قال لكعب بن مالك: «ما نسى الله لك مقالك ذاك»، ولم قال لهيذان بن شيخ: «رب خطيب من عبس»؟ ولم قال لحسان: «هيّج الغطاريف على بني عبد مناف، والله لشعرك أشد عليهم من وقع السهام في غبش الظلام»؟ وأبين الكلام كلام الله، وهو الذي مدح التبيين، وأهل التفصيل. وفي هذا كفاية إن شاء الله. [**البيان والتبيين**، (١/ ٢٧١ - ٢٧٣) ببعض الاختصار].

وقول الجاحظ واختياره للقول موفق، فالقول أول العمل، وقد يكون خير عمل بعض الناس، وقد يلزم صاحبه ويلزم جمهوره. وللكلام علاقة بالفكر وطيدة، فكلما تحسن القول ولطف كان عمليًّا قريبًا من الفعل. ألم تر إلى نقد المتحضرين - أهل المدر - كما سبق لتشدق الأعراب بالكلام؟ فالكلام في البادية غالبًا مقصود لذاته، وفي مجتمع العمل يكون الكلام فعلاً أو جزءًا منه. ولا تقف ولا تقس كثيرًا على نمط الكلام الزائد اليوم، فربما تمر المجتمعات ببعض الأوقات التي تنحرف فيها الكلمة عن السلوك، أو تكون الكلمة الضائعة مظهرًا لضياع المجتمع، ولكثرة القول وقلة الفعل.

علم تعلنه وعلم تخفيه

الصدق أصعب الأمور بين المتعلمين خاصة، وفي زمن التعصب أصعب. وقد درجنا في شبابنا على قراءة ما في السوق قبل أن نتدين، وقبل أن نعرف ونأنس بكتب الدين الخالصة، فكنا نقرأ الكتاب من أجل غلافه، أو قرب فكرته مما نحب. فلما انتقلنا إلى عالم من المهتمين بالعلوم الشرعية، كانت العقول قد فتقت على طريق آخر، فلم نستطع التخلص مما تعودناه حقًّا أو باطلاً. وكانت الكتب الإسلامية المعاصرة التي كتبت آنذاك أسهل الطرق للفهم والمتابعة، ولما بدأنا نتحدث عنها اصطدمنا بجدار السلفية القاسي، ومن لا يرى في العلم إلا كتب الألباني ومدرسته. ولم نعط موهبة في حفظ الأسماء ولا تخريج الحديث، وعانيت من محاولة الجمع بين تلك العلوم الشرعية المهمة، وما انفتح لي من دروب كثيرة يقصر الوقت عنها.

أذكر مرة بعد أن سلكت درب طلب الحديث أني شرحت كلمة «يتابع» بمعنى التوثيق واتباع مقتضاه، فنبهني الشيخ في المجلس بأن معنى «المتابعة» عكس ما فهمت، ثم واصلت واستفدت كثيرًا من المصطلح، وحفظت بصعوبة الكثير من تعريفات الطحان في «**تيسير مصطلح الحديث**»، وكان سبق هذا الكتاب حفظ أو دراسة النبذة التي كتبها ابن عثيمين في المصطلح. وقد كانت دراسة الحديث ومصطلحه وطرق توثيقه في غاية الفائدة والمتعة، ومن ذلك معرفة اللغة الشرعية، ومصطلحات المحدثين، ولغة الفقهاء، ثم تتطور هذه المصطلحات وتتنوع إلى مصطلحات مذهبية وزمانية ومكانية طريفة.

ولما استقر بي المقام في «كلورادو» في «دنفر» ثم في «فورت كولنز» قرأت مع صديق من قطر قسطًا لا بأس به من المجلد الأول من كتاب «**فتح الباري**»، تمكنت به - مؤقتًا - من استعادة بعض لغة المحدثين والفقهاء التي كانت قد بدأت تتوارى تحت ضغط تعلم لغة جديدة، واستمرار الاستمتاع

بكتب الأدب والفكر، ومعايشة عواصف السياسة. ثم درّست لعدد من الطلاب المهتمين علوم القرآن في درس أسبوعي في «دنفر»، ودرّست كتب العقيدة الصغيرة وكتب السيرة مرات عديدة. وكان مما لفت انتباهي من كتب السيرة النبوية التي كتبت في العصر الحديث كتابان هما: كتاب البوطي «**فقه السيرة**»، وكتاب المباركفوري «**الرحيق المختوم**». وكانت الجامعة قد وزعت علينا «**حياة محمد**» لهيكل، فقرأته كاملاً قبل الامتحان، وقد ترجمه للإنجليزية واعتنى به عناية جيدة إسماعيل راجي الفاروقي رَحِمَهُ اللَّهُ (أهم مؤسسي «المعهد العالمي للفكر الإسلامي» في واشنطن ورئيس أمنائه الأول). ولا أنسى هنا أن أذكر أن تلميذه «جون أسبوزيتو» كتب لأستاذه ترجمة مختصرة لائقة. ولعل من أسباب عناية الفاروقي بالكتاب الحاجة والتوافق مع بعض آراء المؤلف، كالتي استغربها وأنكرها علماء قديمًا وحديثًا، ولا ننسى أن مرحلته كانت قريبة أجواء ومرحلة التعلق بالعلوم التطبيقية ومساوقتها مع الدين، وهو مزاج وجو تفسير «**الجواهر**» لطنطاوي جوهري. وقرأت «**تهذيب سيرة ابن هشام**»، لعبد السلام هارون، وكنت قد قرأت باهتمام كتاب عماد الدين خليل عن «**السيرة النبوية**»، وقد تميز بمقدمة رصينة طويلة عن الاستشراق وعلاقته بالسيرة، ثم الفصل الذي كتبه وطبع أحيانًا منفصلاً عن «**الهجرة**»، فقد كان عملاً جيدًا، لا يشبهه له إلا ما كتب في كتابه «**التفسير الإسلامي للتاريخ**»، وكتابه عن عمر بن عبد العزيز «**الانقلاب الإسلامي في خلافة عمر بن عبد العزيز**». وكانت لكتاباته لذة لا أنساها في مرحلة الجامعة. وقد قرأت كتبه التاريخية والفكرية إلا رسالته الجامعية، واستمتعت بكتابه عن «**العلمانية**»، وكتابه «**النقد الإسلامي المعاصر**»، و«**المسرح الغربي المعاصر**»، و«**اليمين واليسار**»، وكتابه عن «**القرآن**»، وأبحاثه عن «**ابن خلدون**». ولم أعد أرى في كتبه الآن ما رأيت آنذاك.

ودرست للشباب زمنًا طويلاً كتاب «**السيرة النبوية: دروس وعبر**» لمصطفى السباعي، وهو نص مختصر يصلح لما قبل المرحلة الثانوية. وللسباعي كتابات كثيرة وله كتاب في الحكمة، ويقال كان خطيبًا مؤثرًا، وبسبب سيطرة الخطابة على الناس وثقافتها ربما بتأثير من خطابته اختار الإخوان في سوريا عصام العطار الخطيب المؤثر لقيادتهم بعده. وكان العطار شخصًا راقيًا مهذبًا، وأديبًا حافظًا جامعًا.

تدريس بعض الموضوعات والكتب من أحسن المداخل لفهم ما تريد فهمه، فإلزامك نفسك بتدريس موضوع يفتح لك بابًا للمعرفة خير من قراءة منعزلة، وكنت في مدينة «دنفر» قد درّست للمهتمين كتاب «**مباحث في علوم القرآن**» لمناع القطان، ودرّست في لندن على عدة حلقات كتاب «**شرح الطحاوية**» لابن أبي العز الحنفي، ثم درّست في مدينة «آن آربر» متن «**الورقات**» في أصول الفقه، واستخدمت عددًا من شروحه كان أسهلها وأقربها شرح «**النملة**»، وكان يحضر هذه الدروس عدد قليل بعضهم من مدينة «ديترويت». وقد كانت مفيدة جدًّا لي، وطريقة لاستذكار المعلومات لا مثيل لها، ولأن الشرح لنص كثيرًا ما يعيدك إلى نصوص وآراء مفيدة وجانبية كثيرة. وكان أول العهد بهذا العلم كتابًا، بل كتيّبًا من المقررات الدراسية في «**أصول الفقه**» للشيخ محمد بن عثيمين، وكانت عقولنا وآذاننا تتجه لقول الشارح له الشيخ: يحيى معافى، فما زكاه فهو جيد وما نقده أسقطه ـ ولو مؤقتًا ـ وقد امتدح الشيخ الكتاب ورآه مدخلاً جيدًا ومختصرًا مناسبًا، وأثنى على إيجازه ووضوحه خلافًا لبقية الكتب، ثم تحدث عن العلم نفسه وعن مشكلات كتب الأصول الموسعة والمعقدة التي عبث بها المنطق والفلسفة، منبهًا إلى أن الكتاب أعاد العلم إلى جذوره البسيطة الصافية.

ودرّست «مصطلح الحديث» ولم أكن ألتزم كتابًا محددًا، بل أكثر من كتاب، وهي كتب مشهورة مثل كتاب أكرم ضياء العمري «**منهج النقد عند**

المحدثين»، وهو دراسات في الحديث النبوي، وفيه فصل من أحسن المباحث المختصرة عن الوضع في الحديث النبوي، وكذلك كتاب نور الدين عتر. ولكني لم أكن ذا قدرة على الحفظ للاستمرار في تدريس الحديث، ونادر من يؤهل للتوفيق بين الفهم والذاكرة، وتلك نعمة نغبط أهلها، فمعظم العلماء والمعلمين يكبرون داخل إحداها: الحفظ أو الفهم، وكل يزعم الجمع، وهو غالبًا أمنية، وقسر النفس يثمر أحيانًا، وما كل من حاول وصل.

وقد دخلنا مدرسة الفكر الإسلامي نُسر بكتب لنا نقرؤها على حين غفلة من الأصدقاء والمحبين، ونعيش داخل هذه العوالم المتنافرة دون معرفة لإحداهما بالأخرى، حتى إذ مر زمن والتقيت بأصدقاء استغربوا عليّ تلك الكتب، وهذه المعرفة بعوالم لم يدخلوها، وأسماء وأشخاص وقضايا عديدة، وأنكر عليّ مثقف كبير قائلاً: من أين كانت تأتيك هذه الكتب في قرية نائية؟ بل كيف عرفت عنها؟ فمن أصغى للكتب والمجلات والجرائد قادته إلى حيث لا يحتسب.

ذكر الشوكاني أن طالب علم جاءهم إلى صنعاء من داغستان، وهي وراء بلاد الروم بشهر (الروم عنده الأتراك) ليستنسخ حاشية للمقبلي وقد وصلتهم في داغستان مشوهة، فجاء إلى صنعاء للحصول على نسخة منه. وقد أثنى الشيخ عليه وعلى جمال لغته العربية، وتأسف أنه مات ولم يعد بما أراد.

لذا كنا نفرح بما نعرف، وقد أعجبني ما وجدت من قصة الشافعي رضي الله عنه وكان ينشد شعر هذيل ويحفظه، فأتى عليه الشافعي حفظًا، وقال لمن كان يتناشد معه: «لا تعلم بهذا أحدًا من أصحاب الحديث، فإنهم لا يحتملون ذلك. [**المدرسة الفقهية للمحدثين**، د. عبد المجيد محمود، ص٩٦].

وكنت قد ختمت كتب ميخائيل نعيمة مبكرًا، ربما في العام الثاني أو الثالث من المرحلة الجامعية، وقرأت قبله لطه حسين والعقاد، وكنت أخفي هذه الكتب عن زملاء يتزمتون في المقروءات. وكانت تجذبني الكتب المعاصرة، ومعاناة زماننا، ولغة المعاصرين وهمومهم، ولا أصبر أن أعيش فقط مع كتب القدماء. لقد كانت الكتب المطلوب قراءتها من قبل حلقات المشايخ في المعهد أو خارجها تطلب قراءة «**العدة شرح العمدة**» في الفقه، و«**شرح ابن عقيل**» في النحو وهو كتاب عسير، وقد تجرعته مع زملائي كاملاً غير منقوص، نحفظ مرة أبيات ألفية ابن مالك، ونتساهل فيها أحيانًا، ونحفظ الفرائض ومتنها، ونحفظ «**زاد المستقنع في اختصار المقنع**». وقرأنا «**سبل السلام**» و«تيسير العلام شرح **عمدة الأحكام**» لابن بسام، فكنت أهرب من هذه الكتب الثقيلة، لأجد كتب المعاصرين والمتأخرين ممتعة وسهلة وخفيفة على الفهم والذاكرة. ولعل هذا كان السبب أن صحبت نعيمة في كتبه التي كان أكبرها «**سبعون**» في ثلاثة أجزاء متوسطة، واستمتعت بسفره لواشنطن وموسكو، ونلت من حصاده في «**البيادر**»، وجميع كتبه الأخرى، وكان من أطرفها «**اليوم الأخير**». وقبضت الريح مع المازني في «**قبض الريح**»، وحصدت معه في «**حصاد الهشيم**»، وهوَّمت مع زكي مبارك، وضحكت وطربت لجنونه. وصحبت علي الطنطاوي، ولكن أقل من غيره. وأكملت تقريبًا كتب مالك بن نبي، ومذكراته «**الطفل والطالب**»، ثم أعدت قراءة كثير منها فيما بعد، وخاصة «**شروط النهضة**».

التذوق

قال الأستاذ محمود شاكر: «كل حضارة بالغة تفقد دقة التذوق، تفقد معها أسباب بقائها. والتذوق ليس قوامًا للآداب والفنون وحدها، بل هو قوام لكل علم وصناعة، على اختلاف بابات ذلك كله وتباين أنواعه وضروبه. وكل حضارة نامية تريد أن تفرض وجودها، وتبلغ تمام تكوينها إذا لم تستقل بتذوق

حساس نافذ تختص به وتنفرد، لم يكن لإرادتها في فرض وجودها معنى يعقل، بل تكاد هذه الإرادة أن تكون ضربًا من التوهم والأحلام لا خير فيه، فحسن التذوق يعني سلامة العقل والنفس والقلب من الآفات، فهو لب الحضارة وقوامها؛ لأنه أيضًا قوام الإنسان العاقل المدرك الذي تقوم به الحضارة. ونحن أصحاب هذا اللسان العربي المبين قد قام أصل حضارتنا على التذوق في الجاهلية الغابرة، وفي الإسلام الباقي بحمد الله وحده، وبلغ التذوق بنا مبلغًا سنيًّا فريدًا، وحين بدأ تشتته وتبعثره بدأ معهما التدهور والإدبار. فواجبنا اليوم أن نعيد بناء أنفسنا على ما بنيت عليه حضارتنا من دقة التذوق، وأن يكون التذوق أساس عملنا الأدبي في آثار أسلافنا». [محمود شاكر، **قضية الشعر الجاهلي**، ص٥٨ - ٥٩].

ويسير الحديث بمحمود شاكر مبينًا أن التذوق العالي يجعل الإنسان قادرًا على تمييز الكلمات ونبرات الكلام والعبارات من شخص لآخر، «إنه العمل الدائب في ممارسة الكلمات، واستنباط الخفي من أسرارها، وتذوق أساليبها، وتسمّع الرّكز الخفي في جرسها ونبرها.. حتى يتردد في السمع صدى متميز يعرف به صوت أحدهم من صوت صاحبه، وإذا بلغ التذوق هذا المبلغ لم يكد المرء بعد ذلك يخطئ الصورة البينة الملامح، ولا يكاد يستنكر الصوت المتفرد بترجيعه ونغمته». [ص٥٩]. ثم يضرب مثلين: أولهما لذي الرمة وقد هاجى هشامًا المرئي، ثم لقي ذو الرمة جريرًا فسأله عن آخر قصائده فأنشده رائيته، فلما فرغ قال جرير: ماصنعت شيئًا! أأرْفِدُك؟ قال ذو الرمة: نعم، فأرفده بثلاثة أبيات ختم بها القصيدة، وهي:

يعُدُّ النَّاسِبونَ بني تَميمٍ ... بُيُوتَ المجْدِ أربَعَةً كِبَارَا
يعدُّون الرَّبابَ وآلَ سَعْدٍ ... وعَمْرًا ثُمَّ حَنظَلَةَ الخِيَارَا
ويَهْلِكُ بَيْنَها المرْئِيُّ لَغْوًا ... كَمَا أَلْغَيْتَ في الدِّيَةِ الحُوَارَا

فغلب ذو الرمة خصيمه، ثم مر ذو الرمة بالفرزدق، فقال له: أنشدني أحدث ما قلت، فأنشده، فلما بلغ آخرها، أطرق الفرزدق ساعة ثم قال له: أعد فأعاد، فقال له: كذبتَ وأيْمُ الله! ما هذا لك! لقد قالها أشدُّ لَحْيَين منك! ما هذا إلا شعر ابن الأتان! (يعني جريرًا).

ثم يذكر بعد ذلك شاكر مثلاً أروع، وهو أن العرب الذائقين المميزين، يميزون كلام الإنسان حتى في مراحل متعددة من حياته، وليس فقط كلامه عن كلام غيره، ويستمر حتى يذكر قصة قدوم ضماد من أزد شَنُوءة إلى مكة، وقد كان صديقًا للرسول ﷺ قبل أن يوحى إليه، فعن ابن عباس أن ضمادًا قدم مكة، وكان من أزد شَنُوءة، وكان يرقي من هذه الريح (أي من الجنون) فسمع سفهاء من أهل مكة يقولون: إن محمدًا مجنون! فقال: لو أني رأيت هذا الرجل لعل الله يشفيه على يدي! قال: فلقيه، فقال: يا محمد، إني أرقي من هذه الريح، وإن الله يشفي على يدي من شاء، فهل لك؟ فقال رسول الله ﷺ: «إن الحمد لله، نحمده ونستعينه، من يهده الله فلا مضل له، ومن يضلل فلا هادي له، وأشهد أن لا إله إلا الله وحده لا شريك له، وأن محمدًا عبده ورسوله، أما بعد». فقال ضماد: أعد عليّ كلماتك هؤلاء، فأعادهن عليه رسول الله ﷺ ثلاث مرات. فقال: لقد سمعت قول الكهنة، وقول السحرة، وقول الشعراء، فما سمعت مثل كلماتك هؤلاء، ولقد بلغن ناعُوس البحر! فقال: هات يدك أبايعك على الإسلام، فبايعه. [رواه مسلم في «**صحيحه**» وأحمد والنسائي وابن سعد وغيرهم].

فهذه الكلمات وحدها كانت دليل ضماد على نبوة صديقه؛ لأنه وصل بتذوق الكلمات إلى صميم الفرق بين كلام صاحبه بالأمس وكلامه في هذا اليوم. [**قضية الشعر الجاهلي**، ص٦١ - ٦٢، بتصرف].

وقد كان الذوق وشخصية الكاتب سلاح الكثيرين ممن ردوا دعوى انتحال الشعر الجاهلي، وكان للعقاد تعليق جميل على هذا الضرب، وهو أن لكل شاعر

ذوقه وشخصيته التي لا تخفى على السامع، حتى إذا سمع له بضع قصائد كون عنه صورة في ذهنه، وذوقًا خاصًا يعرف به شعره، ثم قال: فبالله من هذا الكذاب الذي كذب علينا الشعر الجاهلي، ثم أعطى لكل شاعر ذوقًا، وشخصية ولغة خاصة به؟! وهذا من الطعن الكبير على من زعم انتحال الشعر الجاهلي كله، نعم هناك قصائد منحولة ولكن أنّى لنا بشاعر ينحل كل ذاك، ويصوغ كل تلك الشخوص والأذواق والأمزجة، ويصنع شخصية لكل شاعر، وذوقًا ولغة وأسلوبًا!!

وأنت قارئ في زماننا قصائد للبردوني، أو للسياب، أو لقباني، أو لأحمد مطر، ثم تجد نصًا بلا مصدر، فلا يكاد يغيب عنك شاعره ومبدعه، إن كنت قد توسعت في شعرهم ولك ذائقة شعرية. فقد غدت القافية المقصورة وكأنها ملك للبردوني، والغزل الفاحش واللفظ الجميل والسهولة واللمعة اللفظية وكأنها لقباني، والصورة بل المسرحية السياسية والنقد اللاذع وكأنها ملك لمطر.

ولا أزال أعجب من طالب جامعي أمريكي، كنت أقرأ عليه نصوصًا باللغة الإنجليزية؛ ليساعدني على تحسين النطق، ومعرفة مخارج الحروف وعلى القراءة، وكنت أقرأ عليه نصًا كان بيدي ولا يعرف مكان ولا قضية المقروء، فلما قرأت عليه النص قال: كأن الكاتب ألماني. قلت: لم؟ وكيف عرفت؟ قال كلامًا معناه: إنهم يعاظلون الكلام (أي: يدخلون بعضه في بعض)، وكلماتهم قليلة. ومن ميزة الألمان حقًا أن نصوصهم شديدة التركيز مقارنة بنظرائهم في الغرب عمومًا. والكتابة الأمريكية غالبًا مرتاحة، أي يأخذ الكاتب راحته في التكرار والتمثيل والشرح والتدليل، أو قل مسقيّة أو راوية، لا تعاني من قلة القول وكثرة الأمثلة. وقد أعجبتني نباهة هذا القارئ الصغير في عمره، النبه للنصوص وللأساليب، ويدل على قراءة ودراية. لا أعدها نادرة، فهي كما أشار شاكر نتيجة للمارسة الطويلة، فإن كانت هذه الممارسة في باكورة العمر كانت دليلاً صادقًا للقارئ.

ولا أزال أذكـر أننـي فـي بدايـات مرحلة الجامعة كتبت لنفسي أوراقًا أفرق فيهـا بيـن طريقة العقاد وطريقـة مالك بـن نبي في الكتابة؛ لأنني قرأت لهما في وقـت متقـارب الكثير ممـا كتباه، حتى لكدت أستوعب أغلب مـا كتباه. وكدت أعرف مفتاح شـخصية العقاد كما كان يحرص على معرفة مفاتيح شـخصياته التي كتب عنها. ومازال طعم قوله على لساني، ومحبة «دار المعارف» وطباعتها القديمة الجميلة في الذاكرة، وقد زرتها قريبًا في القاهرة وسـرت في جنازتها! أمـا مالك بـن نبي فيمكـن معرفـة طريقـته، ولكن فكرته تكون في الغالب بكرًا للقارئ العربي على الأقل في ذلك الزمن، ولم يلحق به أحد من قومنا رغم أن تلميذه جودت سعيد تحذلق بقربه، ثم لم ينجب مثله.

محاورات الكتاب

للحوار أثره الكبير على القارئ والمثقف الجاد، فهو عالم يطور المعارف ويشحذ الفهم، وكان من أشهر المتحاورين زمنًا طويلاً فرويد وكارل جوستاف يونـج، الـذى بـدأ بالقـراءة النهمـة للكتـب القديمـة خاصة إلى درجـة أنه لكثرة قراءته كان يثير السخرية بين زملائه في الفصل الدراسي، مما جعله يحاول أن يتظاهـر بالجهل أمام زملائه؛ هروبًا من استغرابهم وتعجبهم. وكان جادًّا لا يمل. تعلـق يونـج بأسـتاذه فرويد أيمـا تعلق قبل أن يلقاه، فلما لقيـه وكان كل منهما مهتمًّا برؤية الآخـر والحديث معه وقد ملأ الإعجاب المتبادل نفسـيهما، فلما التقيا بقيا يتحدثان لمدة ثلاث عشـرة سـاعة متواصلة، ومن بعد ذلك كان كل منهمـا يكتـب للآخر يومًـا بعد يوم أو كل بضعة أيام ما لـم يقطعهما مرض أو إجازة، لمدة سبع سنوات لاحقة. وقد جمع من هذه الرسـائل (٣٦٠) رسـالة ترجمـت للإنجليزية، ويعتبرها صاحب مختصر الرسـائل مـن الأعمال المهمة لطلاب علـم النفس. [رسـائل فرويد ويونـج، تحريـر: ويليم مجويـر، الطبعة المختصرة، مطبعة جامعة برنسـتن، ١٩٩٤م، صIX]. ولا غرابة في طول هذه

اللقاءات بيـن صديقيـن، ولكن الذي شـدهما هو تجانس اهتمامهما، وتماثل هدفهما، ووجود موضوعات يتمنى كل منهما أن يناقشها مع الآخر.

عند مدرسة فرويد تحسن الإشارة لقصة موقف الأقلية اليهودية التي يمثلها في مواجهة دين الأكثرية (المسيحية) التي يمثلها يونج، فقد كانت غاية الأقلية التشكيك غير المباشر والحشد الطاعن في دين الأكثرية بأي وسيلة مثل استجداء علمانيةٍ أو شيء مـن روحانيات غريبة أو ماديات تنهي ضغـط الدين الواحد، وهـذا مـا يجعل يونج يتحسـس ذلك عند شيخه فينعى عليه يهوديته وغاياته وتعصبه، وقد أوقعت شكوك يونج في أهداف شـيخه في شيء من التعصب المسيحي المضاد والعلاج بالانجيل، على طريقة القساوسة، وهناك من يرى أن النصوص المقدسة لها تأثيرات أبعد مدى مما يمكن للقول السطحي السـريع تحليله، وعندما طعن أحد المسلمين في بريطانيا، وكان يمر عليه طبيب بريطاني فكان يلاحظ تحسن نبض قلبه عند سـماعه للقرآن وهو في غيبوبة فكان يقول لزميلنا القارئ ـ كما روى لي ـ قل هذا وكرره فإن نبضه يتحسن بهذا!

إن المناقشـات والحوار تقـدح الفهم، وتثيـر الأفكار، وتهذب الآراء والمواقف، وكل مفكر عالة على غيره. نشر مرة حسين أحمد أمين ابن الكاتب الشـهير مقالاً في جريدة الحياة ـ رأيته أعاد نشـره في أحد كتبه ـ عن سـهرات والده مع عبدالرزاق السـنهوري على الهاتف، وقد أبدع في صياغة مقالته عن متعـة كل منهمـا بالحديـث مع صاحبه، فقد كان يقرب شـايه ودخّانه ويسـتعد لمكالمة طويلة مع السنهوري، أو إن اتصل الشيخ به استعد أهل البيت بتحضير مسـتلزمات المحادثة الطويلة. وقد تستنكر الدخان مع المشايخ في مجلس. قلت: ذلك كان معفوًّا عنه، مقبولاً في زمانهم، كما كان حلق اللحية سائدًا بين المشايخ أيضًا، فقد كان الاستعمار ممسكًا بالأعناق والألسنة والأشكال، ثقيل الوطأة لا يحس أحد بما ترك على شكله أو طباعه أو خلقه من أثر، وقد فرض

الإنجليز على المصريين حلق اللحي، وإلا فإن الذى لا يحلق لن يجد عملاً في المؤسسات القريبة منه، وكذا كانوا يفعلون وورثتهم في المستعمرات، وقد كنت أحدث صديقي القارئ الواعد بالتميّز تركي الزميلي ـ الذي لا يريد أن أقول عنه «شاعرًا» ـ عن شعر عمر أبي ريشة، وكيف يصنف إسلاميًا رغم خمرياته؟ فقال: «في ذلك الزمن كان مثله يعتبر إسلاميًّا».

وقد حدثنا الشيخ الكبير قدرًا وعقلاً وعلمًا صالح الحصين أنه ما فهم الفقه من أستاذ كما فهمه من عبدالرزاق السنهوري، فقد كان مدركًا لمقاصد الأحكام، وفقه المسلمين وقوانين الغرب، عميقًا في إدراك فلسفة القوانين الغربية. وقد كان قادرًا على أن يبرز لتلاميذه تفوق الفقه الإسلامي، وبقاء تميزه وخصوصيته عن النظم الأخرى، وكان الشيخ صالح يرى أنه لم يبق للمسلمين من العلوم الإنسانية والتطبيقية ما يتفوقون به على غيرهم إلا الفقه. فقد كان ولم يزل علمًا حيًّا، يتطور بالحوادث والتجديد رغم ضعف المسلمين وقصورهم، وذكر مسائل معاصرة جدّد فيها فقهاء نجباء بما يخالف مدارسهم الفقهية، وذكر نماذج لقضاة من الحنابلة قالوا بأقوال اعتبرت شذوذًا في بداية الأمر، وبعد تحول حياة الناس وتمكنهم أصبحت محاكم التمييز تقضي بما قالوا. وكان السنهوري قد أشاد بنجابة تلميذيه القرضاوي والحصين.

هناك سر كبير رأيت الأعين عنه غافلة، والقلوب ذاهلة، ولا تعرف الطريق نحو تفسيره، وهو لماذا يكثر المشاهير في الأمم العزيزة، ويقلون في الأمم الذليلة؟ تمتلئ كتب السلف بأخبار الرجال الأفذاذ ـ وما أكثرهم في زمن العزة ـ ويقل عدد الرجال وتغيب أسماؤهم في عصور الذلة؟!

قرأت قصة حوار يونج مع فرويد، وقد سمعتها أول عهدي بها من صديق كتبي «نفسي»، أي من عشيرة فرويد ويونج، تخصصًا في علم، لا دينًا وتوجهًا، فصاحبي أصولي إسلامي عنيد. وقد ذكرتني بالقصة التالية، وهي أن الخليل

كان يحب أن يرى عبدالله بن المقفع، وكان ابن المقفع يحب أن يرى الخليل، فجمعهما عباد بن عباد المهلبي، فتحادثا ثلاثة أيام ولياليهن. فقيل للخليل: كيف رأيت عبدالله؟ قال: ما رأيت مثله، وعلمه أكبر من عقله. وقيل لابن المقفع: كيف رأيت الخليل؟ قال: ما رأيت مثله، وعقله أكبر من علمه. ثم قالوا إن شاهد هذا التقييم من الخليل أن ابن المقفع كتب أمانًا لعبدالله بن علي «خصيم أبي جعفر» فقتل بسببه. وأن الخليل مات أزهد الناس. [**أمالي المرتضى** (١/ ١٣٥ - ١٣٦)، وثريا ملحس، **المعلم الخليل بن أحمد**، ص٣١].

قلت: والذي لم يدركه المعلل أن ابن المقفع كان مدمنًا للسياسة في عهد اغتلامها، والدول والثورات لحظات الانقداح طوفانات نار، السالم فيها غانم، والغانم مخاطر كبير. وابن المقفع ما كانت عنده اللغة والفلسفة والأدب إلا رواحله التي يرتحلها لغاياته، فقد كان مقامرًا مغامرًا وربما كان يعرف أنه مغنم أو موت، على طريقة «نحَاوِلُ مُلكًا أَو نَمُوتَ فَنُعْذَرَا» فقد كان يتطلب منصبًا أو وزارة ويحاصر مَلكًا ضد آخر، فأصيب بعلته التي اشتكاها سنين من قبل، أو يقع في فخ مخالفته لنصائحه. وقد كنت قرأت عنه أنه كان على نهج الملحدين المجوس، وراجع ذلك في كتاب «**الفلسفة الأخلاقية الأفلاطونية**» من تأليف: ناجي التكريتي، فقد كتب عنه الفصل الثامن فكان مختصرًا طريفًا. وبعد همود الجمر من قرون يتطوع قوم فيقولون «تعجل»، وما أبرد التعليل المتأخر جدًّا عن الحدث دائمًا، ولكن هذه مهنة رواة التواريخ، ومرددي الأمثال والحكم المثلجة. وكم أكره ما ينسب له، ولكن شجاعته تستحق التقدير لكاتب تعود أهل ميدانه [أو أهل مهنة الكتابة السلطانية] التبعية والجبن والخوف والجهل حتى أصبحوا من المتاع المضاع. أما الخليل فكان له طريق آخر بعيد المدى واسع القوى، يعرف غايات الدروب، فمواهبه وهمته أكبر من المتخاصمين، وتلاميذه أمة إن لم تكن الأمم، فابن المقفع يسعى لمنصب تلميذ للخليل

لا غير أو منصب عند الأمير. فكل منهما رأس في مذهبه، وكل منهما منسجم مع إمكاناته ومواهبه وغاياته. ولا يشغلنك قول عن أن تقرأ أدب ابن المقفع، وأعلم أنه أقرب لك، وربما أنفع من علم الخليل الذي لا تطيقه، فعلم الخليل من نوع التيار العالي الذي لا يصلح أن تعرض نفسك له مباشرة، وقد خفف علماء كثيرون عبر القرون من هذا التيار، وقسموه وسهلوه وجعلوه نافعًا في كتب ميسرة مبسطة مقدور عليها. وعن عبقرية البدء عنده وعند سيبويه راجع «**رسالة في الطريق إلى ثقافتنا**» لمحمود شاكر، فهي رائعة في بابها، وقارنها بما كتب في العروض في كتاب «**نمط صعب نمط مخيف**».

وعن اللقاء أيضًا نذكر الفيلسوف والرياضي وايتهد، وكان من الممتحنين لتلميذه ثم زميله فيما بعد رسل، وكان وايتهد معجبًا جدًّا بهذا التلميذ النجيب، ولكنه في الامتحان لم يحقق مستوى عال وتقدمه اثنان، فاضطر وايتهد أن يحرق كشوف الدرجات، وأن يوصي برسل. [رسل، **سيرتي الذاتية**، ص٧٨]. وقد تطورت علاقاتهما تطورًا كبيرًا، حتى أصبحت لا تذكر الرياضيات التي طوراها إلا بذكر اسميهما معًا، وكان من أصدقائهم الودودين منيارد كينز، الاقتصادي الشهير، وقد أشار رسل إلى أن موته المبكر كان بسبب جده الشديد في العمل، وكان كينز من أهم الذين أنقذوا الاقتصاد الأمريكي في زمن الانهيار الذي بدأ عام ١٩٢٩م.

ونسأل: أين الطالبان المتفوقان على رسل في الامتحان؟ كم نحن بحاجة إلى التخفيف من التعلق بالمستوى الدراسي وجعله مقياسًا للنبوغ، فليس مقياسًا في الحاضر ولا الماضي، ومع هذا فنحن بحاجة دائمًا إلى أن نحث الأبناء على القوة في الدراسة، فإن كانوا أهل نبوغ فقد قدمنا لهم عونًا، وإن لم يكن فلا أقل من أن يعبروا هذه المراحل وهم قادرون ويحققون أساس التعليم. أما النجابة فيكفي قول شوقي:

وَكَمْ مُنْجِبٍ فـي تَلَقّي الدُّروسِ   تَلَقّـى الحَيـاةَ فَلَمْ يُنْجِبِ

وكان تشارلس بيرس فيلسوف السيميائية والبراجماتية ضعيفًا في أثناء دراسته في هارفرد، وقد تخرج بترتيب (٧٩) من بين (٨٩) طالبًا، مع أنه سبق أن حفظ عن ظهر قلب كتاب «**نقد العقل المحض**» لكنت. وقد كان ضعيفًا في تدبير أمور حياتـه، ويعاني من الفوضى في كل أموره، وصعب عليه الانتظام في عمل، حتى تلـك الأعمـال التي دبرها تلاميذه لـه، وعاش من مهنة تـذوق الخمر على بؤس وفقـر، وأفقرتـه الكتـب، عاش بعبقرية فـذة وآراء أصيلة جديـدة، مع نفس صلفة عاتية، عاناها معه تلميذه الوفي وصائد فكرته «البراجماتية» ويليم جيمز.

ونعـود لوايتهـد، هذا الرياضي الغريب الذي تفلسـف متأخـرًا بعد أن ذهب للتدريـس فـي هارفرد، فقد كان متدينًا، وأوشـك أن يكون قسيسًـا، وكان داعمًا للحرب العالمية الأولى، وغافلاً عن الشؤون الأسـرية، ويمر أحيانًا بفقر شـديد لعائلته، ولا تخبره زوجته خوفًا عليه أن يصاب بالجنون، فيسدد رسل دينه دون أن يدري، وكان قادرًا على ضبط نفسـه إلى ما فوق احتمال البشـر. وكان يتمتم بـكلام يزجـر به نفسـه بشـكل لا يرحـم، وكان يلزم الصمـت أحيانًا لعـدة أيام، لا ينبس فيها بكلمة واحدة لأحد في البيت. وكان منسـجمًا مع أصدقائه، وكان رأسًا في جمعية سرية من تلك الجمعيات السرية التي كانت في جامعة كامبريدج، وقـد تحدث رسـل عن هذه الجمعية السـرية وكان عضوًا بهـا، ولكن كلّاً منهما كان يتواضـع ويسـند الجماعة إلى الآخر، فيقـول وايتهد في آخر عمره: «جماعة رسـل في كامبريج» [**محاورات وايتهد**، ص٤٢٩]. وكان وايتهد يرى نفسـه قليل القراءة، وبطيئًا ـ المسـألة هنا نسـبية كما علق مترجمه ـ ولكنه يتأمل كثيرًا في ما يقـرأ، وكان يكتـب بعد تصور واضـح لما يريد قوله، ولا يمسـك القلم ويكتب بحسب ما يرد أثناء الكتابة، علمًا بأن الكتابة أحيانًا تكتب نفسها بما يشبه لا وعي الكاتـب، غير أن كتابات وايتهد القليلة جدًّا كانت أثرًا فارقًا بدءًا بعمله الرياضي المشترك مع رسل، ثم ما لحق كان قليلاً جدًّا أعرف له كتابين فلسفيين.

وآخران التقيا من رجال الثورة هما؛ كاسترو وتشي جيفارا في المكسيك، وقد طال بهما الحديث ومر عليهم يوم وليل، وصاحبة المنزل تراقب مشدوهة لانصراف الزميلين للنقاش والتخطيط وكأنهما يتعارفان من سنين طويلة، إنهما تشي جيفارا وكاسترو. [ذكر ذلك ريجيس دوبريه في كتابه «**ثورة في الثورة**»]. وبعد أن طرق تروتسكي باب لينين طرقة فتحت له باب التاريخ، تذكر كروبسكايا زوجة لينين أنها فتحت الباب له في لندن، وذهبت تحضر القهوة، ثم وجدت زوجها على طرف سريره غارقًا في حوار مع الضيف الشاب المندفع، حوار طال وتعمق كثيرًا على السنين. وانظر لبعض قصص هذه الحوارات في «**النبي المسلح**» عن تروتسكي، وأجزائه الأخرى لإسحق دويتشر، وهو أشهر وأهم كتاب عنه. [طبع في المؤسسة العربية للدراسات والنشر، ١٩٨١م].

واعلم أن إمرسون كان زميلاً لهنري جيمس الكبير، واستمتع كل منهما بنقاش ولقاء صاحبه، ثم نشأ ويليام جيمس الفيلسوف وشقيق الروائي هنري في أجواء محبة وشوق للمعرفة، وقد أحب ويليام لقاء النابهين، فقد سافر من جنوب أوروبا إلى باريس فقط ليقابل فيلسوف فرنسا في زمانه برجسون، وأبقى رسائل ونصوصًا جميلة عن هذه الرحلة، نقلها الفيلسوف رالف بارتون بيري تلميذ ويليام في كتابه عنه «**أفكار وشخصية ويليام جيمس**» وكان جيمس رفيقًا لروحه وأستاذًا لعقله. وقد كان آل جيمس محظوظين ببيئة معرفية كحظ الأشعري إذ نشأ في بيت الجبَّائي.

ويحدثنا الرواة أن الإمام أحمد كان يترك قيام الليل عندما يزوره أبو زرعة الرازي، ويصرفان الوقت في مذاكرة العلم. وفي نصيحة أبي بكر رضي الله عنه ليزيد بن أبي سفيان: «**واسمر بالليل في أصحابك تأتك الأخبار، وتنكشف عندك الأستار**». [**خاطرات جمال الدين**، تأليف محمد باشا المخزومي، ص٢٩٩، ط.١٩٣١م]. وفي ترجمة الإمام الشاطبي ورد أنه ذكر كتابه «**الموافقات**» وأنه

من «أنبل الكتب»، وورد في المقدمات المجموعة لعدد من المحققين للكتاب أنه كان يباحث العلماء أيام تأليف «**الموافقات**» ثم يضع مباحثاتهم فيه». [**الموافقات**، مقدمات التحقيق، (١/ ٦٩)].

وقد قص كثير من المسلمين وغيرهم قصة وفودهم على أشياخهم، وكان لقاء ابن العربي لشيخيه أبي بكر الشاشي ثم الغزالي طريفًا، فقال: ثم فاوضت بعد ذلك العلماء، وواظبت المجالس، واختصصت بفخر الاسلام أبي بكر الشاشي، فقيه الوقت وإمامه، فطلعت لي شموس المعارف، فقلت الله أكبر، هذا هو المطلوب الذي كنت أصمد، والوقت الذي كنت أرقب وأرصد، فدرست وقيدت وارتويت، وسمعت ووعيت، حتى ورد علينا «دَانِشْمَنْد» (معناه بالفارسية: الحكيم أو الماهر، والمقصود به الإمام الغزالي). وقد سجل القاضي قصة اللقاء بتفاصيله أكثر من مرة وفي أكثر من كتاب. وهذا مقطع مما ساقه في كتابه «**قانون التأويل**»: «فنزل برباط أبي سعد بإزاء المدرسة النظامية معرضًا عن الدنيا، مقبلاً على الله تعالى، فمشينا إليه، وعرضنا أمنيتنا عليه، وقلت له: أنت ضالتنا الذي كنا ننشد، وإمامنا الذي به نسترشد، فلقينا لقاء المعرفة، وشاهدنا منه ما كان فوق الصفة، وتحققنا أن الذي نقل إلينا من أن الخبر عن الغائب فوق المشاهدة ليس على العموم، ولو رآه علي بن العباس (يعني: ابن الرومي) لما قال:

إذَا مَا مَدَحْتَ امْرَأً غَائِبًا فَلا تَغْلُ فِي مَدحِهِ واقْصِدِ
فَإنَّكَ إنْ تَغْلُ تَغْلُ الظُّنو نُ فِيهِ إلى الأَمَدِ الأَبْعَدِ
فَيَصْغُرُ مِنْ حَيْثُ عَظَّمْتَه لِفَضلِ المَغِيبِ عَلَى المَشْهَدِ

فإنه كان رجلاً إذا عاينته رأيت جمالاً ظاهرًا، وإذا عالمته وجدت بحرًا زاخرًا، وكلما اختبرت احتبرت. فقصدت رباطه، ولزمت بساطه، واغتنمت خلوته ونشاطه، وكأنما فرغ لي لأبلغ منه أملي، وأباح لي مكانه، فكنت ألقاه

في الصباح والمساء والظهيرة والعشاء، كان في بزته أو بذلته، وأنا مستقل في السؤال، عالم كيف تؤكل كتف الاستدلال، وألفيته حفيًا بي في التعليم، وفيًا بعهدة التكريم». [ابن العربي، **قانون التأويل**، ص١١١ - ١١٢].

ولعلك تلاحظ أن الناس إن أرادوا تعظيم شخص مهم لقبوه ألقابًا قد تكون غريبة عن لغتهم وعلى سمعهم؛ ليوحي ذلك بالعظمة للملقب. ومنها غرابة اللقب، كما فعل ابن العربي، وكما يفعل قوم في زماننا بكلمة «بروفسور»، فغرابتها تعطي جلالاً فيما يتوقعون لمن يلقوها عليه في لغته، وكلمة «أستاذ» الفارسية التي تعربت ربما دخلت من هذا الطريق. وكان من أوائل من حمل هذا اللقب: الحسن البصري.

وفي مقطع من حوار لموقع «إسلام أون لاين» يقول طارق البشري: أطلقوا علينا «التراثيون الجدد»، أنا، ومحمد عمارة، وعادل حسين رَحِمَهُ اللَّهُ وآخرين، كنا حوالي (١٢) أو (١٥) فردًا، نجتمع كل (٣) أسابيع ونحدد موضوعًا ونناقشه، وظللنا هكذا لسنوات، البعض ينتظم، والبعض يمشي، والبعض ينضم من حين لآخر.

- مثل من؟

- مثل عبدالوهاب المسيري، وجلال أمين، ونادر الفرجاني، وعلي نصار... إلخ.

- لكن بعض هذه الأسماء غير محسوب على التيار الإسلامي!

- لم يكن الجميع ينظر إلى المسألة من هذه الزاوية تحديدًا، لكن كان هناك ميل عام إلى الاستقلال والتخلص من التبعية والتغريب.

وأخبر غلام الديناني قال: إنه داوم على جلسات أسبوعية في حوار فلسفي في طهران دامت سبع سنين، كان يحضرها فيها عبدالكريم سروش وأمثاله

مثل الداماد وشبستري والأحمدي. [النصري، **مع الفيلسوف**، ص٨٠]. وكذا تحدث مرتضى مطهري عن شبه ذلك مع مجايليه. وقد أعانت هذه الحوارات ثلة من مشاهير البلاد.

ولا بأس مع وقفة مع الجاحظ يقول فيها: «وقالوا: علّم علمك وتعلم علم غيرك، فإذا أنت قد علمت ما جهلت، وحفظت ما علمت». ونقل لنا أن الخليل بن أحمد كان ينصح بالمدارسة ويقول: «واجعل تعلمك دراسة لعلمك، واجعل مناظرة المتعلم تنبيهًا على ما ليس عندك». [**البيان والتبيين**، (١/ ٢٧٤)]. وفي المصدر والصفحة نفسها قال الجاحظ: «وقال بعضهم ـ وأظنه بكر بن عبدالله المزني ـ لا تكدروا هذه القلوب ولا تهملوها؛ فخير الفكر ما كان عقب الجمام (الراحة)، ومن أكره بصره عشي. وعاودوا الفكرة عند نبوات القلوب، واشحذوها بالمذاكرة، ولا تيأسوا من إصابة الحكمة إذا امتحنتم ببعض الاستغلاق، فإن من أدام قرع الباب ولج».

وكذا قرأت عند برديائيف قوله: «إن بعض استبصاراتي الفلسفية أتت إليّ في أشد الظروف تفاهة وتباينًا في الظاهر، كأن أكون في السينما أو أثناء قراءتي لرواية أو صحيفة، أو في أثناء محادثة تافهة، أو خلال جولة في المدينة. وقد كنت قادرًا على العمل والقراءة والكتابة في كل الظروف». [**الحلم والواقع**، ص١٠٨]. وبرديائف هذا هو الذي يزعم أنه لما كان في الرابعة عشرة كان يطالع كتبًا من مثل «**العالم كإرادة وتمثل**» لشوبنهور، و«**نقد العقل الخالص**» لكانت، وكتاب «**ظاهريات العقل**» لهيجل، وغيرها. [**الحلم والواقع**، ص٤٨]. وهو قال هنا «**يطالع**» وقد لا يعني جدًّا القراءة؛ لأنه سبق لنا قول ويليام جيمس وشكواه في نضجه وعدم قدرته على قراءة وفهم بعض ما سبق ذكره.

إن مجالسة ذوي القدرة والخبرة تفيد كثيرًا فيما بينهم، ولكن حضور مجالسهم من صغار السن والتجربة قد لا تفيدهم إلا إذا كانوا مقصودين

بالمجالس. وقد تكون نقاشات حادة ضروس وذكية ماكرة، كتلك التي وصفها الكاتب الألماني ستيفان تسفايج حين حضر في بيت برنارد شو لقاء حميميًّا على غداء كان مدعوًّا له: هـ. ج. ويلز، كاتب الروايات والتاريخ وكتب خيالات العلم، وكانا كهلين في غاية الذكاء واللماحة والسخرية، يقول تسفايج: «كان الرجلان العظيمان يمثل كل واحد منهما جزءًا من عظمة إنكلترا، وقد كافحا منذ نصف قرن جنبًا إلى جنب من أجل الاشتراكية من خلال الجمعية الفابية.. كان ويلز في السبعين، وكان شو في العقد التاسع من العمر، رشيق الحركة على نحو لا يصدق، غداؤه لوز وفاكهة فقط، وكان حاذقًا وسريعًا في تغيير مواقع الهجوم». يصف تسفايج الجو فيقول: «كنت سريع التأثر بجوّه (جو اللقاء)، كل إشارة وكل التفاتة وكل كلمة تفوها بها، كل شيء فيها كان يشي بالابتهاج والمشاكسة، كانا مثل متبارزين يختبر أحدهما الآخر بسلسلة من الهجمات المخادعة قبل أن ينصرفا إلى العمل الجدي. كان شو أسرع خاطرًا وكانت عيناه تومضان تحت حاجبيه الكثين، كلما أجاب أو تلافى الإجابة. إن ابتهاجه بالبديهة الحاضرة والتلاعب بالألفاظ اللذين هذبهما طيلة ستين سنة حتى اكتسب براعة لا نظير له فيهما، قد تحول إلى ضرب من العجرفة، كانت لحيته البيضاء الكثة ترتجف أحيانًا حين يضحك ضحكة خافتة كالحة، ويميل رأسه ويرده إلى الوراء قليلاً، وتبدو عيناه على الدوام أنهما تتابعا السهم لتريا إن كان صائبا حقًّا.. أما ويلز ذو الوجنتين المتوردتين والعينين المتواريتين الوديعتين فقد كان أقسى وأكثر مباشرة، وعقله كان يعمل بالسرعة القصوى أيضًا غير أنه لم يتعمد إطلاق شرارات، بل أن يطعن باستهتار طعنات رشيقة وأكيدة، تواصلت هذه المبارزة العاجلة كرًّا وفرًّا، طعنًا وتحاشيًا، وتحاشيًا وطعنًا، وكانت على الدوام ضمن حدود المزاح بحيث إن المشاهد لا يسعه إلا أن يعجب بالمسايفة والوميض، والأخذ والرد، ولكن هذا الحوار السريع الذي بقي على طريقة سوية رفيعة، كان ينطوي على نوع من الإثارة الفكرية التي

تنتظم في المنطق المدني انتظامًا رائعًا على الطريقة الإنكليزية. ما جعل هذه المحاورة مثيرة على نحو غير عادي، هو الهزل الجاد والجدية الهازلة في تعارض هذين القطبين.. ومهما كان فقد رأيت خير رجلين في إنكلترا في أحد أفضل أوقاتهما. كما إنني لم أر مسرحية مورس فيها فن الحوار ممارسة فتية بارعة كما في تلك المناسبة التي تحققت فيها تلك المسرحية، عن غير قصد ومن دون مسرح، وعلى أبدع وجه». [عالم الأمس، ص٣٠٨- ٣٠٩، وقد طبع حوارهما لاحقًا في دورية «ناشن»]. ولاحظ وصف وتصوير تسفايج في مراقبة عين شو للسهم، فالوصف من الأسباب الأساسية لشهرة كتبه، إذ لم تكن أفكارها كبيرة بحسب ثلاثة كتب قرأتها له، منها مذكراته هذه.

والمناظرات لا تقل فائدة عن المحاورات، وكانت عادة راسخة عند طلاب العلم في عصور الإسلام الأولى، وتمتلئ كتب المسلمين بأخبار المناظرات والنقاشات التي ترفع من الفهم ومن الذوق، ومن القدرة على التبصر في الأمور. وقد ساق الشيخ المالكي أبو الوليد الباجي قصة حضوره ببغداد ومناظرة الشيخ الشيرازي والدامغاني سياقًا جميلاً من خلال مقدمته الطريفة عن شوق الطلاب لنقاش الكبار ومناظرتهم أمامهم، وكان الشيرازي يحرص على كتابة مناظراته بنفسه بعد أن تتم، فكتب أربع مناظرات، منها: مناظرتان مع العالم الجهبذ أبي المعالي الجويني، وهو في سن التلمذة له. ومر زمن حتى خلد لنا التاريخ مناظرات أبي الوليد الباجي نفسه لابن حزم، وقد طبعت دراسة عنها مهمة، صدرت عن «دار الغرب الإسلامي».

ولكن للمناظرات أمراضها وآثارها القلبية السيئة، وقد أحسن الإمام الغزالي في التعبير عن مشاعره تجاهها عند زيارته لقبر إبراهيم الخليل - إن صح مكان القبر - فقد قال الشيخ إنه عاهد الله عند قبر خليله ابراهيم ألا يفعل ثلاثًا، ذكر منها المناظرة، والدخول على السلاطين في كتابه «المنقذ من الضلال».

وهذا القسم حي وصاعد في الغرب في المجالات السياسية بدرجة أكبر، كمناظرات المنتخبين للرئاسة، وكثيرًا في الجامعات والمذاهب والمدارس الفكرية والإلحاد والإيمان. وفي تاريخ الفكر الغربي نقاشات ومناظرات عديدة، تبدأ بجلسة واحدة وتنتهي بقصة طويلة، مثل النقاش الذي جرى بين ديدرو الموسوعي الفرنسي الشهير وآخر أقل شهرة هو فالكونيه، فقد تناقشا على العشاء مرة حول مسألة: أمل الإنسان في المستقبل البعيد أو يأسه منه ومن عدم قيمته، وانتهى النقاش الشفهي، وتابعه الرجلان بالمكاتبة في رسائل كثيرة جدًّا، بلغت رسائل ديدرو المطبوعة في الموضوع ما يزيد عن مئتي صفحة، بعضها في حجم كتاب صغير، ولا ندري عن الحجم الذي نشره المناظر الآخر ولا الحجم الأصلي للمراسلات.

كلمات تنقر حبات القلوب

الكلمة الجميلة حلية النص، فلا تفرط فيها ولا في السياق الواضح الجميل؛ فقد تجد كلمة عارضة تفيدك أكثر من فائدة كتب ومعلمين وجهد كبير. أذكر أنني قرأت مرة كلمة عرضت لي ذات يوم، فأثّرت فيّ أثرًا كبيرًا؛ لأنها لقيت هوى، والكلمة لعلها كانت عنوانًا لكتاب هو «**افعل ما تحب والمال سيلحق**» فنحن نفعل ما نحب منتظرين لما سيأتي من نجاح، أو ثواب له أو معه، راجين ألا يكون منتظرًا لا يظهر، ولا كمنتظر صموئيل بيكيت الذي لا يجيء. وهل هذه من سذاجات الكتاب والمفكرين؟ يبدو ذلك، ولكن لو لم يكونوا سذجًا في حياتهم الاجتماعية لما أمكنهم النجاح والتأثير والإمتاع، فالوعي التام في جانب يقتضي عمدًا أو سهوًا أو غفلة كبيرة في جوانب أخرى؛ لأن المساحة الذهنية والوقت الضيق لا يسمح بمثل كل هذا التنوع. وقد ذهب هيجل للتدريس بحذاء واحدة، ونيوتن دعا صديقا للطعام، وجاء الصديق فوجد الطعام وتأخر نيوتن في المعمل أو المبحث، فأكل الضيف ثم ذهب، ولما مر

وقت وأحس نيوتن بالجوع ذهب للطعام فوجد أن الطعام قد أكل منه، فتركه معتقدًا أنه هو الذي أكل، ونسي كل القصة والضيف والجوع، وكان مشهورًا بقلة طعامه وصبره وسهره الـذي يطول! مسكين هذا الإنسـان، وقته قصير، ومهماته كثيرة، وطموحاته متجاوزة لعمره أيا طـال! وتقول: ولكن هل نجح الذين جمعوا؟ أقول نحن متفقون أن بعضهم نجح، وهم أقل من القليل، وهذا يـدل علـى أن الذيـن قاربـوا النجـاح عديدون. ولكنـك عندما تتبـع أعدادهم وآراءهـم وأقوالهم ثم تقول وقعت على المشكلة، أقول لـك: دعها هناك ولا تكشفها لتتمكن من وضع قاعدة ولو جائرة، وليقولوا لك لقد انتصرت. فكثير ممن نجح طارد وعيه بموقف غريب ولو لبعض الوقت، ثم رضي من أجل إباء هذه الدنيا الكمال عليه وعلى غيره.

ومن المؤلفين الشجعان والمتمكنين الذين قدموا كتبًا، ولم يبالوا فيما بعد أن يقولوا عن كتبهم أن العناوين كانت سببًا في نجاحها، دانيال بيل. فقد قرأت فـي الخاتمة الطويلـة الملحقة بكتابه «نهاية الأيديولوجيا» قوله بتواضع واضح: «هنـاك كتـب اشتهرت بفضل عناوينها أكثر من شـهرتها بمحتوياتهـا، وكتابي واحد منها». [نهاية الأيديولوجيا، ص٤٠٩]. ولا أسـتبعد أن يكون الكتاب قد ترجم للعربية، فهو طريف الفكرة، وفيه لمعات ذكية، ولكنها غائرة في تفاصيل كثيرة مرهقة للقارئ، بعيدة عن مراده. وقد باتت قديمة اليوم؛ لأنها تعالج زمنًا أصبح بعيدًا، وهو منتصف القرن العشرين (الخمسينيات) في ثقافة أمريكا، غير أن الكتاب أرخ لليسـار والفكر الأمريكي في مرحلة قصيرة، ولكنها حرجة في تاريخ فشل اليساريين في المجتمع.

ولا مفـر لنا في المذكرات من تقطعـات الأفكار ثم إعادة سـياقها، فنعود لموضوع العناويـن؛ يقول المخزومي، معـدّ كتاب «خاطرات جمال الدين الأفغاني» للنشر، إنه سمى الكتاب «جمال الدين الأفغاني في البلاط السلطاني»

فلما سمع مني جمال الدين هذا وأنه عنوان للكتاب، نفر قائلاً: إن هذا العنوان ليس لهذا المقال بطبيق؛ قل: «خاطرات» ولا تزد، فأجبت: إني أفعل. ولكن نبهني إلى كلمة «خاطرات» أحد الأصدقاء وهو من المنهمكين في قواميس اللغة، إذ قال: لا يصح أن تجعل عنوان ذلك الأثر المفيد مما ينتقده أهل اللغة؛ لأن «خاطرات» لـم تـرد بالمعنى الـذي تريده. والأقرب للصواب أن تقول: «خواطر»، ولا تقـل: «خاطرات»؛ لأنها تفيد الوساوس. فلما كاشفت جمال الديـن بذلك تبسّم وقال: رحم الله الفيروزآبادي حيـث قال: «خذوا لغتكم من أعجمي». ورحم الله الفـرزدق وجريرًا والحطيئة الذين قالوا للمتهوسين بالمتعامل المشهور القائم مقام ضوابط، وقواعد اللغة، وآلاتها من صرف ونحو اليـوم: «علينا أن نقول، وعليكم أن تتقولـوا». فقل: «خاطرات» ولا تبال بمن فسـد لسانهم، ولا يحسنون جملة تنقر حبة القلب أو تطرب السمع. فمن لطيف تعامله مع اللغة قوله مرة يصف سياسـة إحدى الدول: «سياسـة بقروتية في مملكة فرعونية» ولما قيل لـه في ذلك قـال: كيف صح قولهـم ملكوت وجبروت وهكذا يصح عندي بقروت. [ص٢٢ ـ ٢٣، ط١٩٣١م].

والغريـب أن المخزومي يقف عنـد كلام الأفغاني ملتمسًا المبرر اللغوي لأقواله، ويبحث في القياسي والسماعي، ولم يشـعر أنه أمام رجل أجاد اللغة وغيرهـا مـن الغايات، وتعالى فوق القيود التي تأسـر كثيرين أكثر من النحويين والصرفييـن، فقلّـت عليه أثقـال اللغة ومواضعات الناس الذين يحرصون أن يكونـوا دائمًا طيبيـن مقبولين مـن الجميع، مهمـا كان لهذا القبول من أثمان مسـرفة في غلائها. فكلما قلت عليك الأحمال، وتخففت من القيود، صعدت لمكان عال ترى فيه ما لا يرى المثقلون بحقائق أو أوهام أو أعراف. والمسافات ليست بعيدة بين عملاق العقل والمبدأ والدين وبين المحتج والمتفلت، ولكن لـكل منهـم طريقه في التأثير والتأثـر، فالمجـدد يتحمل قيـودًا ويحل أخرى،

والمقلـد يكثـر علـى نفسـه مـن الحـدود والقيود، ويحمل نفسـه رغبات الناس؛ ليبـدو أنـه طيب ملتزم بكل ما قيل، وبكل ما يودون أنـه يلتزم به، ليكون مثالاً فيقيد لسانه ولباسه وعقله ومسلكه، ولو كانت هذه المثالية عائقة.

ولم يترك السابقون واللاحقون لك مجالاً لتتحرر إن سلكت وادي رغباتهم التي تسحقك في واد سحيق. والمتفلت يتخلص من قيود المجتمع، ولكنه يرسف في قيود شهوات صغيرة، يتخفف زمنًا ثم يتحقق من صغر مكتسباته، فيرجع آسفًا ليحمل أثقاله وأثقالاً معها عديدة، ولهذا تجد الفسق عائقًا أثقل في مبدئه ومنتهاه.

والأفغاني هو صاحب الذاكرة الجبارة والسبع لغات، ففكرته مقدمة عنده على رضا الملتزمين بقانون النحو، والثوب البراق لفكرته أهم من اللغة (وهنا خطر ببالي أنه ربما قصد اللفظ الفارسي، ولا أدري عـن صياغة «خاطرات» فقد يكون قاصدًا لهذا الأسلوب بسبب لغته الأصلية، وقد رأيت هذه الصياغة دارجة في كتب فارسية كثيرة). وقد كان الأفغاني يقول الكلمات التي تلتصق بالأسـماع علـى طريقـة العباقـرة والزعمـاء، يصوغـون التسميات وينحتـون الشعارات وأدوات التعبير التي تحمل فكرة، وتدافع بلفظها عن قضية، وتهيج الأفـواج، ومـن هـذا النـوع عبدالناصـر والأفغانـي والخمينـي وكاسترو وزعماء كثيرون كانوا قادرين على وضع كلمات على ألسن الجماهير.

ومـا دام الحديث هنا عند جمال الدين الأفغاني، فقد كانت لي مع أفكاره قصـة تذكـر في مسـاق مذكرات قـارئ، ذلـك أنه ذات يـوم اقترح زميلي في الدراسة عائض القرني ـ الشيخ الشهير في زماننا الآن ـ أن يقدم كلمة للطلاب في المعهد، وكان في السـنة الأولى أو الثانية الثانويـة وكنت قبله بعام، فوافق المديـر علـى أن أشـترك معه في كتابـة كلمـة نقدمها أمام الطلاب والمدرسين ومن أساتذتنا علماء وأدباء وشعراء ـ يستحقون هذا الوصف بلا مبالغة ـ وكان

زميلي جريئًا في اقتراحه، فحدثني بما طلب، ثم استدعاني المدير وعرض عليّ الفكرة وشجعني لها فهبت الموقف، ولكني وافقت وكتبت كلمة طويلة بمقاييس العمر والخبرة، وقدمتها وكنت متأثرًا بآخر كتاب قرأته آنذاك، وهو كتاب محمد محمد حسين **«الإسلام والحضارة الغربية»**، وفيه حملة شديدة على محمد عبده ما رأيت مثلها، واتهامات له كبيرة؛ فقد كان يراه من شر من عرفت مصر، وكذلك شيخه جمال الدين. وله عبارة يقولها لتلاميذه في كلية اللغة العربية: «يا أولاد، ما بيهدمش الدين كافر، ما بيهدموش إلا شيخ بعمامة». ولهذا عددت في الكلمة أو المحاضرة محمد عبده ممن كان لهم أثر سيئ على الأمة كالمبشرين والمستشرقين. ثم انتهى الدرس وقام الجميع إلى فصولهم، وخرجنا مفتخرين بما لم يحدث من قبل: أن يجتمع المعهد كله وطلابه في ستة مستويات، ومدرسوه والمدير لطالبين يحاضران فيما عنّ لهما، ويسوقان لهم آخر ما عرفوا من النظريات الثقافية!

ولكن الفرحة لم تدم، فلما انتهينا من صلاة الظهر قام الشيخ يحيى معافى وهو عالم جليل القدر، واسع الاطلاع جمّاع للكتب، فأثنى علينا، ثم تحدث (وهذا مختصر قوله مما بقي من الزمان) فقال: «ولكني ـ وكم من مقدمات وكلام كل مقصودها ما بعد لكن ـ سمعت من أحد المتحدثين من نقد للشيخ محمد عبده، وألحقه بأعداء الإسلام ولم يصحح أحد من الأساتذة الكرام هذا الخطأ، وهذه مبالغة في تجريم الرجل، وكل الذي حدث منه إنما هي انحرافات لا يخرج بها الرجل من الدين، فقد قال بأقوال المعتزلة أحيانًا، واشتط في التعلق بالمعقولات، وأوّل بعض المعجزات». ولما فرغ الشيخ استبد بي الغضب، ووقفت معترضًا في المسجد على الشيخ الذي جرؤ على مخالفة كتاب كنت قد سلّمت بمحتواه (وفي بداية الطلب وبخاصة في ذلك الزمان كل مطبوع مقدس)، فاعترضني الشيخ إبراهيم سير مسكتًا لي، وألزمني

الصمت، ووعد بأن تدرس القضية محل النزاع، ثم يقال للناس فيها قولاً فصلاً. ذلك ما لم يحدث أن أعلن منه شيء فيما علمت.

وقد كانت بداية خيرٍ لي مع الشيخ يحيى في علاقة بدأت بغضب، وانتهت بتقدير كبير له، وبادلني احترامًا وإرشادًا، وإن كانت حدته الشديدة تصنع بيننا من الفواصل ما يدوم لبعض الوقت. وقد كانت غضبة مني قابلها بحلم وتعليم، وجرت مودة على طريقة قول الشاعر:

وأوَّلُ ما قَادَ المودَّةَ بيننا بِوَادِي بَغيضٍ يا بُثَيْنَ سِبَابُ
وقلنا لها قَوْلاً فجاءَتْ بمثلِهِ لكلّ كلامٍ يا بُثَيْنَ جوابُ

وقد لحقت بالشيخ في الطريق الذي يقود لبيتنا في «ذِرَة» (بكسر الذال وفتح الراء)، وهو أيضًا اتجاه الطريق لبيته في حي اليمانية، كنت منفعلاً متحديًا، وتلقى موقفي بحلم يليق بعلمه وسنه، ودلني وحدثني عن كتاب رشيد رضا «**تاريخ الأستاذ الإمام**» وشرح لي العديد من هذه الأمور في الطريق. ولم أبد قناعة برأي الشيخ لكثافة هجوم محمد محمد حسين عليه، ولأنني كنت أرى رأي الشيخ يحيى عندما قرأت كلام يوسف العظم في «**الإيمان وأثره في حياة الشعوب**» وقد قدم له سيد قطب. غير أن قوة محمد محمد حسين في مؤلفه قضت على كل ما ذكره يوسف العظم، وما كان حديث العظم عن الموضوع إلا عرضًا، أما محمد محمد حسين فكان قصدًا، وهو من تلاميذ الأستاذ محمود شاكر، وكان متأثرًا جدًّا به. وفيه من شيخه، شدة وقوة عارضة، وزخم لغوي ومعرفي ثري.

وكم هو صعب ذلك الموقف على المغامر في القضايا الفكرية التي كانت مبكرة! إذ لم تمر أيام حتى كنا على موعد مع درس منهجي في مقرر «الأدب العربي» عن الشيخ محمد عبده، في درس من كتاب الأدب المقرر على مرحلتنا الدراسية، والذي كان يتولى تدريسه الأستاذ الأديب عبد الخالق الحفظي. وكنت

حَضّرت وقرأت الكتاب المقرر الدراسي قبل الدرس، فإذا الكاتب يمجد محمد عبده، وما كنت لأطيق هذا الأمر أن يحدث لي، أو أن يعترض الكتاب ومؤلفه أو المدرس رأيي، أو يسخر زملائي بقناعتي، ولم نكن متعودين أو عارفين طريقة الخلاف في الرأي ـ فضلاً عن أن نكون متمرسين ـ ولا أتوقع أن مدارسنا اليوم تدرّس هذا، أو تعلم الطلاب أن من الممكن أن تكون هناك مسائل هي محط وجهات نظر مختلفة، وأن هناك أمورًا مسلّمة. فاستأذنت للخروج من المدير أو من المراقب، ولم أحضر تلك الحصة، ولا أذكر أني غبت عن درس له، ولكن لما جاءت الحصة التي بعدها وهي عادة تشمل مراجعة للدرس قبل الشروع في الدرس الجديد، أدرك أستاذي حرج الموقف فمر على الموضوع مرّ الكرام، وأعطاني فرصة قصيرة أخرى لأقول بعض ما عندي، وأشكر له الآن ذلك التصرف اللبق، ثم قدّر معرفتي، وشككني ولم يصادمني. ولما استقر أستاذي في تهامة «رجال ألمع» زرته وسعدت بلقائه بعد ربع قرن من الحادثة، ثم تفضل بحضور محاضرتي، وسعدت بجمع من أساتذتي يستمعون إليّ، وقال لي معقبًا بعد المحاضرة: «لقد أصبحت لك تلميذًا نجيبًا!» فشكرًا له ولهم من قبل ومن بعد.

ثم مرت أكثر من ثماني سنين، وكنت آنذاك في مدينة «آن آربر» في ولاية «ميشجن» الأمريكية، وسكنت قريبًا من مكتبتها العامرة بكل ما يلذ القارئ في شتى اللغات، ورأيت في المنام تلك الليلة أني شهدت تابوتًا عاليًا في وسط قاعة واسعة، كأني أراه الآن مرتفعًا على قاعدة خشبية، مكسوًّا بقماش ناصع البياض، وفهمت أنه للشيخ محمد عبده. وشاهدت الميت يزار، يدخل الزوار من باب ويخرجون من آخر، ورأيتني وقد دخلت مع زوار الجثمان، ثم سرت تاركًا التابوت على يساري دون أي انطباع سلبي، بل شعرت بمكانة الميت، وخرجت من مخرج غير المدخل باتجاه أعلى نحو الجبل. فكتبت بقصة الرؤيا

للشيخ يحيى معافى، فرد علي برسالة عزيزة على القلب، غايـة في الجمال والتشجيع، ثـم ذكر فيها أن قصة الرؤيا لا تؤيد رأيي الذي سبق أن قلته في الشيخ محمد عبده، بل قد تكون دليل خير له. ثم مر أكثر من عقد من الزمان، وإذا بي أقدم إلى المدينة نفسها، وكنت أكملـت في الطائرة قراءة مذكرات محمد عبده التي أخرجها طاهر الطناحي، وتغير رأيي في الشيخ منذ ذاك إلى رأي أو موقف هو أقرب لقول شيخنا، مع اعتذارات قد تلوح للقارئ الحصيف الـذي يقـدر تردي حال الأمة آنذاك، وأن الشيخ كان يريد أن يجنبها المواجهة الشاملة مع الانجليز، وهي مواجهة مع أعداء أقوياء، وأنه كان يأمل في تطوير التعليم، وقد قبل ببعض التنازلات المؤقتة للإداريين المستعمرين.

الإيديولوجي المغلق

أضيـق النـاس أفقًـا «الإيديولوجي المغلق»، وهو أشـد من مجـرد «العقل الإيديولوجي» المنتشـر في العلـم، فالأمور عنده اثنان: حسـن وقبيح، والناس اثنان: صديق وعدو، ملاك وشيطان، والأفكار عنده فكرتان: حق وباطل، فقط. هكذا الدنيا، وهكذا كانت سعادة الشباب وحماسته المفرطة. لا أعرف كيف يفكر الناس فتلك قضاياهم، ولكن مناطق الاعتدال والتوسط والتنوع كنا قليلاً ما نراها وتخفى عنا، وزملاؤنا ممن لا يشاركون في الفكرة ذاتها، تجدهم على الحماسة نفسها لفكرة أخرى، وتلك نعمة مَنَّ بها الله؛ لأن الذين لا يتحمسون حماسًا أعمى لفكرة، قلمـا يكون لهم موقف ذو شـأن. وغالـب الناس لهم قضاياهم، ويمكن تحريكهم لأمر مهم، لكنه هذا العقل «الإيديولوجي المغلق». وقد تجد بينها عقلاً تقول عنه: ما أروعه لو وجد من يسير به في دروب الفهم، يعطف عليه ويرحمه، ويدله ويريحه ويحمسه! أم ترانا نطلب المحال، أو بعيد المنـال؟ وعنـد كتابـة هذه السطور السالفة، انقدحت في ذهني معالجة حالة طارئـة، يظلم عليها كابوس عقائدي يعشـي الأبصار، في صيف عام ٢٠٠٦م،

بدأت في كتابة مقال «خدعة التحليل العقدي» الذي نشره ملحق «جريدة المدينة المنورة» مختصرًا، ثم نشـر كما هو في الإنترنت، وتلقاه كثير من الناس بقبول حسـن، أو سـخطوا عليّ بسببه سخطًا شديدًا لم أتوقعه؛ لأن بعضهم رآه يقدح في مكانة العقيدة، أو نقدًا لأشخاص يخالفونني الرأي.

وقد رآه كثير من الناس من المقالات المؤثرة، وتعصبوا له وضده، والسبب الظروف المحيطة آنذاك في الحرب اللبنانية الإسرائيلية، وهنأني صديقي عماد البـدري في عيد رمضان التالي له بقوله: «أول عيد بعد التحليـل العقدي!»، وكانت معايدة لطيفة منه.

العبقرية والموهبة والعمل

قالـوا: العبقري جاء من «وادي عبقر» حيث مجمع الجن الأذكياء، ويبالغ العربي في مدح لوذعية شـخص أو في قوتـه أو غرابة فعله، فيقول: «جني». والغريـب أن الغربيين في اللغـات الثلاث: الألمانيـة والفرنسية والإنجليزية يستخدمون كلمـة: «جني ـ جينيس» نفسها دون أن يترجموها للسـانهم، وقد طرب الدكتـور علي الـوردي لاكتشـاف أن اللفظ الغربي حقيقة منقول عن العربية، ونقل ذلك في كتاب «خوارق اللاشعور». ويبدو أنها جاءت زاحفة من الشرق حتى وصلت للغة الإنجليزية متأخرة؛ لأن «معجم جونسون» أول معجم إنجليزي لم يذكرها، بل جاءتـه متأخرة للإنجليزية من اللغتين الأقرب للعرب والعربيـة. وقد كتب معجمه في أواسط القرن الثامن عشـر الميـلادي، وهو صاحب محاولـة طريفة لكي يستقل عن استغلال ملـك بريطانيا مكانته في الترويـج لآراء ومواقف الحكومـة، وقد دفعت له الحكومـة مرتبًا مجزيًا جزاء جهـده في خدمة الأدب واللغة الإنجليزية، وتأكد منهـم أن هذه المكافأة دون مقابـل ولا لـوازم، وبعد أن اعتمد على مرتبه كلية وزادت مصاريفه، طلبوا منه

أن يكتب ضد الثورة الأمريكية عند قيامها، فاضطر أن يجعل قلمه في خدمة السلطة، وهو أول من هجى الأمريكان بأنهم كانوا من المجرمين المسجونين في بريطانيا، وقد فهم متأخرًا جدًّا أن لكل راتب تبعة، ولكل معروف جزاء، ولو من كرامة المثقف وحريته، وقليل عبر العصور من نال ولم ينل، وهذا ما يجعل الأفكار مملوكة، والعقول كليلة، والمروءة غائبة، إلا عند ندرة صابرة ومجاهدة لنيل حريتها.

قال روبرت بيرتون الشاعر الإنجليزي (١٥٧٧ - ١٦٤٠م): «إن كل الشعراء مجانين!». وأضاف لهم الفنانين والفلاسفة، فقال: «العقول العظيمة مرتبطة بالجنون على نحو وثيق.. والحواجز الرقيقة هي التي تفصل بعضها عن بعض». [**العبقرية تاريخ الفكرة**، ص٢٧٨]. ونحو هذا نقل عن أينشتين: «كل عبقري مجنون، وليس كل مجنون عبقريًّا».

ورأيت في عدد من «**مجلة الثقافة العالمية**» مقالاً قصيرًا تحدث فيه عن عدد من العباقرة الغربيين المصابين بمرضٍ ما، كالتوحد أو غيره، فإذا من القائمة: أينشتين، الذي كان مصابًا بمصائب منها مرض الزهري، وكانت عقده كثيرة، وبخاصة مع النساء، ثم فشل في أواخر أيامه ولم يعد ذا مكان مهم. والعالم الرياضي ناش فقد كان مصابًا بالانفصام، كما في الكتاب الجميل «**عقل جميل**»، وقد خرج فيلم بالعنوان نفسه. وفان جوخ الرسام الشهير كان مصابًا بنوبات عقلية، انتهت بأن قطع أذنه ولفها في ورقة جريدة (صحيفة)، وأعطاها لعاهرة يحبها. ومايكل أنجلو كان مصابًا بالتوحد، ويذهل عن الناس وهو معهم، ويتركهم وهو يحدثهم، ويصعب عليه إيجاد علاقات مع الناس، وكان قذرًا يندر أن يغتسل. وفرجينيا وولف الروائية الإنجليزية الشهيرة كانت معذبة في أواخر أيامها قبل أن تصل الستين، وكانت تسمع أصواتًا، ولا تستطيع التركيز، وكانت مريضة عقليًّا أو نفسيًّا، ثم حملت حجارة في جيوبها وألقت بنفسها في النهر.

وقيل من قبل إن سقراط أيضًا كان يعاني من «التوحد»، وكذا الكاتبة جين أوستن. وفرويد كان مريضًا بالاكتئاب، واستخدم الكوكائين، وكان مصابًا بعقد جنسية كثيرة، ومنها الشذوذ. وستيفن هوكنج صاحب كتاب «**مختصر تاريخ الزمان**» كان مريضًا جسميًّا بداء عضال، ولكن زوجته الأولى التي عاشت معه شبابه قصت عنه قَصَصًا مروعًا من تصرفاته الجنونية. أيضًا المهندس الصربي الذي اخترع الإضاءة الفلورية، ومحرك التيار المتردد، وقيل اخترع المذياع قبل ماركوني بثلاث سنوات، وكان في أيامه الأخيرة يعمل على صناعة شيء أسماه: «الشعاع القاتل» أو «القوة عن بعد» يكون سلاحًا للحكومة الأمريكية (هل كان يعني أشعة كالليزر مثلاً؟) ولما توفي استولت الحكومة عبر مكتب التحقيقات «إف بي آي» على محتويات غرفته، وصنفتها سرية، وقد عاش خائفًا فقيرًا، ومات في فندق في نيويورك، وكان مصابًا بالخوف، أو بنوع رهاب نادر من النساء اللاتي يلبسن أقراطا من «الماس»، ومن بعض الأرقام. قضى كثيرًا من وقته في المكتبة العامة، وفي إطعام الحمام «الأصدقاء الأوفياء» كما يسميهم. ومثله في الخوف من النساء ويزيد بكراهة المحامين، وقيل إنه كان مصابًا بالاكتئاب «نوبل» صاحب الجائزة، فقد سجل (٣٥٥) براءة اختراع، وفي سن الأربعين كان يمتلك مصانع في عشرين دولة. ثم يعلق الشاعر عزرا باوند بقوله: «إن تصور أن العبقرية صنو الجنون، قد تم غرسه بعناية من قبل كل من يعاني من عقدة نقص». وتعلق كاتبة المقال بقولها إنه أيا كانت طريقتك في النظر إلى هذا الموضوع، فلا يمكنك إنكار أن بعضًا من أعظم المفكرين والمبدعين من ذوي الشأن عبر التاريخ كله، سواء في المجالات الفنية أو العلمية، عاشوا أسوأ حياة بائسة ومضطربة يمكن أن تخطر على البال». [كارولين جرين، **عقول نابغة ونفوس معذبة**، ص١٦ - ٢٩].

تلك بعض الشخصيات التي ذكرتها الكاتبة، فأضف إليها ما تعرفه عن جان جاك روسو، وديستويفسكي، ونيوتن، ونيتشه، وموبسان، وبودلير الذي كان يائسًا يفكر في الانتحار سنوات عديدة، وآخرين من علماء وفنانين وموسيقيين كبار كانوا ضحايا لعدد من الأمراض الصعبة.

* * *

لا تقف كثيرًا عند قولهم عبقري وعبقرية، ولا موهبة ولا موهوب، فالذين أدمنوا القراءة سالت عليهم أنهار المعرفة، بحسب مادة معرفتهم، والذين أجادوا العمل كانوا قد أطالوا نسجه وطرقه وتنضيده قبل أن يقال لهم أجادوا. والشاعر العبقري الفحل، ليس الذي ترنم بأول كلمة ثم أعلنها، لا، بل الذي صبر عليها دهرًا يصقلها ويربيها بعد ولادتها. وقد قال إمرسون: قد تكون في الكتاب فكرة عبقرية، أو ينم عن موهبة، غير أنه لم يكن ليكون شيئًا لولا الرجل الذي وراءه.

فالعبقرية تفرغ «لا تفرد»، و«العبقرية التفرد». وهذه كلمة نسبت لابن تيمية، وقد تنطبق عليه قبل غيره، فقد رمى بالعلائق للقفا، واتجه للعلم والفهم والتفهيم بكل كيانه. ومن قبله الطبري، فلا يجمع الإنسان العبقري بين أمور عديدة، ولا يسلم العلم والفهم زمامه لمن لا يتفرد به وله. وقد هرب الغزالي من الأهل والوطن، هرب من الظلم، وهرب من الأثقال المرهقة الصارفة عما يطمح له. وكان الشافعي لمحض تفرده بالعلم يقول: لو اشتريت بصلة ضيعت مسألة.

ومن مثقفي الغربيين الكبار من تفرد في محراب العلم والفلسفة بشكل غريب. فهذا اسبينوزا المفكر الحر الشهير، وهو من أصول يهودية أسبانية، يترك تجارة والده ويترك الثروة ويتفرغ للعلم، وبعد وفاة والده حاولت أختاه التفرد بالتركة دونه فقاضاهما، فلما قضى له القاضي بالميراث تركه لأختيه واكتفى بسرير وستارة.

وهذا الفيلسوف الألماني الشهير فيتجنشتين، ورث عن والده ثروة هائلة تقارب المليون مارك، فتخلص منها وتفرغ للمعرفة. وماركس كانت تحثه أمه على جمع المال فاكتفى بكتابة كتاب «**رأس المال**»، والتفلسف عنه. وقضى فقيرًا معدمًا تطارده الضرائب وتبيع أثاثه القليل، ولكن لم يكن ليكن لو تفرغ للمعاش! وفي رسائل وكلام له في آخر حياته نقل مترجمه أنه قال لو بدأ حياته من جديد لأعادها كما هي، إلا الزواج، لن يتزوج. أما نيوتن فقد كان تفرده للمعرفة يبعث على اتهامه بالبلاهة والسذاجة، أو ما يسميه الناس في عالم الإسلام بغفلة الصالحين. ونيتشه وهيجل وتولستوي حكيم روسيا وأديبها الفذ، يتزهد ويتفرد في قريته يكتب الأدب، ويحاول إصلاح الجيل.

ومسألة العمل قبل العبقرية أو الموهبة هو ما وضحه أديسون بأن العبقرية منها واحد في المائة موهبة، وتسعة وتسعون في المائة عرق. أما بعضهم فيريد أن تكون الموهبة تسعة وتسعين، والعمل واحدًا في المائة، فتموت العبقرية ولا يوجد العمل.

وكم من علوم نبغ فيها هواة ثم طوروها، فأمتعتهم زمنًا ثم أمتعت تلك الهوايات شعوبًا وأممًا، فما كان يعلم ويل ديورانت أنه سوف يكون كاتب أجمل وأوجز كتاب في «تاريخ الفلسفة»، وأن هذا الكتاب سوف يفتح له الباب لحياة جديدة! وما كان الفقيه السياسي ابن خلدون يدرك أنه سيكون مؤرخًا بل ولا عالم الاجتماع الأول في تاريخ البشرية. وكارل بوبر يكتب «**كيف أصبحت فيلسوفًا دون أن أدري؟**»، ويقص خبره الطريف ذلك. وما كان عامل البناء تشارلز ديكنز يدرك أنه سيكون كاتب عصره. وقد قرأت ذات مرة عند عباس العقاد قوله إن الهواية وتنميتها تعطي للحياة جوانب وآثارًا تغيب عن الكثيرين من الناس، فقد ذكر في المقارنة بين الإنجليزي والفرنسي أن الفرنسي يحب الاجتماع والبقاء حول الخمارة والناس والضجة، أما الانجليزي فشخص

منطو، يطور مهارات شخصية عديدة، ويقوم بها وحده أو مع عدد قليل جدًّا من الناس. وهذا السبب هو في رأيه الذي جعل بريطانيا تتسع في مستعمراتها وتحافظ عليها، فالإنجليزي يذهب إلى مكان بعيد جدًّا ولا يعول كثيرًا على البقاء حول خمارته وأصدقائه كالفرنسي الذي اتسعت ممتلكاته بسهولة، ولكن حبه للاجتماع بالناس والتكتل في مكان واحد يُغيّب عنه أن أرض الله واسعة وأن فيها منافع كثيرة.

واعلم أن الوعي الحاد عائق، فلكم نرى متوسطي القدرات يؤثرون ويشتهرون، ونرى كثيرًا ممن نراهم العباقرة والأذكياء وذوي البصيرة الفذة عاجزين عن المشاركة؛ «إن وعيه الحاد بكل شيء، وفي كل لحظة منعه من استغلال موهبته، كما لو كان بينه وبين الحياة حاجز لا سبيل إلى تجاوزه، ينتظر الظروف، يتهيأ لها طويلاً، وعندما تبدو مواتية، يشعر فجأة أنه شاخ وعاد عاجزًا عن المشاركة في توجيه الأحداث». [العروي، أوراق، ص٢١٩]. وهكذا رأيت عددًا من هؤلاء الأفذاذ تقابلهم وتناقشهم، ولكنهم لا يكتبون ولا يحاضرون، قد يتحدثون في المجالس، ويعجبون جمهورًا قليلاً ولكنهم يائسون من الجماهير.

ما عندك ليس عند الآخرين

أجمل صناعة أنت قادر على إبداعها ألا تتصنع، وستجعل الخلق يقدرون إبداعك دائمًا، فأروع الأدب ما جاء بلا تصنع وبلا تكلف، تلك الصناعة الرائعة جدًّا، التي تنمو وتعلو حتى تصبح طبعًا وخلقًا بلا تكلف، الطريق لها طويل جدًّا، ولكن هناك من يصل. وليس غريبًا عليك أن تصل شاطئ ذلك البحر. واعلم أن الإجادة والتدقيق والتحرير باب الكمال الأدبي. وما عليك إلا أن تجتهد في التعلم والعمل حتى تجد نفسك وطريقتك الخاصة.

قـال ديهامـل أحـد النقاد الفرنسـيين عن بلزاك: «إنه سـوّد مئات الصفحات قبـل أن يعثر على بلزاك». أي إنه كتب كثيرًا حتى عثر على نفسه. وقال الناقد نفسـه عن رودان: «إنه قد اصطفت قدماه سنين طويلة بالغرفة المجاورة لمعمل فنـه». أي إنـه قضى زمنًا طويلاً من المران قبل أن يدخل معمله وذوقه الخاص فـي صناعـة تماثيله. ثـم يعقب محمد منـدور بعد نقل النص السـابق، بقوله: «ومقياس الجودة فـي صناعـة الكتابة مقياس واحـد لا نعرف غيـره، وهو أن تكون الصنعة محكمة إلى حد الخفاء، حتى لتلوح طبيعية، وهذا معنى السـهل الممتنع». [في الأدب والنقد، ص٢٤].

والحقيقـة أن الصنعـة الخفيـة والتمكن فـي المهنة الكتابيـة يلوح على كل كاتب اكتسب مرانًا، غيـر أن الصورة التي يقدمها الكاتب الفذ تجعلك لا تشعر أنك مع مؤلف، بل صورة تتلو صورة، وحدث يتلو آخر دون أن يشغلك بما هو أبعد مما تراه! ولا أنسـى في زمن الشباب كتاب «الأيام» ولا رواية «مدام بوفـاري»، و«صخرة طانيـوس»، ورواية «الحـزام»، ورواية «موسـم الهجرة إلى الشـمال»، و«بيت في المرتفعات»، و«الشـيخ والبحر»، وكيف اسـتطاعت تلك النصوص أن تلهينا عما يحيط بنا وتدمجنا في أحداثها؛ فنسير معها بلا تكلف، ولا إحساس بصنعة.. إنه الفن العميق والذات المتميزة.

يقول إقبال: «أخرج النغمة التي في قرار فطرتك، يا غافلاً عن نفسك أخلها مـن نغمات غيرك!». وينتقـد جبرا شـاعرًا فيقول: «ليس ما قدمته إلا خليطًا من صور واستعارات ابتدعها غيرك في مئات السنين الماضية، فأنت لم تر الأشياء بعينيـك ـ عينيـك أنت ـ واكتفيـت بمعرفة عن طريق السـمع والقراءة، فرحت تـردد أصداء لأقوال من سبقوك، وعجزت ـ إلا فيما ندر ـ عن إسماعي صوتك أنـت.. من حسـك وخبرتك وألمـك، فأعملت الذاكـرة ولم تعمل القريحة». [الحرية والطوفان، ص١٣٦].

ويقول والدو إمرسون: «على المرء أن يتعلم، ويراقب ذلك النور الذي يعبر بخاطره ويومض في ذهنه من داخله، أكثر من تتبعه لبروق سماوات الشعراء والحكماء، ولكن الإنسان يعرض عن بروق سمائه؛ لأنها له وهي فكرته. ففي كل عمل عبقري نتعرف على أفكار صددناها بعيدًا؛ لأنها ولدت في أذهاننا، ولكنها تعود لنا على ألسنة الآخرين محفوفة بجلال الاغتراب». [**مقالات إمرسون**، ص٢٧ بتصرف]. وهنا تلاحظ عبقرية العقل الجمعي في شبابه، شبابه عند الفرد وانطلاقته الجبارة في خيالات الطفل، ثم تراه ينحني ويضمر ويقتله العقلاء المحافظون المتزمتون تحت رغبة وسياق المجتمع، ويستعملون كل وسيلة لقمع عقل الطفل، وكبح جماح خياله، ليستوطن بلاد البلادة، ويخنق عبقريته بخناق العادة. هذا باولو كوهيللو (كويللو) صمد على طريقه وعلى إنتاج شخصيته، ولو اتهمه حتى والداه بالجنون، وأدخلوه المصحة العقلية ثلاث مرات، واتهمته الحكومة بالمخالفة لها والعصيان، فسجنته ثلاث مرات. اسمعه يقول عن ضرورة الحفاظ على الذات والاستجابة للنداء الداخلي: «إن اكتشافك لأسطورتك الذاتية هو اكتشافك لسعادتك، فحين تقتنع بقضاياك تقتنع بالعمق الساكن في داخلك». [**مجلة الدوحة، عدد ١**، شوال ١٤٢٨هـ، ١١/٢٠٠٧م، ص٤٨].

وكم أنا حريص ـ وأنت ـ أن نكبح خيال الأطفال ـ أطفالنا ـ ليكونوا مثلنا تمامًا! نحن الذين صغّرنا خيالاتنا، وقتلنا خواطر النبوغ في مهدها. ولكم سعدت أسرنا ومجتمعنا بهذا الهدوء الكبير، والعقل الرزين، والأدب الجم! سعدوا لأننا نتشابه فنتلاءم، ولأنهم غلبونا، وأعدناهم في صورنا، وانتصرت العادات والتقاليد ورضخ الخيال السائد، ففرحنا بإعادة إنتاج أنفسنا فيهم! وهكذا نُصنع مع أطفالنا، نبحث لهم عما يساعد على ركود عقولهم وأبدانهم. إن الممارسة الصحيحة أن نسمح لأبدانهم أن تبلغ من القوة كل شأو يريدونه،

بل فوق ما يصبون له، ونترك لهم من الخيال ما يلبي رغباتهم ويزيد، ونسمح لهم، بل نحثهم على أن يفكروا في كل شيء فوق تفكيرنا، وسيصنعون بذلك فوق ما نتخيل، عندما يتخلصون من تقليدنا ذلك الذى حاوله جون ديوي في مدارسه ونجح جزئيًا وأنتجت بعض عباقرة العصر.

كنت في المقاعد الأخيرة لطائرة من طابقين ورقم صف مقعدي يتجاوز الستين، والطائرة التي بدت من آخرها عظيمة جدًا بلا نهاية، كنت أخاف ألا تطير أبدًا وقد امتلأت بالناس والبضائع، وإن أقلعت فكيف تتحمل هذه الأجنحة الصغيرة هذا الثقل على مدى عشر ساعات أو تزيد؟ ولكنها طارت وأوصلت الملايين من الناس من قبل ومن بعد، وهنا تدرك تلك الحكمة الراسخة في الأمم الشابة وهي تقول وينصح كل منهم الآخر: «اصنع المختلف». إنها دارجة على ألسنتهم أكثر مما هي دارجة على ألسنتنا كلمة: «الصبر مفتاح الفرج». وهل الفرج الموت؟ عند الشعوب التي يقتلها الاقتداء بالمعتاد، وتحارب الجديد المختلف ربما.

وكان من الحكم الطريفة التي كتبها رالف إمرسون: «لا تسر حيث يقود الطريق، بدلاً من ذلك اذهب حيث لم يسر المشاة من قبل، وافتح طريقًا لمن بعدك». كأنه قد قرأ قول قومنا الذى نكرره هنا:

وكُنْ رَجُلاً إنْ أَتَو بَعْدَهُ   يقُولونَ: مَرَّ وهَذا الأَثَرْ

فلو رتبت مكتبك بشكل جديد قالوا لك تأييدًا: اصنع التميز. ولو هاجرت لمطاردة الإسكيمو لأيدوا في سلوكك صناعة الاختلاف. ولو ذهبت للعناية بطائر الفقمة في القطب الجنوبي لكنت سباقًا في المختلف، ممدوحًا لأنك درست العلاقات العائلية لطائر الفقمة. وإن عكفت على حل مشكلة في برنامج كومبيوتر لكنت متسقًا مع مجتمع يصنع الاختلاف. غير أن أكثر الإبداع عن الأمم المبدعة عمل محلي ومكتبي وبيتي، جديد وناجح فقط في مجتمعات

الركود والجمود الهادئة والعاقلة جدًّا ـ كما ترى هي ـ حيث تسود العادة القاتلة، ويغتال القديم كل جديد، فالقديم مقدس وإن كان ضد الدين المقدس ـ ألم تر النحويين يستشهدون لقواعد القرآن بمرويات الأعراب؟! ـ والجديد منبوذ محارب إلا إن وافق المعتاد أو أيده. وعجبت من تهمة يرددها من تراهم عقلاء ينبزون شخصًا فيقولون: «عقلاني»! يقول لهم شوقي:

«وَرَأَيْتُ شُجْعَانَ العُقُولِ قَليلاً»

وتقام الجامعات في بلاد الهدوء لاغتيال العبقرية وهدم العقل المتوفز، فإنهم عندما يتناولون موضوعًا علميًّا عارضًا تراهم يوازنون ويرجحون بين جهازي الكومبيوتر «آبل» و«آي بي إم» أيهما أحسن؟ على طريقة الرواية والسماع من العارفين دون تجربة شخصية منهما، وكأنهما شيخان في العصر العباسي الثاني أو الثالث يقارنان بين أبي حنيفة ومالك؛ إذ لا نقاش، فالعبقرية تمت ومات زمانها وأنت عليك فقط أن تراها وتعرفها، وتحفظها فقط وتقارن كما تقارن بين أقوال إمامين قديمين، بينما المخترعون الجدد في «آبل» و«آي بي إم» مشغولون بالتنسيق والتطوير والهدم، وبناء ما هو أحسن من الموجود. شتان شتان بين طريقين للنظر ومنهجيتين؛ إحداهما تحفظ فقط، وتقول للطالب: هي هكذا للحفظ وسيكون الامتحان فيما حفظت، وليس فيما فهمت.

ولكن لا بد أن يأتي زمن يجعل العقل الفقهي والسياسي يولد، ويجعل العبقرية جائزة، والتفكير المبدع حلالاً مباحًا، ثم نستمع لمن يقول لقد أخطأ الأربعة في هذه المسألة، وهاكم ما يدل على الفهم الصحيح بلغة راسخة وفقه مكين.

وقد كانت لي معاناة طويلة مع أصدقاء العمل الثقافي والإسلامي في أمريكا من طبيعة عقولهم وتكوينهم المختلف عن العقول التي تدرس الإنسانيات، ولست في الحقيقة متأكدًا هل مشكلتهم من جعل العلوم كلها

علوم رواية دون دراية فقط، ثم لا يخرجون من المروي إلى المفهوم والمعقول، بل يقفون في الجامعة في جو الرياضيات والعلميات الهندسية والرقمية المعملية، ويريدون من الدين إما رواية صارمة حاسمة كما في المعمل، وإما عملاً ذوقيًا روحيًا مرويًا وروحيًا تقليديًا لا يقوم على ميادين معايشة اجتماعية ومرونة اجتماعية وسياسية، وتقدير لعموم ما يراه السياسي والاجتماعي والتربوي من مهمات عمله وإنتاجه. وكانت الصعوبة في عدم معرفتهم بأن الدين في فهمه وممارساته ليس الرياضيات، وليس المرويات التي جاءوا بها لهذا العالم، بل هناك شيء من المروي والمعارض بالواقع ومن الاجتماعي والسياسي والدعوي والمستقبلي يجب وعيه ومراعاته، ولكنك لو طرحت هذه الأفكار أصبحت متهمًا بالانسلاخ، وإن تابعتهم وجاملتهم لم تبلغ ما تريد، ولم تكن منسجمًا مع علم ومعرفة ودين ومجتمع، بل سوف تكون استثناء تعاني على كل صعيد ولا تقيم عملا بشريًا ولا إسلاميًا سويًا، بل ستصل معهم إلى منتج متوتر، وغريب منعزل ومنزو، وعاجز عن التفاعل والإنتاج.

وقد كنت قرأت كلامًا للإمام الغزالي يلمح لهذا بذوق رفيع، ثم وجدت إشارات لماحة عند ابن تيمية لعلها في «الاستقامة» أو «اقتضاء الصراط المستقيم»، ثم يومًا كنت أقرأ كلامًا لبليز باسكال في «خواطره»، فوجدته في مواضع من تأملاته يقول كلامًا ذائقًا ورائعًا يفرق فيه ما بين العقل الرياضي والعقل الديني، وتأمل قوله عن المهندسين العمليين: «وقد ألفوا مبادئ الهندسة الجلية الغليظة، واعتادوا ألا يستدلوا ما لم يمعنوا في النظر وفي معالجة مبادئهم، فهم يتيهون في المسائل اللطيفة التي لا تواتي لمثل تلك المعالجة». [خواطر، ص٨]. وقد ذهب وعاد وخفف مرة من القول وفسر. ولست أقصد ما قد يفكر فيه بعضهم من قصة ذوقية أو غيرها ولا ما كان قريبًا من هذا، بل

قصدت أعمـالاً بشـرية تنفيذية، استطاعت الشـركات وكثير من المؤسسـات الكبيرة الناجحة هناك أن تفرق بين الثقافتين أو الجانبين وبين أهل التخصصين وتحل مشكلاتها، وكذا بعض المؤسسـات والأقليات على مختلف مواقفها، ولكـن عدم اعترافنا بأنواع هـذه التوجهات في الدين والدنيا كان يجعلنا نعالج الأمور برؤية مدرسة واحدة أو مذهب محدد.

ثم إن إدارة مجتمع من الشـباب في سـن واحد أو متقارب، مقطوعين عن العالـم وعن التجارب؛ إذ يكاد أحدهم ألا يرى والديـه ولا أجداده، ولا يرى أطفـالاً فـي سـن المراهقـة، ولا مجتمعًا يحتاج تفاعـلاً من غير سـنه وتجربته فتكون ميولهم وقطعياتهم وأفقهم محدودًا ضيقًا يقضي بنفسـه على نفسـه، كما أن همته وجده وصرامته ووضوحه تجعله أقرب لعقل جندي في ميدان لا يفهم مهمـة القائـد ولا المديـر ولا المتقاعـد ولا الطفل، مع ازدحـام بغرور معرفي يمنعـه مـن الوعي ويصده عـن المعرفة عن غير مجاله. وزد على هذا مرض التخصـص الذي لا يدركونه، ولا يأخذون مواد وسـيطة أو عابرة للتخصصات تنهي عندهم حالات الفصام الكبير بين العلم الحقيقي والمتوهم.

وتلك مرحلة نجد كبار العلماء قبيل أو بعد تقاعدهم ونضوج مهارتهم في فنون عديدة يعترفون بها، إذ لا ينبغ ويرتاح في بحبوحة الوعي من لم يشبع من آراء وتجارب واسعة المدى وخبرة متنوعة.

وقد لاحظت أن كثيرًا مـن المفكرين والعلماء الكبار لم يأت كثير علمهم وتأثيرهم بالضرورة من الانفتاح الأفقي للقراءة والمعرفة، ولكنك تجد عندهم عـددًا قليلاً من المؤلفين أو الكتب والأفكار اهتموا بها اهتمامًا كبيرًا، وعلّقوا عليهـا ونقدوهـا وامتدحوهـا ورسـخت عندهـم، ومنهـا كانـت لهم توسـيعات وشـروحات وتطبيقـات أو مخالفـات بها أثروا وأثّروا في مجالهم. وقد رأيت هذا خاصة عند الفلاسفة الكبار مثل ابن رشد وكارل بوبر ومارتن هيدجر وليو

شتراوس. ولما قـرأت عـام ٢٠٠٩م مذكرات بـول ريكور «بعد طـول تأمل» لاحظت هـذه الظاهرة، فكبار الفلاسفة شـرّاح وملخّصون أفذاذ قبل استبانة طرقهم الخاصة، وقد تكون طرقهم الخاصة مـع أو بجوار سالك كبير، بل كانت الشروح والنقد والتعليقات هي جوهر فكرهم، ومنبع نبوغهم، ومصدر التحدي لديهم. وهـم أيضًا يعطون نوعية من الكتب اهتمامهم، وليس توسعًا باتجاه كل مـا هـو متوفر ومطبوع. وهذه الطريقة ترفع من الكفاءة والقدرة، وتجنب المثقف الضياع في ركام الكتب التي يخرج منها في النهاية بلا نصوص قويـة مفهومة تؤسس له رؤيتـه، وقد عانينا من هذا طويلاً كما سترى في هذا الكتاب، فهناك توسـع مع قلة عناية بالنوعية وقلة تكرار للمهم، وما نكتبه من دروس لأنفسـنا وقرائنا مما نحب أننا فعلناه وما نحب أننا لم نفعله هو أسـاس لهـذه التجربـة المنقولـة، ونصوص كثيرة لغيرنا القصد منهـا التدريب والمتعة والتنوير بالملاحظة. وكثير من المغامرة في عالم المعرفة متعته في الضياع فيه، ثم تلمس الطريق في العتمة بعد الضياع متعة أخرى، لها آلامها ومنافعها مثلها مثل دروب الحياة الأخرى.

السيطرة على المتمردة

الذاكرة القوية مفتـاح لأبواب الخير، وقد تأخر أحد الوجهاء عن موعظة الكنيسـة يوم الأحد فقال لـه الحاضرون: إن هنا غلامًا يستذكر ما سـمع بدقة، فجاءوا بطفل اسـمه فختة، وكان عمره تسع سنوات، وألقى على الوجيه الغني ما سـمعه من الواعظ في الكنيسة، فأعجب الرجل بهذا الطفل الحافظة، وأنفق على تعليمه عدة سنين حتى توفي هذا التاجر، وكان بابًا لصناعة واحد من أنجب العقول الفلسفية. ولهذا فذاكرة الصبا أسـاس البناء، وقد سمع الأحنف أحدهـم يقول: «التعلم في الصغر كالنقش في الحجر»، فـرد الأحنف: «الكبير أكبر عقلاً وأشغل قلبًا».

يمتد زمن الحفظ لفترة أقصر من زمن الفهم، وفي الوقت الذي تبقى رموز الموضوعات وغاياتها ومراداتها، تذهب النصوص وتغيب بعيدًا عن الحافظ والحفظ، ويحل الفهم محل الحفظ عند الكثير، وتبقى عند قليل منهم إمكانات الحفظ وقوته. أما غالب الناس فكلامهم عن تدهور الذاكرة في سن الأربعين فما بعد، قول مجرب مكرر. ولله في ذلك حكمة هو أعلم بها.

ولعل مما نحاول ذكره هنا أن الإنسان المشغول بالتفصيلات والمحفوظات الصغيرة كثيرًا ما تغيب عنه الغايات. فكأن هدف الحياة وسلامها ونظوج أستاذها يحتاج لمن يدرك كليات الوجود، وليس صغائر الأحداث وإن كانت جيدة؛ لأن هذه الاهتمامات شغلت عقولا شابة صغيرة متفتحة وثابة.

ثم حكمة أخرى، وهي أن الإنسان يحتاج للهدوء والراحة والحكمة، والنسيان سلاح قاتل للأحقاد والصغائر التي ترهق الإنسان وتوتره في حياته. وقولهم: «فتعلم كيف تذكر، وتعلم كيف تنسى»، ما هو إلا أمان وطموحات لا تثمر غالبًا، ولكن الله سن النسيان والذكرى والنضوج، فطوبى لمن يقدر أن يحفظ ما يريد، وينسى ما يريد، ونادر ما هم أو ليسوا هناك!

ويوصي العقلاء دائمًا بالحفظ والاستكثار منه في زمنه، ومغالبة مشيب الذاكرة، وكثير من الأذكياء يحرصون على تنمية واستعادة شباب الذاكرة، ونعم ما يصنعون، فمكافحة هرمها جهد مهم فمنهم من يحرص على الحفظ إلى آخر أيام حياته، ولهذا نماذج عديدة. ولكن الذين لا يستطيعون ولم يقدروا فليقبلوا أن لا تكون توفرت لهم هذه المواهب، وليعملوا بما يطيقون.

أندر من نقول له نادر، من له سيطرة على ذاكرته، يدخل فيها ما يشاء ساعة يشاء، ويستخرج منها ما يشاء ساعة يريد. وقد رأيتني الليلة (٥ رمضان ١٤٢٣هـ) أسمع ابني يذكر اسم قاسم بن.. فقفز للذاكرة بيت شعر سمعته في الفصل

الدراسي من الأستاذ الحفظي قبل أكثر من خمسة وعشرين عامًا، ولا أذكر أنني رأيته أو قرأته في غير تلك المناسبة، وهو يمتدح محمد بن القاسم الثقفي:

إنَّ المروءَةَ والسَّمَاحَةَ والنَّدَى لمحمَّدِ بْنِ القاسِمِ بنِ محمَّدِ
سَاسَ الجيُوشَ لِسَبْعَ عَشْرةً حِجَّةً يا قربَ ذلكَ سُؤْدَدًا مِنْ مولدِ

وبعد تقرير هذه المعلومة تذكرت أنني ربما قرأت كتابًا لمحمد زكي حسن، عن محمد بن القاسم، ذكر فيه أساطير اشمأزت نفسي منها؛ لأن فيها قدحًا في القدوة، وفيها ذكر أنه أنشد البيت الشهير قبل قتله:

أَضَاعُونِي، وأيَّ فَتىً أَضَاعُوا لِيَومِ كَرِيهَةٍ وسِدَادِ ثَغْرِ

وقد تحدث علماء كثيرون عن وسائل تقوية الذاكرة كما أشرت، غير أن هناك روابط يدرسونها فتعين على ذلك، وهي شبه علم يدرس اليوم، وتجارته رابحة في أمريكا، وكنت أحد الذين حاولوا فما أظن أن ذلك أجداني قطميرًا.

وبحكم أننا لم نستطع الاستجابة لنصائح العقلاء من الناس، فلنقم نحن بكتابة النصائح للناس، وكيف يقرؤون ويكتبون ويلخصون، وهل تراهم يقبلون؟ نعم ستجد من يقبل، فالناس يحبون اللامعقول ويستجيبون له دومًا أكثر من المعقول. ولهذا كتب زكي نجيب محمود «**المعقول واللامعقول**»، وكتب الغزالي كثيرًا من اللامعقول، وسخط منه زكي فأراد لنا الإغراق في معقوله هو. وعاش زكي رَحِمَهُ ٱللَّهُ حتى أدرك الخدعة الكبيرة التي كتبها لنا ذات يوم في «**خرافة الميتافيزيقا**»، ثم أصر على معظمها في «**ما وراء الميتافيزيقا**». وفي موضوع «**الوضعية المنطقية**»، وقد قرأت فيها وفي عرض العقاد ونقده لها. مع إشراقة أسلوب زكي ورقيه ربما بتأثير كبير من شيخه الذي أعجب به أيما إعجاب: برتراند راسل، أديب الفلاسفة وفيلسوف الأدباء. أولم يصدق ذلك على زكي أيضًا في ثقافتنا العربية؟ إنه عندي يستحق كما استحق من قبل

أبو حيان عن جدارة. ومن راوده شك فليسامر أبا حيان في مسامراته للأمير «**الإمتاع والمؤانسة**»، وإذا لم تكن مقتنعًا فقابسه في «**مقابساته**»، وأشك أنك قد تعرض وتقول حامض! ثم إني سعيت له لأجد «**الهوامل والشوامل**» له مع مسكويه، وقد عثرت عليها بتحقيق أحمد أمين أيضًا كالإمتاع فما وجدتها ممتعة، ولا من طبقة «**المقابسات**». فقد تواضعت محتوى عن سابقتيها، مع وجود إشراقات عجيبة، ولكنك قاطع وقتًا قبل قطفها. وبردت عن «**مثالب الوزيرين**». وغابت النكتة عنها كما في «**البصائر والذخائر**». والتي اعتنى بها الكيلاني كما اعتنى ببعض السابق، فأجاد التحقيق والإخراج.

ومرادي من القول في النصح هنا أن عليك أن تكتب بعض ملخصات لما تقرأ، ولا تكن مثلي أرى الكتاب فأشتريه بصعوبة، وأتبين أنه عندي منذ زمن. أو أقول ليتني أقرأ هذا الكتاب، ثم أتصفحه فإذا أنا قد قرأته وعلقت عليه وخططت على الكلمات المهمة، أو كتبت أرقام الصفحات. فلم أنس ولله الحمد الكتاب فقط، بل الأفكار والأسماء والعناوين. وهناك نعمة أنت تؤنسك لا محالة، وهي أن كبار العلماء والمفكرين والكتاب مصابون بدائك أو بعضه على تفاوت. وأنك واجد منهم شبيهًا ومعقدًا بمثل عقدتك أنى كانت؛ فلا تبتئس بما يدعون أو يزعمون من كمال العقل والفكرة والذاكرة.

دموع على السطور

لكم نحسد كتابًا ماتوا وتركوا روائع، ونتمنى أن نترك للناس أعمالاً ترقى بخيالهم ومعارفهم كما فعل كثيرون، كهؤلاء الذين جعلوا للكلمة قيمة أكبر، ونزهوها عن سفاهة الحمقى، وعن فقر الخيال، وضعف الفكرة. ولربما قد نحتاج للعمل الرقيع لنقارن أحيانًا ونعرف قيمة الجهد الرفيع. وعند مطالعة بعض النصوص تغرورق عيناي، فلا تلمني؛ لأنني أعلم أن من صاغها ربما

سكب عليها من دم ودموع القلب أكثر! عندما حدثني قارئ كالشيخ جعفر إدريس أنه بكى عدة مرات وهو يقرأ رواية «الجذور» لألكس هيلي، أو جمال سلطان وهو يقرأ قصة «سير طويل نحو الحرية» لمنديلا، لم أستغرب؛ لأنني أعرف أن نصوصًا عصفت بعيني أيضًا، عند مواقف عديدة وفي كتب كثيرة، أهم ما أذكر منها كتاب «عبقرية عمر» للعقاد، عندما تحدث عن طريقة تقسيم الطعام في عام الرمادة. قلت: هذا كلام الناس يشجي هكذا، فكيف بما هو أعلى منه وأوقع!

مساكين من يرون الجلافة رجولة، والقساوة شجاعة، ويرون الصلف مهابة وعزة، إنهم يسدلون الستار على الإنسان، ويكتمون حياته الكبيرة، ويضغطون على مشاعره. ما لهم كيف يصنعون كل هذه المآسي؟ إن جاءتك مشاعر فاصدقها، واسمح لفيض العاطفة أن يسير نهرًا ساقيًا لروحك، ولربما رأيته يسقي جفاف غيرك، لا تقف في باب الرحمة، ولا توصدها في وجه محتاج، ولا تصد ريح العاطفة دائمًا، ولا تجعلها تقودك.

وداعًا أيها الأصدقاء «الكتب»!

يومًا ما: سنقف أنا وأنتِ أيتها الصديقة على مفترق، ولا أدري: أينا سيمدُّ يده أولاً لمصافحة وداعٍ أخيرة؟ وهل خيرنا من يبدأ بالسلام حينها؟

إنني لا أعلم متى ستودعني الكتب، ولا أتوقع أن لحظات وداعها سهلة، فإن طال العمر تلاشت جاذبيتها شيئًا فشيئًا، ثم تصبح أقل إغراء حتى تغيب بلا ضجيج. ولله حكمة ورحمة في تدرج الإنسان من ضعفه لقوته، ثم من قوته لضعفه وشيبته، فيدخل في المراحل واحدة تلو أخرى بهدوء لا يستفزه، وترسل له رسائل تستحق الوعي، غير أنه يكرهها. وكلنا نشعر بذلك، بل قد نأنف ونبتعد ممن يُعرض بتلك الحقيقة غير المرغوبة، وهي قادمة لا محالة إن لم نذهب نحن!

أما أنا فقد وضعت بيني وبين أصدقائي «الكتب» خطًّا فاصلاً، منذ فترة قريبة رأيت أصدقائي يدفعونني إليه، مما جعلني لا أتهيأ بحزن كبير على زمن وداع الكتب، إن عمرت حتى أشهده، فقد عرفت من الكتب الخداع والغرارة، كما دلتني على دروب الهداية وبرد اليقين، لقد أدخلتني نار القلق وجحيم الشكوك مرات، وكانت بردي وسلامي مرات أخرى. والآن أتمني أن يوصلني الزمان مرتاحًا لما أحب أن أقابلها به، أريد أن أكون مدعيًا ضدها وقاضيًا عليها في محكمة العقل، لا انتقامًا منها، لما سببته لي، ولما سببته لعقول وسلوك العباد، فكم رأيت من قتيل لها لم يقتله سيف ولا بندقية، وكم رأيت من صريع عقل بها لم تصرعه خمر!

وأراك تحب قول الآخريـن وتقدمه على قولي، لما تعودته من سـياقي فيمـا سـبق، فطالمـا احتميت بأقوال القوالين عبـر القرون، واختفى رأيي بين أسـطرهم، أو هـم قدحوا الزناد بفكرة كتبتها، هم آباؤها وأمهاتها، ولا أعلم مبدأهـا، وسـطرت لـك مرحلـة منهـا. ولا يليـق أن أزعم أن هـذه خطوات منتهاهـا، فـالله وحده يعلم جلال أثر الكلام، وغاية كتابة الناس لسطورهم، ولكلمـات تفوهـوا بهـا، فلا يحقر إنسـان عمله، ولا يقع في فخ أفكار جل المدرسين؛ فالمدرس هو الذي يقول فينير القرون القادمات، أو ينشر الجهل والظلمات، ويحقر جهده دائمًا لأنه اعتاده له مالاً، أو لأن الشـركاء كثيرون في المهنة.

وأوقفك على قول عاشـق للكتب، ورائـد من رواد التفكيـر عرفوه بعد موته، وسـجنوه خمسة عشر عامًا حتى مات في السجن بسبب الكتب، ولأنه يـرى خطـر بعض الكتـب ماحقًا قاتـلاً، كما يـرى صواب كتب أخـر، فقدم حكمـه على الكتـب الأوروبية وقرائها في العصور الوسطى الأوروبية، وفي نهايـة رحلـة العمر، يقول روجر بيكون: «إن البهائم وحدها تتبع الزمام الذي يوثقها، كذلـك فإن سـلطة المؤلفات تقود عـددًا ليس باليسـير منكم، فأنتم أسراها المكبلون، منقادين لها بسرعة تصديقكم الحيوانية». [زيجريد هونكه، الله ليس كذلك، ص٨٦].

وأنهي هـذا القول بما ذكـره هارولد بلوم في كتاب «كيف تقرأ ولماذا» [ص٢٠]، إذ ينقـل عـن فرجينيا وولـف قولها: «نصيحتي الوحيـدة في الواقع التي يمكن لشخص أن يعطيها لآخر ألا يقبل نصيحة في القراءة». ولكنها بعد ذلـك اسـتنفدت جهدًا كبيـرًا في النصائح، وكتبت مقالاً أوكتابًا قريبًا من هذا الموضوع. والمؤلف ذكر هذه القصة في بداية كتاب نقدي سماه بذلك الاسم. والحقيقة أن لكل مثقف عال ما يقوله؛ لأن التجربة لا تحب الضلال، وتفترض

أنها مصباح نور صغير سيضيء ـ ولو قليلاً ـ في العتمة، حتى وإن كانت مكرورة منثورة في أكثر من مكان. وقد كتب مورتمر إدلر كتابًا كبيرًا كان ظاهرة الكتب في زمانه أسماه «**كيف تقرأ كتابًا؟**»، ثم ألحق به في الطبعات التالية وشارك معه زميله في تحرير «**دائرة المعارف البريطانية**» دورين مؤلف كتاب «**متعة القراءة**»، وكم وددت أن هذا العنوان لي، كما تمنى علي الطنطاوي عنوان «**صيد الخاطر**»!

والآن ـ وأنا أختم مسودات هذا الكتاب ـ أجد هذا النص الطريف لقارئ، وهو كاتب وفيلسوف كبير: «حياة القراءة والكتب فيها هدوء وسكينة، صحيح أن التطلع لشيء أكثر جدية يغالب المرء أحيانًا، ولكنه يكون خاليًا من الشعور بالندم والخوف والعذاب، وتلك الحسرة المريرة بسمها القاتل الذي يؤدي للجنون. أما بالنسبة لي فإني أبني ديرًا فكريًّا تعيش فيه روحي الداخلية في سلام، وصورة منسوخة منها هي التي تتعامل مع العالم الخارجي. هناك قدس الأقداس حيث أجلس وأهيم بين أطياف الفكر». [رسل، **السيرة الذاتية**، ص٢٦٣].

فالقراءة متعة وملهاة وعبادة ومنتجع للروح، تتدفق آثارها على الجسم، حبورًا وغنى وشعورًا بالمكسب العظيم، مع أن القراءة تحمل لصاحبها خسائر كبرى يصرح بها مرة ويسرها كثيرًا؛ ذلك لأننا لا نحب أن نتحدث عن خيباتنا، وبخاصة بعد زمن يحب المرء فيه أن يسجل أمجاده ومكاسبه، ويخفي خسائره. وهل للإنسان من لباس أجمل من لباس التجمل والتظاهر بتحقيق الكثير مما أراده؛ لأنه لا طريق لما لم يمكننا صنعه.؟!

إن حكمة الكتب من الصعب نقلها، وما زدنا القارئ إلا أننا أشركناه بعض متعة الكتب، وطرق التعامل معها، وأجبنا عن بعض الأسئلة، تلك التي تفغر أفواهها على القارئ الفطن على جوانب الطريق، مرعبة مخيفة يغمض عينيه

عنها، فيعثر بتلك الفخاخ تحت قدميه، فيسقط فيما رآه طريقًا سالكًا. والمعرفة عود وبدء فبعد أن دفعت الكتاب ـ ملتزمًا ألا أزيد فيه شيئًا، بل أن أنقصه إن استطعت وقد فعلت من قبل كثيرًا، وربما كان يحتاج للقص أكثر، ولكن غياب الشجاعة، وطول زمن الكتابة، وحب التكثر من القول حينما لا نستطيع مواجهة شهوة الكلام تمنع من الاختصارَ لمحت على الرف كتاب مختارت قديم لأحد حكماء العصر الحديث، إنه كارل يسبرز، وكنت قد قضيت قبل سنين وقتًا ممتعًا مع تلك المختارات من أعماله ومذكراته «الفلسفة والعالم، مقالات مختارة» ولفت انتباهي في صفحات الكتاب الأخيرة: ٣١٣-٣١٤ ملاحظته حين يتوقع وداعه للعالم وللعمل الثقافي وقد شاخ، وكان يستحضر حالة مزاجية غامضة، تعبّر عن مشاعر الكاتب وهو يرفع الأقلام ويجفف الصحف، فها هو يخرج من الطريق، ويغادر العمل، ولكن العمل قائم، والحاجة للأفكار ملحة، غير أنه وهو يغادر يشعر أنه في البدايات، وحين يشيخ المفكر يشعر بأنه أقل اكتمالاً وأقل إتمامًا أو إنجازًا لما بدأه، وإنما لا بد له أن يتنحى جانبًا ويترك الأمور، ليستلم أزمتها أغرار مبتدئون، أو كما نقل عن «كنت»: إننا حين نشيخ يعترينا إحساس بأننا لم نقل ذلك الشيء الجوهري، ولم نحقق الفتح والاختراق الحاسم الذي تلوح ملامحه في الأجواء المحيطة بنا، إن الالتفات الفلسفي للماضي نقطة بداية في التخطيط للأعمال القادمة، وإن تنامي المعارف والعقول ليس حكرًا على الحياة البيولوجية، والمفارقة أننا في الشيخوخة نشعر بأن تجارب عقولنا وخبراتنا الماضية تفتح أمامنا عوالم وآفاق مستقبلية جديدة.

وكأن ما نتخيله نهاية هو بداية من نوع ما، رأيٌ اختصم عليه البشر من القدم إلى عصرنا ومستقبل الناس المكرور فنطوي عالمنا ليبدأ عالم جديد: ﴿ يَوْمَ نَطْوِي ٱلسَّمَآءَ كَطَيِّ ٱلسِّجِلِّ لِلْكُتُبِ ۚ كَمَا بَدَأْنَآ أَوَّلَ خَلْقٍ نُّعِيدُهُۥ ۚ وَعْدًا عَلَيْنَآ ۚ إِنَّا كُنَّا فَـٰعِلِينَ ﴾ (الأنبياء: ١٠٤).

عزيزي الكتاب

سلام على من أحبك وأنصفك، أما أنت فهل أسلم عليك؟ لو سألت الفقيه لقال: منه مؤمن وكافر، فلو قلت سلامًا على كتب الهدى أكنت أصبت؟ فقلت: أحسنت، ولما حزمت أمري قال آخر: ولكن الهدى في الكتب مختلف عليه دائمًا؛ فحيّرني وصمتُّ، ورب صمت أبلغ من بيان!

منذ فارقتك آخر مرة حننت إليك حنين موله معجب محب، ثم اقتربت منك فشعرت ببرود المشاعر، وخمود العواطف، وتبلد الإحساس، وما كنت قد شعرت بهذا الجفاء من قلبي من قبل، وما عهدته إلا ألوفًا لك ألفة المتنبي:

خُلِقْتُ ألوفًا لَو رَجَعْتُ إلى الصِّبا لَفَارَقْتُ شَيْبي مُوجَعَ القَلْبِ بَاكيًا

فكيف أتصور فراقك؟ ما كنت أفكر بهذا من قبل أبدًا.. فما الذي حدث؟ وقد:

كُنتَ أَغلَى عليَّ منْ كُلّ خِلٍّ غَابَ عَني، وَأَتركُ التَفْصِيلا!

والوداع من مدينة الغد للبردوني:

هَذه الحُروفُ الضَّائعَاتُ المدَى ضَيَّعتُ فيها العُمْرَ، كي لا تَضِيع
إليكمَا يَا قَارئي إنَّهَا، عَلَى مَآسيها: عَذابٌ بَديع

ذاكرة لقارئ آخر

من هم أولئك الذين يكتبون دون أن يقرؤوا؟ إنني لا أعرفهم!

ما هي النصوص التي كتبت ولم تزاحمها مئات الاقتباسات ـ الواعية وغير الواعية ـ في الذاكرة لحظة الكتابة؟

وهل عليَّ أن أختتم هذا الكتاب بقائمة طويلة من المراجع كما في الأبحاث العلمية؟ لا أعتقد أن بإمكاني فعل ذلك؛ فمذكرات القراء لا يمكن أن تكون إلا مذكراتهم، والذاكرة ليست مرجعًا، إنها بقايا أحلامنا عن الكتب التي مرت بنا، واقتحمت نصوصنا ـ دون استئذان ـ في لحظة الكتابة.

هذه قائمة بأسماء وعناوين مرت، فينا من بقاياها ما يصلح لأن تصبح ذاكرة جديدة لقارئ آخر[1]:

- إحكام الأحكام، ابن دقيق العيد، تحقيق: أحمد شاكر، مكتبة السنة، القاهرة، ط١، ١٩٩٧م.
- آخر العمالقة، سيروس ساليزبرجر، ترجمة: أحمد عادل، المؤسسة العربية للدراسات والنشر، بيروت، ط١، ١٩٧٣م.
- الإخوان وأنا، فؤاد علام، المكتب المصري الحديث، القاهرة، ١٩٩٦م.
- أدب الطلب، الشوكاني، تحقيق: عبد الله السريحي، دار ابن حزم، ط١، ١٩٩٨م.

---

(١) قد تكون طبعات بعض الكتب المذكورة هنا مختلفة عن الموجود فعلًا في صفحات الكتاب؛ لأنني كتبت النص قبل أن أفكر في وضع هذه التوضيحات المساعدة، والتي تهدف إلى مزيد من التعريف للقارئ، أكثر من هدف توثيق أرقام الصفحات.

- الأدب في خطر، تزفيتان تودوروف، ترجمة: منذر عياشي، نينوى، دمشق، ط١، ٢٠١١م.
- إرادة الإيمـان، ويليم جيمس، دوفر، نيويـورك، ١٩٥٦م. James, William, The Will to Believe, Dover Publication, New York, 1956
- أزمة الوعي الأوروبي، بول هازار، ترجمة: يوسف عاصي، المنظمة العربية للترجمة، بيروت، ٢٠٠٩م.
- إسـبينوزا والإسبينوزية، بيار فرنسـوا مورو، ترجمة: جورج كتورة، الكتاب الجديد، بيروت ٢٠٠٨م.
- الاسـتقامة، ابـن تيميـة، تحقيق: محمد رشـاد سـالم، إدارة الثقافة والنشـر جامعة الإمام محمد بن سعود الإسلامية، الرياض، ط١، ١٩٩١م.
- الإشـارات والتنبيهات (مع شرح نصير الدين الطوسي)، أبو علي بن سينا، تحقيق: سليمان دنيا، دار المعارف بمصر، [د.ت].
- أضـواء جديدة علـى المرابطين، عصمت عبد اللطيف دنـدش، دار الغرب الإسلامي، بيروت، ١٩٩١م.
- إعجاز القرآن، الباقلاني، تحقيق: السـيد أحمد صقر، دار المعارف بمصر، [د.ت].
- الأفـكار العظيمة، جورج سـيلدس، وهي نصوص جمعهـا على مدى ربع قرن، من عام ١٩٦٠م إلى عام ١٩٨٤م، عمل في جمعها عملاً يوميًّا دائبًا كمـا قـال، وانتهـى منه وهـو في الرابعـة والتسـعين من عمـره. وقد جمع نصوصه مرتبة بحسـب أسـماء القائلين، وكتب لها كشافًا بحسب الأفكار. والكتـاب يقـع نحـو ٥٠٠ صفحـة: The Great Thoughts, Compiled by: George Seldes, Ballantine Books, new york, 1985.

– ألوان أخرى، أورهان باموك، ترجمة: سحر توفيق، دار الشروق، القاهرة، ط١، ٢٠٠٩م.

– الإمام الشيرازي حياته وآراؤه الأصولية، وهي المقدمة لكتاب التبصرة في أصول الفقه للشيرازي، محمد حسين هيتو، دار الفكر، دمشق، ط١، ١٤٠٠هـ - ١٩٨٠م.

– الإمتاع والمؤانسة، أبو حيان التوحيدي، تحقيق: أحمد أمين، دار مكتبة الحياة، [د.ت].

– أن تعيش لتحكي، جابريل جارثيا ماركيز، ترجمة: طلعت شاهين، سنابل للنشر والتوزيع، ط١، ٢٠٠٣م.

– انتصار السعادة، برتراند راسل، ترجمة: محمد قدري عمارة، وإلهامي عمارة، المجلس الأعلى للثقافة، القاهرة، ٢٠٠٢م.

– الأنسنية والنقد الديموقراطي، إدوارد سعيد، ترجمة: فواز طرابلسي، دار الآداب، بيروت، ٢٠٠٥م.

– أنماط الفكر، ألفرد وايتهد، ترجمة: عبدالمنعم المشايخي، دائرة الثقافة والإعلام، الشارقة، ٢٠٠٨م.

– اهتمامات عربية، أحمد بهاء الدين، مؤسسة روز اليوسف، ط١، ١٩٩٨م.

– أوراق، عبدالله العروي، المركز الثقافي العربي، الدار البيضاء، ١٩٨٩م.

– أيام الصبا (مذكرات)، ج. م. كويتزي، ترجمة: خالد الجبيلي، دار ورد، دمشق، ٢٠٠٥م.

– بحثًا عن عالم أفضل، كارل بوبر، ترجمة: أحمد مستجير، الألف كتاب الثاني، الهيئة المصرية للكتاب، ١٩٩٦م.

– بذور وجذور، زكي نجيب محمود، دار الشروق، القاهرة، ١٤١٠هـ - ١٩٩٠م.

- بلدي، رسول حمزاتوف، ترجمة: عبدالمعين الملوحي ويوسف حداد، دار الفارابي، ١٩٧٩م.

- بلوغ الأماني في سيرة محمد بن الحسن الشيباني، محمد زاهد الكوثري، المكتبة الأزهرية، ١٤١٩هـ ـ ١٩٩٩م.

- بنجامين فرانكلين، إدموند مورجان، مطابع جامعة ييل، ٢٠٠٣م.
  Morgan, Edmund S., Franklin Benjamin, Yale Univesity Press, 2003

- بنجامين فرانكلين، والتر إيزاكسون [إسحاقسن]، ترجمة: أحمد الجمل، الجمعية المصرية لنشر المعرفة والثقافة العالمية، القاهرة، ٢٠٠٧م.

- تاريخ التواريخ، جون بورو، بنجوين بوكس، ٢٠٠٧م، Burrow, John, A History of Histoies

- تاريخ القراءة، ألبرتو مانغويل، ترجمة: سامي شمعون، دار الساقي، بيروت، ط١، ٢٠٠١م.

- تاريخ موجز للفكر العربي، حسين مؤنس، دار الرشاد، القاهرة، ١٩٩٦م.

- تأملات في اللغة واللغو، محمد عزيز الحبابي، الدار العربية، ليبيا وتونس، ١٩٨٠م.

- تأويل مشكل القرآن، ابن قتيبة، تحقيق: السيد أحمد صقر، مكتبة دار التراث، القاهرة، ط٢، ١٩٧٣م.

- التحدث بنعمة الله، جلال الدين السيوطي، تحقيق وتقديم: هيثم طعيمي، المكتبة العصرية، بيروت، ١٤٢٣هـ ـ ٢٠٠٣م.

- تشكيل العقل الحديث، كرين برنتون، ترجمة: شوقي جلال، عالم المعرفة، الكويت، ١٤٠٥هـ ١٩٨٥م. ولبرنتون ثلاثة كتب ذات مكانة مرموقة في عالم التاريخ الثقافي والتحليل التاريخي، منها السابق، ومنها كتاب أفكار ورجال، وتحليل الثورة. هذه الثلاثة رأيتها مترجمة، أما عقد الثورة،

وتاريخ الأخلاق الغربية، والحضارة في الغرب، والفكر السياسي البريطاني في القرن التاسع عشر، وغيرها فلا أعلم هل ترجمت أم لا.

- تصفية استعمار العقل، نغوجي واثيونغو، ترجمة: سعدي يوسف، مؤسسة الأبحاث العربية، بيروت ١٩٨٧م. وبقية عنوان الكتاب بالإنجليزية: سياسات اللغة في الأدب الإفريقي.

- تقرير إلى غريكو سيرة ذاتية فكرية، نيكوس كازانتزاكيس، ترجمة: ممدوح عدوان، المركز الثقافي العربي، بيروت، ٢٠٠٢م.

- تكنولوجيا السلوك الإنساني، ب ف سكينر، ترجمة: عبد القادر يوسف، عالم المعرفة، الكويت، رقم ٣٢، ١٤٠٠هـ ١٩٨٠م. وعنوان الكتاب الأصلي: ما وراء الحرية والكرامة. Beyond Freedom and Dignity.

- التنقيب في أغوار النفس، كارل جوستاف يونج، ترجمة: نهاد خياطة، المؤسسة الجامعية للدراسات والنشر والتوزيع، بيروت، ١٤١٦هـ ١٩٩٦م.

- ثلاث رسائل لأبي حيان، تحقيق: إبراهيم الكيلاني، المعهد الفرنسي للدراسات العربية، ١٩٥١م.

- جدد وقدماء، مارون عبود، دار الثقافة، بيروت، ط٥، ١٩٨٠م.

- جمهرة مقالات الأستاذ محمود شاكر، جمعها: عادل سليمان جمال، مكتبة الخانجي، القاهرة، ٢٠٠٣م.

- جوته وتولستوي، توماس مان.

- جولتي في العصر متوحدًا، روجيه جارودي، ترجمة: ذوقان قرقوط، دار الأنصار، (لم يذكر البلد الذي نشر فيه الكتاب)، ١٩٩٢م.

- حديث الطريقة، ديكارت، ترجمة وشرح وتعليق: عمر الشارني، المنظمة العربية للترجمة، بيروت، ط١، ٢٠٠٨م.

- حـروب العصيـان والثـورة، غبريـال بونة، تعريـب: جـورج مصروعة، دار المكشوف، لبنان، ١٩٦٠م.
- الحرية والطوفان، جبرا إبراهيم جبرا، المؤسسة العربية للدراسات والنشر، بيروت، ط٢، ١٩٨٢م.
- حصاد السنين، زكي نجيب محمود، دار الشروق، القاهرة، ط٣، ٢٠٠٥م.
- الحكمـة الخالـدة، مسـكويه، تحقيق: عبدالرحمـن بـدوي، دار الأندلس، [د.ت].
- حيـاة أشـعيا برليـن، مايكل إيجناتـف، فينتـاج، لنـدن، ٢٠٠٠م. Ignatieff, Michael, Isaiah Berlin, A Life, Vintage, London, 2000.
- حيـاة الأمة، كتيب للشـيخ محمد الخضر حسـين، دار ابن حـزم، بيروت، ١٤١٤هـ - ١٩٩٣م.
- الحياة المشتركة، تزفيتان تودوروف، ترجمة: منذر عياشي، كلمة، أبوظبي، والمركز الثقافي العربي، بيروت، ١٤٣٠هـ - ٢٠٠٩م.
- الحيـاة بأسـرها حلول لمشـاكل، كارل بوبر، ترجمة: بهاء درويش، منشـأة المعـارف، ط١، ١٩٩٤م ورجعت لنسـخة بالإنجليزية بنفس العنوان، ولا أدري هـل هـو نفـس النص أم جمع لأعمـال مختلفة، فقد كانت النسـخة الإنجليزية محاضرات ومقالات مجموعة، من نشر روتلج، لندن. ١٩٩٩م.
- حياة ثائر، أنطونيو جرامشي، Fiori, Giuseppe, Antonio Gramsci, Life of a Revolutionary, verso, New york, 1990, translated by: Tom Nairn
- حيـاة كارل ماركس، فرانسـيس وين، نيويـورك ٢٠٠١م. Wheen, Francis, Karl Marx, A Life, Norton, New York, 2001
- حياة لينين، لويس فيشر Louis Fischer, The Life of Lenin, Weidenfeld & Nicolson History, 2001

- حياتي، أحمد أمين، دار الكتاب العربي، بيروت، ط١، ١٩٦٩م.

- الحيوان، الجاحظ، تحقيق: عبدالسلام هارون، المجمع العلمي العربي الإسلامي، منشورات محمد الداية، بيروت، ط٣، ١٣٨٨هـ ـ ١٩٦٩م.

- خرافة الميتافيزيقا، زكي نجيب محمود، مكتبة النهضة المصرية، القاهرة، ١٩٥٣م.

- خواطر، باسكال، ترجمة: إدوارد البستاني، اللجنة اللبنانية لترجمة الروائع، المكتبة الشرقية، بيروت، ١٩٧٢م.

- الخيميائي، باولو كويلو، ترجمة: جواد صيداوي، شركة المطبوعات للتوزيع والنشر، بيروت، ط٥، ٢٠٠٥م.

- دلائل الإعجاز، عبدالقاهر الجرجاني، تحقيق: محمود محمد شاكر، مطبعة المدني بالقاهرة، ط٣، ١٩٩٢م.

- ذكريات حياتي، إدوارد جيبون،: Edwad Gibbon, Memoirs of My Life, Penguine, Great Britain, Suffolk, 1984

- ذكريات عمر أكلته الحروف، نجيب المانع، مؤسسة الإنتشار العربي، بيروت، ١٩٩٩م.

- رسائل الإصلاح، محمد الخضر حسين، دار الاعتصام، القاهرة، [د.ت].

- الرسائل الفارسية، مونتسكيو، ترجمة: أحمد كمال يونس، دار سعاد الصباح، الكويت، ١٩٩٢م.

- روائع المقال، جمع وتحرير: هيوستون بيترسون، ترجمة: يونس شاهين، الهيئة المصرية العامة للكتاب، القاهرة، ١٩٨٥م.

- روح الشرائع، مونتسكيو، ترجمة: عادل زعيتر، اللجنة الدولية لترجمة الروائع الإنسانية، الأونسكو (بيروت)، دار المعارف بمصر، القاهرة، ١٩٥٣م بحسب نسختي، وبعضهم يسمي الكتاب «روح القوانين».

- زوربا، نيكوس كيزانتزاكي، ترجمة: جورج طرابيشي، دار الآداب، بيروت، ط١، ١٩٦٥م.

- سجل شخصي، جوزيف كونراد، نسخة إليكترونية.

- سيد قطب من الميلاد إلى الاستشهاد، صلاح الخالدي، دار القلم، دمشق، ط٤، ١٤٢٨هـ.

- سيرة حياتي، عبدالرحمن بدوي، المؤسسة العربية للدراسات والنشر، ط١، ٢٠٠٠م.

- سيرتي الذاتية، برتراند رسل، دار المعارف، ترجمة: عبدالله عبدالحافظ وآخرين، ١٩٧٠م.

- شخصيات غير قلقة في الإسلام، هادي العلوي، دار المدى، دمشق، ط٢، ٢٠٠٣م.

- شيء من التباريح (سيرة ذاتية وهموم ثقافية)، أبو عبدالرحمن بن عقيل الظاهري، دار ابن حزم، ط١، الرياض، ١٤١٥هـ.

- صنعة الشعر، خورخي لويس بورخيس، ترجمة: صالح علماني، المدى، دمشق، ٢٠٠٧م.

- طبقات فحول الشعراء، ابن سلام الجمحي، قرأه وشرحه: محمود محمد شاكر، دار المدني بجدة، [د.ت].

- الطريق منذ بنية الثورات العلمية، توماس كون، وهو كتاب جمع فيه المحققان أهم أبحاثه بعد كتابه الشهير «بنية الثورات العلمية» الذي ترجم إلى العربية مرتين. وفي هذا الكتاب الجديد مقالات نشرها لاحقًا ومقابلة مطولة معه، (٢٥٣ – ٣٢٣) ولعلها أهم ترجمة لحياته قصها عليهم وسجلت ونشرت.

Kuhn, Thomas S. The Road Since Structure, edited by: James Contant and John Haugeland, The University of Chicago Press, Chicago, 2000.

- طفل من القرية، سيد قطب، منشورات الجمل، ١٩٩٩م.

- العالم الإسلامي في مهب التحولات الحضارية، أوغلو، مقدمة المترجم: إبراهيم البيومي، الشروق الدولية، القاهرة، ١٤٢٧هـ ـ ٢٠٠٦م.

- عالم الأمس، ستيفان تسفايج، ترجمة: عارف حديقة، دار المدى، [د.ت].

- العبقرية تاريخ الفكرة، بنيلوبي مري، ترجمة: محمد عبدالواحد، عالم المعرفة رقم (٢٠٨)، الكويت، ١٩٩٦م.

- عقول نابغة ونفوس معذبة، كاولين جرين، الثقافة العالمية، المجلس الوطني للثقافة، الكويت، عدد (١٤٣)، السنة السادسة والعشرون، يوليو ـ أغسطس ٢٠٠٧م.

- عن الأدب، إمبرتو إيكو، فينتاج، لندن ٢٠٠٦م. Eco, Umberto, On Literature, Vintage, London, 2006

- العواصم والقواصم في الذب عن سنة أبي القاسم، الإمام محمد ابن ابراهيم الوزير، تحقيق: شعيب الأرنؤط، مؤسسة الرسالة، بيروت، ط٢، ١٤١٢هـ ـ ١٩٩٢م.

- العودة إلى الذات، علي شريعتي، ترجمة: إبراهيم الدسوقي شتا، الزهراء للإعلام العربي، القاهرة، ١٤٠٦هـ ـ ١٩٨٦م.

- غاندي قبل الهند، راماتشاندرا جوها. Goha. Ramachandar, Ghandi Before India, Alen Lane; London, 2013. See The Economist, October 12, 2013.

- الغربال، ميخائيل نعيمة، مؤسسة نوفل، ١٩٩٨م.

- غربة الراعي (سيرة ذاتية)، إحسان عباس، دار الشروق، عمان، ط١، ٢٠٠٦م.

- الفصول، العقاد، دار الكتاب العربي، بيروت، ١٣٨٧هـ ـ ١٩٦٧م.

- فقه الإصلاح بين التربية والسياسة ابن العربي وابن تومرت نموذجًا، عبدالمجيد النجار، مطبعة التوفيق، الرباط، ١٤١٧هـ ـ ١٩٩٧م.

- الفلسفة الأخلاقية الأفلاطونية عند مفكري الإسلام، ناجي التكريتي، دار الأندلس، بيروت، ٢٠٠٧م.
- فن الرواية، كولن ويلسون، ترجمة: محمد درويش، دار المأمون بغداد، ١٩٨٦م.
- في الأدب والنقد، محمد مندور، دار نهضة مصر، القاهرة، ١٩٨٨م.
- في السياسة، أرسطو، ترجمة: الأب أوغسطينس بربارة البوليسي، ط٢، اللجنة اللبنانية لترجمة الروائع، بيروت ١٩٨٠م.
- في الكتابة «أو عن الكتابة» مذكرات مهنة. On Writing، Stephen King، pocket book، new york، 2002
- في بيت أحمد أمين، حسين أحمد أمين، مدبولي، القاهرة، ١٤٠٩هـ ـ ١٩٨٩م.
- في فلسفة النقد، زكي نجيب محمود، دار الشروق، القاهرة، ١٤٠٣هـ ـ ١٩٨٣.
- في مدح الكسل ومقالات أخرى، برتراند راسل، ترجمة: رمسيس عوض، المجلس الأعلى للثقافة، القاهرة، ١٩٩٨م.
- قانون التأويل، القاضي ابن العربي، تحقيق: محمد السليماني، دار الغرب الإسلامي، بيروت، ١٩٩٠م. وفي الكتاب جزء طريف من رحلته إلى المشرق في طلب العلم، وقد جمع إحسان عباس طرائف من هذا الكتاب ومن غيره، ونشرها في مقالتين طويلتين نشرت في كتاب جمع متفرق مقالاته عن الكتب، ونشر في دار الغرب قبيل وفاته ٢٠٠٤م.
- قصة الحضارة، ول ديورانت، ترجمة: فتح الله مشعشع، بيروت، مكتبة المعارف، ١٤٢٤هـ ـ ٢٠٠٤م.
- قصتي مع الحياة، خالد محمد خالد، دار أخبار اليوم، القاهرة، ١٩٩٣م.

- قضية الشعر الجاهلي، محمود شاكر، مطبعة المدني القاهرة، ودار المدني بجدة، ١٤١٨هـ ـ ١٩٩٧م.

- قوة الأفكار، إيزيا برلين، تحرير هنري هاردي. The Power of Ideas, Isaiah Berlin (Author), Henry Hardy (Editor), Princeton University Press 2001

- كارل يسبرز، الفلسفة والعالم، مقالات مختارة. Jaspers, Karl, Philosophy and the World, Selected Essays, Gateway Edition, Washington D. C. 1989.

- كانديد أو التفاؤل، فولتير، ترجمة أنا ماريا شقير، دار ومكتبة الهلال، ٢٠٠٥م.

- كتاب البرصان والعرجان والعميان والحولان، الجاحظ، تحقيق: عبدالسلام هارون، دار الرشيد للنشر، منشورات وزارة الثقافة والإعلام، العراق، ١٩٨٢م.

- كتاب الحكمة العربية دليل التراث العربي إلى العالمية، محمد الشيخ، الشبكة العربية للأبحاث، بيروت، ٢٠٠٨م.

- كتاب الملة، أبو نصر الفارابي، تحقيق: محسن مهدي، دار المشرق، ١٩٨٦م.

- الكتاب في الحضارة الإسلامية، عبدالله الحبشي، شركة الربيعان للنشر والتوزيع، الكويت، ١٩٨٢م.

- الكلمات، سارتر، ترجمة: خليل صابات، دار شرقيات، القاهرة، ١٩٩٣م.

- كليلة ودمنة، عبدالله بن المقفع (مترجم)، تحقيق: عبدالوهاب عزام، دار المعارف، القاهرة، ١٩٤١م.

- كولردج، محمد مصطفى بدوي، دار المعارف، القاهرة، ط٢، ١٩٨٨م.

- الكوميديا الأرضية، زكي نجيب محمود، دار الشروق، القاهرة، ١٤٠٩هـ ـ ١٩٨٩م.

- كيف تكتب رواية؟ ماركيز، ترجمة: صالح علماني

- لماذا نكتب؟ جورج أورويل، مقال طبع في مجاميع من أعماله المتنوعة.

- الله ليس كذلك، زيغريد هونكه، ترجمة: غريب محمد غريب، ط٢، دار الشروق، القاهرة، ١٤١٧هـ ـ ١٩٩٦م.

- لينكولن، ديفيد هربرت دونالد، سايمون أند شوستر، نيويورك، ١٩٩٥م.

- متعة اكتشاف الأشياء، فاينمن، ترجمة: ابتسام الخضراء، مكتبة العبيكان، الرياض، ط١، ٢٠٠٥م.

- المثقفون، بول جونسون، ترجمة: طلعت الشايب، دار شرقيات، القاهرة، ط١، ١٩٩٨م.

- مذكرات أنتوني أيدن، ترجمة: خيري حماد، دار مكتبة الحياة، بيروت، ١٩٦٠م.

- مذكرات بابلو نيرودا (أعترف بأنني قد عشت)، بابلو نيرودا، ترجمة: محمود صبح، المؤسسة العربية للدراسات والنشر، بيروت، ط٢، ١٩٨٧م.

- مذكرات زوجة ديستوفسكي، آنا ديستوفسكي، ترجمة خيري الضامن، ١٩٨٩م.

- مذكرات شاهد للقرن، مالك بن نبي، دار الفكر المعاصر، بيروت، ط٢، ٢٠٠٤م.

- مذكرات كارل جوستاف يونج، الترجمة الإنجليزية. Memories, Dreams, Reflections Paperback by C. G. Jung Author, Editor: Aniela Jaffe, Translator: Clara Winston, Translator: Richard Winston,Vintage; Revised edition, 1989

- مع الفيلسوف (حوار تفصيلي مع الفيلسوف غلام الديناني)، عبدالله النصري، دار الهادي، بيروت، ١٤٢٦هـ ـ ٢٠٠٥م.

- مـع كتـاب نوبل، ترجمة: حسـين عيـد، الـدار المصرية اللبنانيـة، القاهرة، ١٤٢٨هـ ٢٠٠٧م.

- معايشـة النمـرة وأوراق أخـرى، جبـرا إبراهيـم جبـرا، المؤسسـة العربيـة للدراسات والنشر، بيروت، ط١، ١٩٩٢م.

- مفهوم الإنسـان عند ماركـس، إريك فروم، ترجمة: محمد سـيد رصاص، دار الحصاد، دمشق، ط١، ١٩٩٨م.

- مقالات الطناحي (صفحات في التراث والتراجم واللغة والأدب)، محمود محمد الطناحي، دار البشائر الإسلامية، لبنان، ط٢، ٢٠١٣م.

- مقدمة للفلسفة السياسـية، عشرة مقالات كتبها: ليو شـتراوس، من تحرير وتقديـم: هليل جيلدن، مطبعة جامعة ويـن الحكومية، ديترويت، ١٩٨٩م.
Gildin, Hilail «editor», An Introduction to Political Philosophy, Ten Essayes by Leo Strauss, Wayne State University Press, Detroit, 1989.

- من رسائل الرافعي، محمود أبو رية، دار المعارف، القاهرة، ط٢، ١٩٦٩م. وهـي رسائل مختارة ومنقحة من (٣٥٠) خطـاب بين الرجلين على مدى قارب ربع قرن.

- المنشق نيكوس كازنتزاكي (سيرة حياة)، إيليني كازنتزاكي، ترجمة: محمد علي اليوسفي، دار الآداب، بيروت، ط١، ١٩٩٥م.

- المنقـذ من الظلال والموصل إلى ذي العـزة والجلال، أبو حامد الغزالي، تحقيق: جميل صليبا وكامل عياد، دار الأندلس، ط٩، بيروت، ١٩٨٠م.

- مهمة فرويد، تحليل لشخصيته وتأثيره، أريك فروم، ترجمة طلال عتريسي، المؤسسة الجامعية للدراسات والنشر والتوزيع، بيروت، ١٤٠٧هـ ١٩٨٧م.

- الموافقات، أبو إسـحاق الشاطبي، تحقيق: مشهور حسن سلمان، دار ابن القيم، الرياض، ١٤٢٧هـ ـ ٢٠٠٧م.

- نـادي مـا وراء الطبيعة، لويـس مينانـد، Menand, Louis, The Metaphyscal Club, Flamingo, London 2002

- النبي الأعـزل (تروتسكي ١٩٢١ - ١٩٢٩م)، إسـحاق دويتشـر، ترجمة: كميل قيصر داغر، المؤسسة العربية للدراسات والنشر، ط١، ١٩٨٢م.

- النبي المسلح (تروتسكي ١٨٧٩ - ١٩٢١م)، إسـحاق دويتشـر، ترجمة: كميل قيصر داغر، المؤسسة العربية للدراسات والنشر، ط١، ١٩٨١م.

- النبي المنبوذ (تروتسكي ١٩٢٩ - ١٩٤٠م)، إسـحاق دويتشـر، ترجمة: كميل قيصر داغر، المؤسسة العربية للدراسات والنشر، ط١، ١٩٨٣م.

- نداءات إلى الشباب العربي، مقالات في النقد الاجتماعي، زكريا إبراهيم، مكتبة مصر، القاهرة، ١٩٧٣م.

- النصـوص المحرمـة ونصـوص أخـرى، مالكـوم إكـس وآخـرون، ترجمة وتعليق: حمد العيسى، المؤسسة العربية للدراسات والنشر، عمان، الأردن، ٢٠٠٧م.

- النظـر، السـمع، القـراءة (مكانة الفـن والأدب في المعرفـة العقلية)، كلود ليفي شتراوس، دار الطليعة، بيروت، ط١، ١٩٩٤م.

- نظرية العلم عند فرانسـيس بيكون، قيس هادي أحمد، دار الشؤون الثقافية العامة، بغداد، ١٩٨٦م.

- نعـوم تشومسكي حياة منشـق، روبرت بارسكي، ترجمة: ياسين صالح، وصفوان عكاش، دار فصلت، حلب، ١٤٢٠هـ ـ ٢٠٠٠م.

- نقد ملكـة الحكـم، إمانويـل كنـت، ترجمة: غانـم هنـا، المنظمـة العربية للترجمة، بيروت، ٢٠٠٥م.

- نهايـة أسـطورة ـ نظريات ابن خلدون مقتبسـة من رسـائل إخـوان الصفا، محمود اسماعيل، دار قباء للطباعة والنشر، القاهرة، ٢٠٠٠م.

- نهاية الأيديولوجيا، دانيال بيل، مطابع جامعة هارفرد، كامبرج، ٢٠٠١م.

- هذا هو الإنسان، نيتشه، ترجمة: علي مصباح، منشورات الجمل، ألمانيا، ٢٠٠٣م.

- هكذا كانت المتعة، جورج أورويل، مجموع مقالاته.

- الهوامل والشوامل، أبو حيان التوحيدي ومسكويه، تحقيق: السيد أحمد صقر، وأحمد أمين، لجنة التأليف والترجمة والنشر، ١٩٥١م.

- هيجل، أو المثالية المطلقة، زكريا إبراهيم، مكتبة مصر، القاهرة، ١٩٧٠م.

- A. N. Wilson, Tolstoy. Fawcett Columbine، New York, 1989

- George Mosse, The Culture of Western Europe, The Ninteenth And Twentieth Centuries, Rand Mcnally & Companym, New York, 4th edtion, 1965.

- Washington Irving, The Legend of Sleepy Hollow and Other Stories, introduction: William L. Hedges, Penguin Classics,1999 (The Sketch-Book of Geoffrey Crayon), Gent (Oxford World's Classics), Editor: Susan Manning, Oxford University Press, USA; Reissue edition, 2009.

عرفان

كثيرون قرأوا هذا الكتـاب، وعاصر بعضهم مراحل عديـدة له، وكان لهم دور مشكور في إنجازه وتصحيحه، منهم: أحمد فال ولد الدين، وابني عمرو، ورياض المسيبلي، وسامي الحصين، ومحمد عبدالعزيز، ويوسف عبدالجليل، والشـيخ محمد ولد الدويري، ومحمود الصالح، وآلاء الصديق. وآسـف لمن نسيت ذكره ممن اهتم بالنص بأي طريقة قاصدة أو فكرة عارضة.

الفهرس